# INVESTIGACIONES DE NUEVO CUÑO EN LA ACADEMIA

RICARDO CURTO RODRÍGUEZ
ELOY LÓPEZ MENESES
ROSA MARÍA TORRES VALDÉS
*(Coordinadores)*

# INVESTIGACIONES DE NUEVO CUÑO EN LA ACADEMIA

THOMSON REUTERS
**ARANZADI**

© FÓRUM XXI, 2022
Editor: David Caldevilla Domínguez
Primera edición, 2022, Madrid (España)

© EDITORIAL THOMSON REUTERS ARANZADI, 2022
Camino de Galar, 15
31190 Cizur Menor (Navarra –España–)

Primera edición, 2022

**THOMSON REUTERS PROVIEW™ eBOOKS**
**Incluye versión en digital**

© 2022 [Thomson Reuters (Legal) Limited/Fórum XXI/Ricardo Curto Rodríguez, Eloy López Meneses y Rosa María Torres Valdés]
© Portada: Thomson Reuters (Legal) Limited

Editorial Aranzadi, S.A.U.
Camino de Galar, 15
31190 Cizur Menor (Navarra)
ISBN: 978-84-1124-328-5
DL NA 2490-2022
*Printed in Spain. Impreso en España*
Fotocomposición: Editorial Aranzadi, S.A.U.
Impresión: Rodona Industria Gráfica, SL
Polígono Agustinos, Calle A, Nave D-11
31013 – Pamplona (Navarra)

# Índice General

## CAPÍTULO 3

## CAPÍTULO 4

## LA TERMINOLOGÍA BIOSANITARIA Y EL TEXTO PERIODÍSTICO EN EL AULA: LA TRADUCCIÓN AL ÁRABE DE TÉRMINOS DE NUEVA CREACIÓN ........ 101

MOULAY LAHSSAN BAYA ESSAYAHI

## CAPÍTULO 10

PILAR DÍAZ CUEVAS
DANIEL BECERRA FERNÁNDEZ
ALFONSO FERNÁNDEZ TABALES

CAPÍTULO 16

# FALSE FRIENDS IN SCIENTIFIC AND TECHNICAL LANGUAGE: A CORPUS-BASED STUDY IN CLIMATE CHANGE DISCOURSE .... 297

AMAL HADDAD HADDAD

CAPÍTULO 19

# LA IMPROVISACIÓN EN LA FORMACIÓN DE INTÉRPRETES DE MÚSICA CLÁSICA ....... 349

ARANTZA LORENZO DE REIZÁBAL

CAPÍTULO 23

**LOS CIUDADANOS HIPERCONECTADOS**

KETZALCÓATL PÉREZ PÉREZ
JOSÉ LUIS ESTRADA RODRÍGUEZ
ANGÉLICA MENDIETA RAMÍREZ

CAPÍTULO 24

**CONTENIDOS TRANSVERSALES EN LOS GRADOS SUPE-
RIORES DE FORMACIÓN PROFESIONAL: COMPETENCIAS
DEMANDADAS POR LAS EMPRESAS**

SANDRA REY DE VIÑAS GARCÍA
PURIFICACIÓN CRUZ CRUZ
JAVIER RODRÍGUEZ TORRES

## CAPÍTULO 25

**FACTORES QUE INCIDEN EN LA CONFIGURACIÓN DEL HABITUS DE LOS PROFESORES DE BÁSICA PRIMARIA QUE ENSEÑAN MATEMÁTICAS** ..................................................... 451

HEIDY YADIVIZ ROJAS PALACIOS

CAPÍTULO 30

## LA LUDIFICACIÓN EN LA ENSEÑANZA DEL ÁRABE COMO LENGUA EXTRANJERA ...................................... 531

INMACULADA SANTOS-DE-LA-ROSA

CAPÍTULO 31

## POLÍTICA EXTERIOR, NARRATIVAS Y ROLES NACIONALES: EL CASO DE JULIAN ASSANGE ............................................. 545

WOLF-ROBIN STEUDT

CAPÍTULO 34

## PROYECTO INTERDISCIPLINAR DE APRENDIZAJE EXPERIENCIAL: GAFAS DE BIOPLÁSTICO. DESDE EL PROCESO DE FABRICACIÓN HASTA LA COMERCIALIZACIÓN ............. 597

SASKIA VAN LIEMPT SERRÉ
MARÍA RODRÍGUEZ GÓMEZ
SARA GÓMEZ QUEVEDO

CAPÍTULO 35

**INNOVACIÓN DOCENTE Y MODELO RADICAL. CONCEP-
TOS, EXPERIENCIAS Y REFLEXIONES. EL CASO DE LOS
ESTUDIOS ESLAVOS** ........................................................ 613

ENRIQUE J. VERCHER GARCÍA

CAPÍTULO 36

**LA IMPROVISACIÓN EN LA CLASE CON EL PIANISTA
ACOMPAÑANTE. DISEÑO DE UNIDADES DIDÁCTICAS
SEGÚN LA METODOLOGÍA IEM PARA PRIMER CURSO DE
ENSEÑANZAS PROFESIONALES DE MÚSICA** ...................... 623

MARÍA GERTRUDIS VICENTE MARÍN

ÍNDICE GENERAL

*Thomson Reuters ProView. Guía de uso*

# Comité Editorial

**Coordinadora General**
ALMUDENA BARRIENTOS BÁEZ
*Universidad Complutense de Madrid*

ÁFRICA PRESOL HERRERO
*Universidad Camilo José Cela*

AIXA OFELIA RIVERO GUERRA
*Universidad Estatal Amazónica*

ALBA ADÁ LAMEIRAS
*Universidad Carlos III*

ALBA MARÍA MARTÍNEZ SALA
*Universidad de Alicante*

ALBA SIERRA RODRÍGUEZ
*Universidad de Granada*

ALEJANDRO DE PABLO CABRERA
*Escuela de Administración de Empresas*

ALEXANDRA MARÍA SANDULESCU BUDEA
*Universidad Rey Juan Carlos*

ALEXANDRA MONNÉ BELLMUNT
*Universitat de Andorra*

ALEXANDRA SANTAMARÍA URBIETA
*Universidad Internacional de La Rioja*

ALMUDENA COTÁN FERNÁNDEZ
*Universidad de Cádiz*

ÁLVARO PÉREZ GARCÍA
*Universidad Internacional de La Rioja*

AMPARO HURTADO SOLER
*Universitat de València*

ANA AMARO AGUDO
*Universidad de Granada*

ANA BELÉN OLIVER GONZÁLEZ
*Universidad Camilo José Cela*

ANA CRISTINA TOMÁS LÓPEZ
*Universidad de Castilla-La Mancha*

ANA GREGORIO CANO
*Universidad de Granada*

ANA ISABEL OTTO CANTÓN
*Universidad Complutense de Madrid*

ANA MARÍA BOTELLA NICOLÁS
*Universitat de València*

ANA MARÍA GAYOL GONZÁLEZ
*Universidad de Vigo*

ANA MARÍA LÓPEZ MEDIALDEA
*Universidad de Extremadura*

ANA MARÍA PINO RODRÍGUEZ
*Universidad de Granada*

ANA YARA POSTIGO FUENTES
*Universidad de Málaga*

ANNA PILERI
*Istituto Universitario Salesiano
Venezia*

ANTONIO JAVIER CHICA NÚÑEZ
*Universidad de Granada*

ANTONIO JOSÉ MORENO GUERRERO
*Universidad de Granada*

ANTONIO RAFAEL FERNÁNDEZ
PARADAS
*Universidad de Granada*

ARANTZA LORENZO DE REIZÁBAL
*Universidad Pública de Navarra*

BASILIO CANTALAPIEDRA NIETO
*Universidad de Burgos*

BEATRIZ PÉREZ GONZÁLEZ
*Universidad de Cádiz*

BEGOÑA RIVAS REBAQUE
*Universidad Rey Juan Carlos*

BELÉN COBACHO TORNEL
*Universidad Politécnica de Cartagena*

BLANCA MIGUÉLEZ JUAN
*Universidad del País Vasco/EHU*

CARMEN CRISTÓFOL RODRÍGUEZ
*Universidad de Málaga*

CARMEN DORCA FORNELL
*Universidad Internacional de La Rioja*

CARMEN LUCÍA HERNÁNDEZ
STENDER
*Universidad Europea de Canarias*

CARMEN PARADINAS MÁRQUEZ
*ESIC University*

CLARA JANNETH SANTOS
MARTÍNEZ
*Universidad Autónoma del Caribe*

CLARA SERER MARTÍNEZ
*Universitat de València*

CLOTILDE LECHUGA JIMÉNEZ
*Universidad de Málaga*

CORAL IVY HUNT GÓMEZ
*Universidad de Sevilla*

CRISTINA ÁLVAREZ DE MORALES
MERCADO
*Universidad de Granada*

CRISTINA MANCHADO NIETO
*Universidad de Extremadura*

CRISTINA MARÍN PALACIOS
*ESIC University*

DANIEL BECERRA FERNÁNDEZ
*Universidad de Córdoba*

DANIEL MUÑOZ SASTRE
*Universidad de Valladolid*

DANIEL NAVAS CARRILLO
*Universidad de Málaga*

DAVID CALDEVILLA DOMÍNGUEZ
*Universidad Complutense de Madrid*

DIANA RAMAHÍ GARCÍA
*Universidad de Vigo*

DIANA SÁNCHEZ SERRANO
*Universidad Nebrija*

DIEGO NAVARRO MATÉU
*Universidad Católica de Valencia San
Vicente Mártir*

EGLÉE ORTEGA FERNÁNDEZ
*Universidad Complutense de Madrid*

JHOANA RAQUEL CÓRDOVA
CAMACHO
*Universidad Técnica Particular
de Loja*

JORGE DAYÁN AGUIAR CEDEÑO
*Universidad de La Habana*

JOSÉ ANTONIO MARÍN CASANOVA
*Universidad de Sevilla*

JOSÉ ANTONIO MARÍN MARÍN
*Universidad de Granada*

JOSÉ BELDA MEDINA
*Universidad de Alicante*

JOSÉ CANTÓ DOMÉNECH
*Universitat de València*

JOSÉ FRANCISCO DURÁN MEDINA
*Universidad de Castilla-La Mancha*

JOSÉ LUIS CORONA LISBOA
*Universidad Nacional Experimental
Francisco de Miranda y Universidad
Centro Panamericano de Estudios*

JOSÉ MARÍA BARROSO TRISTÁN
*Universidad Internacional
de La Rioja*

JOSÉ MARÍA ROMERO RODRÍGUEZ
*Universidad de Granada*

JOSÉ RODRÍGUEZ TERCEÑO
*ESERP Business & Law School*

JOSÉ VICENTE SALIDO LÓPEZ
*Universidad de Castilla-La Mancha*

JUAN DE DIOS VILLANUEVA ROA
*Universidad de Granada*

JUAN ENRIQUE GONZÁLVEZ VALLÉS
*Universidad Complutense de Madrid*

JUAN JOSÉ BLÁZQUEZ RESINO
*Universidad de Castilla-La Mancha*

JUAN MANUEL BARCELÓ SÁNCHEZ
*Universidad Complutense de Madrid*

JULEN IBARBURU ANTÓN
*Universidad de Granada*

KAREN CESIBEL VALDIVIEZO ABAD
*Universidad Técnica Particular
de Loja*

LAURA TRUJILLO LIÑÁN
*Universidad Panamericana*

LAURA VICTORIA FIELDEN BURNS
*Universidad de Extremadura*

LORENA DA SILVA VARGAS
*Universidad de Valladolid*

LOURDES TERRÓN BARBOSA
*Universidad de Valladolid*

LUIS MAÑAS VINIEGRA
*Universidad Complutense de Madrid*

LUIS RODRIGO MARTÍN
*Universidad de Valladolid*

LUIS TOSINA FERNÁNDEZ
*Universidad de Extremadura*

LUZ MARTÍNEZ MARTÍNEZ
*Universidad Complutense de Madrid*

MAGDALENA LÓPEZ PÉREZ
*Universidad de Extremadura*

MANUEL BLANCO PÉREZ
*Universidad de Sevilla*

MANUEL GARCÍA TORRE
*Universidade da Coruña*

MANUEL JOSÉ LÓPEZ RUIZ
*Universidad de Granada*

MANUEL OSVALDO MACHADO
RIVERO
*Universidad Central "Marta Abreu"
de Las Villas*

ORLANDO GREGORIO CHAVIANO
*Pontificia Universidad Javeriana*

ÓSCAR JAVIER ZAMBRANO
VALDIVIESO
*Corporación Universitaria Minuto
de Dios*

PABLO AGUILAR CONDE
*Universidad de Burgos*

PALOMA LÓPEZ VILLAFRANCA
*Universidad de Málaga*

PAOLA EUNICE RIVERA SALAS
*Benemérita Universidad Autónoma
de Puebla*

PATRICIA BÁRCENA TOYOS
*Universidad Internacional de La Rioja*

PEDRO DE LA PAZ ELEZ
*Universidad de Castilla-La Mancha*

PEDRO PABLO MARÍN DUEÑAS
*Universidad de Cádiz*

PILAR DÍAZ CUEVAS
*Universidad de Sevilla*

PILAR MORENO CRESPO
*Universidad de Sevilla*

PURIFICACIÓN CRUZ CRUZ
*Universidad de Castilla-La Mancha*

RAFAEL MARFIL CARMONA
*Universidad de Granada*

RAQUEL LÓPEZ RUANO
*Universidad de Málaga*

REINA CASTELLANOS VEGA
*Universidad de Zaragoza*

RICARDO CASAÑ PITARCH
*Universidad Politéctica de Valencia*

RICARDO CURTO RODRÍGUEZ
*Universidad de Oviedo*

ROBERTO MORENO LÓPEZ
*Universidad de Castilla-La Mancha*

ROCÍO CHAO FERNÁNDEZ
*Universidade da Coruña*

ROCÍO RECIO JIMÉNEZ
*Universidad de Sevilla*

ROSA GARCÍA ORELLÁN
*Universidad Pública de Navarra*

ROSA ISUSI FAGOAGA
*Universitat de València*

ROSA MARÍA TORRES VALDÉS
*Universidad de Alicante*

RUTH GÓMEZ DE TRAVESEDO ROJAS
*Universidad de Málaga*

SARA MARISCAL VEGA
*Universidad de Cádiz*

SENDY MELÉNDEZ CHÁVEZ
*Universidad Veracruzana*

SERGIO ANDRÉS CABELLO
*Universidad de La Rioja*

SILVIA CORRAL ROBLES
*Universidad de Granada*

SILVIA GARCÍA MIRÓN
*Universidad de Vigo*

SILVIA MARTÍNEZ MARTÍNEZ
*Universidad de Granada*

SOLEDAD MARÍA MARTÍNEZ
MARÍA-DOLORES
*Universidad Politécnica de Cartagena*

SONIA MORALES CALVO
*Universidad de Castilla-La Mancha*

STEFANIA LORENZINI
*Università di Bologna*

TAMARA GOROZHANKINA
*Universidad de Granada*

# *Prefacio*

El presente libro, *Nuevas corrientes de la innovación en la Universidad*, incluido en la colección *"Estudios Aranzadi"* de la editorial THOMSON REUTERS ARANZADI compendia una serie de capítulos que suponen la avanzadilla de la Academia en sus ámbitos, pues son producto de novedosas investigaciones científicas internacionales con vocación de señeras. Las principales áreas de focalización de estos textos son las Ciencias Sociales, las Artes y Humanidades y su Docencia, entendidas como la más pura expresión del hecho humano, para las que títulos como el presente suponen el imprescindible nexo de unión entre la innovación académica y el público, ya generalista, ya especializado.

Los autores recogidos en la colección *"Estudios Aranzadi"* son profesores investigadores de Universidades de todos los países de la Lengua a los que se unen lusófonos (brasileños y portugueses) y europeos en idiomas francés e inglés. Es imprescindible para el correcto y completo desarrollo de la investigación a nivel mundial potenciar los idiomas latinos como vehículos de ciencia puntera. La innovación y la investigación no conocen de idiomas sino de talentos que se manifiestan por sus logros. La Academia se nutre de su savia y la sociedad avanza a su compás.

La labor de revisión de los textos a cargo de un Comité Editorial conformado por más de 200 doctores de 40 universidades internacionales, y cuyas filiaciones encabezan cada libro, asegura unos resultados de excelencia científica incuestionable; es decir, todos los capítulos han superado la llamada revisión por doble par ciego (*peer review*). Este método, apriorístico y secular en la Universidad supone que la evaluación es llevada a cabo por académicos de igual categoría (pares), que desconocen la autoría de los textos arbitrados (ciegos) y al menos en número de dos (doble). Para asegurar la adecuación de los contenidos expresados en cada área a los selectivos criterios evaluativos, las ternas de revisores son especialistas en la materia tratada. Además, dada la naturaleza perenne de lo escrito (*scripta manent*) cualquier lector que considere que hay errores en lo expresado posee el derecho, esta vez *a posteriori*, de emitir su opinión con la única obligación de aportar la carga de la prueba del error detectado y comunicarla para la posible rectificación. Esta fórmula de evaluación es más tradicional en la Academia, ya que todos sus miembros se erigen como jurados, y a ella nos encomendamos para la definitiva mejora de lo aquí expresado en una retroalimentación imprescindible para beneficio de todos.

Todos los firmantes se han comprometido a salvaguardar las exigencias propias de la ética investigadora: renunciar al plagio, veracidad en la obtención de datos, presentación de conclusiones pertinentes y desinteresadas, planteamiento de resultados que supongan un avance académico-científico, eludir la autoalabanza, las autocitas o las de favor a terceros, evitar la parcialidad en la selección de las fuentes epistemológicas y teóricas, remitirse a todos los datos procedentes, adecuados, relevantes y actuales y no omitir informaciones que puedan colisionar con los postulados o pretensiones del texto o directamente los refuten. Es ineludible la aplicación del método científico, sin saltarse ninguna de sus fases, y se considera como requisito *sine qua non* para que todos los textos presentes superen la fase de arbitraje, así como se exige que la fundamentación epistemológica en los trabajos más ensayísticos o filosóficos sea veraz y completa, allende las demás consideraciones exigidas por el código ético investigador ya expuestas.

Inconcuso es, por tanto, que el total cumplimiento de todos los requisitos citados y la observancia rigurosa de lo anteriormente descrito suponen la seña identitaria de la colección *"Estudios Aranzadi"* y que este título cumple plenamente. Por ello, la editorial y los autores coinciden al manifestar:

- El consentimiento en la publicación de su trabajo y, de existir, de sus entidades financiadoras (tácita o explícitamente).

- La originalidad del texto como fruto de un trabajo, análisis y/o reflexión personales.

- Las citas empleadas no obedecen a criterios de favor.

- La bibliografía es actualizada y pertinente.

- Trabajo de revisión a cargo de revisores externos a la editorial THOMSON REUTERS ARANZADI y pertenecientes a la Comunidad Universitaria Internacional, en especial a la Hispana.

- Coherencia y calidad de los resultados, aportaciones, objetivos y conclusiones.

Si más allá de las columnas de Hércules se ubicaban dragones, títulos como el presente pretenden ampliar los confines del mundo conocido y reducir hasta su extinción a los dragones de la *terra incognita*. Tal es la labor de la Academia: que los noveles se encumbren sobre los newtonianos hombros de gigantes y atisben el mundo del futuro que ayudan a muñir.

Por ello, supone un honor poder afirmar que, gracias a su esfuerzo editorial y especialmente a sus autores, la colección *"Estudios Aranzadi"* se ubica a la altura de las mejores y más grandes colecciones de literatura científica mundial, logrando que THOMSON REUTERS ARANZADI sea una de las tres editoriales españolas punteras, según el índice referencial SPI (2018).

Con estos referentes THOMSON REUTERS ARANZADI consolida, aún más si cabe, su apuesta por el campo de las Ciencias Sociales, Artes y Humanidades así como en el de su Docencia ya que aúna voluntad con hechos y amplía las fronteras de la Innovación y la Investigación universitarias.

Sólo la Historia tiene la potestad de ubicar a cada quien en su lugar y dotar de perspectiva al lector, a la Academia y a la Sociedad. Ante su inapelable juicio sometemos estas páginas. Clío dumirá sus aportaciones y acendrará con su tamiz lo positivo desde su prisma imparcial y, como si de una cuarta Parca se tratase, finalmente dictaminará si los resultados aquí expuestos merecen pervivir.

Rogamos al lector marque estas iniciales páginas como si de un *albo lapillo notare diem* se tratase y las valore por el poso que en él produzca este libro.

DAVID CALDEVILLA DOMÍNGUEZ

Grupo Complutense de investigación en
comunicación *Concilium* (n.º 931.791)
Universidad Complutense de Madrid (Reino de España)
Coordinador adjunto en la colección *"Estudios Aranzadi"*

# *Prólogo*

Esta obra recoge los trabajos de académicos de varios países, que son escritos en diferentes idiomas y que se encargan del fenómeno de la transmisión de conocimiento, incluyendo y abarcando temáticas tan relevantes como la educación y la investigación. Como es obvio, parece imposible resumir en estas breves líneas cada uno de los capítulos que componen esta obra, pero sí podemos hacer referencia a alguna de las temáticas abordadas y sus principales aportes –verdadera razón de ser de los textos académicos científicos–, invitando al lector a centrar su interés, atención y análisis sobre las áreas de conocimiento que le sean más cercanas.

Comenzando con la dimensión educativa, se ofrecen una serie de contribuciones muy relevantes de enfoque tanto teórico como práctico. Al objeto de reflexionar sobre estas cuestiones se incluyen varios capítulos que se agrupan por niveles educativos comenzando por el nivel más temprano de escolarización o educación infantil, que se aborda desde la obra relativa a la emigración en el aula de infantil.

El nivel de educación primaria incorpora varios estudios como los factores que inciden en la configuración del *hábitus* de los profesores que enseñan matemáticas o los recursos web que pueden ser utilizados en esta etapa. La atención a los ciclos formativos muestra una óptica que estudia los contenidos transversales en los Grados Superiores de Formación Profesional así como las principales competencias que son demandadas por las empresas.

Por su parte, en el apartado de idiomas, el aporte viene de dos obras: la ludificación aplicada a la enseñanza del árabe como lengua extranjera y los programas de inmersión cultural corporativa total en español como lengua de herencia (ELH). Mención especial merece el relevante aporte a las enseñanzas musicales, que incluye obras como el diseño de unidades didácticas según la metodología IEM para primer curso de enseñanzas profesionales de música (que se basa en la improvisación en la clase con el pianista acompañante), que se acompaña de una obra relativa a la improvisación en la formación de intérpretes de música clásica.

Pasando al nivel superior relativo a las enseñanzas universitarias destacamos varias obras. En primer lugar la comunicación en el ámbito de la Unión Europea que presente un enfoque en los recursos didácticos digitales y multimodales para el estudiantado universitario. En segundo lugar, destacamos el trabajo que reflexiona sobre la formación del alumnado universitario y su formación en economía social y, finalmente, debemos referirnos al estudio sobre la multi-competencia en el aula bilingüe universitaria y el impacto de las desviaciones del idioma.

En cuanto al empleo de metodologías innovadoras señalamos dos aportaciones: el aprendizaje basado en experiencias en la formación de intérpretes, así como un interesante proyecto interdisciplinar de aprendizaje experiencial aplicado a las gafas de bioplástico que va, desde el proceso de fabricación hasta la comercialización. Por su parte la aplicación al aula de recursos contemporáneos se emplea en el manuscrito El *podcast* narrativo de no ficción: la crónica sonora y sus posibles variables. Otras dos obras versan sobre la innovación: Innovación docente y modelo radical. Conceptos, experiencias y reflexiones en el caso de los estudios eslavos e Innovación académica para una experiencia educativa acorde a las nuevas generaciones en la actual incertidumbre.

Es necesario hacer referencia a otros trabajos que se ocupan de la educación patrimonial, de la gestión de conocimiento y de la deficiencia visual, que son muy bien complementados por otros estudios que presentan una marcada vertiente investigadora. Finalmente, la obra concluye con una miscelánea de estudios de caso que completa una obra actual, pertinente y de obligada consulta para todos los interesados en estar al corriente de las investigaciones de nuevo cuño en la academia.

RICARDO CURTO RODRÍGUEZ, ELOY LÓPEZ MENESES Y
ROSA MARÍA TORRES VALDÉS

*Universidad de Oviedo, Universidad Pablo
de Olavide y Universidad de Alicante (España)*

*Capítulo 1*

# Comunicación y Unión Europea: recursos didácticos digitales y multimodales para el estudiantado universitario

M.ª del Carmen Acuyo Verdejo
*(Universidad de Granada –España–)*

## I. INTRODUCCIÓN

Desde que 2013 se declarara como Año Europeo de los Ciudadanos, se han otorgado y consolidado al conjunto de la ciudadanía europea una serie de derechos en virtud del Tratado de Funcionamiento de la Unión Europea (TFUE) que fue ratificado por los 27 países miembros, el 13 de diciembre de 2007 y que entró en vigor el 1 de diciembre de 2009. Entre los derechos contemplados figuran el relativo a la libre circulación, el derecho al voto activo y pasivo en elecciones municipales, el de petición al Parlamento Europeo o el de ser tratados en cualquier Estado miembro como un nacional de dicho Estado. La celebración de este año, llevó aparejadas determinadas actuaciones por parte de la Comisión Europea, tales como una mayor visibilidad de algunos sitios web multilingües (*Europe Direct* o Tu Europa, por ejemplo) o la creación de herramientas de resolución de problemas como SOLVIT.

En efecto, en el año 2013, la Unión Europea (UE), y más concretamente, la Comisión Europea, decidió proponer dicho año como el Año Europeo de los Ciudadanos y de la democracia participativa con el fin de que los todos los ciudadanos de la Unión, y de manera especial los jóvenes, conozcan y comprendan la verdadera aplicación y extensión de sus derechos y cómo poder ejercerlos. En este contexto, los objetivos esenciales que se pretendían alcanzar eran:

1. "Aumentar el grado de concienciación sobre el derecho a residir libremente en el territorio de la Unión Europea.

2. Informar mejor sobre el modo en que se pueden beneficiar de los derechos y de las políticas de la UE y estimular la participación activa en su elaboración.

3. Animar al debate sobre el aumento de la cohesión y de la comprensión mutua entre los ciudadanos de la Unión".

A pesar de las bondades que encierra la pertenencia a la UE, los conocimientos e interés del estudiantado universitario del Grado en Traducción e Interpretación de la Universidad de Granada, por esta realidad supranacional, son escasos. De ahí que, en el marco de este proyecto[1], nos hayamos propuesto como objetivo general el identificar su grado de interés y conocimiento por la UE y, de manera más específica, fomentar la creación de espacios virtuales y el diseño de actividades en formato digital y multimodal que suplan esa laguna formativa, favoreciendo así también, el aprendizaje autónomo del estudiantado y basándonos en el papel que ejerce la multimodalidad en la construcción del conocimiento especializado (López *et al.*, 2013; Prieto, 2013).

Asimismo, desde que España entrara a formar parte de la Unión Europea, han transcurrido ya más de 30 años. La creación del Espacio Europeo de Educación Superior (EEES) hace unos años ha tenido una indudable repercusión en los planes de estudio y en el modo de concebir e invertir en la educación superior. La Estrategia 2021-2030[2]) se configura ahora como el marco de referencia para la implementación de las prioridades establecidas en el VII Programa Marco para la educación (Horizonte 2020).

En el ámbito de la educación, cabe resaltar también la Comisión Europea publicó a finales de 2012 una Comunicación al Parlamento, al Comité Económico y Social Europeo y al Comité de las Regiones en la que se recomienda, para construir un nuevo concepto de educación, invertir en las competencias para lograr mejores resultados socioeconómicos. En este sentido, este documento viene a reforzar dos ideas que consideramos cruciales para este trabajo. La primera de ellas que "la misión general de la educación y la formación incluye objetivos como la ciudadanía activa, el

---

1. Este trabajo se enmarca en el proyecto de innovación docente "Comunicación y ciudadanía europea (inglés-español): recursos multimodales para la salud y el medio ambiente (12-166) y TRADUSALUDA (14-39) del Vicerrectorado de Ordenación Académica y Profesorado de la Universidad de Granada.

2. The Council Resolution on a strategic framework for European cooperation in education and training towards the European Education Area and beyond (2021-2030), Official Journal C 66, 26.2.2021, p. 1-21.

desarrollo personal y el bienestar", y la segunda el desarrollo de aptitudes transversales para el siglo XXI y entre las que se incluyen el pensamiento crítico para preparar a las personas a la transición a la vida activa, constituyendo las competencias digitales una herramienta esencial en dicha transición.

En los siguientes epígrafes, y tras una breve reflexión crítica sobre el marco teórico que subyace en esta investigación, enumeraremos los principales objetivos que nos propusimos alcanzar, tanto generales como específicos y describiremos la metodología, junto con el material y recursos utilizados, para finalmente exponer un ejemplo de una de las actividades que hemos creado y concluir con una serie de reflexiones finales.

## II. MARCO TEÓRICO

El marco teórico está basado, por un lado en el enfoque teórico-práctico denominado "Terminología basada en Marcos" (Faber *et al.* 2005, 2006; López *et al.* 2010; Faber, 2012) y que fue iniciado por la Dra. Pamela Faber en su grupo de investigación LexiCon de la Universidad de Granada. Una de las premisas de este enfoque se basa en que el conocimiento se extrae de un corpus de textos, de diccionarios y bases de datos terminológicas y a través de la consulta con expertos y de recursos multimodales, tales como imágenes y animaciones.

En este enfoque, el papel de los recursos digitales visuales son relevantes en la adquisición del conocimiento (Prieto, 2009; Prieto y López, 2009; Tercedor *et al.*, 2009; López, Prieto y Tercedor, 2013). De esta manera, se ha pretendido integrar en este proyecto la multiplicidad de formatos en la gestión de la información por parte del alumnado.

Desde el punto de vista de la UE, también este trabajo se sustenta, no solo en las vías de adquisición del conocimiento en Traducción, sino también en la adquisición, cada vez más preciada y necesaria para esa transición a la vida activa, de las competencias digitales por parte del alumnado universitario. No en vano, en 2017, la UE elaboró el *Marco Europeo para la Competencia Digital de los Educadores (DigComEdu)* que hace extensible la adquisición de dichas competencias a todas las etapas de formación, desde la Educación Infantil hasta la Educación Superior. En dicho documento, se define el concepto de *competencia digital* como: *el uso seguro, crítico y creativo de las TIC para alcanzar objetivos relacionados con el trabajo, la empleabilidad, el aprendizaje, el ocio, la inclusión y/o la participación en la sociedad.*

Asimismo, en cuanto a los *recursos digitales*, dicho término se refiere, generalmente, a *cualquier contenido publicado en formato legible por ordenador*. En este mismo documento se define, tomando como referencia lo recogido en Wikipedia, el *entorno virtual de aprendizaje* (EVA) como una plataforma web donde se integran los componentes digitales de los programas de estudio, generalmente dentro de las instituciones educativas. Por lo general, los EVA permiten organizar a los participantes en cohortes y grupos y asignar roles; presentar recursos y actividades y facilitar interacciones dentro de la estructura del curso; establecer las diferentes etapas de evaluación; informar sobre la participación y disponer de cierto grado de conexión con otros sistemas institucionales. Estos tres conceptos revisten una importancia capital en el marco de nuestro proyecto y, por ende, de nuestra investigación.

Con el fin de cumplir con los objetivos señalados anteriormente, se ha diseñado un cuestionario, validado por un juicio de expertos y administrado a estudiantes de 3.º y 4.º año, fundamentalmente. Los resultados arrojan luz sobre las verdaderas motivaciones e intereses del alumnado, así como también de aquellos aspectos que inciden menos positivamente. Tras la administración de este cuestionario diagnóstico, con el fin de identificar la frecuencia con la que el estudiantado del Grado en Traducción e Interpretación de la Universidad de Granada, consulta y usa los recursos facilitados por la UE, el resultado fue, tal y como se expresa en la Figura 1, muy revelador. Los conocimientos e interés del estudiantado universitario de este grado hacia la UE son escasos.

**Figura 1**. Frecuencia de consulta de recursos de la UE.

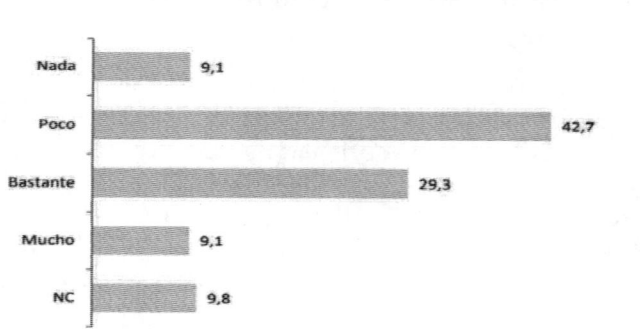

**Fuente:** Elaboración propia.

Ante estos datos, nos planteamos alcanzar con este proyecto de innovación docente el siguiente macro objetivo general: conseguir la comunicación y la integración plena en Europa, por parte del estudiantado universitario español, que tiene conocimientos bastante limitados sobre las instituciones europeas y sobre temas de actualidad europea. Dicha integración supone, no solo la adquisición de habilidades lingüísticas para la comunicación en lengua inglesa sobre temas generales, sino también la posibilidad de comunicarse en un contexto profesional con un vocabulario específico de ámbitos tales como el Derecho, la Medicina y el Medioambiente.

Nos planteamos, asimismo, alcanzar los siguientes objetivos específicos:

1. Aumentar el interés del alumnado por temas de actualidad europea en ámbitos específicos y que reflexionen sobre el proceso de construcción europea y sobre el estatus de ciudadanía.

2. Motivar al alumnado en su aprendizaje y fomentar el autoaprendizaje.

3. Mejorar la comprensión y producción escrita y oral en inglés académico sobre temas especializados (Derecho, Medio Ambiente, Medicina).

4. Presentar de forma organizada contenidos y terminología relevante en inglés y español sobre temática europea mediante diferentes canales de información (visual, auditivo, gestual, etc.) para facilitar el aprendizaje.

5. Construir un entorno pedagógico que incluya una selección de temas relacionados con la Unión Europea, que se trabajarán a partir de una batería de actividades y tareas destinadas específicamente a traductores, y de un repositorio de recursos textuales, audiovisuales y terminológicos, prestando especial atención a los ámbitos del Medioambiente y la Salud.

## III. METODOLOGÍA

### 3.1. DISEÑO DEL CUESTIONARIO DIAGNÓSTICO

La metodología utilizada para lograr los objetivos que nos hemos planteado pasa necesariamente por una serie de fases. En una primera fase inicial, tal y como hemos mencionado en el epígrafe anterior, en la realización de una evaluación diagnóstica a través de la administración de un cuestionario. Dicho cuestionario se diseñó para valorar los conocimientos generales, así como las actitudes e intereses por parte del estudiantado con relación a la UE. Dicho cuestionario constaba de cinco bloques:

1. Datos del estudiantado
2. Salud y Sanidad en la UE.
3. Historia, funcionamiento y actualidad de la UE
4. Interés y actitudes hacía la UE.
5. La UE en los estudios del Grado en Traducción e Interpretación de la UGR.

Para el planteamiento de las preguntas, se han elaborado ítems con respuesta de elección múltiple en el caso de los bloques 1-3. Para algunos de los ítems relacionados con las actitudes y los aspectos didácticos se ha utilizado una batería de preguntas con escala Likert, otros han sido preguntas semiabiertas o semiestructuradas y el resto preguntas cerradas (Oppenheim, 1992).

La administración de los cuestionarios se llevó a cabo a través de la plataforma LimeSurvey y fueron completados y enviados 147 de los 172 estudiantes del Grado en Traducción e Interpretación. El análisis estadístico de los datos se ha llevado a cabo mediante el programa SPSS, versión 25. El cuestionario de diagnóstico mostró un gran desconocimiento sobre temas relacionados con la UE y se seleccionaron 6 unidades didácticas que abarcaron temas diversos, desde la mejora de la salud, el medio ambiente, la inserción laboral o la Carta de Derechos Fundamentales. A través de la herramienta *Wimba Create* (2009) se elaboraron las actividades de las diferentes unidades didácticas. En este trabajo presentaremos solo una de estas actividades relacionadas con la Carta de Derechos fundamentales y correspondiente a la unidad didáctica sobre documentos legales de la UE.

## 3.2. DISEÑO DE LAS ACTIVIDADES Y MATERIALES

El diseño de actividades mediante la herramienta *Wimba Create* consta de los siguientes apartados o *macros* que debíamos cumplimentar:

**Figura 2.** Plantilla de *Wimba Create* para el diseño de actividades en entornos digitales.

| Metadata | No editar manualmente esta tabla. |
|---|---|
| Título | Trabajar y comunicarse en Europa: actividad 3 |
| Descripción | Material didáctico del Proyecto de Innovación Docente "Comunicación y ciudadanía europea (inglés-español): recursos multimodales para la salud y el medio ambiente" (12-166), dirigido por Clara Inés López Rodríguez |
| Versión | 3 |
| Estado | final |
| Coste | no |
| Restricciones | yes |
| Descripción | (c) PID 12-166 "Comunicación y ciudadanía europea (inglés-español): recursos multimodales para la salud y el medio ambiente" |
| Author | María del Carmen Acuyo Verdejo |
| Organisation | Universidad de Granada (España) |

**Fuente:** http://www.ugr.es/~clarailr/comunicadania/media/Legales_1.pdf.

La descripción de la actividad contiene los siguientes campos:

1. Objetivos de aprendizaje
2. Contenidos y palabras clave
3. Tareas (individuales y de autoaprendizaje): agrupamiento, tiempo de realización, materiales audiovisuales, Apps, sitios web, glosarios.

Se creó, asimismo, un entorno pedagógico virtual desde el que poder acceder a todo el material y recursos, tanto textuales como audiovisuales y secuenciados según el grado de dificultad que oscilan entre el grado 0 al 3, siendo el grado de dificultad 0 (D0) el correspondiente a los textos destinados a un público infantil, tal y como se expone a continuación:.

- Dificultad 1 (D1): textos de dificultad baja para personas poco o nada familiarizadas con la Unión Europea.

- Dificultad 2 (D2): textos de dificultad media para personas que quieren profundizar sobre la Unión Europea.

- Dificultad 3 (D3): textos de dificultad alta y de carácter legal, generalmente, para expertos o traductores con buen conocimiento sobre la Unión Europea.

## IV. ANÁLISIS Y RESULTADOS

En este apartado, procedemos a exponer un ejemplo del diseño de una de las actividades (House, 2014). En concreto la actividad 1 que se enmarca dentro de la unidad didáctica 4 "Documentos legales de la Unión Europea. La Carta de los Derechos Fundamentales de la Unión".

**ACTIVIDAD 1**

**Unidad didáctica 4: Documentos legales de la UE**

**Título de la actividad:** *"Acudimos a las fuentes"*

**Duración:** La duración prevista para esta actividad es de 90 minutos.

**Objetivos de aprendizaje y competencias:**

**Objetivos específicos (al final de la unidad el alumno será capaz de):**

1. Definir qué es un documento jurídico y legislativo.

2. Definir qué constituye fuente de derecho en el ordenamiento jurídico español: la ley, los principios generales del derecho, el derecho comunitario y la jurisprudencia (Tribunal Supremo).

3. Distinguir los diferentes documentos legislativos procedentes de la UE, a saber: Tratado, Reglamento, Directiva, Decisión, Recomendación, Dictamen.

4. Identificar y definir los principales documentos legislativos en el ordenamiento jurídico español: La Constitución, la ley (orgánica y ordinaria), los decretos legislativos, los decretos leyes, los reglamentos, las ordenanzas municipales y los tratados internacionales.

5. Expresar estos conceptos en su lengua B (inglés).

6. Comparar con las fuentes de derecho en la cultura jurídica anglosajona.

7. Establecer relaciones entre las fuentes de Derecho comunitario y las del derecho nacional.

**Competencias**

**Competencias específicas**

*Competencias académico-disciplinares*

30. Analizar, crear y revisar profesionalmente textos en ámbitos específicos y determinar valores en parámetros de variación lingüística y función textual.

31. Ser capaz de analizar y sintetizar textos en ámbitos específicos en las lenguas de trabajo.

32. Analizar funciones textuales, agentes y factores relevantes en el proceso de traducción en ámbitos específicos.

39. Conocer los procesos de codificación y descodificación lingüísticos asociados a los procesos de traducción en ámbitos específicos.

40. Conocer los agentes y factores de los procesos de traducción.

*Competencias profesionales*

45. Ser capaz de aplicar los conocimientos teóricos a la práctica.

47. Ser capaz de aplicar las destrezas de traducción.

**Contenidos y palabras clave:**

1. Las fuentes de derecho español y europeo: concepto y clasificación.

2. Documentos legislativos de la UE.

3. Documentos legislativos en el ordenamiento jurídico español.

**Palabras clave:**

**Acervo comunitario (*community acquis*)**

El acervo comunitario comprende la base común de derechos y obligaciones que vincula al conjunto de los Estados miembros de la Unión Europea, está en evolución constante y engloba:

- el contenido, los principios y los objetivos políticos de los Tratados;

- la legislación adoptada en aplicación de los Tratados y la jurisprudencia del Tribunal de Justicia;

- las declaraciones y resoluciones adoptadas en el marco de la Unión;

- los actos en materia de Política Exterior y de Seguridad Común;

- los actos acordados en materia de Justicia y Asuntos de Interior;

- los acuerdos internacionales celebrados por la Comunidad y los celebrados por los Estados miembros entre sí en el ámbito de las actividades de la Unión.

Los países candidatos deben aceptarlo antes de adherirse a la Unión y las exenciones al mismo son escasas y de alcance limitado. Para integrarse en la Unión, los países candidatos deben transponer el acervo en sus legislaciones nacionales y aplicarlo desde el momento de su adhesión efectiva. http://europa.eu/legislation_summaries/glossary/index_d_es.htm.

### Derecho europeo (*European Law*)

En sentido amplio, el Derecho europeo engloba el conjunto de las normas de Derecho aplicables en el ordenamiento jurídico europeo. Por tanto, se trata también de los derechos fundamentales, los principios generales del Derecho, la jurisprudencia del Tribunal, el Derecho que se derive de las relaciones exteriores de la Unión Europea o el Derecho complementario originado en los actos convencionales celebrados entre los Estados miembros para la aplicación de los Tratados. http://europa.eu/legislation_summaries/glossary/index_d_es.html.

### Fuentes del Derecho (*sources of law*)

Las fuentes del Derecho son los medios de producción de las normas jurídicas. Es una cuestión fundamentalmente política, ya que supone establecer quién tiene potestad de crear normas. En España se consideran fuentes de Derecho la ley, la costumbre y los principios generales del Derecho. http://noticias.juridicas.com/base_datos/Privado/cc.tp.html.

### Actividad 1. *"Acudimos a las fuentes"*

### Duración y asignatura(s) de aplicación

2 horas de clase y 1 hora de trabajo autónomo de la asignatura de Traducción B-A (inglés), Traducción 1 C-A (inglés), Traducción 1 C-A (inglés) o Traducción 2 C-A (inglés). Las actividades podrán realizarse también de forma autónoma.

### Material didáctico:

1A.– García Sánchez, Ángela M.ª, 2010. Introducción al derecho europeo y a las instituciones de la UE. En ¿*Por qué debe importarnos la UE? Iniciativas comunitarias relacionadas con la salud*. Inés García Sánchez (ed.), pp. 13-32. Granada: Observatorio de Salud en Europa de la Escuela Andaluza de Salud Pública.

http://www.easp.es/es/system/files/ose_easp_por_que_debe_importarnos_la_ue_1.pdf [D1]

1B.– Resumen de la documentación legislativa en la UE:

http://eur-lex.europa.eu/es/droit_communautaire/droit_communautaire.html

(Epígrafe 1 "Documentación", apartados 1 al 7) [D1]

1C.– Síntesis de las fuentes de derecho en el ordenamiento jurídico británico:

http://www.soas.ac.uk/library/subjects/law/research/file70249.pdf

**Tareas**

**Tarea 1:** Individual. Tiempo máximo: 15 minutos.

Lee las páginas 21 a 23 del *material didáctico 1A* y responde a las siguientes preguntas:

- ¿Qué se entiende por fuente de derecho?

- ¿Cómo afecta el Derecho comunitario a las fuentes de derecho en el ordenamiento jurídico español?

- Cita, al menos, dos fuentes de Derecho comunitario y defínelas.

**Tarea 2:** Individual. Tiempo máximo: 25 minutos.

Lee las páginas 18 a 21 del *material didáctico 1A* y completa la siguiente tabla:

**Tabla 1**. Tarea 2.

| 1.–Ley | Poder Legislativo (Las Cortes Generales; Parlamento Autonómico y Ayuntamiento) a) ........................... b) Ley Orgánica c)............................. | Poder Ejecutivo a) Real Decreto b) ..................... c) ..................... |
|---|---|---|
| 2.–....................................(Menciona un ejemplo) | | |
| 3.–Principios..................(Menciona un ejemplo) | | |
| 4.–*Poder Judicial*....... | | |

**Fuente:** Elaboración propia.

**Tarea 3:**

En pequeños grupos. Tiempo máximo: 40 minutos (en el aula) y 45 minutos (fuera del aula)

3.1.– La clase se dividirá en pequeños grupos (3-4 personas) para leer el *material didáctico 1B* durante 20 minutos y redactarán un resumen del mismo en un párrafo.

3.2.– Realizarán una lista (inglés-español) con todos los tipos de documentos que existen en el proceso legislativo de la UE (15 minutos).

3.3.– Fuera del aula, cada grupo preparará una pequeña presentación en PowerPoint sobre un tipo de documento concreto que incluirá:

- Definición del documento
- Uno o dos ejemplos del citado documento
- Macroestructura del documento

Para la realización de esta última tarea, puedes consultar las indicaciones del *Libro de Estilo Interinstitucional de la Unión Europea:* http://publications.europa.eu/code/es/es-000500.htm

**Tareas de refuerzo (opcional)**

**Tarea 4:**

Individual. Tiempo máximo 30 minutos.

4.1.– Lee el contenido del material didáctico 1C (15 minutos) y realiza un vaciado terminológico de los conceptos jurídicos propios de la cultura jurídica británica.

4.2.– Diseña una tabla, similar a la de la tarea 2 en la que se sinteticen las principales fuentes de derecho en Reino Unido (15 minutos).

**Tarea 5:**

En pequeños grupos. Tiempo máximo 45 minutos.

5.1.– Buscar e identificar en los *materiales didácticos 1A, 1B y 1C* aquellos términos jurídicos que sean funcionalmente equivalentes en inglés y español en las tres culturas jurídicas: europea, británica y española (20 minutos).

5.2.– Elabora una definición y realiza una propuesta de traducción para aquellos términos en los que no sea posible la equivalencia funcional (25 minutos).

**Evaluación y autoevaluación**

Para evaluar las tareas de la Actividad 1, se llevará a cabo una tarea de autoevaluación.

**Tarea 6:**

6.1.– ¿Qué se entiende por fuente de derecho?

6.2.– Menciona dos fuentes de derecho de la UE, tres fuentes de derecho del ordenamiento jurídico británico y otras tres para el ordenamiento jurídico español.

6.3.– ¿Qué característica(s) distingue(n) una Directiva de un Reglamento comunitario?

6.4.– ¿Cuál es la principal diferencia entre las fuentes de derecho del ordenamiento jurídico español y el británico?

6.5.– ¿Qué documentos conforman el Derecho comunitario primario? ¿Y los del Derecho derivado?

6.6.– ¿Qué relación existe entre las fuentes de derecho comunitario y las de cada estado miembro?

6.7.– ¿Puede contravenir una normativa europea alguna disposición legislativa propia de un Estado miembro?

6.8.– ¿Qué caracteriza a la Jurisprudencia del Tribunal de Justicia de la Unión Europea (TJUE), frente a la emanada por las instancias judiciales de cada Estado miembro?

6.9.– ¿Cómo traducirías al español las siguientes expresiones: *self-executing legislation, primary law, secondary law, supplementary law* y *case law*?

Las respuestas a estas preguntas las encontrarás, además de en los *materiales didácticos 1A, 1B y 1C* en el siguiente enlace:

1D.http://europa.eu/legislation_summaries/institutional_affairs/decisionmaking_process/l14534_en.htm [D2]

1E. http://noticias.juridicas.com/base_datos/Privado/cc.tp.html [D2]

**Recursos de autoaprendizaje**

**Páginas web**

D1: http://europa.eu/legislation_summaries/institutional_affairs/decisionmaking_process/l14534_en.html

D2: http://eur-lex.europa.eu/es/droit_communautaire/droit_communautaire.html

(El epígrafe 1, apartados del 1 al 7)

**Textos en soporte electrónico (folletos y manuales)**

D1: http://www.soas.ac.uk/library/subjects/law/research/file70249.pdf

http://www.easp.es/es/system/files/ose_easp_por_que_debe_importarnos_la_ue_1.pdf

**Textos en soporte electrónico (glosarios y diccionarios)**

http://europa.eu/legislation_summaries/glossary/index_es.html

## V. CONCLUSIONES

La participación del estudiantado en este proyecto resultó muy positiva. El diseño de las actividades (House, 2014) y la creación de una página web que sirviera de referencia para el uso de estos recursos en las tareas de traducción, supuso una mayor implicación por parte del alumnado en los temas relacionados con la UE. No en vano, consideramos que el hecho de que tampoco se recurra a estos temas en el Grado como parte de la actividad académica contribuye a fomentar ese escaso interés mostrado por el alumnado. Así lo expresaron los estudiantes cuando se les preguntó sobre la información recibida sobre temas relacionados con la UE, afirmando, casi el 70% del alumnado, que la información recibida era poca (19,5%) o nula (50%). En definitiva, consideramos que este proyecto ha contribuido a paliar esa laguna formativa e informativa con el uso de recursos digitales, al tiempo que ha servido para adquirir y desarrollar las competencias digitales propias de cada tarea y actividad.

## VI. BIBLIOGRAFÍA

Coimbra Group Position Paper on Horizon 2020. February, 2013. goo.gl/ohokCs.

COM (2012) 669 final. Comunicación de la Comisión al Parlamento Europeo, al Consejo, al Comité Económico y Social Europeo y al Comité de las Regiones. Un nuevo concepto de educación: invertir en las competencias para lograr mejores resultados socioeconómicos. goo.gl/6ljW9F.

VII Framework Programme of the European Union. goo.gl/OCAQEP.

Domínguez, G. *et al.* (2017). Educar la virtualidad. *Píxel-Bit. Revista de Medios y Educación*. N.º 50 Enero 2017. ISSN: 1133-8482. e-ISSN: 2171-7966; pp. 187-199. doi: http://dx.doi.org/10.12795/pixelbit.2017.i50.13.

Evaluation of the 2013 European Year of Citizens. National Case Studies: Denmark, France, Lithuania, Romania and Spain (2014). Public Policy and Management Institute. Euréval. Occurrence. goo.gl/osQurF.

European Year of Citizens 2013 Alliance (EYCA 2013). Manifiesto.goo.gl/b76ozx.

Faber, P., C. Márquez-Linares y M. Vega-Expósito (2005). Framing Terminology: A process-oriented approach, *META* 50 (4).

Faber, P. *et al.* (2006). Process-oriented terminology management in the domain of Coastal Engineering. Terminology 12 (2), Processing of terms in specialized dictionaries: new models and techniques, 189-213.

Faber, P. (ed.) (2012). A Cognitive Linguistics View of Terminology and Specialized Language, De Gruyter Mouton: Berlín, Boston.

House, J. (2014) *Translation: A Multidisciplinary Approach*. Palgrave McMillan. United Kingdom. doi: 10.1057/9781137025487.

López Rodríguez, C. I. (coord.) (2013) Comunicación y ciudadanía europea (inglés-español): recursos multimodales para la salud y el medio ambiente (PID-12-166). Universidad de Granada, Departamento de Traducción e Interpretación. http://hdl.handle.net/10481/29664.

López Rodríguez, C. I., P. Faber, P. León Araúz, J. A. Prieto Velasco y M. Tercedor Sánchez (2010). La Terminología basada en marcos y su aplicación a las Ciencias Ambientales: los proyectos Marcocosta y Ecosistema. Arena Romanística 7/10. *Professional Translation and Terminology*, 52-74.

López Rodríguez, C. I., J. A. Prieto Velasco y M. Tercedor Sánchez (2013). Multimodal representation of specialized knowledge in ontology-based terminological databases: the case of EcoLexicon. Jostrans. The Journal of Specialized Translation, 20 49-67. http://www.jostrans.org/issue20/art_lopez.pdf.

López Rodríguez, C. I. y A. García Aragón (2013). Construyendo Europa en el aula de traducción: recursos multimodales para la salud y el medio ambiente. En Ortega Arjonilla, Emilio (Dir.) Translating Culture, Colección Interlingua, Editorial Comares, Granada, 575-586.

Oppenheim, A. (1992). Questionnaire Design, Interviewing and Attitude Measurement. London, Pinter. doi: 10.1002/casp. 2450040506.

Prieto Velasco, J. A. Traducción e imagen (2009). La información visual en textos especializados, Ediciones Tragacanto, Granada.

Prieto Velasco, J. A. y C. I. López Rodríguez (2009). Managing graphic information in terminological knowledge bases. *Terminology 15* (2), 179-213.

Recomendación del Parlamento Europeo y del Consejo de 23 de abril de 2008 relativa a la creación del Marco Europeo de Cualificaciones para el aprendizaje permanente (Texto pertinente a efectos del EEE) (2008/C 111/01). DOUE de 6 de mayo de 2008. goo.gl/XTjuEN.

Redecker, Christine (2020). *Marco Europeo para la competencia digital de educadores. DigComEdu.* Ministerio de Educación y Formación Profesional. Fundación Universia e INTEF. Publicado por primera vez en inglés como *European Framework for the Digital Competence of Educators: DigCompEdu* por el Centro Común de Investigación de la Comisión Europea, EUR 28775 EN, ISBN 978-92-79-73494-6, doi: 10.2760/159770, JRC107466, http://europa.eu/!gt63ch.

The Council Resolution on a strategic framework for European cooperation in education and training towards the European Education Area and beyond (2021-2030), *Official Journal* C 66, 26.2.2021, p. 1-21.

Tercedor Sánchez, M., E. Alarcón Navío, J. A. Prieto Velasco y C. I. López Rodríguez (2009). Images as part of technical translation courses: implications and applications. *JoSTrans (Journal of Specialised Translation), 11*, 143-168. http://www.jostrans.org/issue11/art_tercedoretal.pdf.

Tratado de Lisboa por el que se modifican el Tratado de la Unión Europea y el Tratado constitutivo de la Comunidad Europea, firmado en Lisboa el 13 de diciembre de 2007. DOUE, C 306 de 17 de diciembre de 2007. goo.gl/A7MBfD.

*Capítulo 2*

# Amor, amizades e romantismo no testamento inédito do pintor Vieira Portuense e no testamento de sua esposa Maria Bernasconi

Vanessa Antunes

*(Universidade de Lisboa —Portugal—)*

Fernando António Baptista Pereira

*(Universidade de Lisboa —Portugal—)*

*Texto de agradecimentos: A presente investigação é um resultado do Projeto "História Técnica da Arte", Universidade de Lisboa e do Contrato de Estímulo ao Emprego Científico, Apoio Individual (CEECIND / 04141/2018, ARTIS– FLUL).* **Este trabalho é financiado por fundos nacionais através da fct – fundação para a ciência e a tecnologia, i.p., no âmbito do projeto "UIDB/04042/2020".**

## I. LIGAÇÕES SENTIMENTAIS E ARTÍSTICAS ATRAVÉS DE DOIS TESTAMENTOS

Francisco Vieira Portuense (13 de maio de 1765, no Porto – 2 de maio de 1805, no Funchal) foi um dos primeiros artistas a introduzir a pintura neoclássica em Portugal.

Apesar da morte precoce, aos 39 anos, por contração da tuberculose, Vieira Portuense é, juntamente com Domingos Sequeira, o mais célebre pintor do neoclassicismo português.

Trabalhou diretamente com o famoso gravador Bartolozzi na Inglaterra e foi muito influenciado pela pintora suíça Angelica Kaufmann e pelos Vigée-Lebrun, mas também, reconhecemos agora, por Pierre-Noel Violet, tratadista e miniaturista francês ao serviço da casa real francesa e também morador em Londres, frequentando os círculos de Vieira.

Neste artigo, apresentamos pela primeira vez os últimos desejos de Vieira Portuense, expressos no seu testamento inédito. Conhecemos também pela primeira vez o nome de sua esposa, Maria Apolónia Bernasconi, reconhecida na bibliografia anterior simplesmente como Maria Fabbri (Machado, *et al.*, 1922; Raczinski, 1847; Soares, 1948,1950; França, 1981; Gomes, 2004; Carvalho, 2001). Também o inédito testamento desta é aqui revelado, permitindo-nos entender o seu percurso após a morte de Vieira e a continuidade da sua ligação à família do pintor.

Objetiva-se também aqui a ideia da importância do retrato na vida do casal, e na morte de ambos, fornecendo novas pistas sobre a ligação com o pintor e tratadista Violet, que pintou o retrato de Portuense e de sua mulher.

## II.   PERCURSO DE UMA VIDA EM CURTO SOPRO

O pintor Vieira Portuense foi um dos artistas mais viajados da sua época. Começou a aprender a desenhar e a pintar como aluno do pai, Domingos Francisco Vieira (falecido em 1804). Frequentando as aulas de desenho do Porto, Vieira seguiu as aulas dos pintores João Glama Strobërle (1708-1792) e Jean Pillement (1728-1808).

Em 1787, foi para a escola pública da Real classe de desenho de Lisboa. Mais tarde, é muito provável que a Companhia Geral de Agricultura e Vinha do Alto Douro tenha encomendado ao artista uma viagem a Itália para estudar as obras dos grandes mestres.

Em Roma, Vieira foi supervisionado por Domenico Corvi (1721-1803). Em 1789, ele ganhou o primeiro prêmio de desenho na competição da academia na capital romana. E ele estudou profundamente e copiou os principais artistas clássicos italianos.

Em 1793 Vieira Portuense viaja para Parma e no ano seguinte é eleito professor de pintura da Academia de Belas Artes de Parma.

Durante sua estada de três anos em Parma, ele conheceu e trabalhou com gravadores importantes como Giambattista Bodoni (1740-1813), Francesco Rosaspina e ingressou na Academia Clementine (1762-1841).

Vieira Portuense foi para Londres em 1789, instalando-se primeiro na casa do seu patrono, D. João de Mello e Castro, embaixador de Portugal em Roma. Conheceu o gravador Francesco Bartolozzi (1725-1815). Este gravador foi uma chave importante para a mudança de vida de Vieira (Soares, 1948).

Bartolozzi, além de o dar a conhecer ao seu círculo de pintura Londrino, apresentou-o à sua futura esposa, Maria Bernesconi (falecida em 1817), com quem se casou a 9 de julho de 1799.

Portuense regressou a Portugal em 1800, ganhando o estatuto de pintor do príncipe regente D. João VI, tendo partilhado este título com o seu adversário Domingos Sequeira (1768-1837) (Machado, *et al.*, 1922).

Em 1802, o experiente pintor foi contratado como professor da Aula de Desenho da Real Academia dos Assuntos Marítimos e Comerciais da cidade do Porto pela Direção da Empresa Geral de Agricultura e Vinhas do Alto Douro. No ano seguinte, foi nomeado administrador da Real Academia de Assuntos Marítimos e Comerciais da cidade do Porto.

Em 1803, após a morte do pai, Portuense foi sucedido pelo irmão mais novo, António José Vieira Júnior.

A tuberculose levou-o à morte poucos dias antes de seu 40.º aniversário, a 12 de maio de 1805 (Machado, *et al.*, 1922; Raczinski, 1847; Soares, 1948, 1950; França, 1981; Gomes, 2004; Carvalho, 2001).

## III. PORTUENSE NUM PANORAMA NACIONAL CONTURBADO

Os importantes movimentos culturais que assolavam Portugal num rol nefasto de prisões e perseguições, fomentavam o atraso em relação ao desenvolvimento europeu.

A revolução francesa vem acompanhada de uma mensagem cultural completamente diferente, outra gente, outro povo. A ideia de romantismo emerge assim conotada com um sentido negativista, sendo a que predomina no século XVIII.

No seu oposto anterior, estava o sentido de uma cultura clássica, elitista na medida em que se constituía como uma cultura de poucos para muito poucos. Caracterizava-se como uma cultura difícil, exigente e seletiva. Isto facilitou o seu desvanecimento, enquanto se impunha como imperativo o período romântico.

O ideal do artista deixou de assentar no fundamento fiel à disciplina dos modelos clássicos.

O ideal contrário passa a ser a liberdade, e procura-se ser o mais original possível neste sentido. Cada artista quer ser diferente do outro. Passa-se de um pudor de sentimentos, de uma serenidade típica da cultura antiga, para o sentimento apaixonado de uma cultura liberal; direciona-se a cultura antiga dos exemplos clássicos, da mitologia, dos heróis, da antiguidade, para o romantismo dos temas nacionais, que Vieira tratou nas suas últimas empreitadas; cultiva a história coeva, bem como a história medieval, muitas vezes com torres, com ruínas, como mensagem de um património romântico destruído, na emergência de uma burguesia nascida de uma nova etapa da economia –a sociedade industrial– que no Porto, mais que em qualquer outra cidade portuguesa, ganhou visibilidade. Verificou-se aqui as condições económicas necessárias à germinação da consciência romântica (França, 1981; Gomes, 2004; Carvalho, 2001).

É neste limbo de transição entre o neoclássico histórico e o romantismo na paisagem e no retrato que encontramos Vieira Portuense, em declaração de último testamento, dois meses antes da sua morte.

## IV. O CARÁCTER ROMÂNTICO DE VIEIRA REVELADO EM TESTAMENTO

Lavrado a 20 de março de 1805, em Lisboa, o último testamento de Portuense revoga um anterior testamento feito em Londres. Por esta data, foi também levado a cabo o registo de pagamento a "Francisco Vieira Director da aula de desenho pelo 1.º quartel que venceu desde o 1.º de Janeiro até o último de Março", documento pertencente às contas da marinha, seguida de uma ordenação régia com o aviso "que o Director da aulla de desenho e Pintura da Real Academia nesta cidade Fran.co Vieira possa fazer hua viagem a fim de restabelecer a sua saúde". Portuense vem a falecer, repentinamente e sem sacramentos, a 2 de Maio de 1805,na casa de Maria Watror, sendo sepultado na sé do Funchal (Carvalho, 2001; Gomes, 2004).

Francisco Vieira Portuense é frequentemente destacado como um dos responsáveis pela introdução da pintura neoclássica em Portugal. Não obstante, este artista realça um cariz de transição para o romântico no seu curto período de vida, tanto na sua personalidade como na sua obra, nomeadamente na retratística.

O seu caráter romântico reflete-se no próprio testamento, que é em si um retrato de religiosidade generosa para com as mulheres da sua vida: a sua mãe e a sua companheira, Maria Apolónia Bernasconi[1], sua testamentária, a quem deixa registados os seus cuidados e profundos sentimentos "which the Love and Friendship wherewith I have universally treated her"[2].

Reveste-se de particular romantismo o modo religiosamente honesto e quase ingénuo como este pintor vê o outro, repercutindo-se na forma de interpretar quem pinta, seduzindo-nos com todo um retrato psicológico da pessoa.

No retrato, Portuense afigura-se como um pintor seguro, consciente, um pintor extremamente exigente consigo pois não aceita as facilidades do "fa presto" – um pintor honesto, equiparado a um herói nacional, segundo os cânones da época.

Assim o caracteriza, em 1866, um dos biógrafos de Almeida Garret, Francisco Gomes de Amorim:

"Um dos nossos mais graciosos e celebrados pintores, Vieira Portuense, falleceu no mesmo anno que Bocage, e com a mesma idade d'este.(...) Quasi todos os homens que vêem na arte uma religião, que aspiram ao bello, á perfeição absoluta da fórma, e ao ideal, pagam, cedo ou tarde, d'um ou d'outro modo, pelo coração ou pela cabeça, as suas aspirações. A multidão vê e admira os frutos do trabalho d'esses loucos sublimes, mas não imagina, não avalia o sangue, os pedaços de vida, com que foram feitos esses quadros, esses poemas! As gerações chegam, e ajoelham enthusiasmadas, mas não procuram por detraz da tela as lagrimas, as agonias, com que foram amassados esses esplendores, os clarões do inferno que produziram tanta luz". (Amorim, 1886; Araújo, 2013).

---

1. Este apelido poderá estabelecer alguma relação de parentesco com a família de estucadores Bernasconi, com origem em Itália, remetendo-nos particularmente para **Francis(co) Bernasconi** (1762 – 1 Janeiro 1841), um dos mais famosos entalhadores e estucadores ornamentais ingleses, seguidor do estilo decorativo Adam, impulsionado pelos interiores neoclássicos pompeianos dos irmãos Adam, para quem Angelica Kauffman chega a pintar. Remete-nos também para a possível relação com os antepassados artísticos, como a pintora Laura Bernasconi, conhecida também por Laura dei Fiori (Rome 1622-1675), aluna de Mario Nuzzi, chamado Mario dei fiori (Pen San Giovanni 1603 – Roma 1673).

2. Agradece-se a Susana Tavares Pedro o apoio na transcrição dos testamentos. Critérios de transcrição e edição: respeitou-se inteiramente a grafia do original, incluindo o uso de maiúsculas e minúsculas; introduziu-se alguma pontuação para facilitar a leitura do texto; as mudanças de fólio foram assinaladas em itálico e entre parêntesis, as dúvidas de leitura com (?) e os erros ou grafias mais peculiares com (*sic*).

## V. OS RETRATOS EM TESTAMENTO

Maria Apolonia Bernesconi (Fabbri Vieira) Thornton declara em testamento que foi casada em primeiras núpcias com André Fabri (Faber), em segundas núpcias com Francisco Vieira e em terceiras núpcias com William Henry Thornton (1781-1848),"general of the nineteenth Portuguese regiment, and thirty Second British Regiment".

No seu testamento, datado de 1817, Maria Apolónia refere-se ao conjunto de retratos da sua coleção doou à família Vieira:

> I further give and bequeath unto my said Brother in law Antonio Jose Vieira the large Portrait of his Brother Francisco Vieira and a large Portrait of Bartolozzi, another Portrait of himself the said Antonio Jose Vieira and a large Portrait of myself painted by Senhor Violet; I give and bequeath unto my Mother in law, Mother of the said Antonio Jose Vieira, the small Miniature Portrait set in gold of her Son Francisco Vieira.

Estas doações de retratos são demonstrativas, não só da importância afetiva para o casal do retrato, em grande escala e em miniatura, mas também da consciência iminente do valor sentimental e monetário das mesmas, tendo em conta os retratados e os artistas que os pintaram.

Ao referido retrato de António José Vieira, não se lhe aponta o seu autor. Supõe-se que seria uma obra do falecido Vieira Portuense, a avaliar pela qualidade da doação à família Vieira, e tendo também em consideração que António José Vieira, apesar de seguir a carreira de pintor como o irmão, não possuiria os mesmos dotes artísticos. Apesar de o ter substituído na academia após a morte do pai, não chegou a ser pintor desta casa. Mesmo tendo solicitado à Casa Real a continuidade do cargo após a morte do irmão, esta não aconteceu para António José Vieira. A opinião de certos autores coevos era que pintava "barato e mal" (Araújo, 2008).

Percorrendo o rol de retratos pintados por Portuense, deparamo-nos com o "retrato de homem" do MNAA (inv.1338 Pint.), assinado "F. Vieira Junior inv." e datado de 1800, ano em que pinta a alegoria da pintura.

Como refere Alexandra Markl, este trata-se de um retrato cheio de intimidade, em fundo neutro que permite realçar o rosto num olhar melancólico típico da retratística de viragem do século XVIII para XIX. Esta intimidade visível entre retratista e retratado pode deixar pressupor a relação familiar entre ambos os artistas.

Paulo Varela Gomes põe a hipótese de se tratar de um retrato de D. João de Almeida de Melo e Castro, o seu maior mecenas. Alexandra

Markl, adianta que poderá tratar-se de "um retrato de um pintor (profissional ou amador, quem sabe!) e que alguém achou necessário acrescentar tal elemento para que não caísse no olvido a identificação do retratado". (Markl, 2001).

Este elemento trata-se de uma mão segurando uma paleta, adicionada a posteriori, repinte que o pintor-restaurador Luciano Freire terá removido já nos inícios do século XX, por considerar que em nada beneficiava o retrato. De facto, podemos encontrar na antiga coleção de fotografia da famosa casa Guedes depositada no acervo documental da Câmara Municipal do Porto, o retrato ainda com o dito repinte (figs. 1 e 2.).

**Figura 1.** Fotografia de pintura de retrato de Homem com paleta de pintor, feito por Vieira Portuense, em 1800. Pertence ao Museu Nacional de Arte Antiga (Lisboa), 1 negativo em vidro, Arquivo Histórico da Câmara municipal do Porto, CotaF-NV/FG-M/9/574. Foto Guedes. 1885-1932.

**Figura 2.** A mesma pintura, já sema a paleta, removida pelo pintor-restaurador Luciano Freire, Fotógrafo: Luis Pavão, 1990, Copyright:© DGPC.

**Fonte:** http://gisaweb.cm-porto.pt/units-of-description/documents/302427/.

**Fonte:** http://www.matrizpix.dgpc.pt/Matriz Pix/Common/DownloadFile.aspx?ID=4213& THUMBNAILTYPE=2&FILETYPE=1.

A preocupação em deixar fonte de sustento para o seu irmão está patente não só no testamento de Vieira mas também no de Maria Apolónia, o que evidencia a afinidade entre os irmãos artistas.

Já o grande retrato de Bartolozzi poderá ter tido como ideia inicial o pequeno esboço a óleo sobre tela feito cerca de 1800, do MNAA, intitulado "Retrato do Gravador Francesco Bartolozzi"(871 Pint.), atribuído a Portuense. Trata-se de um pequeno retrato de 16 por 13 cm, no qual sobressai o vermelho característico da paleta de Portuense (fig. 3).

## VI.  (IN)CONCLUSÃO– BARTOLOZZI, VIEIRA E VIOLET NOS CÍRCULOS DA PRODUÇÃO RETRATÍSTICA LONDRINA

Cirillo Volkmar Machado, artista e memorialista coevo de Vieira e de Violet, alude ao valor significativo da arte do retrato na escola de pintura inglesa "he tão pequena, principalmente em Pintores do grande género, que a maior parte dos Biógrafos esqueceo de a nomear: o seu forte são os retratos; e Reynolds, e Owest são os seus Pintores mais acreditados". (Machado, 1922).

A ligação tanto de Violet como de Vieira ao círculo de Bartolozzi foi intensa e duradoura, a avaliar pela quantidade de gravuras produzidas conjuntamente. Ambos expuseram na Royal Academy sob a alçada de Bartolozzi. A ligação de amizade que os unia a este último é relatada por vários autores como Tuer (1882).

Esta proximidade reflete-se, na prática, nas gravuras conjuntas com Vieira e nos importantes retratos pintados por Violet, que foram gravados por Bartolozzi, como o retrato de Maria Antonieta, rainha de França, o de Luís XVI, incluindo-se o próprio retrato de Violet, gravado por Bartolozzi em 1776, ou mesmo o retrato de Vieira Portuense, pintado primeiro por Violet, e publicado em gravura assinada pelos dois, em Londres, a 1 de Setembro de 1801 (fig. 4).

**Figura 3.** Retrato do Gravador Francesco Bartolozzi, Século XVIII [c. 1800] Dimensões:A. 16 x L. 13 cm, atrib. a D. Pellegrini ou Vieira Portuense, Fotógrafo: José Pessoa, 1995, Copyright: © DGPC.

**Figura 4.** Retrato em gravura feito por Violet (pintura, c.1800?) e Bartolozzi (gravura,1801) com a inscrição "Violet pinx., Bartolozzi sculp".

Fonte: http://www.matrizpix.dgpc.pt/MatrizPix/Common/DownloadFile.aspx?ID=39350&THUMBNAILTYPE=2&FILETYPE=1.

Os testamentos aqui transcritos vêm documentar pela primeira vez a importância dada por Vieira Portuense e Maria Bernesconi à arte do retrato, revelando o círculo de retratistas íntimos do casal.

A proximidade entre Violet e Vieira Portuense é manifesta. Além destes importantes contactos entre ambos os artistas por vias de Bartolozzi e do retrato, a própria viúva de Portuense, Maria Apolónia Bernasconi, agora reconhecido o seu verdadeiro nome, destaca no seu testamento o nome do pintor Violet em testamento, enquanto autor do seu próprio retrato.

## VII. REFERÊNCIAS BIBLIOGRÁFICAS

Amorim, F. Gomes de. (1866). Versos: II, ephemeros. Lisboa: Typ. da Sociedade Typographica Franco-Portugueza.

Araújo, Agostinho. (2008). Viver "da arte" ou... "no meio artístico"?: o caso de António José Vieira Júnior (Porto, séc. XVIII-XIX), Revista da Faculdade de Letras, Porto, 7-8, 2008-2009, pp. 75-92.

Araújo, Agostinho. (2013). Galeria breve: memória de Vieira Portuense (1810-ca.1865), Revista da Faculdade de Letras, Porto, Volume XII, pp. 293-304.

Carvalho, José Alberto Seabra. (2001). "Revisão de um Pintor Moderno e Cosmopolita", in Catálogo da Exposição Francisco Vieira, O Portuense 1765-1805. Porto: IPM, pp. 12-20.

França, José-Augusto. (1981). O Retrato na Arte Portuguesa. Lisboa: Livros Horizonte.

Francisco Vieira, o Portuense: 1765-1805 (2001).[org. Museu Nacional Soares dos Reis]; colab. Agostinho Araújo; coord. Elisa Soares [et al.] Porto: Museu Nacional Soares dos Reis, D.L. 2001. – ISBN 972-776-103-8.

Gomes, Paulo Varela (2004), Vieira Portuense, Medialivros, Lisboa, ISBN 972-8387-79-2.

Machado, Cyrillo Volkmar, 1748-1823; Carvalho, Joaquim Martins Teixeira de; Correia, Vergílio, 1888-1944 (1922). Collecção de memorias relativas ás vidas dos pintores, e escultores, architetos, e gravadores portuguezes, e dos estrangeiros, que estiverão em Portugal, recolhidas e ordenadas, Coimbra: Imprensa da Universidade.

Markl, Alexandra Reis Gomes. (2001)."Os talentos são hábitos ou sobre a Ciência do artista esclarecido" in Francisco Vieira, o Portuense 1765-1805. Porto: MNSR, pp. 79.

Moura, Abel. (1951). "A Pietá da Capela da Legação Portuguesa em Londres de Francisco Vieira, o Portuense", in Boletim do Museu Nacional de Arte Antiga, Lisboa: vol. II, n.° 2.

Raczinski, Conde Atanazy. (1847). Dictionnaire Histórico-Artistique du Portugal pour faire à l'ouvrage ayant pour titre les arts en Portugal. Paris: Jules Renouard.

Soares, Ernesto. (1950). Dicionario de Iconografia Portuguesa, vol. III. pp. 452.

Soares, Ernesto. (1948). Vieira Portuense na obra gravada de Bartolozzi. Porto.

Tuer, A. W. (1881). Bartolozzi and his works: A biographical and descriptive account of the life and career of Francesco Bartolozzi, R.A. (illustrated): with some observations on the present demand for and value of his prints …: together with a list of upwards of 2,000 … of the great engraver's works. London: Field & Tuer.

U. Porto – Antecedentes da Universidade do Porto – Biografia de Vieira Portuense. sigarra.up.pt. https://sigarra.up.pt/up/pt/web_base. gera_pagina?p_pagina=antecedentes%20da%20u.porto%20-%20 biografia%20de%20vieira%20portuense.

## VIII. REFERÊNCIAS DOCUMENTAIS

The National Archives Website: Discovery: PROB 11/1440/265 **Will of Francisco Vieira, First Painter of the Chamberland Court of Lisbon, Portugal**, 22 March 1806, Description available at https://discovery. nationalarchives.gov.uk/details/r/D342448 (accessed 1 July 2020).

The National Archives Website: Discovery: PROB 11/1600/40 **Will** of **Donna Maria Apolonia Bernesconi otherwise Bernasconi Thornton, Wife** of **City** of Lisbon, 05 January 1818, Description available at https://discovery.nationalarchives.gov.uk/details/r/D225210 (accessed 1 July 2020).

## IX. ANEXO-TRANSCRIÇÕES

Will[3] of Donna Maria Apolonia Bernesconi otherwise Bernasconi
Thornton, Wife of City of Lisbon
(*na margem direita*) Maria Apolonia Bernesconi Thornton,
otherwise Maria Apolonia Bernesconi, otherwise Bernasconi

Translated from the Portugese Language

I Joze Januario Fernandes Branco Notary Public of the Department for the General Register of Wills in this City of Lisbon its Jurisdiction and other transmarine Ports and Dependencies as also Actuary of the Court of Civil Appeals and Grivances in the last resort in this Court and Chamber of Appeals by special appointment of his most faithful Majesty whom God preserve etc. Do hereby certify and attest unto all to whom this my present Certificate shall or may come that on examining the Book N.º Three hundred and seventy one of those kept in this Office at folio two hundred and ninety two *Verso* I found registered therein the Will of the late Donna Maria Apolonia

---

3. Critérios de transcrição e edição: respeitou-se inteiramente a grafia do original, incluindo o uso de maiúsculas e minúsculas; de acordo com a tradição anglo-saxónica mantiveram-se as formas abreviadas "etc.", "N.º" e "Mr" e transcreveu-se a abreviatura latina "viz" (*videlicet*) por "namely"; introduziu-se alguma pontuação para facilitar a leitura do texto; as mudanças de fólio foram assinaladas em itálico e entre parêntesis, e os erros com (*sic*). Agradece-se a Susana Tavares Pedro o apoio na transcrição dos testamentos.

Bernesconi deceased, whereof the Title is as follows (namely) Title of the Will of Dona Maria Apolonia Bernesconi whereof her Husband William Henry Thornton Major of the Nineteenth Regiment resident in the Street director(-*sic*) de Buenos Ayres in the Parish of Nossa Senhora da Lassa(*sic*) in this City is Executor

## Will

In the Name of the Most Holy Trinity Father Son and Holy Ghost three distinct Persons and one sole true God in whom I Maria Apolonia Bernesconi firmly beleive and in everything beleived and taught by our holy Roman Catholic Church and in which faith I mean to live, die and save my Soul, being confined to my Bed by severe indisposition altho of perfectly sound Mind, Memory and Understanding and being ignorant of the hour in which it may please God our Lord to call me from this life into his divine presence to render an account of the sins I have committed by a transgression of his divine Precepts, I am induced[4] to make and ordain this my last Will and Testament in (*f. 368v*) manner and form following (to wit) Firstly I commend my Soul to our Lord Jesus Christ who created and redeemed it with his most precious blood to the ever blessed Virgin Mary our Lady his Mother and to all the other Saints of the Celestial Choir with a view to their being my Intercessors, Mediators and Advocates before our said Lord in order that on the translation of my[5] Soul from this World I may go to the enjoyment of eternal bliss; I declare that I am a Native of Dechinta in italy and Daughter of Jose Bernesconi by Santa Bernesconi his Wife both deceased; that I first intermarried with Francisco Vieira by whom in consequence of his death I had no Issue neither had I ever any by him and that I am now married in second Marriage to Mr William Henry Thornton Major of the 19th Portugese Regiment by whom likewise I have no Issue, and having as such no Heirs at Law legally intitled to inherit the Property belonging to me I therefore proceed to dispose thereof in manner and form following (namely) With regard to my Interment and Funeral I leave the same to the discretion of the said Major William Henry Thornton my Heir and Executor hereinafter appointed, trusting and strongly recommending that he will perform the same with all such decency and respect as he may conceive necessary and conformably to the custom prescribed by the Laws of the Roman Catholic Holy Mother Church in which holy Religion it is my wish and desire to die, and that my body be interred in the Church of my Parish of Nossa Senhora da Lapa wherein I reside or wherever else he may appoint, hereby expressly directing alone[6] that there be celebrated for the repose of my Soul

---

4.   Induced] entrelinhado sobre "inclined", riscado.
5.   My] entrelinhado sobre "the", riscado.
6.   Alone] entrelinhado.

Masses to the amount of twenty Moidores[7] or Ninety six Milreas, Two hundred of which Masses shall be of an Eleemosynary description of Two hundred and forty Rees cash, and with regard to all the other Masses to be so celebrated for the remainder of the said sum as aforesaid the Eleemosynary amount thereof shall be left to the discretion of my Heir and Executor aforesaid, there being given to the Parson of my said Parish or the Minister of that in which I may happen to die as and by way of offering the sum of twenty four Mill Rees once paid; I give and bequeath unto my said Husband Mr William Henry Thornton the sum of Two thousand two hundred and thirty Pounds in the five PerCents possessed by me in the English Funds called the Navy five percents, which sum is now standing in the Name of Maria Apolonia Bernesconi Thornton Wife of Captain William Henry Thornton of the twelfth Portugese and Thirty second British Regiments; I give and bequeath unto my Brother in law Antonio Jose Vieira the sum of One thousand Seven hundred Pounds in the three percents possessed by me in the English Funds aforesaid called the three percent Consols, which sum now standing in the Name of Maria Apolonia Bernasconi alone I give and bequeath unto him under the conditions following (to wit) that my said Brother in law Antonio Jose Vieira shall be bound and obliged to pay annually unto Antonio Vieira dos Santos Painter now residing in the Street da Lapa the quantity and sum of Six Moidores in Metallic Specie, being twenty eight Mil and eight hundred Reas, so long as he the said Antonio Vieira dos Santos shall or may live and at the death of the latter the said six Moidores shall actually devolve to the Daughter of the said Antonio Vieira dos Santos and be secured or invested in Stock Houses or other safe and secure Property with the joint approbation of my Executor hereinafter appointed and the said Antonio Vieira dos Santos; I further give and bequeath unto my said Brother in law Antonio Jose Vieira the large Portrait of his Brother Francisco Vieira and a large Portrait of Bartolozzi, another Portrait of himself the said Antonio Jose Vieira and a large Portrait of myself painted by Senhor Violet; I give and bequeath unto my Mother in law, Mother of the said Antonio Jose Vieira, the small Miniature Portrait set in gold of her Son Francisco Vieira; I give and bequeath and will that there be paid unto the charitable Institution of this City the sum of Twenty Moidores in Gold being ninety six Mil Rees; I order that there be given unto such Female Servants as shall be in the House at the time of my decease ten Moidores in Gold to be divided between them, being forty eight Mil Rees; I will and direct that there be given unto and distributed amongst the Poor the sum of Twenty (f. 369r) Moidores in gold, being ninety six Mil Rees; there shall be delivered to the Water Carrier Francisco Gil eight Moidores in gold,

---

7.    Moidores] Termo pelo qual eram referidas as moedas de ouro portuguesas. Na obra *A complete treatise on Arithmetic*, de Paul Deighan (5.ª ed., Dublin: C. Crookes, 1821, p. 151) a equivalência das moedas portuguesas com base no real (pl. réis), para efeitos de câmbio, era: 400 Reas = 1 Cruzado; 1000 Reas = 1 Milrea [= Mil réis]; 4800 Reas = 1 Moydore; 6400 Reas = 1 Joannes.

being thirty eight Mil and four hundred Rees; to the Soldier Manuel de Rocha, the Comerade of my said Husband William Henry Thornton shall be given the sum of Eight Moidores in gold, being thirty eight Mil and four hundred Rees; to my Godson Feliciano Valverde shall be given twenty Moidores in gold, being ninety six Mil Rees; I give and bequeath a Painting of the Crucifixion of our Lord Jesus Christ painted by Francisco Vieira for adoration in the Church of my Parish of Nossa Senhora da Lapa to my said Husband William Henry Thornton as being perfectly privy to and cognizant of this my Disposition, being hereby charged with the payment of the whole of the sums by me given and bequeathed as above declared in the very words of each of the Legacies bequeathed; I give and bequeath and will and direct that there be given unto Senhor Benjamin Conte half a dozen of small silver Spoons and half a dozen of large Table Ditto[8] together with three Designs by Signor Bartolozzi in Stone, being three naked Figures; To Senhor Roza Doctor of Physic who attended me during my Illness I give and bequeath and will and direct that there be given unto him two Muzeicos which will be found in my Hall and two Designs by Signor Bartolozzi, one of Venus refusing love for desire and the other Abundance, together with a Silver Coffee Pot; I give and bequeath unto Senhora Dona Catherine de Oliveira a gold Jewell with a Topaz consisting of Bracelets, Necklace and Earrings; I give and bequeath unto Senhora Dona Faustina Ribeira a set of Coral consisting of Bracelets, Necklace and Earrings; to Senhora Dono(sic) Maria Dalverg[9] Wife of Joze Vieira Pinto, I give and bequeath one gold Watch for the Neck with a gold Chain, which Watch has a Berbigas Figure; to Senhor Jeronimo Ribeiro Neves I give and bequeath a small silver Bell now used by me; I will and direct that the whole of my Clothes and Wearing Apparel be given unto and equally divided between and distributed[10] amongst my god Daughter, Daughter of Francisco de Souza and the two Daughters of Francisco Palacio and Maria Isabella de Valverde; I give and bequeath unto the said Francisco Palacio my oblong square gold Snuff Box; I constitute and appoint as and for[11] my Universal Heir of and to all the rest residue and remainder of my Property as well Moveable as Immoveable, Rights, Stock and Actions already belonging and appertaing unto me or which shall or may hereafter belong or appertain unto me after the payment and satisfaction of all my testamentary Dispositions, my said Husband Mr William Henry Thornton Major of the Nineteenth Portugese Regiment; in order to his possessing[12] and enjoying the whole thereof in the character of my Constituted Heir as his own proper and[13] absolute Property I nominate and appoint as and for my Executors

---

8. Ditto] *idem*, semelhantes.
9. Ou "Daherg"?
10. Riscado: "between and distributed".
11. As and for] entrelinhado.
12. His possessing] entrelinhado.
13. Riscado: "abolute", com um "s" entrelinhado a seguir ao ‹b›.

and faithful Administrators of this my Will in the first place my said Husband and heir Mr William Henry Thornton, In the second place my aforesaid Brother in law Senhor Antonio Jose Vieira Merchant of the City of Oporto and in the third place Senhor Jose Vieira Pinto Merchant of this City of Lisbon, whom I request to take upon themselves the burthen of the execution of that office and to cause all the dispositions contained in this my Will to be punctually executed, which from the friendship subsisting between us I trust they will accordingly do; I further declare that the Legacy of Eight Moidores in gold given and bequeathed by me unto the Comerade of my[14] said Husband Mr William Henry Thornton was founded in a mistake because what I give and bequeath unto the said Comerade is the sum of four Moidores, being nineteen Mil and two hundred Rees, and that the real Name of the said Comrade is Manuel Antonio da Rocha and not Manuel da Rocha as he is erroneously called; I moreover declare that I, the Testatrix, have been thrice married, the first time with Andre Tubre, the second time with the said Francisco Vieira, both deceased, and the third time with the said Major William Henry Thornton and that I never had any Issue by either of the said three[15] Marriages, which declaration I hereby make as and for the strict and just truth in order to shew that I was trice and not twice married as by mistake set forth at the head hereof; And I do hereby further declare that hitherto I owe no Debts to any one for the payment of which I am responsible. (*f. 369v*) And in this manner and form I have finished and concluded this my last Will and Testament which I will and direct should be and remain perfectly valid and in full force and virtue as therein contained, And I pray the Judges and Magistrates of his most Faithful Majesty will be pleased to cause the same to be carried into due and complete execution and effect. And inasmuch as I the said Testatrix was unable to draw up so long a Document, I requested Joze Joaquim Victor da Gaya to draw up and sign this my Will, which I the said Joze Joaquim Victor accordingly did and at the special Instance and request of the said Testatrix signed the same after having first duly read over to her the whole thereof word for word and she having declared that the same was perfectly conformable to her last Will and intentions. Lisbon the sixth of July One thousand eight hundred and seventeen. At the special Instance and request of the said Testatrix Maria Apolonia Bernesconi in consequence of her being unable to draw up so long a Document, Joze Joaquim Victor du Gayer Maria. Apolonia Bernesconi

## Approbation

Know Ye who shall see the present Instrument of Approbation of last Will and Testament that upon the seventh day of the Month of July in the year of the Nativity of our Lord Jesus Christ One thousand eight hundred and seventeen In this

---

14. My] acrescentado na margem direita.
15. Riscado: "Issu".

City of Lisbon and Street Direita de Buenos Ayres in the Parish of Nossa Senhora de Lapa where I the Notary repaired to the dwelling House of William Henry Thornton Major in the Nineteenth Regiment of Foot and there found his Wife Dona Maria Apolonia Bernesconi confined to her bed by the Illness with which it hath pleased our Lord God to visit her but of perfectly sound Mind Memory and Understanding, when she, in the presence of the Witnesses after designed and subscribing, delivered in the hands of me Notary the present Paper, closed and sewed together with thread, declaring to me that it was her Will and praying I would approve same for her, whereupon having proceeded to open it I found it to be the original Will written on seven pages of Paper and occupying six lines and an half of another page with the respective Signatures at the foot thereof where the present Instrument commences and in which said Will I found no Interlineation Amendment Erasure Blot or other matter or thing in anywise or manner tending to impeach or create a doubt as to the authenticity thereof the said Will, appearing[16] to have been written at the request of the Testatrix by Joze Joaquim Victor de Gaya who at the like request signed the same together with her, the Testatrix, having put the usual legal questions to her (namely) Whether this was her Will and whether she held and considered the same as a good firm and valid Testament, she answered both Questions in the affirmative before and in the presence of Carlos Guilhermond Master Watchmaker residing in the Street Aurea in the Parish of our Lady of the Conception, Juliao Berquim also Master Clockmaker residing in the same Street and Parish, Carlos Michell Assistant Captain attached to the QuarterMaster General of the Army residing in the Street do Quelos, Pedro Paulo de Souza Captain of the Second Regiment of Chasseurs residing in his Quarters, Francisco Lauzner Mercer[17] residing in the said Street dirieta(sic) do Buenos Ayres, Joaquim Pedro Ribeira Master Pursemaker residing in the said Street direita and Baltezar Joaquim Master Joiner residing in the said Street direita de Buenos Ayres, Public Witnesses to the premises on the part of the Testatrix specially called and required, the two first Witnesses being Persons to me Notary well known and they all declared the Testatrix to be the identical Person herein mentioned and who signed the present Instrument with the Witnesses after the same had been by me first duly read over. And I Domingos de Carvalho Sota (sic) Maior, Proprietary Notary and Tabellion Public in this City of Lisbon and its Jurisdiction by special appointment of his Majesty whom God preserve and who drew up the present Instrument have signed the same in public form (Signet) In Testimony of the truth Domingos de Carvalho Soto Maior, Maria Apolonia Bernesconi, Carlos Guilhermond, Juliao Berquim, Pedro Paulo de Souzas, Carlos C Michell, Baltizar Joaquim, Francisco Lauzner, Joaquim Pedro Ribeiro

---

16.   Appearing] entrelinhado.
17.   Mercer] entrelinhado.

## Opening

I Izidoro Manoel de Passos Botelho de Alvim, Proprietary Notary and Tabellion Public duly patented by his most faithful Majesty in this City of Lisbon and (*f. 370r*) its District etc. do hereby rectify and attest that by the Person after designed and subscribing was exhibited to me the present Will, closed and attached together with five stitches of a yellow twisted sewing Silk and secured and sealed with five drops of red wax at the side, praying I would open the same in consequence of the death of the Testatrix Maria Apolonia Bernesconi which took place at ten o Clock in the foornoon of this day, when having proceeded to open same I found it to have been written at the request of the Testatrix by Joze Joaquim Victor de Gaya on eight pages of paper, the last signed by the said Testatrix, which is immediately followed by the Instrument of approbation drawn up and signed by Domingos de Carvalho Soto Maior Notary public[18] in this City and subscribed by the said Testatrix and seven Witnesses, the said Will being made under date of the sixth of July last and the whole of the preceeding pages being written with a blacker Ink than that with which the said Will finishes and concludes, all which being by me closely and attentively inspected and examined I found no matter or thing tending to impeach or create any doubt as to the authenticity thereof, and consequently proceed to flourish same with one of my Surnames, In Testimony whereof I have granted the present Certificate of opening returning the Will to the Party by whom it was exhibited to me who in attestation of his having so received back same hath hereunto set is hand at my request Lisbon the ninth of August one thousand eight hundred and seventeen (Signet) In Testimony of the truth Izidoro Manoel de Passos Botelho e Alvim, Benjamin[19] Comte. Nothing more is contained in the said Will and Acts of approbation and opening herin faithfully extracted from the originals to which I refer myself and wherein I found neither blot amendment interlineation nor other matter or thing in anywise or manner tending to impeach or create any Doubt as to the authenticity thereof, the same having been for that purpose exhibited to me[20] by William Henry Thornton to whom I afterwards returned the same and who signed a Receipt on that occasion. Lisbon the twelfth of August one thousand eight hundred and seventeen. I Joze Januario Fernandes Branco Notary Public of the Department for the general Register of Wills in this City of Lisbon and its Jurisdiction by special appointment of his most Faithful Majesty whom God preserve etc. have drawn up collated and signed these Presents, Collated by me Actuary, Joze Januario Fernandes Branco – William Henry Thornton Major of the Nineteenth Regiment; which extract was duly collated by me with the Original registered in the Book aforesaid and folio above declared to which I refer myself and with the tenor

---

18. Public] entrelinhado.
19. Benjamin] escrito sobre rasura.
20. To me] entrelinhado.

of which I passed these presents at Lisbon this sixteenth day of August in the year One thousand eight hundred and seventeenth. And I Joze Januario Fernandes Branco who caused these presents to be drawn up have personally signed and subscribed same (signed) Joze Januario Fernandes Branco – Here follows an English Legality Faithfully Translated from the Portugese Language in London this 17th day of September one thousand eight hundred and seventeen By me J C A Carrighan Notary Public.

On the 5th January 1818 Administration (with the Will annexed) of the Goods, chattels and Credits of Maria Apolonia Bernesconi Thornton otherwise Maria Apolonia Bernesconia otherwise Bernasconi, Wife of William Henry Thornton Esquire, late of the City of Lisbon, deceased, was granted to the said William Henry Thornton, the Husband, one of the Executors and the sole Person entitled to the Personal Estate and Effects of the said Deceased not disposed of by her said Will, being first by sworn by Commission duly to administer, Antonio Joze Vieira and Joze Vieira Pinto, the other Executors, having first renounced the Probate and execution thereof as by Acts of Court appear.//.

Translated from the Portuguese

(*na margem direita*) Francisco Vieira

In the Name of the most Holy Trinity Father Son and Holy Ghost three persons and only one God in whom I Francisco Vieira firmly believe as also in all the Articles of the Holy Roman Catholic Faith in which I protest to live and die for the Salvation of my Soul and, for as much as death is certain and finding myself indisposed, I have ordered my Testament to be made in form following: Firstly I recommend my Soul to God our Lord whose only begotten Son Jesus Christ Redeemed the same with his precious Blood beseeching him through his infinite Merits by his Passion and Death to assist me with his Grace so that through his Intercession for the Sins I have Committed I may obtain forgiveness for the same and the Bliss for which I was Created, imploring for that purpose the protection of the most holy Virgin, the Holy Apostles, those of my (*f. 407v*) [...]cessor and Guardian Angel in Hope that through them I may obtain the desired Felicity. I declare that I am a Native of the City of Oporto and the lawful Son of Domingos Francisco Vieira, deceased, by his wife Maria Joaquina, now living, and that I am lawfully married to Maria[21] Apolonia Bernascon, a Native of the City of Cento in the province or Department of Bologna in Italy, which Marriage was Solemnized in the City of London[22] And as no Specific Contract was entered into, this Marriage is Considered as a Settlement of one half according to the force of the Laws of this Kingdom and consequently my said Wife is entitled to

---

21.  Maria] escrito sobre rasura.
22.  Riscado: "And as no".

one Moiety of all the Property and Actions that shall be in my Farm House at the time of my Decease; and seeing I have[23] no Issue of this Marriage, my said mother Maria Joaquina is my Heiress to two third parts of the Property which shall belong to my Moiety and as such I constitute her; and with regard[24] to the other third part whereof I can Freely dispose, I constitute my said wife Maria Appolonia Bernascon my Heiress to the Remainder thereof[25] after payment of my Funeral Expences and Masses for my Soul, which I leave to the direction of my said wife, trusting she will act therein as I would so for her in the like event and which the Love and Friendship wherewith I have universally treated her entitled me to expect, for which purpose I nominate likewise my Executrix in the first place, and in the second my Brother Antonio Joze Vieira resident in the City of Oporto who I likewise nominate for my Executor in order that in default of my said Wife he may carry the same into Execution. I declare that in case my said Mother Maria Joquina should be dead at the time of my decease it is my will in that event that my said Wife be my universal Heiress and take the two third parts which would have belonged to my said Mother had she survived me, in which Case also I bequeath[26] to my said Brother Antonio Joze[27] Vieira Once paid(?) the sum of[28] One Million two hundred thousand Rees, after payment of which Legacy all the Residue and Remainder shall belong to my[29] Wife Maria Apolonia Bernascon, and in this Form I do hereby compleat my present Testament which I will shall be carried into Execution according to its[30] Contents hereby revoking the one made by me in London[31] desiring that this alone shall be observed and carried into Effect as my last Will and Testament, which not having been able to write myself I requested Joze Maria Eloy de Oliveira Gama (*f. 408r*) Inhabitant of this City to do the same for me and after the same was so done and finding it agreeably to what I had dictated I subscribed the same with my own hand with the abovementioned who[32] also signed, Lisbon the twentieth of March in the year 1805, at my request and as a Witness, Joze Maria Eloy Oliveira Gama. Francisco Vieira.

---

23. I have] entrelinhado.
24. Riscado: "and with regard".
25. Thereof] entrelinhado sobre "of my", riscado.
26. Riscado: "also".
27. Joze] o "J" foi corrigido sobre um "T". O fenómeno repete-se a partir daqui, sempre nesta palavra.
28. Once ... of] de leitura difícil, texto escrito sobre rasura.
29. Riscado: "to my".
30. Its] entrelinhado sobre "the", riscado.
31. London] entrelinhado.
32. O texto tem uma lacuna neste ponto que foi suprida na margem direita. No original, antes dos nomes, lê-se: "who at my request and as a Witness" e na margem: "also signed, Lisbon the twentieth of March in the year 1805, at my request and as Witness".

## Confirmation

Know ye who shall see the present[33] Instrument of Confirmation of Testament that in the year of the Nativity of the Lord Jesus Christ One thousand eight hundred and five on the twentieth day of March of the same Year in the City and Sea Port of Lisbon, in my Office, Personally Appeared Francisco Vieira, First Painter of the Chamber and Court and Inhabitant of the Street do Santissimo Sacramento in the Parish of Nossa Senhora da Lappa in this City, being of Sound Mind and Understanding as manifestly Appeared to me, Notary, and Witnesses hereafter named, before whom he delivered to me the Testament *retro* written in two half sheets of Paper the last page of which (to wit) the preceding Contains the Signatures thereto and the[34] Commencement of this Confirmation. And I the Notary interrogating him according to the forms of Law he answered that the same was his Testament and that being unable to write it he requested Joze Maria Eloi de Oliveira Gama to[35] do the same for him; and which being done and he the Testator finding the same agreeably to what he had dictated, he subscribed the same together with the abovementioned who at his request also signed, wherefore he declared the same to be his Genuine and firm Testament Confirming and ratifying all and every thing contained therein in the most efficacious Form of Law, hereby revoking and annulling all former Testaments by him heretofore made, willing[36] that this alone performed and executed according to its form and tenor as his last Will, whereas were present as Witnesses called and summoned on the part of the Testator (to wit)[37] (*f. 408v*) Jeronimo[38] Ribeiro Neves, Professed Knight of the Order of Christ a Merchant of this City and Inhabitant of the Street Santessimo Sacramento in the Parish of Lappa, his Brother Henrique Roberro(-*sic*) Neves, Consul of Cadiz at present residing in this City, his Nephew Antonio Ribeiro, respectively Inhabitants of the Street Nova de Sam Mamede and Joze Vieira Pinto Merchant residing in Sacramento do Carmo Lane, who I know to be the persons they represent themselves and who affirmed they know the Testator to be the Identical person Subscribed thereto, and moreover a witness to the present Act, Joze Maria Eloi de Oliveira e Gama an Inhabitant of the Sea Port. And they all subscribed with the Testator. And I Antonio Joze Dias de Gama, Protocol Notary Publick in the City of Lisbon and Dependant Districto have drawn up and Subscribed the same said Testament with the Surname Gama which I use *In Testimonium Veritatis*. Antonio Joze Dias Du Gama, Jerominio(*sic*) Ribeiro Neeves,

---

33. Riscado: "the present".
34. Riscado: "and the".
35. To] entrelinhado.
36. Willing] entrelinhado sobre "declaring", riscado.
37. Riscado: "Francisco".
38. Jeronimo] acrescentado na margem esquerda.

Francisco Vieira, Henrique Ribeiro Neeves, Antonio Ribeiro. Joze Vieira Pinto, Joze Maria Eloi de Oliveira e Gama.

Faithfully Translated from the Portuguese Language in Doctors Commons London this seventh day of February One thousand eight hundred and six by me J. C. A. Gosly Notary Publick.

This Will was proved at London in the twenty second day of March in the year of our Lord One thousand eight hundred and six before the Right Honorable Sir William Wynne, Knight, Doctor of Laws, Master Keeper or Commissary of the Prerogative Court of Canterbury, lawfully constituted by the Oath of Maria Apolonia Bernascon otherwise Vieira, Widow, the Relict of the deceased and the sole Executrix named in the said Will to whom Administration of all and singular the Goods, Chattels and Credits of the said deceased was granted having been first sworn (by Commission) duly to Administer.

*Capítulo 3*

# El papel del planeamiento urbano en la gestión patrimonial y turística de los centros históricos. Análisis de casos de México, Reino Unido y España

Daniel Barrera Fernández
*(Universidad de Sevilla –España–)*

Marco Hernández Escampa
*(Universidad Autónoma "Benito Juárez" de Oaxaca –México–)*

*El presente texto nace del proyecto "Underground Built Heritage as catalyser for Community Valorisation" (COST Action CA18110, Comisión Europea).*

## I. INTRODUCCIÓN

El interés de las ciudades históricas por fomentar las actividades turísticas es creciente en todo el mundo. A su vez, las iniciativas de embellecimiento, mejora de servicios y creación de infraestructuras llevadas a cabo en estos espacios patrimoniales conllevan un incremento de su atractivo no solo para visitantes, sino también para residentes y potenciales inversores. ICOMOS reconoce que el turismo puede contribuir a financiar la conservación del patrimonio, estimular la actividad comercial y favorecer el mantenimiento de los servicios urbanos (Department for Culture, Media & Sport, 1999). Además, el turismo puede ayudar a revitalizar el interés de los habitantes por su cultura (Toselli, 2006). Casariego y Guerra (1995) y Ayala (2007) hacen referencia al valor que tiene el turismo para mejorar la imagen de la ciudad y generar un mayor sentido de identidad y bienestar dentro de la comunidad local. El esfuerzo de marketing repercutirá en una mejora del orgullo de sus ciudadanos y en la atracción de todo tipo de inversiones. También es frecuente la creación de nuevas infraestructuras culturales y un aumento en la oferta de eventos culturales, de las que pueden beneficiarse todos los ciudadanos.

Una de las críticas que recibe el turismo desde el punto de vista económico es su necesidad de continua inversión pública en infraestructuras y atracciones solo para mantener la posición competitiva, por lo que las ganancias producidas revierten fundamentalmente en el sector turístico y son superadas continuamente por nuevas inversiones (Fainstein y Judd, 1999). En muchos casos se prioriza la creación de infraestructuras turísticas por delante de las necesidades de la población local. Además, hay que sumar el coste de la gestión pública del turismo en aspectos como promoción, planificación e investigación. Otro aspecto negativo es el impacto ambiental de las operaciones turísticas, en el caso de las ciudades históricas con especial incidencia en el paisaje urbano. Estas pueden ser determinantes en provocar la oposición de la comunidad local, que será mayor cuanto menor sea su dependencia económica del turismo (Schofield, 2011).

La visita masiva también provoca contaminación, sensación de abarrotamiento y falta de autenticidad, que rebajarán el grado de satisfacción de los turistas (Organización Mundial del Turismo y Comisión Europea, 2005). La sobrecarga de los bienes culturales pone en peligro la conservación del patrimonio y además la conversión de ciertos elementos culturales en productos turísticos puede conllevar su pérdida de significado, su simplificación para ser consumidos y su banalización (André *et al.*, 2003). A nivel urbano se produce un efecto de museificación de la ciudad histórica, llegándose a convertir en ocasiones en un espacio monofuncional turístico en el que las nuevas actividades y los elevados precios expulsan a la población y al resto de actividades urbanas.

La política urbanística se enfrenta a la dificultad de gestionar la excesiva concentración espacial y temporal de los visitantes. Por ello es necesaria una correcta comprensión de las pautas de movimiento de los visitantes y de la distribución de los recursos primarios y secundarios (Burtenshaw *et al.*, 1991). Otro de los grandes problemas en la gestión urbanística es la demanda de instalaciones cada vez más grandes y complejas (Russo y Van der Borg, 2002). Por mucho que valoren el patrimonio, los turistas exigen modernos servicios de transporte, alojamiento y restauración. En especial, los hoteles de gran capacidad son un elemento intrusivo en el paisaje urbano histórico, que es uno de los motivos principales por los que los turistas visitan la ciudad.

## II.  OBJETIVOS Y METODOLOGÍA

Para que se dé un correcto equilibrio entre los aspectos positivos y negativos del turismo en la ciudad histórica antes comentados, debe haber una interrelación adecuada de las políticas patrimoniales, turísticas, urbanísticas, económicas y sociales. Entre ellas, la presente investigación se centra en el análisis cualitativo de los planes y herramientas urbanísticas que inciden en la adecuación turística de la ciudad histórica. Se trata de una investigación en curso, con lo que en el presente trabajo los resultados se han acotado a las políticas urbanísticas que tienen un impacto en el patrimonio de las áreas turísticas de la ciudad histórica. Para ello se toman como casos de estudio cuatro ciudades medias que han hecho una apuesta clara por el turismo cultural urbano en contextos regionales distintos: Guanajuato y Puebla (México), Plymouth (Reino Unido) y Málaga (España). La metodología se basa en el estudio de fuentes documentales y entrevistas a técnicos de la administración municipal competente en materia urbanística. De la comparación de los tres modelos pueden extraerse diferencias en cuanto al peso de la visión estratégica, el papel de los distintos actores, la regulación de usos o los controles sobre las intervenciones en bienes patrimoniales y espacios públicos. Los casos analizados ponen de manifiesto la estrecha relación entre planeamiento urbano, estrategia turística y protección del patrimonio. Asimismo, muestran distintas herramientas de intervención locales adaptadas a la realidad administrativa, cultural, económica y legislativa de cada país.

La metodología consiste en el análisis cualitativo de planes urbanísticos, planes maestros, ordenanzas u otro tipo de instrumentos de gestión urbanística vigentes y aprobados desde el año 2000 al 2021. Igualmente, se aplicaron entrevistas a técnicos de la administración municipal competente en materia urbanística. A continuación, se recogen los planes analizados.

En Guanajuato:

a.  Plan de Conservación Guanajuato, Zona Declarada Patrimonio de la Humanidad.

b.  Plan de Desarrollo Municipal 1998-2000.

c.  Plan Maestro Parcial La Purísima.

d.  Plan Parcial de Ordenamiento Territorial de la Zona de Valenciana.

e. Plan Parcial De La Zona De Crecimiento Yerbabuena– Col. Burócrata Zona Suroeste.

f. Plan de Ordenamiento Territorial de la ciudad de Guanajuato 2002.

En Málaga:

a. Plan General de Ordenación Urbanística 2011.

b. Proyecto de Desarrollo Comunitario 2004.

c. Planes Especiales de Protección y Reforma Interior del Centro Histórico.

d. Programas Europeos: Equal, Futures, Iniciativa Urbana, Interreg, POCTEFEX, Pol, Pomal, Programa Transfronterizo, URBACT-USER y Urban.

e. Agenda Local 21.

En Plymouth:

a. Local Development Framework 2006-2021.

b. Area Action Plans: City Centre and University, Devonport, Millbay and Stonehouse, Sutton Harbour y1 The Hoe.

c. Plymouth Plan 2015.

d. Devonport Development Framework 2003.

e. Conservation Area Appraisals and Management Plans: Adelaide Street, Barbican, Devonport, Ebrington Street, Millfields, North Stonehouse, Stonehouse Peninsula, The Hoe y Union Street.

En Puebla:

a. Programa Municipal de Desarrollo Urbano Sustentable de Puebla 2007.

b. Programa Parcial de Desarrollo Urbano Sustentable del Centro Histórico del Municipio de Puebla.

En la sección siguiente se presenta una síntesis de los resultados obtenidos, organizados en los siguientes apartados:

a. Paisaje histórico urbano.

b. Rehabilitación e incorporación de nuevos usos en el patrimonio.

c. Tratamiento del patrimonio natural y del territorio.

d. Protección del patrimonio del Movimiento Moderno, industrial y contemporáneo.

e. Integración de intervenciones contemporáneas en contextos patrimoniales.

f. Participación social en las decisiones relacionadas con el patrimonio.

g. Patrimonio protegido a nivel local.

h. Gestión del patrimonio en peligro.

i. Medidas orientadas a la conservación de actividades tradicionales.

## III. RESULTADOS Y DISCUSIÓN

### 3.1. PAISAJE HISTÓRICO URBANO

La gestión del paisaje urbano es una de las tareas principales de la gestión urbanística en las ciudades históricas, por lo que los planes urbanísticos y las ordenanzas le dedican un papel destacado en los cuatro casos de estudio. En Guanajuato, las agresiones más importantes al paisaje urbano a las que hace frente la política urbanística son los incumplimientos del reglamento para la construcción y conservación de la imagen urbana y el alineamiento de las construcciones, la falta de sujeción a las normas de color, proporción, densidad y letreros, y la presencia de instalaciones visibles como cables y antenas. Estos problemas se han ido solucionando paulatinamente en la zona turística. En cambio, es preocupante la incorporación en los últimos años de mobiliario urbano imitando estilos históricos, que incluso discrepan de la verdadera etapa histórica de la ciudad en donde se ubican, contribuyendo a conformar un decorado pintoresco alrededor de los principales monumentos.

En Málaga son escasas las referencias en los documentos urbanísticos a los elementos que crean un impacto negativo en el paisaje urbano y, por tanto, tampoco se establecen medidas específicas para paliarlos. Entre los problemas estudiados se encuentran los elementos decorativos industrializados, aleros de teja curva en planos distintos a los de forjado, cerrajerías no tradicionales, empleo extensivo del ladrillo viejo o de tejar, medianeras vistas, excesivo volumen de las nuevas construcciones plurifamiliares y agregación parcelaria. Además, se reconoce el problema de las sustituciones arquitectónicas por bloques en manzana cerrada, se citan algunas especialmente dañinas por las medianeras vistas que generan y por el volumen desproporcionado producido por la agregación de parcelas y la edificación en ladera.

En el caso de Plymouth, la prioridad es la reutilización de espacios vacantes producidos por el cambio de modelo económico de la ciudad y que impactan negativamente en la percepción del visitante. Entre ellos la estrategia se ha centrado en la intervención en las puertas a la ciudad histórica, como Charles Cross, Bretonside, North Cross y Union Street. Otra iniciativa relevante es la identificación de áreas con carácter especial en los planes parciales, de cara a establecer normativas específicas para su protección y regeneración en cuanto a materiales, vistas, estética y usos. Igualmente, es común la identificación de elementos negativos en el paisaje urbano en toda clase de documentos urbanísticos y el establecimiento de medidas de corrección. Los principales problemas detectados son los edificios con mantenimiento deficiente, áreas en desuso, arquitectura de baja calidad, edificios que crean un impacto deficiente debido a su estética o volumen y contaminación visual de ida a todo tipo de intervenciones en la vía pública y en las propias fachadas.

En Puebla, se establece que se debe evitar la falta de integración de las edificaciones en el paisaje, generada tanto por los nuevos sistemas constructivos como por las crecientes necesidades técnicas que deben satisfacer. Para ello se exige un estudio desde la fase de proyecto teniendo en cuenta la contribución a la mejora de la apariencia de la imagen urbana y la protección de la naturaleza. Este último punto es de relevancia en aquellas zonas del centro histórico donde están presentes espacios naturales.

## 3.2. REHABILITACIÓN E INCORPORACIÓN DE NUEVOS USOS EN EL PATRIMONIO

Los planes urbanísticos de Guanajuato plantean como usos dominantes para el centro histórico la vivienda, oficinas, comercio, recreación y turismo. Los objetivos de las medidas relacionadas con los usos del suelo son la mejora de las condiciones de vivienda, servicios y equipamiento, la promoción de actividades económicas nuevas compatibles y el establecimiento de alternativas de desarrollo para evitar la especulación del suelo y la destrucción de los valores patrimoniales. En concreto, para los usos habitacionales se plantea la necesidad de elevar la densidad a 241 hab./ha., que permita las mezclas compatibles con comercio, turismo y servicios.

En cambio, en Málaga un problema acuciante es la degradación social de algunos barrios históricos. En la Trinidad está en marcha un proyecto piloto que engloba a residentes, profesionales, entidades e instituciones con el objetivo de regenerar el barrio basándose en su importante patrimonio e integrando nuevos usos, especialmente el turismo y el comercio. Para ello se está llevando a cabo el embellecimiento de medianeras y vallado de solares, rehabilitación y puesta en uso de monumentos y un plan de mejora de la ornamentación y conservación de fachadas. Asimismo, se busca formar a desempleados en oficios tradicionales en el barrio como la forja y metalistería, cerámica y artesanía, entre otros.

En el caso de Plymouth, hay una preocupación por incorporar el patrimonio existente en las nuevas dinámicas funcionales de la ciudad más allá de su función museística o turística. Un ejemplo en marcha en este sentido es el de Millbay, donde está en desarrollo un nuevo barrio mixto residencial, comercial, industrial y cultural que incorpora las estructuras portuarias obsoletas como elemento de diferenciación. Una estrategia similar se ha seguido en las últimas décadas en otros antiguos enclaves militares y portuarios como Devonport y Royal William Yard, que tenían como dificultad compartida su aislamiento y restricciones de acceso desde el resto de la ciudad y la especificidad de sus construcciones para el uso concreto al que fueron destinadas. A nivel de toda la ciudad, las intervenciones en edificios catalogados desde instancias nacionales deben ser autorizadas por el Ayuntamiento mediante la emisión del correspondiente Listed Building Consent. Para el caso de edificios no catalogados desde el organismo nacional, el Ayuntamiento recurre a las Article 4 Directions, que establecen restricciones sobre derechos de construcción que normalmente no requieren autorización como pequeños añadidos y demoliciones, sustitución de ventanas, puertas y vallas, modificación de la cubierta y pintado exterior.

En Puebla, el principal uso del suelo del centro histórico es el habitacional, con casi 31,81%; sin embargo, los inmuebles sin un uso actual son casi un 20%, que incluye los inmuebles abandonados, desocupados o en ruinas, muchos de los cuales representan el patrimonio edificado del centro histórico. Otro problema es el creciente uso comercial, que hace que algunas zonas presenten escasa actividad a partir de cierta hora. La prioridad se centra en sustituir los usos industriales que todavía quedan y evitar la implantación de usos incompatibles.

## 3.3. TRATAMIENTO DEL PATRIMONIO NATURAL Y DEL TERRITORIO

Además de establecer medidas encaminadas a proteger el patrimonio edificado, las cuatro ciudades incorporan en distinta medida la preocupación por la conservación de los valores naturales, las vistas y el paisaje menos alterado por la urbanización. En el caso de Guanajuato, los planes se centran en el análisis de la problemática ambiental más que en el establecimiento de medidas concretas para proteger y potenciar el patrimonio natural. Entre los problemas más graves se citan la erosión de los suelos, contaminación de ríos y arroyos, especialmente del río Guanajuato, y la contaminación atmosférica. Asimismo, se reconoce el potencial turístico de la Presa de la Olla, aún no suficientemente explotado, y el objetivo de repoblar los montes circundantes con cactáceas autóctonas. En materia de protección del paisaje natural, la ciudad fue pionera con la prohibición de construir en los terrenos colindantes a la Carretera Panorámica.

Por su parte, Málaga ha ampliado en los últimos años las categorías de bienes patrimoniales de carácter natural incluidos en el catálogo local de patrimonio. Así, cuenta con un catálogo de jardines protegidos y un registro de bienes arbóreos para ejemplares singulares con dos niveles de protección. Además, los planes urbanísticos han asumido el objetivo de garantizar la protección de la biodiversidad, con especial mención al camaleón y al repoblamiento con especies autóctonas que sustituyan paulatinamente otras introducidas como eucaliptos, ailantos y chumberas (nopales). Asimismo, hay una preocupación creciente por recuperar corredores ecológicos con los Montes de Málaga, aunque de momento no han pasado de los planes a la realidad.

Los planes urbanísticos de Plymouth incorporan restricciones a la edificación en áreas con protección específica tanto de rango nacional como local. También incluyen medidas para proteger hábitats y especies singulares con incidencia en la ciudad histórica, especialmente en el borde marítimo. El borde marítimo es el área más frágil en cuanto a amenazas a la conservación de los valores patrimoniales, pero a su vez la más rica, ya que conviven las antiguas estructuras portuarias y de baño con especies endémicas y en peligro que han hecho de ellas su hogar. Esta franja cuenta con sus planes específicos de protección, que abarcan tanto el patrimonio edificado como el natural, con medidas como la prohibición de intervenir en los estuarios y las zonas afectadas por las mareas. Aparte del borde marítimo, otra prioridad es la conservación de las vistas desde y hacia la ciudad y de las perspectivas históricas, con lo que los proyectos en los corredores visuales son objeto de un análisis y autorización específicos.

En Puebla, una prioridad es la recuperación del acuífero, para lo que se fomentan los materiales porosos y las técnicas de construcción ecológica y que integren la captación de agua pluvial. También destaca el reconocimiento y protección de las áreas verdes del centro histórico, así como su potenciación para usos turísticos y culturales, como el cerro de los fuertes de Loreto y Guadalupe.

## 3.4.  PROTECCIÓN DEL PATRIMONIO DEL MOVIMIENTO MODERNO, INDUSTRIAL Y CONTEMPORÁNEO

Las cuatro ciudades analizadas coinciden en la protección de las épocas más remotas, pero se encuentran importantes diferencias a la hora de considerar bienes más recientes, como son los del Movimiento Moderno, patrimonio industrial y arquitectura contemporánea. A nivel nacional, en México, el Instituto Nacional de las Bellas Artes, creado en 1946, es el responsable de la promoción de manifestaciones artísticas recientes y contemporáneas, incluyendo la arquitectura, pero su actuación se centra más bien en otras disciplinas. Por otra parte, es evidente que lo extenso del país rebasa su capacidad operativa, incluso de catalogación. De manera local, no hemos detectado en Guanajuato una política o instrumento oficiales definidos para la valoración de lo urbano y arquitectónico construido durante el siglo XX. En la ciudad de Málaga no existen tampoco restricciones para la catalogación de este tipo de bienes y no hay ningún debate específico, con lo que el patrimonio del Movimiento Moderno, industrial y contemporáneo se enfrenta a los mismos problemas y cuenta con los mismos instrumentos de protección que otro tipo de bienes.

En Plymouth no existe controversia alguna desde la normativa y el planeamiento urbanístico, pero la consideración del patrimonio de posguerra se encuentra con la oposición de parte de la población, que aún no se encuentra vinculado sentimentalmente a él. Este conflicto se materializa en la propuesta para declarar un área protegida en el nuevo centro de la ciudad, resultante de la reconstrucción llevada a cabo por el Plan for Plymouth de 1943, diseñado por Patrick Abercrombie y James Paton Watson. En Puebla, sí se requiere un permiso y hay un reconocimiento del patrimonio de los siglos XX y XXI. Se denominan edificios artísticos aquellos cuya construcción corresponde al siglo XX, referida a la arquitectura del periodo postrevolucionario, con estilos eclécticos como el neorrenacentista, neoclásico, neomudéjar y el art nouveau, además de tendencias como la arquitectura neocolonial, neocolonial californiano, art deco y new deal. En cuanto a la arquitectura contemporánea, se reconoce que no mantiene unidad con el contexto histórico, pero también son representativas de su tiempo y por lo tanto será necesario proponer la conservación de los inmuebles relevantes.

## 3.5.  INTEGRACIÓN DE INTERVENCIONES CONTEMPORÁNEAS EN CONTEXTOS PATRIMONIALES

La arquitectura y el diseño urbano contemporáneos supone siempre un factor de especial dificultad en la ciudad histórica, que los cuatro casos de estudio han resuelto de manera distinta. En Guanajuato, su Plan de Conservación reconoce que el concepto de conservación es dinámico y amplio en su significado y potencialidad, llegando más allá que la restauración. No obstante, la integración del lenguaje contemporáneo en la ciudad histórica de Guanajuato sigue siendo una asignatura pendiente, llegando a casos de inserción de edificios y mobiliario urbano simulando estilos pasados, como se ha comentado anteriormente. En el caso de Málaga, la arquitectura y el diseño urbano contemporáneos también son permitidos en el centro histórico y fomentados, con algunas limitaciones normalmente en cuanto a proporciones de huecos y alturas. De hecho, uno de los problemas más criticados en este sentido en el planeamiento es el recurso a la escenografía y al decorado urbano simulando una arquitectura histórica, como solución se apuesta por la construcción de edificios contemporáneos sin complejos, integrándose en el entorno por su geometría o escala.

El planeamiento urbano de Plymouth establece que los nuevos desarrollos deben respetar el carácter, identidad y contexto del paisaje urbano histórico y natural de la ciudad y su trama urbana. Dicho esto, la limitación no consiste en impedir los proyectos con lenguaje actual, sino en establecer un control especial sobre su calidad y su impacto. Para ello, el Ayuntamiento cuenta con el asesoramiento de distintas comisiones y organismos. Además, los distintos planes urbanísticos para toda la ciudad o para barrios concretos establecen medidas para fomentar la arquitectura contemporánea. En Puebla, se establece que las nuevas construcciones deben considerar criterios de integración arquitectónica, respetando la imagen urbana, en armonía con el entorno del lugar, con materiales y conceptos arquitectónicos del sitio, rescatando la edificación catalogada y las expresiones culturales populares. Este planteamiento permite la inserción de arquitectura contemporánea, con ejemplos interesantes de diálogo con la arquitectura colonial y de reinterpretación de técnicas tradicionales.

## 3.6. PARTICIPACIÓN SOCIAL EN LAS DECISIONES RELACIONADAS CON EL PATRIMONIO

Los planes de Guanajuato incorporan la participación de la comunidad para impedir que los residentes sean relegados en favor de los turistas. Para ello se considera la implicación de la ciudadanía en los procesos de planeación y ejecución de los planes y el impulso del proceso de desarrollo autogenerado a través de juntas de vecinos, asociaciones civiles legalmente constituidas u otras formas que propicien la autogestión. Sin embargo, en términos prácticos, los ciudadanos carecen de poder de decisión y permanecen en el ámbito de los consejos y recomendaciones a la autoridad. Para la ciudad de Málaga esta es una asignatura pendiente, aunque los planes hacen declaración de buenas intenciones, llegando a manifestar que la sociedad es el sustento de la vida de la ciudad histórica y su patrimonio y que este no se entiende sin su función identitaria. Sin embargo, en la práctica unos de los problemas más acuciantes son la tematización de la ciudad histórica para convertirla en un gran centro turístico y comercial, la sustitución de residentes y la pérdida del patrimonio menos espectacular. Uno de los últimos casos recientes más representativos de pérdida patrimonial fue el derribo del edificio protegido y el completo reemplazo de la trama urbana del Hoyo de Esparteros para construir un hotel.

En el caso de Plymouth, la participación pública está regulada por marcos específicos y afecta a toda la cadena de decisiones urbanísticas, desde la primera concepción de los planes a la catalogación de edificios, autorización de intervenciones y control y denuncia de acciones insensibles. En Puebla, se están diseñando metodologías para involucrar a la población en la planeación y ejecución de proyectos. Si bien, se reconoce que el objetivo de conseguir una participación ciudadana efectiva es todavía difícil de alcanzar.

## 3.7. PATRIMONIO PROTEGIDO A NIVEL LOCAL

Al igual que otros aspectos antes comentados, la protección de bienes patrimoniales con interés local al margen de las entidades nacionales se lleva a cabo de forma muy distinta en las cuatro ciudades analizadas. Guanajuato no cuenta con catálogo de patrimonio local, con lo que el reconocimiento patrimonial se limita al establecido por el Instituto Nacional de Antropología e Historia. Por lo tanto, un buen número de bienes y espacios que no encajan en las categorías legales de este organismo carecen de protección actualmente. No obstante, algunos planes sí citan algunos bienes en sus ámbitos. Por ejemplo, el Plan Parcial de Yerbabuena-Burócratas reconoce el interés del antiguo camino que daba acceso a la ciudad de Guanajuato, por su papel en la historia nacional al ser el lugar de entrada del padre Hidalgo. Málaga también cuenta con su propia lista de patrimonio de interés local al margen de la lista andaluza. Para el patrimonio arqueológico se establecen tres niveles de protección y se establecen catorce zonas arqueológicas dentro de la zona central y diez más fuera de ella. Para los edificios se definen cuatro niveles de protección: integral, parcial de dos grados y ambiental. Cada nivel está vinculado a un tipo de actuación máxima. Asimismo, desde 2006 se han integrado en el catálogo local los inmuebles de los que se tiene constancia de la existencia de pinturas murales y de aquellos en los que se intuye que pueden encontrarse.

Plymouth cuenta con un catálogo local de bienes protegidos incluso antes de que existieran listas nacionales. El cambio de mayor relevancia introducido recientemente es la creación de listas de interés comunitario, como una medida más para fomentar la implicación ciudadana y el reconocimiento de la diversidad de identidades de los residentes. Estas listas tienen rango legal e implican distintas restricciones en función del grado de protección. Asimismo, los planes parciales cuentan con un listado de construcciones que contribuyen positivamente al paisaje urbano. En Puebla destacan los planes y proyectos de regeneración urbana en barrios del centro histórico y aledaños, que incorporan reconocimiento de los valores patrimoniales de los edificios, espacios públicos y áreas naturales más allá del catálogo del Instituto Nacional de Antropología e Historia. Como ejemplo, cabe mencionar la integración del patrimonio industrial de la zona de San Francisco y los túneles e infraestructuras hidráulicas de los barrios de Xonaca y Xanenetla.

## 3.8. GESTIÓN DEL PATRIMONIO EN PELIGRO

En Guanajuato existen algunos estímulos fiscales para los propietarios de inmuebles catalogados como históricos que supondrían un incentivo para conservarlos. Sin embargo, las condiciones de informalidad de gran parte de las actividades económicas locales los hacen poco atractivos en la práctica. En Málaga, la normativa establece que la declaración de ruina de edificios protegidos comportará su inclusión en un registro de solares y edificaciones ruinosas, habilitándose al propietario el plazo de un año para que ejecute las obras de restauración o rehabilitación pertinentes. Sin embargo, en la práctica estas medidas se llevan a cabo solo puntualmente, por lo que el abandono del patrimonio sigue siendo uno de los grandes problemas a los que la ciudad aún no ha sido capaz de hacer frente.

En cuanto a la identificación y gestión de bienes patrimoniales que se encuentran en peligro, Plymouth cuenta con su propio registro revisado anualmente. Además, los planes parciales contribuyen a la actualización del listado identificando amenazas en su ámbito de actuación. Desde 2005 la iniciativa llevada a cabo es la eliminación de un 5% de los bienes de la lista cada año mediante su correcta rehabilitación. En Puebla se establecen políticas de preservación y mantenimiento. La prevención busca controlar que las condiciones físicas y ambientales sean tales que se prevenga el deterioro de los inmuebles. En cambio, el mantenimiento es el conjunto de acciones mínimas cuyo fin es evitar que un inmueble intervenido vuelva a deteriorarse.

## 3.9. MEDIDAS ORIENTADAS A LA CONSERVACIÓN DE ACTIVIDADES TRADICIONALES

En el caso de Guanajuato es perceptible que las actividades tradicionales siguen vivas. De hecho, en algunos casos lo son de manera tan intensa que representan un conflicto para actividades económicas contemporáneas. Por ejemplo, por sus fiestas tradicionales, es el municipio con mayor cantidad de días con suspensión de labores por la administración pública en el estado. En el caso de Málaga se ha llevado a cabo un intento similar, en este caso para recuperar las actividades artesanas en los corralones. Los talleres vecinales se dedican a la elaboración de elementos decorativos para los patios, entre los que se encuentran el taller de jardinería, ornamentación ecológica pintura en madera, cerámica y forja.

Plymouth se ha centrado en mantener y recuperar la actividad industrial y pesquera en el borde marítimo, íntimamente ligadas a la identidad de la ciudad. Para ello, en las intervenciones de regeneración se garantiza el mantenimiento de este tipo de actividades compatibles con otras como la residencia, el turismo y el comercio. En Puebla se apuesta por el mantenimiento y la extensión de expresiones culturales populares en las intervenciones arquitectónicas. Asimismo, se reconoce el valor patrimonial de las vecindades tradicionales, si bien se asume que muchas de ellas presentan un elevado nivel de deterioro que pone en riesgo el mantenimiento de la población original y, por tanto, de las actividades tradicionales.

## IV. CONCLUSIONES

La política urbanística incide de forma decisiva en la gestión de las actividades turísticas en la ciudad histórica. La variedad de herramientas e iniciativas llevadas a cabo varía tanto como la problemática a la que debe hacer frente cada ciudad, con lo que más que establecer pautas o recomendaciones estandarizadas, es necesario valorar la situación caso por caso. De las cuatro ciudades analizadas puede concluirse, como recomendación tanto para ellas como para otras, que una correcta gestión urbanística de la ciudad histórica no es posible sin la consideración interrelacionada tanto del patrimonio edificado como el natural, que debe ser específico para la ciudad y el barrio en cuestión, reconociendo por tanto aquellos bienes relevantes para la comunidad local. Igualmente, se debe hacer un seguimiento continuo de las agresiones al paisaje urbano y a los bienes específicos. El lenguaje arquitectónico actual y los nuevos usos cumplen con el objetivo de renovar el papel simbólico de los centros históricos y su protagonismo en la escala general de la ciudad, de lo contrario están abocados a convertirse en espacios museísticos vaciados de uso casi exclusivo para los visitantes o para residentes solo cuando se comportan como tales.

## V. REFERENCIAS

André, M., Cortés, I. y López, J. (2003, 1 de abril). Turismo cultural: cuando el recurso cultural supera al destino turístico. El caso de Figueres. [Ponencia]. XII Simposio Internacional de Turismo y Ocio. Barcelona, España.

Ayuntamiento de Guanajuato. (2002). *Plan de Conservación Guanajuato, Zona declarada Patrimonio de la Humanidad.*

Ayuntamiento de Guanajuato. (1998). *Plan de Desarrollo Municipal 1998-2000.*

Ayuntamiento de Guanajuato. (1999). *Plan Parcial de Desarrollo de la zona de la Presa de la Purísima.*

Ayuntamiento de Guanajuato. (2011). *Plan de Ordenamiento Territorial del Centro de Población y Programa de Desarrollo Urbano de Guanajuato.*

Ayuntamiento de Guanajuato. (2002). *Plan de Ordenamiento Territorial de la Ciudad de Guanajuato.*

Ayuntamiento de Guanajuato. (1999). *Plan Parcial de Ordenamiento Territorial de la Zona de Valenciana.*

Ayuntamiento de Guanajuato. (1998). *Plan Parcial de la Zona de Crecimiento Yerbabuena-Colonia Burócrata zona suroeste.*

Ayuntamiento de Málaga. (2011). *Iniciativa Urbana. Análisis del espacio público usos y actividades económicas en el ámbito del PEPRI Centro.*

Ayuntamiento de Málaga, Servicio de Programas Europeos. (2006). *Málaga 05 Agenda 21.*

Ayuntamiento de Málaga (2011). *Plan Especial de Protección y Reforma Interior del Centro de Málaga.* PAMPEPRI (83) M.

Ayuntamiento de Málaga. (2011). *Plan General de Ordenación Urbanística.*

Ayuntamiento de Puebla. (2007). *Programa Municipal de Desarrollo Urbano Sustentable de Puebla.*

Ayuntamiento de Puebla. (2015). *Programa Parcial de Desarrollo Urbano Sustentable del Centro Histórico del Municipio de Puebla.*

Burtenshaw, D., Bateman, M. y Ashworth, G.J. (1991). *The European city. A western perspective*. David Fulton Publishers.

Casariego Ramírez, J. y Guerra Jiménez, E. (Eds.). (1995). *Reinventar el destino. Reflexiones sobre el espacio turístico contemporáneo*. Ashotel.

Department for Culture, Media & Sport. (1999). *Tomorrow's tourism. A growth industry for the new millennium*.

Fainstein, S.S. y Judd, D.R. (Eds.). (1999). *The tourist city*. Yale University Press.

Toselli, C. (2006). Algunas reflexiones sobre el turismo cultural. *Pasos. Revista de Turismo y Patrimonio Cultural*, 4(2), 175-182.

Organización Mundial del Turismo y Comisión Europea. (2005). *El turismo urbano y la cultura. La experiencia europea*. Organización Mundial del Turismo.

Plymouth City Council. (2007). *Adelaide Street Conservation Area Appraisal and Management Plan*.

Plymouth City Council. (2007). *Barbican Conservation Area Appraisal and Management Plan*.

Plymouth City Council, Department of Development. (2010). *City Centre and University Area Action Plan 2006-2021*.

Plymouth City Council, Department of Development. (2007). *Devonport Area Action Plan 2006-2021*.

Plymouth City Council. (2007). *Devonport Conservation Area Appraisal and Management Plan*.

Matrix Partnership. (2003). *Devonport Development Framework*. Preparado para Devonport Regeneration Company.

Plymouth City Council. (2008). *Ebrington Street Conservation Area Appraisal and Management Plan*.

Plymouth City Council, Department of Development. (2005). *Hoe Area Action Plan*. Issues and options.

Plymouth City Council. (2007). *Local Development Framework*, Core Strategy.

Plymouth City Council, Department of Development. (2007). *Millbay and Stonehouse Area Action Plan 2006-2021*.

Plymouth City Council. (2007). *Millfields Conservation Area Appraisal and Management Plan*.

Plymouth City Council. (2007). *North Stonehouse Conservation Area Apprai-sal and Management Plan.*

Plymouth City Council. (2007). *Stonehouse Peninsula Conservation Area Appraisal and Management Plan.*

Plymouth City Council, Department of Development. (2008). *Sutton Har-bour Area Action Plan 2006-2021.*

Plymouth City Council. (2008). *The Hoe Conservation Area Appraisal and Management Plan.*

Plymouth City Council. (2003). *The Plymouth Plan.* The future of heritage and the historic environment. Document for consultation.

Plymouth City Council. (2007). *Union Street Conservation Area Appraisal and Management Plan.*

Russo, A.P. y Van der Borg, J. (2002). Planning considerations for cultural tourism: a case study of four European cities. *Tourism Management, 23,* 631-637.

Schofield, P. (2011). City resident attitudes to proposed tourism develop-ment and its impacts on the community. *International Journal of Tourism Research, 13,* 218-233.

*Capítulo 4*

# La terminología biosanitaria y el texto periodístico en el aula: la traducción al árabe de términos de nueva creación

Moulay Lahssan Baya Essayahi

*(Universidad de Granada –España–)*

## I. INTRODUCCIÓN

El recurso constante al texto periodístico como material didáctico en las clases de traducción en la inmensa mayoría de las combinaciones lingüísticas sigue creciendo año tras año (Al Duweiri, 2021). La aparición de terminología médica o biosanitaria, en general, ha experimentado, igualmente, un notable auge en esta tipología textual con la expansión de la pandemia actual del COVID-19 y son muchos los investigadores y las instituciones que se han ocupado de traducir materiales sanitarios de gran valor sobre el COVID-19 y ponerlos a disposición de la población inmigrante o multilingüe (Álvaro Aranda, 2020).

Ante esta situación y en consonancia con nuestra línea de investigación centrada, de forma muy particular, en la traducción periodística, pretendemos en esta contribución abordar esta terminología especializada o semi-especializada y su traducción para el alumnado o receptor cuya combinación lingüística es el árabe-español-árabe.

Aunque no exista consenso sobre la clasificación de los géneros periodísticos, son muchos los autores que han abordado este tema (Grijelmo, 2001; Casasús y Núñez, 1991), ya que su uso aprovechamiento en el aula va a depender de necesidades docentes puntuales. Por tanto, el género textual más utilizado en las aulas de traducción es el expositivo-informativo, aunque también se puede recurrir al argumentativo cuando el nivel lingüístico del alumnado se sitúa entre el medio y el alto (Baya, 2019).

En este sentido, pretendemos en este trabajo abordar, por un lado, aspectos teóricos relacionados con el texto periodístico, la traducción, la terminología, los neologismos y los mecanismos o procedimientos útiles para su traducción, apoyándonos en trabajos de referencia sobre el tema (Cabré, 1993; Aguirre Martínez, 2013, citada en Yáñez López, 2015), y por otro, ofrecer un estudio y análisis de las técnicas y estrategias utilizadas para el trasvase de la terminología especializada al árabe, siguiendo pautas y recomendaciones de otros autores (Al-Ḥamzāwī, 1986; Al-Qaḥṭānī, 2002). Para ello, elaboraremos un corpus terminológico, extraído de noticias redactadas originariamente en español y su correspondiente traducción al árabe.

## II.  OBJETIVOS Y METODOLOGÍA

Esta contribución versará sobre la traducción periodística y la terminología biosanitaria en la combinación lingüística español-árabe y tendrá como objetivos principales los siguientes: exponer las técnicas y estrategias más utilizadas en el proceso traductor de neologismos al árabe; comprobar si los procedimientos usados en la traducción periodística son igualmente válidos para ser aplicados a vocablos presentes en el texto origen; valorar la existencia o no de dificultades puntuales, al usar estas técnicas, a la hora de querer normalizar equivalentes localizados en los textos traducidos al árabe.

La metodología adoptada para la traducción de vocablos de nueva creación y/o especializados localizados en el texto origen estará guiada por las siguientes pautas: exposición e identificación de los datos esenciales de los textos escogidos y extracción de la terminología especializada de los textos origen y meta y su colocación en la tabla específica confeccionada para dicha tarea. Posteriormente, se procede al análisis de las estrategias y mecanismos empleados para la traducción de la terminología estudiada. En un apartado independiente, se valoran los resultados obtenidos y se explican las técnicas utilizadas para la traducción de los vocablos seleccionados.

## III.  TRADUCCIÓN, TEXTO PERIODÍSTICO Y TERMINOLOGÍA. ESTADO DE LA CUESTIÓN

### 3.1.  LA TRADUCCIÓN DE PRENSA Y EL GÉNERO PERIODÍSTICO

A la traducción periodística o de prensa no se le ha prestado, hasta la fecha, la importancia que corresponde a su papel en la sociedad como puente de comunicación entre culturas y civilizaciones más o menos lejanas. Una de las facetas que debe tenerse en cuenta, a nuestro juicio, para fortalecer esta modalidad de traducción es dotarla de mayor rigor y profesionalidad y que la tarea sea asumida por traductores profesionales con formación en el periodismo y conocimiento de los distintos géneros periodísticos y de las técnicas de traducción específica que conviene aplicar en el proceso traductor. No es lo mismo traducir una noticia, una entrevista o un artículo de opinión, ya que el tratamiento que se le da a un género expositivo podría ser distinto del interpretativo o el argumentativo (Hernández Guerrero, 2006). Igualmente, resulta de suma importancia que el traductor conozca las convenciones estilísticas y gramaticales que cada idioma utiliza en función de los géneros.

Asimismo, cabe destacar que la labor del traductor y del profesional de la prensa van de la mano, ya que el grueso de la información de carácter internacional lo constituyen las traducciones; de ahí que el periodismo, como tal, está directamente ligado a la práctica de la traducción (Ghignoli y Montabes Ortiz, 2014). A pesar de que no disponemos de estadísticas o datos concretos sobre la presencia de la traducción en la prensa, sobre todo en la combinación árabe-español, el volumen de trabajos sobre esta modalidad de traducción va ganando terreno y está presente tanto en foros académicos como de investigación (Hernández Guerrero, 2006, 2005a; Darwich, 2006; Baya, 2018, 2019; Al Duweiri, 2021).

## 3.2. LA TERMINOLOGÍA Y LA TRADUCCIÓN DEL TEXTO BIOSANITARIO

El texto médico tanto en su versión original como traducida reúne unos rasgos característicos y distintivos de cualquier texto de esta naturaleza, que son la claridad, la precisión y, sobre todo, la veracidad. Además, su objetivo principal es informar de forma impersonal y objetiva; de ahí que guarde estrecha relación con el género periodístico expositivo/informativo, utilizado por la mayoría de los docentes en sus clases de traducción, ya que en esta tipología textual no tienen cabida la subjetividad, ni la opinión personal o la ambigüedad (Ponce, 2014).

Durante la formación universitaria en Traducción, el docente de esta materia insiste a su alumnado en la importancia de saber distinguir, con criterio, entre el papel del traductor y el del terminólogo, dado que el tratamiento que se dará a un texto será distinto dependiendo del enfoque de cada uno de estos profesionales. Los problemas a los que se enfrentan son, generalmente, diferentes y, por lo tanto, las soluciones requieren, igualmente, estrategias diferentes. En este sentido, por ejemplo, puede darse el caso "de que no se encuentre un término equivalente en la lengua meta, porque no exista el concepto; pero siempre será tarea del traductor encontrar la forma de transmitir el mensaje" (Gallardo, 2010, p. 213). En general, el traductor asocia el significado de este término con su denominación léxica, mientras que el terminólogo lo relaciona con el objeto o concepto afín a dicha denominación (Al-Qāsimī, 2008).

Además, cabe resaltar que el campo de la medicina o el biosanitario, en general, abarca el grueso de la terminología médica que circula hoy en día, y el corpus terminológico médico que utilizamos en la actualidad incluye, en un muy elevado porcentaje, vocablos de procedencia latina o griega. No obstante, disponemos, igualmente, de una cantidad no desdeñable de términos de nuevo cuño, que han ido surgiendo con la aparición de nuevas necesidades, relacionados con conceptos, técnicas, patologías, aparatos, utensilios, etc. El trasvase de esta terminología, originalmente en lengua inglesa, plantea enormes dificultades a los traductores, aunque podrían ser relativamente comunes a muchas lenguas y suelen ser las propias de las características gramaticales y estilísticas de cada lengua (Ponce, 2014; Iqdari, 2019).

## 3.3. LA NEOLOGÍA Y SU UTILIDAD

La creación de vocablos de nuevo cuño se convierte en algo imprescindible en la actualidad con el desarrollo de nuevas tecnologías y su expansión por casi todo el universo. Ante esta realidad, surge la imperiosa necesidad en el seno de muchas sociedades de adaptar sus lenguas a esta globalización lingüística que percibimos, de forma particular, en los medios de comunicación. Los terminólogos y los traductores, como se ha resaltado más arriba, deben participar de forma activa en este proceso y aportar sus conocimientos de forma individual o colectiva. La creación de este neologismo o nuevo término tiene lugar, en general, cuando se procede a la transferencia de un nuevo concepto a la lengua meta (Calvi, 1988) y las estrategias para llevar a cabo esta operación pueden ser, entre otras, el *calco* y el *préstamo*. Además, los estudiosos de la materia establecen criterios enmarcados dentro de lo que denominan estándares de creación léxica, que podrán favorecer la aceptación del neologismo dentro de un idioma determinado, tales como la brevedad, la maleabilidad, la motivación, la adecuación, la derivación o la aceptabilidad (Dubuc, 1992, citado en Iqdari, 2019).

### 3.3.1. El lenguaje periodístico y su traducción

El lenguaje periodístico posee unas características específicas que lo distinguen de otros géneros literarios, y se resumen, principalmente, en la sencillez, la concisión o la claridad, además de la coherencia o la brevedad.

Estos rasgos distintivos son, en general, muy parecidos a los que se tienen en cuenta a la hora reproducir un texto traducido. No obstante, consideramos que el cambio sociocultural desempeña un importante papel en el proceso de traducción de una noticia, por ejemplo, y en el traslado de sus repercusiones locales o internacionales a otro escenario geográfico en una lengua diferente, con sus peculiaridades e identidad propia.

La traducción periodística intenta velar, en la medida de lo posible, por unas características y aspectos que van desde las necesidades del medio para el cual se trabaja hasta el dominio y la adaptación a la jerga de cada sección, pasando por la utilización de términos que faciliten la comprensión de la información transmitida. Por ello, estos rasgos se resumen, básicamente, en parámetros como la claridad, la flexibilidad, la ductilidad y versatilidad, la veracidad y rigurosidad o la globalización y universalidad (Wangari, 2016).

### 3.3.2. La creación de términos de nuevo cuño

La progresiva presencia de términos de nuevo cuño en las lenguas menos universales o con menor proyección científico-técnica y su amplio uso en los textos didácticos de traducción están muy relacionados con el intercambio de la información a todos los niveles. Esta nueva terminología es adoptada por estas lenguas, utilizando vocablos equivalentes, e incorporada a su bagaje semántico a través de unos mecanismos específicos, o recurriendo, en muchas ocasiones, a los préstamos y calcos con el fin de cubrir lagunas terminológicas en la lengua meta y ser, posteriormente, reproducidos por los traductores (Montero Martínez *et al.* (2001 b).

En este sentido, el aprovechamiento y uso de los neologismos tienen lugar de distintas formas, tales como la reutilización de elementos morfológicos o sintácticos o la asociación de sonidos o letras, entre otros procedimientos (Etecé, 2020), pero el que más nos interesa en este trabajo es la introducción de palabras pertenecientes a otros sistemas lingüísticos, en forma de préstamos, extranjerismos o calcos o términos de lenguas etimológicas, como el latín y el griego en el caso de las lenguas románicas.

Sin la intención de profundizar o intentar abordar de manera exhaustiva este tema, señalamos que existen varios tipos de neologismos o neologías ampliamente estudiados. Dubuc (1992) distingue cuatro tipos: la estilística, la tecnológica, la social y la funcional; de los cuales llaman nuestra atención, y se relacionan de forma muy estrecha con nuestra temática de estudio, las denominadas *tecnológica* y *funcional*. La primera se ocupa de la creación de nuevas denominaciones que responden a la presencia de una realidad nueva (una máquina, una enfermedad desconocida, un proceso de fabricación inédito), y este tipo se hace indispensable para todo especialista y preocupa por encima de todo a los terminólogos y los planificadores lingüísticos. Sin embargo, su uso no es ajeno a la polémica por la coexistencia de varias denominaciones sinónimas para un mismo término, o por otro problema relacionado con el uso de las variantes que son generadas en lugares geográficamente distantes del habla de una lengua, como es el caso del español de América, ya que ofrecen soluciones distintas a los mismos problemas terminológicos que se plantean en el español peninsular. En cuanto a la neología *funcional*, Dubuc (1992) reserva esta denominación a las palabras de nuevo cuño creadas para lograr una mayor expresividad y eficacia, y abarcan el conjunto de abreviaciones, tales como siglas, acrónimos, abreviaturas o símbolos, además de casos en los que se recurre al proceso de la sustitución de una paráfrasis por una palabra única, por ejemplo "a prueba de fuego" por "antifuego" o *muḍāḍ lin-nār*, en árabe. Este procedimiento, junto con otros, es ampliamente utilizado en la traducción a lenguas como el árabe y suele encontrar soluciones puntuales relativamente satisfactorias.

## IV. LA TRADUCCIÓN DE NEOLOGISMOS AL ÁRABE: PROCEDIMIENTOS Y MECANISMOS

Abordamos en este apartado algunos procedimientos y mecanismos comunes y ampliamente utilizados para el trasvase de vocablos especializados a la lengua árabe. Trataremos de destacar las referencias teóricas propuestas por especialistas de la materia, en general, y los estudios específicos centrados en su aplicación y utilidad para la lengua árabe.

En este sentido, Al-Ḥamzāwī (1986, citado en Iqdari, 2019) apuesta por la traducción del término dentro de cualquier texto. En vez de recurrir, de forma muy extendida, a los préstamos y los calcos, considera los postulados defendidos por Vinay y Darbelnet (1958) como técnicas y procedimientos útiles para traducir tanto textos como términos aislados, y propone utilizar estrategias y técnicas similares para traducir los términos al árabe. Al tratarse de técnicas ampliamente utilizadas y estudiadas en los trabajos de traducción, nos conformamos con mencionar las que propone este autor y que hemos aplicado y analizado en nuestro trabajo: la amplificación, la ampliación, la equivalencia, la modulación, el préstamo, el calco o la traducción literal.

En lo que respecta a las propuestas para el trasvase de terminología especializada al árabe, cabe señalar las distintas iniciativas surgidas en el mundo árabe en torno a la planificación lingüística y la creación de instituciones que apuesten por la renovación de la lengua árabe. La creación del Instituto de Estudios y de Investigación para la Arabización (IERA, por sus siglas en francés) en Rabat en 1960 constituye uno de los pasos importantes en esta dirección y busca materializar algunos de sus objetivos principales: "coordinar la arabización de los sectores públicos y modernizar la lengua árabe para convertirla en una herramienta de trabajo, ciencia y tecnología" (Benítez Fernández, 2012, p. 7). Posteriormente, gracias al apoyo de la Liga Árabe, se pone en marcha la Oficina Permanente de la Arabización, con sede también en Rabat, que actualmente opera bajo el nombre de Oficina de Coordinación de la Arabización, cuyo cometido principal se centra en la elaboración de léxicos y diccionarios unificados y especializados en distintos campos de la ciencia y la tecnología.

La mayoría de las propuestas de estas instituciones académicas árabes o centros regionales de arabización se orientan a la necesidad de introducir nuevos procedimientos o mecanismos específicos, que comprenden el *retorno a las fuentes* de la herencia árabe clásica para el aprovechamiento de términos ya existentes y utilizarlos para nuevas situaciones comunicativas (Iqdari, 2029); la *derivación*, que puede permitir la producción de varios términos nuevos a partir de una misma raíz léxica (Al-Jūrī, 1988); la *composición* y la *metáfora* (Al-Qaḥṭānī, 2002); la *arabización*, cuya utilidad sería de gran importancia si se acompañase de un estudio riguroso y actualizado de posibles equivalentes en árabe (Al-Qaḥṭānī, 2002). Igualmente, se ofrecen propuestas para las *abreviaciones*, centradas en la traducción del término representado por las siglas, dando como resultado una nueva *abreviación* a partir de las iniciales de las palabras traducidas al árabe (Al-Hilālī, 1983). En lo que respecta a los prefijos y sufijos, se recomienda el recurso a equivalentes comunes y de morfología sencilla que faciliten su futura derivación (Al-Ḥamzāwī, 1986, citado en Iqdari, 2019) y, en este sentido, apuesta por aplicar los procedimientos propuestos por Dubuc (1992).

## V. ANÁLISIS APLICADO A LOS TEXTOS PERIODÍSTICOS

En este bloque, exponemos la estructura y el proceso seguido en los textos escogidos para su correspondiente estudio y análisis. Cabe destacar que, en un principio, teníamos pensado analizar un número más amplio de textos, pero, dada la naturaleza de la investigación y el espacio relativamente reducido reservado a esta investigación, tuvimos que conformarnos con ofrecer solamente dos noticias que abordan el tema de nuestro trabajo.

El *criterio* seguido para la selección de los textos ha sido muy simple, aunque debería reunir algunos requisitos que consideramos relevantes: que la terminología sea transcendental y útil para el alumnado de traducción; que las noticias sean de reciente publicación; y, sobre todo, que el medio consultado cuente con noticias originales en español y su traducción en árabe.

*Método*: una vez localizado dicho material en su versión original (español) y traducida (árabe), procederemos a volcar la terminología especializada y/o afín al campo biosanitario en unas tablas y, posteriormente, introducimos la técnica o procedimiento seguido, acompañado de su oportuno comentario.

Ofrecemos, a continuación, los siguientes datos que incluyen el título y la fuente de referencia, junto con una tabla que recoge los términos origen y meta, la técnica de traducción aplicada y algunas observaciones, si procede. Los textos son noticias extraídas de las páginas oficiales de los servicios de la BBC en español y árabe.

## 5.1.   TEXTOS SELECCIONADOS

### 5.1.1.   Texto 1. Referencia y tabla

Versión original: "Coronavirus: China enfrenta su peor brote de COVID-19 desde el inicio de la pandemia" BBC News Mundo – 30/07/2021–11:38

Enlace: https://www.bbc.com/mundo/noticias-internacional-58024935

Versión traducida: فيروس كورونا: موجة جديدة في الصين تعد الأسوأ منذ تفشي الوباء في ووهان

BBC News Arabic – 30/07/2021–11:50

Enlace: https://www.bbc.com/arabic/science-and-tech-57995622

**Tabla 1.** Análisis de elementos extraídos del texto 1.

| Término origen | Término meta | Técnica aplicada | Observaciones |
|---|---|---|---|
| Coronavirus | فيروس كورونا | Préstamo y Arabización | El *préstamo* compensa la ausencia de equivalencia, y la *arabización* favorece la adaptación fonética y lingüística. |
| Brote de COVID-19 | موجة جديدة | Modulación | Nueva estructura adaptada al árabe. |
| Pandemia | جائحة | Equivalencia | Acuñada por los diccionarios. |
| Contagio | تفشي الوباء | Amplificación | Equivalente: عدوى |
| Infectadas | اصيب بالفيروس | Equivalencia | Por el uso lingüístico. |
| Programa de pruebas COVID | حملة اختبارات للكشف عن الإصابات | Ampliación | Precisiones no formuladas en el TO. |
| Variante delta del virus | سلالة دلتا الجديدة | Amplificación | Equivalente de variante: متحور |
| Propagación | تفشي | Equivalencia | Acuñada por los diccionarios. |
| Vacunas | لقاحات | Equivalencia | Recogida en los diccionarios. |
| Brotes locales | بؤر العدوى المحلية | Amplificación | Más palabras para explicar el mismo concepto. |

**Fuente:** Elaboración propia.

## 5.1.2. Texto 2. Referencia y tabla

Versiónoriginal:"Hongonegro:porquéIndiatienetantoscasosdemucor-micosis en pacientes recuperados de COVID-19" – BBC News Mundo – 06/06/2021–22:43

Enlace: https://www.bbc.com/mundo/noticias-internacional-57376680

Versión traducida: الفطر الأسود: ما سبب ارتفاع أعداد المصابين به في الهند؟

BBC News Arabic – 07/06/2021–05:25

Enlace: https://www.bbc.com/arabic/world-57375437

**Tabla 2.** Análisis de elementos extraídos del texto 2.

| Término origen | Término meta | Técnica aplicada | Observaciones |
|---|---|---|---|
| Hongo negro | الفطر الأسود | Equivalencia | Recogida por los diccionarios. |
| Mucormicosis | الفطر الأسود | Amplificación | Otros equivalentes: "الفطر العفني" أو "فطر الغشاء المخاطي". |
| COVID-19 | كوفيد-19 | Arabización | Adaptación fonética a la lengua árabe. |
| Pacientes recuperados | مرضى متعافين من كوفيد 19 | Amplificación | Palabras nuevas en TM para expresar mismo concepto. |
| Diagnóstico | تشخيص | Equivalencia | Reconocida por diccionarios de referencia. |
| Tasa de mortalidad | احتمالات الوفاة | Equivalencia | Falta de precisión terminológica. Opción: معدل الوفاة. |
| Alta prevalencia de diabetes | تزايد الحالات سببه الإصابة بالسكري | Amplificación | Más palabras para expresar el mismo concepto. |
| Infecciones micóticas | الإصابات الفطرية | Equivalencia | Acuñada por el uso lingüístico. |
| Muestras de tejidos | عينات من الأنسجة | Equivalencia | Reconocida por el uso lingüístico. |
| Esteroides | المنشطات | Equivalencia | Término genérico. |
| Dexametasona | ديكساميثازون | Arabización. Al principio, se omitió y se utilizó el término genérico. | En sucesivas apariciones, se recurrió a dicha técnica. |
| Metilprednisolona | منشطات | Elisión/arabiza-ción | Se tradujo por (منشطات) y en ningún caso la *arabización* |

| Término origen | Término meta | Técnica aplicada | Observaciones |
|---|---|---|---|
| Inflamación | إلتهاب | Equivalencia | Acuñada por los diccionarios de referencia. |
| Respuesta inmunitaria del cuerpo | رد الفعل المناعي للجسم | Traducción literal/calco | Adaptación literal al sintagma del TO. |
| Automedicación | تناول الأدوية بدون توصية الطبيب | Amplificación | Más palabras para expresar el mismo concepto. |
| Infección por hongos | العدوى الفطرية | Modulación | Estructura adaptada al árabe. |
| Kits de aislamiento en el hogar | حقائب العزل المنزلي | Traducción literal/calco | Adaptación a la estructura original del TO. |

**Fuente:** Elaboración propia.

## VI.  ANÁLISIS Y COMPARACIÓN DE LOS TEXTOS 1 Y 2

Este apartado se divide en dos bloques: en el primero, ofrecemos datos como la frecuencia o técnica empleada, su aparición en los textos 1 y 2 y algunas observaciones, si procede, y en el segundo exponemos un resumen de las técnicas utilizadas en ambos textos.

**Tabla 3.** Frecuencia de uso de técnicas empleadas en los dos textos.

| Frecuencia y técnica de uso | Texto 1 | Texto 2 | Observaciones |
|---|---|---|---|
| Arabización | 1 | 3 | |
| Equivalencia | 4 | 7 | Más utilizada junto a la arabización. |
| Amplificación | 3 | 4 | |
| Préstamo | 1 | - | |
| Elisión | - | 1 | |
| Ampliación | 1 | - | |
| Modulación | 1 | 1 | |
| Calco | - | 2 | |

**Fuente:** Elaboración propia.

En cuanto a las técnicas localizadas en los dos textos, la *equivalencia* es la ampliamente más utilizada en ambas versiones. La *amplificación* es la segunda técnica que más se ha usado en los dos textos, seguida por la *arabización* en el segundo texto. Estas técnicas han sido estudiadas por muchos investigadores y especialistas en el tema. En este sentido, Hurtado Albir (2001), define la *amplificación* como la situación en la que se introducen en el texto meta precisiones no formuladas en el texto original, y la *equivalencia* o *equivalente acuñado* cuando se utiliza un término o expresión reconocido, bien por el diccionario o por el uso lingüístico, como equivalente en la lengua meta. En cambio, se recurre a la *arabización* como último recurso para la adaptación lingüística y fonética de una palabra debido a la ausencia de un equivalente en árabe (Al-Qaḥṭānī, 2002). Precisamente, los términos coronavirus y COVID-19, se han traducido con esta técnica en ambos textos, ya que los traductores de prensa recurren a ella, a menudo, para solucionar dificultades relacionadas con los neologismos.

Con respecto a otras técnicas, se ha podido observar que su uso es relativamente menor, a juzgar por los casos contabilizados, ya que la *modulación* se ha utilizado puntualmente una vez en ambos textos, sobre todo como recurso para cambiar la estructura del mensaje original creando una nueva forma más correcta y adaptada al árabe, mientras que el *calco*, al identificarse como una técnica de traducción literal, su uso ha servido para traducir literalmente una palabra o un sintagma. Igualmente, se ha utilizado el *préstamo* recurriendo a un término del texto original para compensar la falta de equivalencia en el meta. En definitiva, suponemos que el recurso a estas estrategias responde, en parte, a la naturaleza y contenido de los textos analizados, ya que son, a nuestro juicio, las que tienen más cabida y aplicación.

## VII.  DISCUSIÓN Y CONCLUSIONES

La proliferación de términos especializados de naturaleza biosanitaria en los textos de prensa en sus distintos formatos y géneros ha adquirido una notable presencia con la aparición de la pandemia actual del COVID-19. Su uso y aprovechamiento como material didáctico en los estudios de traducción crece al mismo ritmo y su trasvase en las distintas combinaciones lingüísticas requiere la aplicación de estrategias y técnicas específicas. En los textos seleccionados y analizados en este trabajo se han identificado y clasificado algunos de los procedimientos utilizados en el binomio español-árabe.

Las técnicas de mayor uso localizadas en los dos textos analizados son la *equivalencia*, la *amplificación* y la *arabización*, seguidas en un porcentaje menor por el *calco* o la *modulación*. La *equivalencia* es la técnica más utilizada en estos textos informativos analizados en este trabajo, dado que se nutre del patrimonio terminológico de la lengua meta para encontrar los equivalentes válidos en el campo de especialización. Los casos que hemos registrados pertenecen a dos categorías: equivalentes acuñados por los diccionarios de referencia y los que son habituales y comunes en el uso lingüístico, secundados por los traductores y terminólogos.

La *arabización*, que se usa, generalmente, en contextos en los que el neologismo pertenece a un campo de saber muy especializado, no fue el caso en los textos analizados, ya que la terminología localizada es relativamente asequible, salvo los dos vocablos referentes a los esteroides. El recurso a esta técnica puede tener ventajas e inconvenientes, dado que los medios de comunicación que prestan mucha importancia a la inmediatez a la hora de traducir sus noticias al árabe encuentran esta estrategia útil, eficaz y rápida, sin embargo, contribuyen innecesariamente a la existencia de nuevos términos, sin comprobar su posible presencia en el patrimonio lingüístico árabe, produciendo un exceso de equivalentes. Esto contrasta con la filosofía y las recomendaciones de los lingüistas árabes (Al-Ḥamzāwī, 1986; Al-Jūrī, 1988) que apuestan por el orden de prioridad para la creación neológica, ya señalado al principio de este trabajo. En cuanto a la *amplificación*, podemos comprobar que se ha cumplido el pronóstico: se ha utilizado de forma muy amplia en los casos en que la lengua meta utiliza más palabras que la lengua origen para transmitir el mismo concepto.

A pesar de que el corpus analizado podría ser insuficiente para extraer conclusiones más profundas, consideramos que los objetivos esbozados inicialmente en este trabajo se han cumplido. No obstante, este trabajo abre las puertas a un estudio más profundo sobre la terminología especializada y su uso en la traducción periodística al árabe. Un análisis más exhaustivo y sosegado contribuiría sobremanera a la traducción de los neologismos, sobre todo si se tienen en cuenta otras fuentes como diccionarios, enciclopedias, tesauros, etc., que aporten información útil sobre aspectos relacionados con términos de nuevo.

## VIII. REFERENCIAS

Aguirre Martínez, C. (2013). Los neologismos en la prensa y en la jerga juvenil: semejanzas y diferencias. En A. Ubach Medina (Ed.). *Tejedora de palabras: la lengua y la literatura en relación con los medios de comunicación* (pp. 225-238). Fragua.

Al Duweiri, H. (2021). La traducción de textos periodísticos de carácter expositivo del español al árabe: retos y propuestas para fines didácticos. *Dirasat, Human and Social Sciences*, 48(1), 554-566.

Al-Ḥamzāwī, R.M. (1986). *Al-manhaŷiya al-ʿāmma litarŷamat al-muṣṭalaḥāt: tawḥīduhā wa tanmīṭuhā* [Terminología general para traducir términos: unificación y estandarización]. Dār al-Garb al-Islāmī.

Al-Hilālī, S. (1983). Mulāḥaẓāt ḥawla al-muʿŷam al-ṭibbī al-muwaḥḥad [Notes on The Unified Medical Dictionary]. *Al-Lisān al-Arabī, 23, 76-82.*

Al-Jūrī, Sh. (1988). *Al-tarŷama qadīman wa ḥaditan* [Traducción antigua y nueva]. Dār al-maʿārif li-al-tibāʿa wa al-naŝr].

Al-Qaḥṭānī, S. (2002). *Al-taʿrīb wa naẓariyat al-tajṭīṭ al-lugawī* [La arabización y la teoría de la planificación lingüística]. *Markaz Dirāsāt al-Waḥda al-ʿArabiya.*

Al-Qāsimī, A. (2008). ʿIlm al-muṣṭalaḥ: Ususih al-naẓariya wa taṭbiqātihi al-ʿamaliya [La terminología: fundamentos teóricos y aplicaciones prácticas]. Librairie du Liban Publishers.

Álvaro Aranda, C. (2020). La traducción de materiales sanitarios sobre la COVID-19 para población inmigrante: análisis exploratorio de propuestas en España. *TRANS*, 24, 455-468. https://doi.org/10.24310/TRANS.2020.v0i24.9762.

Baya Essayahi, M. L. (2018). La traducción del texto periodístico como herramienta básica en la formación académica. Propuesta docente para la combinación lingüística español-árabe. En G. Padilla Castillo (Ed.). *Perspectivas Formativas Universitarias* (pp. 81-92). Editorial Tecnos.

Baya Essayahi, M. L. (2019). El texto periodístico argumentativo y su enseñanza en las aulas de traducción: el caso del español/árabe. En J.J. Gázquez Linares, M. Molero Jurado, A.B. Barragán Martín, M. Simón Márquez, Á. Martos Martínez, J.G. Soriano Sánchez, N.F. Oropesa Ruiz (Eds.). *Innovación Docente e Investigación en Artes y Humanidades* (pp. 949-958). Dykinson.

Benítez Fernández, M. (2012). Un repaso a la política lingüística del Norte de África desde la descolonización. *Anaquel de Estudios Árabes*, 23, 69-81. https://doi.org/10.5209/rev_ANQE.2012.v23.39697.

Cabré, M.T. (1993). *La Terminología: Teoría, metodología, aplicaciones.* Antártida/ Empúries.

Calvi, M.V. (1988). Notas sobre la adopción de anglicismos en español y en italiano. *LEA: Lingüística Española Actual*, 20 (1), 29-39. https://tinyurl.com/bke8mhwu.

Casasús, J.M. y Núñez, L. (1991). *Estilo y géneros periodísticos*. Ariel.

Darwich, A. (2006). Arabic Journalism and the Illusion of Modernity: Impact of Translation on Language, Thought and Expression. @Turjuman Online, 3 (2), 1-4. http://www.translocutions.com/translation/index.html.

Dubuc, R. (1992). *Manuel pratique de terminologie*. Linguatech.

Etecé, E. (30 de septiembre de 2020). *Neologismo*. Concepto. https://concepto.de/neologismo/.

Gallardo, N. (2010). Enseñanza de la traducción técnica: la formación de traductores no especialistas. *Íkala, Revista de Lenguaje y Cultura*, 15(25), 201-220. https://revistas.udea.edu.co/index.php/ikala/article/view/6963/6376.

Ghignoli, A. y Montabes Ortiz, A. (2014). La traducción y los géneros periodísticos. *Mutatis Mutandis*, 7(2), 386-400. https://revistas.udea.edu.co/index.php/mutatismutandis/article/view/19664.

Grijelmo, A. (2001). *El estilo del periodista*. Taurus.

Hernández Guerrero, M.J. (2005a). La traducción de los géneros periodísticos. En C. Cortés-Zoborras y M.J. Hernández Guerrero, M. J. (Eds.). *La traducción periodística* (89-135). Ediciones de la Universidad de Castilla-La Mancha.

Hernández Guerrero, M.J. (2006). Técnicas específicas de la traducción periodística. *Quaderns Revista de Traducció*, (13), 125-139. https://raco.cat/index.php/QuadernsTraduccio/article/view/51667/55312.

Iqdari, A. (2019). Mecanismos para traducir términos periodísticos de nueva creación a la lengua árabe. (Trabajo Fin de Grado). Universidad de Granada, Granada.

Montero Martínez, S., García de Quesada, M. y Fuertes, P. A. (2001b). Condicionantes del proceso traductor: un caso de traductor-experto. *Sendebar*, 12, 281-297. https://tinyurl.com/wysbpxdx.

Ponce, C. (10 de octubre de 2014). Traducción médica: una introducción a la especialidad. Novalo. https://novalo.com/introduccion-la-traduccion-medica/.

Vinay, J.P. y Darbelnet, J. (1958). *Stylistique comparée de l'anglais et du français*. Didier.

Yáñez López, F.J. (2015). Prensa y neologismos: lo que el diccionario no dice. *Razón y Palabra*, 89, 1-23. http://www.razonypalabra.org.mx/N/ N89/V89/04_Yanez_V89.pdf.

Wangari, G. (15 de junio de 2016). *La traducción en la prensa*. Grupo Wangari. https://tinyurl.com/rmatadjp.

*Capítulo 5*

# Pandemia y percepción espacial. Crisis como oportunidad, para redefinir conceptos en el laboratorio de proyecto

Horacio Ángel Casal

*(Universidad Nacional de Río Negro, Patagonia –Argentina–)*

*El presente texto nace en el marco de los Laboratorios de Proyecto, (III y IV), de la carrera de Arquitectura de la Universidad Nacional de Río Negro, Patagonia-Argentina.*

La pandemia global del COVID-19, evidenció entre muchas otras cosas, la necesidad de cambios y actualizaciones en la práctica docente universitaria. El modo de enseñar, de interactuar con el otro debieron cambiar y en mi caso, la enseñanza del proyecto en las carreras de arquitectura, puso de manifiesto una necesidad de cambio quizás más profunda. Se vio afectado el propio concepto de lugar, de vivienda y por ende de espacio. La pandemia alteró la percepción del propio yo, del otro, del nosotros. Modificó la percepción de la seguridad, la del riesgo y colocó al espacio como articulador de todas las percepciones. La pandemia ha cambiado sin que nos lo propongamos, el propio paradigma de la vivienda y con ello, el modo de abordar el proyecto arquitectónico de la misma. Los conceptos utilizados y esgrimidos hasta hoy fueron puestos en discusión y es por ello que la crisis, nos da la oportunidad de redefinirlos. Está en nosotros entonces, aceptar el desafío o permanecer en el pasado o inertes frente a esta realidad.

## I. INTRODUCCIÓN

El objetivo de este artículo es reflexionar en voz alta y en primera persona, respecto a la modificación que significó y significará para la enseñanza del proyecto en Arquitectura, las experiencias vividas como resultado de la pandemia, que habiendo alterado usos y hábitos, implica una inmediata transformación de los espacios necesarios para los nuevos usos y hábitos y con ello, la responsabilidad desde las escuelas de arquitectura de estar a la altura de estos cambios.

Como decíamos al inicio, la realidad cotidiana de la vivienda se transformó y puso en el mismo espacio y al mismo tiempo: intimidad, integración, juego, descanso, trabajo, estudio, entretenimiento, sin más opciones espaciales que aquellas *estandarizadas por usos* desde los proyectos, contribuyendo y no de modo favorable, a las propias problemáticas producto del aislamiento social. La sociedad cambió, el usuario y sus exigencias también, las prioridades al momento de elegir un nuevo hogar, sin dudas cambiarán. La calidad de los espacios, la existencia de usos alternativos, la flexibilidad, el rincón especial, el exterior propio, luz, sol, ventilación y tantos otros temas y situaciones, cobrarán resonancia en la variable.

¿Cómo repensar entonces conceptualmente la vivienda desde el proyecto?

¿Cómo acompañar la nueva necesidad de encontrar *"Mi mundo seguro como lugar"* y ya no solo *"Un lugar en el mundo"*?

## II.  CAMBIOS CONCEPTUALES POSIBLES

La enseñanza del proyecto desde *la máquina de habitar* de Le Corbusier, se ha convertido en búsquedas de relaciones funcionales según usos establecidos, eficientizando la ecuación en términos de metros cuadrados. La necesidad de redefinir conceptos o al menos, de variar la convicción actual en lo referido a la vivienda, se volvió necesidad y desde el laboratorio, como experimentación proyectual, se puso en práctica un primer cambio y pasamos a hablar de:

### 2.1.  DISPOSITIVOS DE USOS FLEXIBLES COMO UNIDAD DE ESPACIO Y NO DE FUNCIONES PRE ESTABLECIDAS

Como parte inicial de los cambios, se intentó al momento de la elaboración del programa para la vivienda, pensar la misma subdividida en unidades de espacios y no en secuencia de funciones. Dejar la conceptualización de espacios servidos y de servicios, o la de espacios públicos y privados, para entender a los mismos como sucesión de unidades de usos flexibles, tal de dar al usuario la libertad de decidir qué hacer en cada uno de ellos, independientemente de la denominación como unidad de proyecto.

## 2.2. VOLUMEN COMO UNIDAD DE MEDIDA DEL ESPACIO Y NO SUPERFICIE. TRABAJAR EL PROYECTO DESDE LAS RELACIONES ESPACIALES QUE SE GENERAN Y NO DESDE LAS FUNCIONALES

El cambio conceptual de la unidad de medida, permite trabajar desde el día uno del proyecto las relaciones espaciales del mismo, entendiendo serán éstas, las que generen una diferenciación perceptiva en la calidad de los espacios. La relación interior-interior de los distintos dispositivos de usos flexibles, la relación interior-exterior, modificando no sólo la percepción sino el uso de esos dispositivos. En síntesis, el corte por sobre la planta, esto significa relegar las relaciones funcionales que se trabajan en planta, para privilegiar las relaciones espaciales que se trabajan en corte.

## 2.3. RESPETO POR EL OTRO Y NO PRIVACIDAD INDIVIDUAL. EL CONCEPTO DE PRIVADO YA NO DESDE UNA VISIÓN INDIVIDUAL Y PERSONAL, SINO DESDE EL RESPETO AL OTRO

Durante la pandemia, las cocinas fueron oficinas, las habitaciones aulas y la constante resultó el conflicto entre quién estaba en red y quien estaba en casa. La necesidad individual de privacidad fue puesta en crisis por la necesidad de vivir informalmente el espacio de la vivienda. Los respetos mutuos se quebrantaron y las escenas ridículas inundaron la red. Pensar desde el respeto traducido en espacios que lo permitan, parecería una opción a indagar. Cambiar la conceptualización de privacidad por la del respeto.

## 2.4. PENSAR LOS ESPACIOS POR "COMO SE SENTIRÁN" Y NO POR "COMO SE USARÁN"

La percepción del espacio se vuelve base, los objetivos de realización personal en un espacio pasan por esta ecuación, no podemos seguir perdiendo tiempo. Estudios tipológicos, análisis de rendimiento, esquemas de armado, etc., dan lugar a "la idea", dan paso al "concepto" del nuevo espacio. Es el modo en que la Arquitectura podrá llegar a la casa de todos, de lo contrario e inexorablemente, permanecerá en los grandes temas, en los grandes programas de uso público.

Recordemos juntos una citación de Le Corbusier: *"Por fin volvemos a hablar de arquitectura, después de tantos silos, fabricas, máquinas y rascacielos. La Arquitectura es una obra de arte, un fenómeno de emoción, situado fuera y más allá de los problemas de la construcción. La construcción tiene por misión afirmar algo; la arquitectura, se propone emocionar. La emoción arquitectónica se produce cuando la obra suena en nosotros al diapasón de un universo, cuyas leyes sufrimos, reconocemos y admiramos. Cuando se logran ciertas relaciones, la obra nos capta. La Arquitectura consiste en "armonías", en "pura creación del espíritu".*

## 2.5. ACCESO, PASO ENTRE EL RIESGO Y LA SEGURIDAD Y NO COMO LA SOLA TRANSICIÓN ENTRE EL AFUERA Y EL ADENTRO

La percepción de seguridad y de asepsia, entraron en el espacio de la vivienda. Nos enfrentamos a la resignificación del "llegar", a partir de la previsibilidad, del saber que sucederá, de las certezas, usos y percepciones del propio espacio.

## III. EL LABORATORIO DE PROYECTO COMO DISPOSITIVO DIDÁCTICO

En los programas analíticos de nuestras materias, aquellas de carácter proyectual, entre las que se encuentra el Taller o Laboratorio de Proyecto Arquitectónico que nos convoca en la reflexión de hoy, se explican las mismas de la siguiente manera. Se plantea que comparten la enseñanza de un proceso de proyecto, que se encuentra en la base de la formación disciplinar. En este sentido, lo proyectual atraviesa de manera contundente todo el período de formación académica y luego profesional de los arquitectos. En este marco, en la estructura curricular de la enseñanza de la arquitectura, las asignaturas "en las que se proyecta", se consideran troncales a la formación disciplinar, en tanto ejes conductores de la formación. Esta cuestión tiene su correlato curricular, a partir de asignaturas entendidas como *portantes* (las que trabajan directamente sobre el proceso proyectual) y asignaturas *aportantes* (las que completan desde diferentes áreas con conocimiento enciclopédico, la formación del arquitecto).

La fundamentación de este formato, el de TALLER/LABORATORIO, entendido como dispositivo didáctico, en el cual se ponen en juego diferentes saberes para "APRENDER HACIENDO", implica o supone, una mayor integración de los conocimientos impartidos en las diferentes áreas, que confluyen en este espacio de síntesis o Total. Esta modalidad, es una experiencia de enseñanza y aprendizaje de forma grupal, que involucra la interacción entre docentes y estudiantes. Las actividades de proyecto, correcciones grupales, clases específicas, elaboración de conclusiones, se constituyen en formas de construcción del conocimiento compartido, en un tiempo y lugar determinados. El taller como espacio de producción y de reflexión permanente sobre las ideas proyectuales, los criterios que orientan la resolución del proyecto y las propias elaboraciones de los estudiantes, permiten en todos los casos, mediante simulacros cada vez más ajustados a la realidad concreta, a los recursos y a los roles de la profesión, integrado todo ello en un PROYECTO, elaborar productos como resultado de un proceso de síntesis proyectual.

El laboratorio como espacio de discusión, experimentación y síntesis, pretende un estudiante que desarrolle un rol activo junto con el enseñante. Dado el nivel de la carrera, los docentes estimularán la participación de los estudiantes como individuos críticos, tanto con el propio trabajo como con el de sus colegas. Se espera así, que los alumnos adquieran los conocimientos específicos del programa, además de una actitud de auto evaluación reflexiva, indispensable para el tipo de conocimiento buscado, basado en:

- Comprender el problema.
- Evaluar otros casos.
- Profundizar y orientar las ideas que surjan.
- Sostener con coherencia sus ideas en el proyecto.
- Verificar y controlar los resultados.
- Adquirir la capacidad de reflexionar de manera crítica y evaluar objetivamente sus resultados.

Se procura de esta forma que los alumnos intercambien conocimientos, experiencias y acciones en cada grupo de trabajo.

Disciplina, autocrítica, respeto y responsabilidad, en el marco de una teoría andragógica de la transmisión y asimilación de conocimiento, que ponga en primer lugar los avances disciplinares específicos en función de una correcta conceptualización de la carrera y sus alcances, en el marco individual del estudiante, que como actor social crece, se forma y prepara.

## IV. NUEVO CONTRATO ESPACIAL

Durante la Bienal de Arquitectura de Venecia 2021, su curador *Hashim Sarkis,* esperaba al público con esta pregunta y un manifiesto frente a lo que determinaba como la necesidad de establecer un nuevo contrato espacial y que creo importante compartir:

"El tema de esta Bienal de Arquitectura, está en su título que es al mismo tiempo tema y pregunta: *HOW WE WILL LIVE TOGETHER?*".

HOW: como, habla de una mirada práctica y soluciones concretas, poniendo en evidencia la importancia del "problem solving" del pensamiento arquitectónico.

WILL: marca el tiempo futuro y señala una mirada dirigida al futuro, investigación de innovación y determinación, apelando a la fuerza del imaginario arquitectónico.

WE: es la primera persona del plural y por tanto inclusiva de otros pueblos, de otras especies, que apela a una comprensión más empática de la Arquitectura.

LIVE: no significa simplemente existir, sino prosperar, florecer, habitar y expresar la vida misma, apoyándose al propio optimismo de la Arquitectura.

TOGETHER: implica colectivos, espacios comunes, valores universales, evidenciando la Arquitectura no solo como forma colectiva, sino como forma de expresión colectiva.

?: indica una pregunta abierta, no retórica, que busca (muchas) respuestas, que celebra la pluralidad de valores "en y a través" de la Arquitectura.

*Manifiesto del Curador*

En un contexto de división política aguda y desigualdades económicas crecientes, pedimos a los arquitectos de imaginar espacios en los que podamos vivir generosamente juntos.

*Juntos*, como seres humanos que no obstante la individualidad creciente, desean ardientemente conectarse entre ellos y con otras especies a través del espacio digital y real.

*Juntos*, como nuevos núcleos familiares a la búsqueda de espacios habitativos más diversificados y dignos.

*Juntos*, como comunidad emergente que reclama equidad, inclusión e identidad espacial.

*Juntos*, más allá de los limites políticos para imaginar nuevas geografías de asociación.

*Juntos*, como planeta que está afrontando crisis que exigen una acción global que nos permita a todos continuar a vivir.

Los participantes de la 17° Muestra Internacional de Arquitectura, están colaborando con otros profesionales y actores: constructores, ingenieros, artesanos, políticos, periodistas, expertos en ciencias sociales y ciudadanos comunes. De hecho, la Bienal de Arquitectura 2021, afirma el rol vital del arquitecto, sea como catalizador, sea como garante del contrato espacial.

Paralelamente, la muestra sostiene que es propio en su especificidad material, espacial y cultural, que la arquitectura inspira los modos en los que vivimos juntos. En tal sentido, pedimos a los participantes, de evidenciar aquellos aspectos del tema principal que son propiamente arquitectónicos.

## V.  EXPERIENCIAS DE PRODUCCIÓN DE LOS ESTUDIANTES

### 5.1.  VIVIENDA COLECTIVA URBANA CON EQUIPAMIENTO

Al inicio del año académico signado por la Pandemia, la cuestión de pensar viviendas para adultos mayores, diseñadas para que las personas pudieran llevar vidas menos aisladas y mejor cuidadas, parecía tener poca urgencia. En ese momento, el adulto joven, ofrecía naturalmente opciones tales de imaginar ejercicios proyectuales en el marco de la formación de futuros arquitectos, sino más reales, más atractivos. A la luz del distanciamiento social obligatorio de hoy, el autoaislamiento, la segregación urbana y las situaciones de no colaboración, aparecen no solo denotadas, sino que pone sobre las mesas de discusión, situaciones no contempladas o al menos, pone en crisis certezas de las administraciones políticas y de los mercados inmobiliarios. Las actuales experiencias de apoyo, asistencia, cuidado y observación "del otro", nos hace replantear que quizás, *"Debamos imaginar un futuro en el que tengamos que ser más solidarios"*, o en realidad *"Es lo que ya deberíamos estar haciendo como sociedad"*.

En cualquier caso, la Universidad como estamento de formación superior, debe incorporar y trabajar la problemática, en vistas a una sociedad capaz de reclamar mejores soluciones habitativas, que no sólo cumplan con metros cuadrados mínimos, según las actividades establecidas de manual, (cumpliendo así estándares administrativos y rendimientos de los mercados), sino que contemple la variable *"calidad"*, que permita exigir en las propuestas proyectuales, los espacios que desde hoy se entienden fundamentales para convertir nuestras casas, en nuestro *"mundo seguro como lugar"*. Solo así lograremos una variación en la oferta de la vivienda colectiva urbana, haciendo entender al usuario que debe y puede torcer el brazo del mercado. Solo así tendrá sentido dotar a nuestros estudiantes, futuros profesionales, a pensar, imaginar e idear soluciones desde la responsabilidad de satisfacer al usuario con los espacios proyectados y a las ciudades, que como consecuencia de éstos creamos. Solo así cumpliremos con una de nuestras premisas de formación, la que determina como desafío, el de anticipar escenarios, siendo capaces de pensar el futuro.

Durante la pandemia, para las autoridades nacionales en Argentina, la prioridad fue salvaguardar a las personas y los medios de vida. Pero cuando salgamos de esta crisis, será necesario un debate serio sobre las "formas de vida", sobre las "formas de habitar" y es para ese momento que debemos estar preparados.

El espacio para la vida intramuros, se vio avasallado en tiempos de pandemia. Desde hoy, las prioridades al momento de elegir un nuevo hogar, habrán cambiado. El paradigma en la búsqueda proyectual, debe cambiar, como cambió en su momento la concepción de familia tipo, hoy cambia la concepción de los espacios y sus usos. Debemos comprometernos a repensar no sólo los espacios, sino las relaciones que estos permitan, como así también las formas y los modos de habitar, repensar la idea misma de ciudad y de socialización. Es indispensable comenzar ya, de modo tal de estar preparados a contribuir a una verdadera transformación, sostenible y de auténtico renacimiento.

En vías a prácticas de Taller que revean estos temas y paradigmas, quizás imaginar la coexistencia de adultos jóvenes y adultos mayores en la tipificación de usuarios, nos ayude a repensar las partes y el todo. Así, la vida intergeneracional mediante la cual las personas mayores, pueden vivir de manera independiente, pero dentro de una comunidad equilibrada y solidaria, podría también coadyuvar y ser uno de los pilares para un futuro diferente, sino mejor. En el marco de conjuntos habitativos donde cada individuo tenga garantizada su propia identidad, con propuestas de servicios y equipamiento que permitan la posibilidad de interacción mutua, donde una experiencia puede ser correspondida con una capacidad, una necesidad a una ayuda y una soledad a una compañía.

Si esta sinergia no solo viene aplicada a los residentes, sino a la comunidad en general, las actividades y acciones que permitan ahondar en el uso mixto urbano, con un enfoque constante de vida activa, trabajando los diversos aspectos prácticos de los diferentes usos, convertiría este concepto, en un posible catalizador para cambiar la forma en la que las ciudades, se ofrecen por ejemplo al envejecimiento de su población.

Una propuesta contextualizada en su propio entorno urbano, puede servir tanto a sí misma, como a proporcionar una base a la interacción de adultos jóvenes y adultos mayores, que aliente a las comunidades a permanecer en la ciudad, prefiriendo compañía y servicios, a distancia y soledad.

La idea entonces podría ser, porque no, generar propuestas de viviendas donde la interacción intergeneracional, en un contexto de vivienda colectiva urbana, con servicios, equipamiento y compañía, trate de volver al modelo del "pequeño pueblo" y las formas de interacción que permitían mecanismos de apoyo establecidos, física y socialmente, de generación en generación y entre generaciones, al margen de filiaciones familiares. Donde el concepto de pertenencia, de comunidad, era capaz de absorber los propios cambios, producto de las dinámicas urbanas, sin perder el sentido de comunidad. Mirar hacia atrás en nuestras comunidades, para generar un futuro que devuelva a la ciudad la escala humana, generando como consecuencia, escalas urbanas a nuestra medida.

### 5.1.1. Trabajos de estudiantes

**Figuras 1, 2, 3, 4.** Síntesis de trabajos de estudiantes sobre Vivienda Colectiva Urbana con Equipamiento.

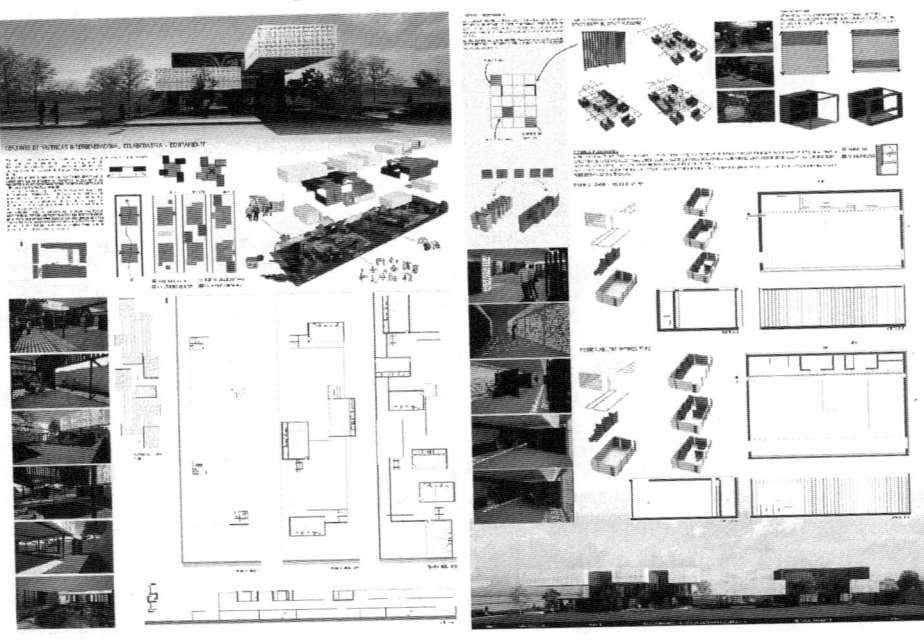

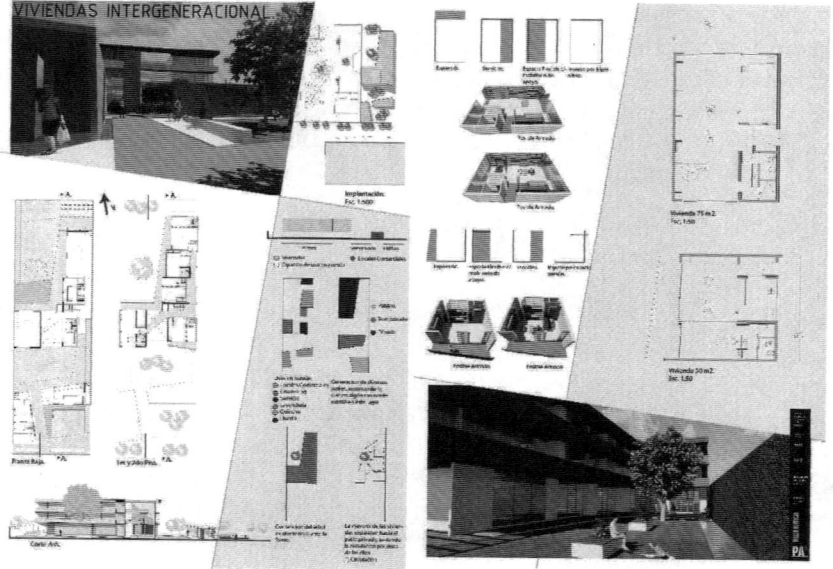

**Fuente:** Elaboración propia.

## 5.2. PARTICIPACIÓN EN CONCURSOS INTERNACIONALES PARA ESTUDIANTES

Como cierre de este proceso que para nosotros fue novedoso, que puso todas las armas digitales y más en acción, presenté a los estudiantes la reflexión que comparto: Voy a empezar reflexionando sobre el taller, para explicar el porqué de la experiencia y terminar sacando conclusiones. Ya saben que cuando les hago una revisión, intento partir de lo posible, lo potencial, de ese germen a veces imperceptible, de esa idea que todavía no ven. Evito iniciar del error, jamás lo hago, aunque de todos modos lo veo e intento que lo vean, porque el error es una fuente de aprendizaje, del error aprendo, mientras que no siempre tengo claro el porqué del acierto. Pero inicio tomando esa punta positiva, para a partir de ahí inducir opciones, trato que se aclaren conceptos, en un juego de preguntas y respuestas donde como un acertijo, con cada observación les voy diciendo: y entonces? …, y si tal cosa que sucedería? … Con la profunda convicción que de a poco, en cada tema, en cada decisión, esto les permita entender y avanzar, les permite crecer. Ese es el modo en el que concibo la acción dentro de un taller de proyecto, convengamos, en el marco de la educación formal en el que nos encontramos, ahora bien, alcanza?, estoy convencido que no. Creo que esto es solo una parte. Este proceso de aprendizaje, que se configuró con base en la innovación que hace más de 100 años estableció la Bauhaus, adaptado a nuestros sistemas ortodoxos de formación y aprendizaje, solo tocó y en parte a los talleres de proyecto, sin siquiera paragonarse todavía. Porqué digo esto, porque la Bauhaus tomó el atelier del artesano y su modo de formar, donde el aprendiz aprende y crece observando el actuar del artesano, probando y repitiendo, hasta incorporar la capacidad. En cada tramo de su proceso de formación, aumenta complejidad y replica metodología, hasta convertirse él mismo en artesano. Esta era la base de la innovación Bauhaus, pero el aprendiz en el taller de proyecto, o sea ustedes, no crece observando y replicando un actuar, debe crecer entendiendo y emulando un actuar. Si bien aplicamos el criterio de simulacros en escalas crecientes, que los acerca a la realidad, no generamos simulacros reales de implementación profesional. Es acá, donde apareció en mí, la idea de producir un cambio en el modo, con prácticas que nos permitan acercarlos al atelier de arquitectura, ya no con un simulacro, sino por ejemplo, con un concurso concreto y tampoco con mecánicas de reflexión, sino con prácticas de acción y ejecución. Ahora bien, entre la expectativa y la realidad, hay siempre un hueco para la desilusión, pero esta solo da lugar a la autocrítica y el crecimiento. Como en la vida de una empresa, donde se miden continuamente rendimientos, donde se realiza un planning a futuro, se determinan las acciones a seguir, acciones que establecen expectativas de resultados, para después poder utilizar las diferencias entre expectativas y realidad, en entender errores y corregir rumbos futuros. Eso fue esta experiencia y así como inicio una revisión desde lo positivo, inicio esta conclusión de la misma manera. Puedo decirles que estoy convencido fue muy buena, que sirvió, a todos y en todos los niveles, que permitió entender cómo se generan roles y responsabilidades dentro de un grupo de trabajo, donde cada uno aporta lo mejor de sí, para un objetivo común. Nos puso frente a requerimientos y tiempos que no podían ser modificados. Exigencias que debíamos respetar y la variable de convencer con arquitectura a quienes quizás manejan otros parámetros. En el laboratorio hablamos el mismo idioma, entendemos de igual modo, tendemos a lo mismo y esto facilita, se reducen discursos y discusiones. Nos deja tragos amargos, si, sin dudas. El saber que nos falta bastante camino, que no todos lo aprovecharon, que no todos entendieron y por eso muchos se perdieron de crecer. Sobre todo hablando de la segunda parte, con un marcado nivel de ausencias, que solo ponen de manifiesto falta de compromiso o peor aún, de ganas. Muchos quizás, desalentados por no haber sido elegidas sus propuestas, la desilusión les ganó la oportunidad que perdieron. Ahora nos queda asimilar y seguir.

Así cerraba un proceso de participación y formación innovativo, donde los docentes asumieron el carácter de Project Manager en los diferentes grupos y profesores externos, nos ayudaron a definir y elegir las propuestas a concretar y presentar.

### 5.2.1. Trabajos de estudiantes

**Figuras 5, 6.** Síntesis de trabajos de estudiantes presentados en Concursos Internacionales, (Happy Homes, Francia).

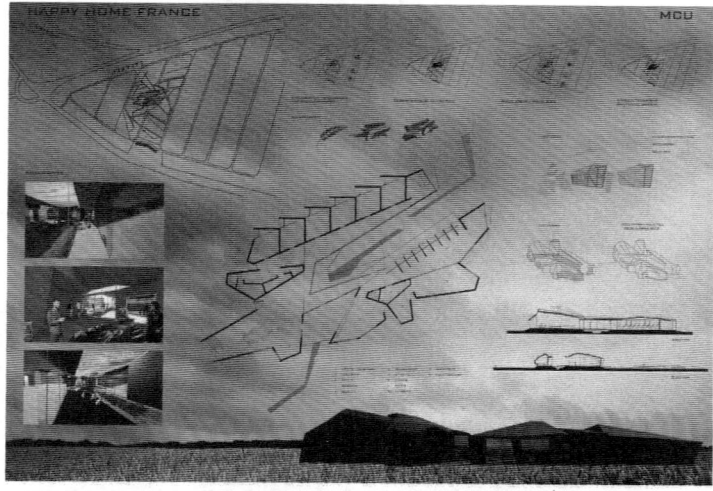

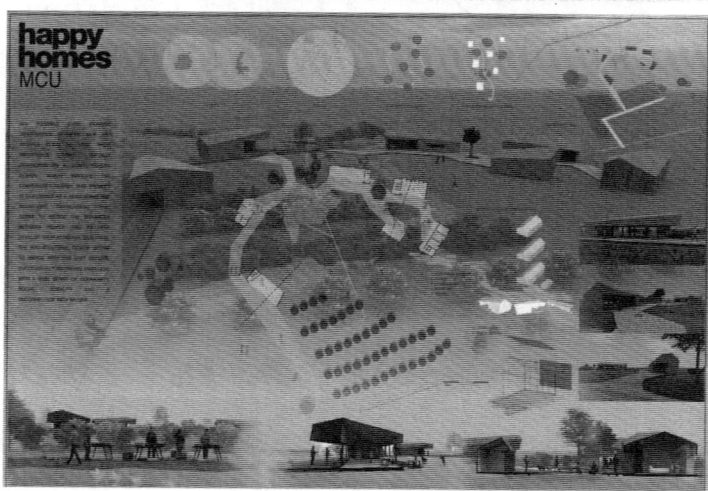

**Fuente:** Elaboración propia.

## 5.3.   VIVIENDA UNIFAMILIAR

*"La casa es la célula. Y me atrae mucho su evolución. Pero la gran escala también me interesa. Lo que no haría sería dejar de proyectar viviendas, para diseñar grandes edificios. Uno se mide cada vez que hace una vivienda. Todas las viviendas que he hecho ilustran mi biografía arquitectónica, mi evolución como arquitecta, los intereses de cada momento". Arquitecta Kasuyo Sejima.*

Como tema se decide reflexionar sobre la Vivienda Unifamiliar. En la coincidencia con Kasuyo Sejima, que es éste el tema recurrente y permanente por excelencia, que nos permitirá repensar, resignificar y reinterpretar conceptos y situaciones tales de reproponernos proyectualmente y evolucionar como profesionales. Cada proyecto es una oportunidad de reencontrase con la disciplina, con el compromiso individual frente a la profesión y desde la formación, pretendemos pueda ser un momento de reflexión, de síntesis de lo aprehendido, de crecimiento y consolidación.

En esta oportunidad, con un trabajo que a partir del conocimiento y las conclusiones alcanzadas en los talleres de proyecto anteriores permita, luego de una realidad como la vivida por la pandemia en el 2020, la posibilidad de resignificar conceptos y mecánicas proyectuales, tal de generar propuestas de vivienda unifamiliar superadoras.

### 5.3.1. Trabajos de estudiantes

**Figuras 7, 8, 9, 10.** Síntesis de trabajos de estudiantes sobre la conceptualización del espacio como masa.

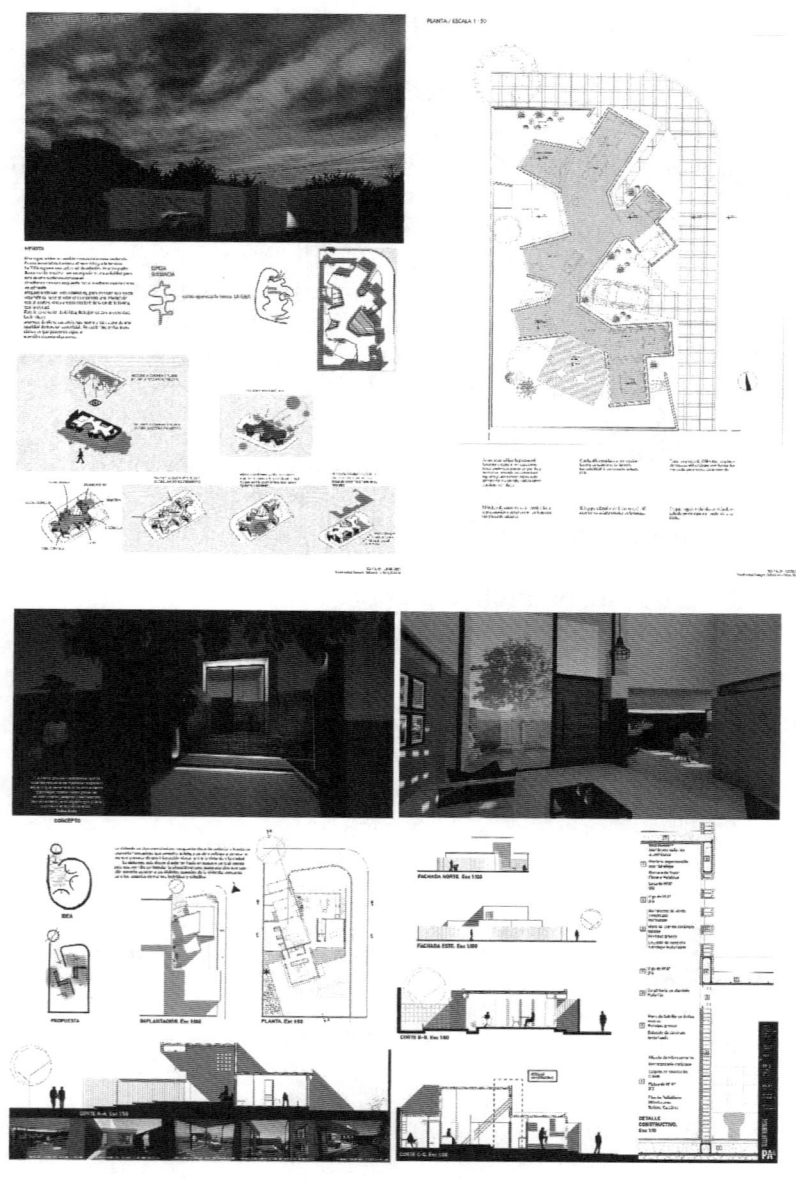

**Fuente:** Elaboración propia.

## VI.  CONCLUSIONES

Los primeros resultados de la práctica muestran un camino posible. El repensar los espacios y las relaciones que estos permitan, las formas y los modos de habitar desde otro posicionamiento, permitirá repensar la idea misma de ciudad y de socialización. Entender estos cambios y cambiar modos de enseñar a aprender, dará sentido a la tarea de formar futuros profesionales que puedan imaginar e idear soluciones, anticipando escenarios siendo capaces de repensar el futuro.

Como cierre de estas conclusiones, me gustaría compartir una reflexión del arquitecto Louis Kahn: *"La arquitectura es algo vivo que surge de algunos aspectos inseparables de la mente y el corazón. Tiene que ver con toda la complejidad de hacer arquitectura en su sentido psicológico más completo; funciona porque tiene una motivación; satisface los deseos y las necesidades. La Arquitectura es la creación meditada de espacios. Cada día entiendo la arquitectura de un modo distinto".*

## VII.  BIBLIOGRAFÍA

Merleau-Ponty, Maurice. (1962/2004) La Fenomenología de la percepción.

Bacherlard, Gaston. (1957/2004) La Poética del espacio.

Rasmussen, Steen Eiler. (2004) La experiencia de la arquitectura. Ed. Reverté.

Pallasmaa, Juhani. (2009/2012) La Mano que piensa: sabiduría existencial y corpórea en la arquitectura.

Pallasmaa, Juhani. (2016) Habitar. Ed. Gustavo Gili.

Pallasmaa, Juhani. (2018) Esencias. Ed. Gustavo Gili.

Holl, Steven. (1997) Entrelazamientos. Ed. Gustavo Gili.

Holl, Steven. (2011) Cuestiones de percepción fenomenología de la arquitectura. Ed. Gustavo Gili.

Zumthor, Peter. (2004) Pensar la arquitectura. Ed. Gustavo Gili.

Zumthor, Peter. (2006) Atmósferas. Ed. Gustavo Gili.

Lewkowicz-Sztulwark. (2002) Arquitectura plus de sentido. Ed. Kliczkowski.

Acosta, Wladimiro. (1976) Vivienda y Clima. Ed S/N.

Auge, Marc. (1993) Los no lugares. Ed. Eleuthera.

Clark y Pouse. (1984) Arquitectura: temas de composición. Ed. G. Gili.

Sherwood, R. (1982) Vivienda: Prototipos del Movimiento Moderno. Ed. G. Gili.

Campos Baeza, Alberto. (1996) La idea construida. Ed. COAM.

*Capítulo 6*

# Movilidad y territorialización de las personas sin hogar. ¿Una realidad forzada? ¿Un problema urbano?

BÁRBARA CONTRERAS-MONTERO
*(Universidad de Granada —España—)*

## I. INTRODUCCIÓN

Para hacer referencia a las personas sin hogar se han utilizado como sinónimos términos como "vagabundos" o "transeúntes", aun significando y haciendo referencia a realidades distintas pero que tienen su razón de ser en la conexión que se ha venido estableciendo entre una situación de precariedad y el hecho de tener que desplazarse en busca de oportunidades de mejora o, incluso, de supervivencia. El vagabundeo o transeuntismo son fenómenos que implican una movilidad geográfica o desplazamiento itinerante, sin embargo, si bien podían describir la forma de vida de algunas personas sin hogar hace unas décadas, en la actualidad la tendencia va hacia una búsqueda de estabilización y permanencia en lugares específicos de los núcleos urbanos. Por otra parte, son términos son muy reduccionistas y, por lo tanto, transmiten una imagen parcial y estereotipada de lo que es una persona sin hogar.

En el siguiente trabajo se revisará la conexión entre sinhogarismo y transeuntismo, intentando conocer la movilidad de este sector de población, así como los procesos de asentamiento y territorialización del espacio urbano.

## II. APARICIÓN Y CONSOLIDACIÓN DE LA POBREZA URBANA

En la época feudal se produjeron grandes movimientos de población de las zonas rurales a las ciudades como consecuencia de las crisis agrarias y las grandes hambrunas que azotaron a Europa en la Edad Media. Partiendo de estas circunstancias se produjo un nuevo fenómeno: la pobreza urbana.

Ante el incremento progresivo de la pobreza en las ciudades europeas a partir de los siglos XVI-XVII, se extendió la reclusión o "encierro de pobres" para intentar dar una solución al problema de la mendicidad (Munuera Gómez, 2003). En 1601 surgen en Inglaterra las Leyes de Pobres (*Poor Laws*) y, aunque anteriormente hubo normativas y ordenanzas que regulaban el comportamiento de enfermos, pobres, etc., no fue hasta entonces cuando se intentó combatir la pobreza a base de impuestos públicos. Para llevar a cabo tal objetivo se empezaron a construir las "*houses of correction*" con el fin de dar "castigo al vagabundo y alivio al pobre" (Foucault, 1972, p. 65).

Según la percepción social de la época, los pobres se habían convertido en un peligro potencial para el orden social establecido, por lo que las autoridades tomaron medidas drásticas para controlarlos aplicando normas que disuadieran cualquier intención de revuelta. A partir del siglo XVII, la coyuntura en las zonas rurales hizo que muchos campesinos y modestos artesanos abandonaran sus lugares de origen en busca de mejores condiciones de vida, y acabaron "vagando" de una ciudad a otra durante largos periodos de tiempo. Con ello, la mendicidad se propagó tomando unas dimensiones antes nunca vistas. De forma paralela, la concepción del trabajo cambió con el auge del pensamiento mercantilista que, además, encontró un fuerte apoyo en las zonas protestantes. El empleo dejó de ser visto como una maldición, símbolo de la esclavitud al que no quedaba más remedio que someterse si no se era rico, para pasar a una nueva concepción dignificante y honrosa a través de la que se podía transmitir disciplina y control. Y quienes no podían trabajar acababan desplazándose por propia supervivencia.

Entre el miedo a los pobres y los nuevos planteamientos económicos-laborales, se crearon casas de internamiento con un reglamento severo, donde "pobres, vagabundos y mendigos" obtendrían techo, comida y vestido a cambio de un trabajo forzado, sacando así provecho de la fuerza de trabajo de los pobres como mano de obra gratuita. Los lugares de encierro tomaron la denominación de *hospitales generales, Workhouses, Hôpitaux Généraux o Zuchthäusern* (Foucault, 1972). La primera *Workhouse* inglesa se creó en 1697 en Bristol y este modelo se extendió rápidamente por toda Europa durante el siglo XVII. Como ejemplo, se podría mencionar que, a mediados del este siglo XVII, solamente en el *Hôpitaux Généraux* de París estaban encerradas 6.000 personas (un 1% de la población) (Foucault, 1972).

En el contexto español, el encierro de pobres en instituciones de trabajo no tuvo mucho éxito en esta época, por lo que las personas más desfavorecidas siguieron dependiendo de la caridad privada.

Con la llegada de la Revolución Industrial en la segunda mitad de siglo XVIII, la ciudad surgió como una nueva forma de organización social, política y económica, y pronto, los ilustrados de la época comenzaron a teorizar con la intención de dar una respuesta a la "cuestión social". La celeridad de los cambios dificultó la readaptación a la nueva realidad y surgieron problemas como la escasez e inadecuación de viviendas, la falta de equipamientos, infraestructuras, servicios, etc. (Díaz Orueta, 2003). Todo esto generó la llamada "nueva pobreza urbana", que con el capitalismo industrial y la expansión urbana masiva quedó intensificada y tomó una apariencia diferente, manifestándose en barrios desfavorecidos, desagregados y con un aumento en el deterioro del centro histórico. Esta segregación a causa de esta nueva pobreza generará lo que Castell (1995) y Sassen (2000) denominaron como "ciudad dual".

Ya en el siglo XX hubo varias oleadas de estudios donde destacan los de la Escuela de Chicago sobre "pobreza desarraigada" como *The Hobo* (Anderson, 1923, 1998), producto de la construcción del ferrocarril en Norteamérica, que precisaba de trabajadores con alta movilidad, propiciando así el transeuntismo[1]. Desde esta escuela se abordaría el problema de la densidad moral en las grandes metrópolis desarrollando así la sociología urbana (Xiberras, 1993).

A partir de los años sesenta, el interaccionismo simbólico se centró en el problema de la desviación. Desde la "teoría del etiquetaje", se puso el foco, no tanto en el por qué un individuo tendría un comportamiento "desviado", sino en cuáles son las pautas de control y de norma social establecidas que etiquetan. Aquí destacarían los estudios de los pensadores de la "Nueva Escuela de Chicago" como Howard Becker sobre los "outsiders" (1963) y de Erving Goffman sobre el "estigma". Es especialmente interesante la perspectiva desde el etiquetaje, ya que supone apartar la mirada sobre "los pobres" para fijarla en "la reacción hacia la pobreza" (Bresson, 2007). En este sentido, se ha venido etiquetando a las personas sin hogar como un sector de población proclive al delito, por

---

1.    Anderson (1998) señala que el *Hobo* trabaja y deambula, el *Tramp* sueña y deambula, y el *Bum* bebe y deambula.

lo que sería objeto de mayor control por parte de las fuerzas de orden público. Las sociedades actuales están experimentando un auge en los sistemas de control y seguridad. Esta realidad la describen autores como Mike Davis (2001) o Zigmunt Bauman (2000) cuando hacen referencia a la creciente obsesión por levantar barreras urbanas, incrementar los mecanismos de observación y grabación en los espacios comunes, cercar comunidades residenciales, etc. Esto ha supuesto una intensificación del miedo "al otro", como extraño y potencialmente peligroso. Así, George Simmel, a principios del siglo XX, ya hacía mención a la figura del *extraño*, como "aquel que llega hoy y se queda mañana" (1986, p. 776). Para este autor, el *extraño* sería aquella persona que está lo suficientemente cerca como para no poder ignorarla, pero que está lo suficientemente lejos como para no formar parte del grupo social. Aunque Simmel hacía referencia en este ensayo a la figura del extranjero, este esquema sería aplicable también a las personas sin hogar, que están "físicamente" cerca pero que están lejos, excluidas del resto de la sociedad. En el presente capítulo ahondaremos en cuál es la reacción ante la pobreza cuando las personas sin hogar se asientan en el espacio urbano.

## III.  OBJETIVOS Y METODOLOGÍA

Para abordar el objetivo principal de conocer la movilidad y la territorialización del espacio urbano de las personas sin hogar, se ha tomado como caso de estudio la ciudad de Madrid por ser, junto con Barcelona, la ciudad que concentra un mayor número de personas sin hogar en España. Según los datos del recuento nocturno de personas sin hogar en la ciudad de Madrid realizado en diciembre de 2018, habría un total de 2.998 personas en esta situación, de las cuales 650 pernoctan a la intemperie (Foro Técnico Local sobre las Personas sin hogar en Madrid, 2019).

La información recabada se ha realizado a través de dos de las técnicas clásicas de recogida de datos en la investigación cualitativa: la recopilación documental y la entrevista en profundidad.

A nivel metodológico, al tratarse de una investigación marcadamente cualitativa, se ha perseguido que los instrumentos de recogida de datos respondiesen más al objetivo de profundizar en la información aportada por los informantes clave que a criterios de representatividad estadística. Así, la representatividad estadística en este estudio carece de base probabilística y se fundamenta en los criterios propuestos para el estudio.

Por tanto, la elección de los sujetos, al responder a criterios subjetivos acordes con la investigación, se fundamenta en la selección de tipo intencional opinático que es aquel donde los individuos no son elegidos al azar, sino que son seleccionados de forma premeditada siguiendo criterios estratégicos.

Para el presente estudio se ha realizado un total de 8 entrevistas en profundidad a informantes clave con perfiles diversos, desde personas sin hogar a profesionales técnicos que desempeñan su labor profesional y/o voluntaria con este sector de población en el municipio de Madrid (Tabla 1).

**Tabla 1.** Composición de la muestra de las personas entrevistadas.

| Código | Perfil |
|--------|--------|
| E.1 | SAMUR Social/Auxiliar de Servicios Sociales. Equipo de Calle. |
| E.2 | Centro de Acogida San Isidro/Jefa de sección. |
| E.3 | SAMUR Social/Asesora Técnica de Departamento. |
| E.4 | Solidarios para el Desarrollo/Coordinador adjunto del programa de personas sin hogar. |
| E.5 | Hombre en situación de calle. |
| E.6 | Hombre en situación de calle. |
| E.7 | Hombre en situación de calle. |
| E.8 | Mujer en situación de calle. |

**Fuente:** Elaboración propia.

## IV. PRESENTACIÓN DE LOS RESULTADOS Y DISCUSIÓN DE LOS MISMOS

### 4.1. MOVILIDAD FORZADA VS. MOVILIDAD BUSCADA. FACTORES EXPULSORES

Dentro de los factores que estarían detrás de la movilidad de las personas sin hogar tendríamos que distinguir entre factores personales y factores estructurales. Por un lado, los factores personales serían aquellos de los que nace la motivación personal para realizar un desplazamiento ya sea de larga o corta distancia. Entre estos factores podríamos destacar la búsqueda de mejores oportunidades (ya sean laborales o de acceso a recursos básicos para la subsistencia) y la vergüenza como emoción impulsora para abandonar el lugar de origen. Por otra parte, estarían los factores estructurales como las políticas reguladoras del funcionamiento de los servicios destinados a población sin hogar, así como con las políticas sobre la ocupación del espacio público.

### 4.1.1. En busca de nuevas oportunidades

El sinhogarismo se ha ido vinculando a las grandes ciudades en una tendencia creciente a la urbanización de la pobreza y la exclusión social. En el caso de Madrid, al ser una gran metrópolis, concentra buena parte de las ofertas de empleo, y con la idea de que en una gran ciudad será más fácil encontrar trabajo, muchas personas deciden aventurarse en la búsqueda de nuevas oportunidades:

> Yo me vine pa Madrid porque tengo un amigo que me dijo: "oye, que allí necesitan gente de carga y descarga, y que si no, hay más cosas", y yo me dije, ¿y por qué no? Total, para lo que yo iba a conseguir en Murcia […]. Que ya me volvería si eso pa la recogida [la temporada de recolección] y si no, tiro pa Motril, que allí tengo gente […]. Pero no… no es tan fácil. Menos mal que aquí están al menos las monjas para desayunar y te dan alguna ayudita (E.7).

Si embargo, si atendemos a los datos, se observa que el 56,1% de las personas sin hogar en Madrid atribuye su situación a la falta de trabajo, y cuando trabajan lo hacen en sectores precarios e inestables como la construcción, la hostelería o la venta ambulante (Foro Técnico Local sobre las Personas sin hogar en Madrid, 2019).

Por otra parte, Madrid dispone de un buen número de recursos asistenciales, lo que estaría actuando como foco de atracción. Cuando las expectativas iniciales no se ven cumplidas y la situación no mejora, muchas personas reorganizan su vida en relación a la red de recursos, "contribuyendo aún más a la centralización del problema y la perpetuidad del círculo del 'sinhogarismo'"(Cabrera, Rubio y Fernández, 2007, p. 112).

Otro fenómeno en relación al "nomadismo" sería el de los temporeros y los feriantes que se desplazan en un momento determinado del año, para trabajar, ya sea en la campaña agrícola o en las distintas "fiestas de pueblo". Estos tipos de trabajos, con independencia de ser bastante inestables, exigen una gran movilidad, por lo que las personas que se dedican a ellos tienen mayores probabilidades de acabar viviendo en la calle. En regiones del centro y sureste de España, con motivo de la campaña agrícola, cientos de personas (entre ellas muchos extranjeros) se desplazan para trabajar en el campo. Este fenómeno ha producido en los últimos años un aumento de ocupación en las plazas de los albergues por encima del 100%. Así, en los centros de acogida de estas regiones coinciden dos perfiles distintos: extranjeros que llegan a la ciudad con la intención de encontrar un empleo, y personas sin hogar con un perfil más "deteriorado".

### 4.1.2. La vergüenza como factor impulsor. Movilidad buscada

Sin desmentir el hecho de que una estructura asistencial actúa de "atracción", muchas personas en condiciones precarias se mueven con la intención de no ser tildadas de "pobres" en su lugar de origen por la vergüenza que les produce. Miguel Fuster (2011), historietista y pintor que vivió 15 años en la calle comenta que: "[…] entre lamentos y maldiciones, avergonzados de nosotros mismos, continuamos aniquilando nuestras vidas" (p. 47).

En ocasiones la movilidad es una estrategia para conservar la dignidad ante las redes sociales y familiares que tenían antes de una situación sin hogar, con el propósito de poder recuperarlas si la situación mejora. La vergüenza puede llevar las personas a cambiar de ciudad, alejándose de quienes que podrían servir de apoyo:

> ¡Uf, qué va!, mi familia no sabe que yo estoy así. No, no. Yo… de vez en cuando llamo por teléfono y les cuento que todo va bien, que si esto, que si lo otro […]. No es fácil […]. Si se enteran me muero, porque esto no va a durar toda la vida ¿no? (E.7).

Según Nieto-Morales *et. al.* (2017), existiría un tipo de pobreza "encubierta" o "camuflada" que sería el fruto del "modelo de sociedad en el que vivimos en muchos casos por evitar la vergüenza de darla a conocer" (p. 18). De ahí que los medios de comunicación, cuando recogen casos de personas en situación sin hogar deben pedirle expresamente su consentimiento a la hora de utilizar su imagen (Contreras-Montero *et al.*, 2020).

### 4.1.3. Las políticas reguladoras de los servicios para personas sin hogar

George Orwell ya nos contaba en *Sin blanca en París y Londres* cómo eran los centros de alojamiento destinado a personas sin recursos en la Inglaterra de principios del siglo XX. En este periodo, el sistema obligaba a los "vagabundos" a permanecer 14 horas en un asilo nocturno y las otras 10 yendo de un lado para otro (porque no se podía estar en un asilo más de 1 vez al mes), debiendo esquivar a la policía en todo momento porque podían detenerlos por alterar el orden público. Casi un siglo después, todavía quedan vestigios de este modelo de atención donde predominan las estancias breves de dos o tres días como máximo en los albergues o centros de acogida. Esta limitación de las noches de estancia en los centros de acogida, obliga a las personas sin hogar a moverse cuando agotan el tiempo permitido.

A todo esto, habría que añadir que el acceso a algunos centros no es fácil, ya sea por estar situado en el extrarradio o por la mala comunicación. Entre los servicios y recursos destinados a población sin hogar podemos encontrar centros de acogida, comedores, roperos, servicio de baños, etc. Y aunque muchos centros tienen integrados varios servicios, a veces están dispersos, distantes entre sí y mal comunicados. Esto obliga a muchas personas a recorrer largas distancias entre el lugar donde pueden recibir un desayuno, donde pueden asearse y donde puede pernoctar.

La palabra "transeúnte" ha sido durante largo tiempo sinónima de "persona sin hogar" por la alta movilidad geográfica de este sector de población. Esta cantidad de desplazamientos, en ciertos periodos, estuvieron promovidos directamente por las administraciones públicas que proporcionaban un billete de transporte al "transeúnte" para que abandonase la localidad de forma casi obligada. Pero este billete "solo de ida", más que solucionar problema, lo desplaza.

Como ejemplo estaría el caso de Barcelona que, a principios de los años noventa, proporcionaba dicho billete con dirección a Madrid:

> Madrid es un referente para la inmigración, para la exclusión social y, en general, para las personas que están en una situación de extrema vulnerabilidad… Y Madrid, siempre, siempre ha sido acogedora. Mira, cuando yo estaba trabajando en el SITADE, y estuve desde 1989 a 1993, salió en el titular de un periódico, que en Barcelona pagaban billetes a la población en situación de calle para que vinieran a Madrid. Entonces, claro, a Madrid le estaban dando la competencia y la responsabilidad de atender a todo el colectivo de personas que estaban en situación de extrema vulnerabilidad para ser atendidas con los recursos de aquí. Madrid los ha acogido porque claro, estas personas no venían en masa, te venían al despacho de una trabajadora social en un centro de servicios municipales de un distrito y te exponían su situación: "que he venido de Barcelona, porque en Barcelona perdí la casa, en Barcelona perdí la tal…", pero claro, en las reuniones de coordinación esto se contaba, uno, otro, otro, otro, otro, otro, y ya era tan absolutamente masivo que se sabía. Les preguntábamos "¿quién le ha pagado a usted el billete?". Y te decían "Me lo han pagado en el centro tal de Barcelona". Entonces claro, aquello fue una bomba, una bomba porque hay un principio básico de solidaridad entre las Comunidades Autónomas [donde cada una se ocupa de los hechos que ocurren en su territorio] (E.3).

Actualmente esta práctica está en vías de extinción y ha sido en las últimas décadas cuando las personas sin hogar han "territorializado la ciudad", buscando lugares estratégicos que les proporcionen mayor bienestar y les faciliten su vida diaria. Al carecer de vivienda y, por lo tanto, de un espacio privado, el lugar que ocupan es de ámbito público, con la característica de que este tipo de exclusión es especialmente visible.

### 4.1.4. La ocupación del espacio público

A partir de la disminución del transeuntismo el fenómeno del sinhogarismo comenzó a presentar un carácter más estable y visible en las calles de las ciudades. En este contexto es cuando se desencadenan los primeros debates alrededor de la utilización del espacio público (como la mendicidad, la visibilidad que presentan en los parques, bancos, etc.).

En los últimos años en España se han elaborado varias reglamentaciones municipales en relación al uso del espacio público que, aunque no están explícita y estrictamente dirigidas a las personas sin hogar, les afectan directamente más que a cualquier otro sector de población. A principios de la década de los años noventa del siglo XX, Mike Davis describía cómo, por más que las personas sin hogar se instalasen en otros lugares de la ciudad, la policía los "reubicaba" en las zonas "destinadas para ellos", en una especie de expulsión forzada:

> Por decreto municipal, se impide la proliferación de los sintecho en los barrios del "espacio vigilado" del centro de la ciudad o sus alrededores, mediante su "contención", (término oficial) dentro del suburbio superpoblado, conocido con el nombre de Central City East (el "Nickle", la hendidura, para sus habitantes). Por más que la proliferación, debido a la recesión, del número de los sintecho les impulsa inexorablemente a introducirse en los pasajes y en las parcelas vacías de los barrios del círculo interior, la policía prosigue su política implacable y los devuelve al sórdido Nickle [...]. El anverso de esta estrategia, por supuesto, es la exclusión formal de los sin techo y otros grupos de parias de los espacios públicos. Un montón de ciudades del sur [...] han aprobado recientemente ordenanzas "antiacampada" para mantener alejados a los sintecho (Davis, 2001, p. 17).

En España, a principios del siglo XXI comenzaron a sucederse este tipo de ordenanzas municipales, siendo la de Barcelona la primera en causar polémica. La Ordenanza de medidas para fomentar y garantizar la convivencia ciudadana en el espacio público de Barcelona entró en vigor el 25 de enero de 2006 con el propósito de "preservar el espacio público como un lugar de convivencia y civismo" (Ayuntamiento de Barcelona, 2006). En esta Ordenanza figuran todas aquellas actividades que se consideran inadecuadas para la buena convivencia como son la degradación visual del entorno urbano (con grafitis, pintadas, carteles, etc.), las apuestas, la oferta y demanda de servicios sexuales, la mendicidad, el consumo de alcohol, satisfacer las necesidades fisiológicas, etc. Llevar a cabo alguna de estas actividades podía ser catalogada como infracción leve, grave o muy grave, suponiendo hasta 3.000€ de multa. Concretamente el artículo 58 prohíbe: hacer un uso impropio de los espacios públicos y de sus elementos impidiendo o dificultando su utilización por el resto de usuarios, acampar en las vías y en los espacios públicos dentro o fuera de un vehículo, dormir día y noche en los espacios públicos, usar los bancos para actividades diferentes a las que están destinados, lavarse o bañarse o lavar ropa en las fuentes, duchas, estanques o similares, etc.

Las Ordenanzas han proliferado de manera exponencial en los últimos años en toda España, tanto en grandes ciudades como en pequeños municipios y, aunque en algunas se tienen en cuenta de forma explícita la situación de vulnerabilidad y exclusión social en la que se encuentran las personas en situación sin hogar, la mayoría de ellas omiten esta realidad.

## 4.2. TERRITORIALIZACIÓN DEL ESPACIO URBANO. FACTORES ATRACTORES. ENTRE EL RECHAZO Y LA ACEPTACIÓN

Resulta paradójico, tal y como apunta Pedro Meca (2011), que si alguien acaba de mudarse al barrio ya sea en alquiler o en propiedad, es automáticamente catalogado como "vecino", pero si se trata de una persona en situación sin hogar, aunque permanezca diez años en el mismo portal, no se la considera como tal. En estas sutiles apreciaciones es donde se marcan las líneas de la exclusión social. A partir de aquí, ante una persona que desarrolla su vida cotidiana en la vía pública es difícil mantenerse ajeno, porque incluso, las reacciones de indiferencia suelen ser forzadas.

Ante la "ocupación" del espacio público por las personas sin hogar, el vecindario de las zonas elegidas como "más confortables" reaccionaría de forma distinta. En primer lugar, con indiferencia; en un segundo lugar, y fruto de la tendencia a la criminalización de la pobreza, tendríamos reacciones de alarma y denuncia y, en tercer lugar, manifestaciones de solidaridad que contribuyen a "mantener" la situación de las personas sin hogar.

La primera de las actitudes, *la indiferencia*, es la más habitual en las grandes ciudades, sobre todo cuando la persona que está en la calle ejerce la mendicidad. Esta conducta, a pesar de parecer la más "neutral" de todas, es percibida por las personas sin hogar como una de las más agresivas. En el primer cómic realizado por Miguel Fuster, se mostraba cómo el hecho de ignorar a una persona que demanda ayuda puede llegar a ser muy hiriente:

> Jamás llegaré a comprender a esas personas que al solicitarles una limosna nos ignoran absolutamente. Ni negativa verbal, ni un gesto disuasorio, ni una mirada. Nada. Para ellos somos más inexistentes que el estiércol; porque al menos el percibir el hedor les haría, aunque fuese por un instante, alterar sus inhumanas facciones. Nos niegan lo único que nos queda, que es el reconocimiento de nuestra propia existencia [...]. Esos seres con su insultante indiferencia, sólo sirven para recordarnos constantemente que muchos de nosotros estamos ya olvidados antes de morir (Fuster, 2010, p. 27).

En segundo lugar, contra esta territorialización está la reacción de *protesta y de denuncia*, pero no contra la situación de estas personas sino con que estén en su zona. Este hecho está muy vinculado con el fenómeno "NIMBY" (*not in my back yard*), que consiste en la resistencia de un vecindario a que se ubiquen cerca de su entorno habitual (viviendas, trabajo, centros escolares, etc.) instalaciones que consideran de riesgo, peligrosas o amenazantes como autopistas, aeropuertos, fábricas, grandes hipermercados que pudieran destruir el pequeño comercio, prisiones, o centros de acogida para personas sin hogar. La españolización de este término se ha concretado en las siglas "SPAN", que quieren decir: "Sí, pero aquí no", es decir, vecinos y vecinas muestras su acuerdo con los proyectos comunitarios, pero no cerca de sus casas. Las resistencias son locales porque las consecuencias también lo son, es decir, a pesar de que los beneficios para la comunidad pueden ser positivos, el vecindario observa que ellos son los que deben asumir los riesgos que pudieran surgir de dichas instalaciones. El auge de este fenómeno ha puesto en serias dificultades tanto a urbanistas como a responsables políticos, lo que está teniendo una repercusión directa en la toma decisiones sobre la ubicación de los macrocentros de acogida para personas sin hogar.

Aunque el NIMBY hace alusión a algo más concreto como es la instalación de infraestructuras, se podría trasladar a la relación convivencial entre vecinos, comerciantes y personas sin hogar en un barrio determinado. Un ejemplo claro de este hecho en la ciudad de Madrid tuvo lugar en el año 2004 en el barrio La Latina del distrito de Carabanchel. Ese año el Ayuntamiento de Madrid decidió instalar los módulos prefabricados del dispositivo Alternativo de la "Campaña contra el Frío" en el antiguo Canódromo de Vía Carpetana. Ante esta decisión, más de 150 residentes se echaron a la calle para protestar contra la ubicación de estas instalaciones en el barrio. En una noticia del periódico El País se podían leer las siguientes declaraciones:

> No somos ni racistas ni insolidarios […], se quejaban de que ya tienen un albergue permanente, San Martín de Porres, otro centro de acogida y una narcosala, "Ya hemos cumplido con creces con nuestra cuota de marginalidad" […] "Los albergues atraen a la marginalidad, y nosotros estamos poco a poco saliendo de ella [haciendo alusión a que el barrio está bastante deteriorado y empobrecido] (Alias, 2004).

No obstante, cabe mencionar que cuando los medios de comunicación informan sobre los conflictos que se producen entre vecinos/comerciantes y personas sin hogar, suelen reflejar la opinión de los primeros, dejando sin voz a las personas sin hogar.

Para la administración pública surge el dilema de conciliar ambas partes:

> ¿Cómo se concilia la visión que tiene un ciudadano que no se encuentra en esa situación con la propia experiencia de quienes están en una situación sin hogar? La principal polémica surge por la utilización de los espacios colectivos (por ejemplo, un patio de vecinos). Ahí han surgido problemas […]. El temor a la agresión que muchas veces denuncian es el miedo a lo desconocido porque piensan que si una persona está en una situación tan extrema seguramente le va a agredir, sobre todo por el estado de desesperación en el que puede encontrarse. Cualquier persona *normal* se plantea por qué esa persona estará ahí, cuáles serán los motivos por los que todo el mundo la ha rechazado ¿una adicción? ¿un ex-recluso? Le surgen una serie de temores y entonces te dice, "a ver, tiénen ustedes el centro Calatrava en el centro de Madrid, en la calle Bailén, en una zona buenísima y patrimonial, y a la puerta del centro tenemos a las seis de la tarde cuarenta personas con una pinta… Que a mi hija le da miedo pasar por ahí cuando viene del instituto todos los días". Ésas son las quejas […]. Bueno, y con el Don de María, acuérdate, que aquello era la misma situación, pero aumentada exponencialmente. Las quejas sobre el impacto suelen ser esas […]. Yo creo que a la sociedad en general le asusta tener eso cerca. Le alarma y le asusta. (E. 3).

Para evitar este tipo de protestas, ha habido una tendencia de construir los centros de acogida en zonas periféricas de la ciudad, mal comunicadas, sin un vecindario próximo, y donde el terreno es más barato. Esto tiene grandes consecuencias para las personas sin hogar.

En tercer lugar, estaría la última reacción: *la ayuda vecinal*. En ocasiones gracias al vecindario las personas sin hogar amplían sus redes y se sienten respaldadas por los miembros de la comunidad. Cuando están situadas cerca de las viviendas durante un tiempo, los vecinos y vecinas acaban ofreciéndoles su ayuda y les llevan sobre todo algo de comer o de ropa:

> Ya casi me daba pena irme del banco (en un cajero automático) donde yo dormía, porque había noches que ahí no había nadie, y me quedaba yo solo. Me hacía allí hasta una cama porque tenía un colchón escondido... y llegaba la gente que iba sacar dinero, y muchos ya, por norma, me dejaban diez euros, nunca me dejaban monedas [...]. Y a mí me daría vergüenza pedir ni un euro, vaya, ni veinte céntimos. Y a mí cuando me daban, yo hacía como que dormía (E. 6).

Otras veces denuncian su mala situación a los Servicios Sociales o les facilitan pequeñas cosas de la vida cotidiana pero que son complicadas de conseguir para una persona sin hogar. Este sería el caso de los vecinos y vecinas que les dejan acceder al baño de sus casas o les ofrecen darse una ducha de vez en cuando. En el caso de los comerciantes, se producen de forma frecuente los intercambios de favores: a cambio de ayudar con la descarga de la bebida para el bar, pueden desayunar a diario; a cambio de recoger un pedido en tal tienda, les recompensan con unas monedas; a cambio de vigilar los pedidos que llegan por la mañana, les dejan pernoctar en la puerta, etc.

Este tipo de relaciones acaban por establecer determinados vínculos:

> También está la típica persona sin hogar que se encuentra desde hace años en un barrio, y es archiconocida por todos... Estás interviniendo con él (los equipos de calle del SAMUR) y vienen y le dicen "hombre Pepe, qué tal. Haz caso a estos chicos y vete con ellos". Y en otras ocasiones también vemos como los vecinos ayudan a las personas sin hogar. Les llevan comida, les bajan mantas y ropa, están pendientes de ella, sobre todo en invierno cuando llueve, [...]. Pero sí, se crea un vínculo, y creo que ese vínculo con la red vecinal es importante, porque va más allá de la ayuda material... Es ese diálogo, esa relación que mantienen todos los días, es el "hola Pepe cómo estás". Yo creo que ese: "hola Pepe cómo estás" es muy importante [...]. Es un acompañamiento, es el no sentirse solo (E. 1).

Otra de las personas entrevistadas contaba que, cerca de uno de los mayores centros de acogida de Madrid (el Centro de Acogida San Isidro) hay un parque infantil donde suele haber personas sin hogar, y sin embargo este hecho no ha supuesto conflictos con los vecinos:

> Hay un parque infantil que está justo al final de esta calle que no ha sido utilizado nunca por niños, porque está, a todas horas que vayas, con gente de San Isidro. También es verdad que en esta zona no debe haber muchos niños, porque los edificios son sobre todo de apartamentos y de gente que debe trabajar […]. Además, te quería añadir que hay más peticiones de querer dar cosas que reclamaciones. Pasan por aquí y quieren donar ropa, cosas… (E. 2).

En este sentido, el que se produzcan expresiones de indiferencia, denuncia o de solidaridad, va a depender de otros factores que entran en juego en las dinámicas sociales de los vecindarios, no pudiendo determinar que la presencia de personas sin hogar produzca un solo tipo de reacción.

## V. PRINCIPALES HALLAZGOS Y CONCLUSIONES

La movilidad de las personas en situación sin hogar tiene sus raíces en la búsqueda de oportunidades, así como en la forma de abordar el problema desde las diferentes administraciones y entidades sociales.

Entre los factores de tipo personal o individual que impulsarían la movilidad estarían la búsqueda de empleo y/o el acceso a servicios básicos para la supervivencia (centros de acogida, comedores, etc.). Además, detrás de muchos desplazamientos estaría el hecho que querer ocultar intencionadamente una situación de precariedad a familiares y conocidos.

Como se vio en el planteamiento teórico, en el siglo XVII, se activaron las primeras *Leyes de Pobres* en Inglaterra y, a partir de ese momento, comenzó una "caza y captura" de las personas con menos recursos. Estas leyes de carácter represivo y controlador, se extendieron posteriormente por Europa y, aún a día de hoy, se pueden constatar prácticas heredadas desde entonces como la limitación en las noches de estancia en los centros de acogida o la política del "billete de autobús". Como consecuencia, gran parte de las personas sin hogar han desarrollado un itinerario asistencial y cierta movilidad geográfica. Esto es lo que se ha denominado en el argot como "la senda del elefante" para definir la ruta de las personas asistidas (Martínez Celorrio, 1992).

A pesar de que estos fenómenos promueven la movilidad y las situaciones de itinerancia de las personas sin hogar, en la actualidad hay que interpretar el transeuntismo con precaución. Según los datos del INE, el

89% de las personas sin hogar pernoctan todas las noches en el mismo lugar (INE, 2013), su movilidad sería "forzada" (Bachiller, 2009) y estaría determinada por una serie de agentes o factores sociales que provocan su desplazamiento hacia otros lugares. Entre los factores más determinantes tendríamos la búsqueda de empleo, la búsqueda de la ocultación de la situación de precariedad, las políticas de los recursos asistenciales para personas sin hogar, así como su ubicación, y las políticas de regulación del espacio público.

Por otra parte, y desde una perspectiva más interaccionista, al ser los procesos de territorialización del espacio urbano por parte de las personas sin hogar un fenómeno notablemente visible, pronto surgen las reacciones ante la pobreza donde destacan la indiferencia, la alarma y denuncia y las manifestaciones de solidaridad.

## VI.  REFERENCIAS

Alias, M. D. (2004, 23 de noviembre). La protesta contra un centro de indigentes obliga a cortar Vía Carpetana durante todo el día. EL PAÍS. http://elpais.com/diario/2004/11/23/madrid/1101212655_850215.html.

Anderson, N. (1923). *The Hobo. The sociology of the homeless man*. The University of Chicago Press.

Anderson, N. (1998). *On Hobos and Homelessness. The Heritage of Sociology*. The University of Chicago Press.

Ayuntamiento de Barcelona. (2005). *Ordenanza de medidas para garantizar la convivencia ciudadana en el espacio público de Barcelona*. https://ajuntament.barcelona.cat/dretsidiversitat/sites/default/files/convivencia.830.pdf.

Bachiller, S. (2009). Significados del espacio público y exclusión de las personas sin hogar como un proceso de movilidad forzada. *Revista Española de Investigaciones Sociológicas*, (128), 125-137. http://www.reis.cis.es/REIS/PDF/REIS_128_OCT_DEC_2009_125_1371234884714406.pdf.

Bauman, Z. (2000). *Modernidad Líquida*. Fondo de Cultura Económica.

Becker, H. (2010). *Outsiders: hacia una sociología de la desviación*. Siglo Veintiuno. (Trabajo original publicado en 1963).

Bresson, M. (2007). *Sociologie de la précarité*. Armand Colin.

Cabrera, P.J., Rubio, M.J. y Fernández, E. (2007). Las personas sin hogar en la Comunidad de Madrid: hacia la visibilidad de la exclusión social extrema más allá de las fronteras de las grandes metrópolis. *Universitas. Revista de Filosofía, Derecho y Política*, (6), 107-126. http://universitas. idhbc.es/n06/06-07.pdf.

Castell, M. (1995). *La ciudad informacional*. Alianza.

Contreras-Montero, Bárbara; Puerto, Áurea; Sánchez, Azahara y Tomé, Susana. (2020). *Las personas sin hogar en la prensa escrita. El papel de los medios de comunicación ante el sinhogarismo*. Fundación San Martín de Porres.

Davis, M. (2001). *Control Urbano: la ecología del miedo*. Virus.

Díaz Orueta, F. (2003). Pobreza y desarrollo urbano, nuevas pautas de segregación. En Gobierno del Estado de México. En VV.AA. *Pobreza urbana: perspectivas globales, nacionales y locales* (pp. 25-44). CEMAPEM/ Porrúa.

Foro Técnico Local sobre las Personas sin hogar en Madrid. (2019). *Informe IX Recuento de personas sin hogar en Madrid*. Ayuntamiento de Madrid.

Foucault, M. (1972). *Histoire de la folie à l'âge classique*. Gallimard.

Fuster, M. (2010). *Miguel, 15 años en la calle*. Glénat.

Fuster, M. (2011). *Miguel, 15 años en la calle. Llorarás donde nadie te vea*. Glénat.

Goffman, E. (2001). *Estigma: la identidad deteriorada*. Amorrotu. (Trabajo original publicado en 1963).

Instituto Nacional de Estadística (INE). (2013). *Encuesta sobre Personas sin hogar-EPSH 2012 (Personas)*. INE.

Martínez Celorrio, X. (1992). Marginalidad cautiva y pobreza despreciable: carreras de deculturación de jóvenes sin hogar. *Revista Internacional de Sociología*, (3), 113-140.

Meca, P. (2011). Intervención en el Coloquio Internacional, La rue: y tomber, y vivre, s'en sortir et ne pas y retomber, 20 al 24 de agosto, París.

Munuera Gómez, P. (2003). Precedentes del Trabajo Social: precursores y reformadores sociales. En T. Fernández y C. Alemán (coord.), *Introducción al Trabajo Social* (pp. 50-77). Alianza.

Nieto-Morales, C., Nicasio Rodríguez, R., Martín Cayetano, R. y García Montero, A. (2017). *De la pobreza a la marginación. Relatos y discurso de personas en situación de marginalidad*. Dykinson.

Orwell, G. (1983). *Sin blanca en París y Londres*. Destino. (Trabajo original publicado en 1933).

Sassen, S. (2000). *Cities in a world economy.* Pine Forge Press.

Simmel, G. (1986). *Sociología. Estudios sobre las formas de socialización*, Vol. 2. Alianza. (Trabajo original publicado en 1908).

Xiberras, M. (1993). *Les Théories de l'exclusión*. Méridiens Klincksieck.

Santiago, M. (2000). Reglas de acentuación. En E. Montolío, C. Figueras, M. Garachana, y M. Santiago (Eds.). *Manual práctico de escritura académica* (pp. 15-43). Ariel.

*Capítulo 7*

# Direitos Humanos e Migrações: Intervenção Social da Cáritas Portuguesa

Luisa Maria da Silva Franco Desmet
*(Universidade Lusófona –Portugal)*

## I. INTRODUÇÃO

Pretende-se que o presente artigo, resultante de um estudo exploratório, assaz teórico, alicerçado em fontes documentais e bibliográficas, possa impulsionar futuras investigações de maior aprofundamento e dimensão.

Elaborado com base na triangulação Direitos Humanos – Migrantes – Cáritas Portuguesa, este trabalho encetará com uma abordagem à génese dos princípios fundamentais dos Direitos Humanos, pedra angular para o reconhecimento do ser humano na sua plenitude.

Este será também o ponto de partida para um sintético estudo sociodemográfico e reflexivo sobre os imigrantes em Portugal, analisando-se os obstáculos à sua plena integração na sociedade, origem de "fraturas" dos direitos inalienáveis do Homem.

Face às múltiplas barreiras (legais, sociais e económicas) na integração dos imigrantes, às quais se associa a crise social e económica originada pela pandemia nestes últimos dois anos, expõe-se a ação da Cáritas Portuguesa, organização católica, cuja missão visa o Desenvolvimento Humano Integral e a defesa do Bem-Comum, intervindo para a transformação da sociedade.

## II. DIREITOS HUMANOS E MIGRAÇÕES

Ao longo do tempo apercebemo-nos dos primeiros "esboços" de princípios de garantia de proteção aos direitos básicos do indivíduo. Atentemos a Ciro, rei da Pérsia que em 539 A.C., num cilindro de argila (Cilindro de Ciro), registou os princípios de liberdade individual, liberdade religiosa e igualdade racial.

No século XVII, em Inglaterra, surge também um significativo documento de afirmação dos direitos individuais, elaborado pelo parlamento, Petição de Direito, cujo objetivo era limitar as decisões do rei sem autorização do parlamento.

A Declaração de Independência dos Estados Unidos, no último quartel do século XVIII, que acentuava os direitos individuais (direito à vida, à liberdade e à busca pela felicidade), assim como o direito de revolução, influenciaria anos mais tarde, na Europa, a Revolução Francesa.

Com a Revolução Francesa surge um documento histórico, a Declaração dos Direitos do Homem e do Cidadão, que garante a todos os cidadãos franceses o direito à liberdade, à propriedade, à segurança e à resistência. Este documento é considerado um crucial precursor dos documentos de Direitos Humanos atuais, entre eles a Declaração Universal dos Direitos Humanos.

Ainda que no século XIX, tenham ocorrido muitos acontecimentos que dariam origem à formação de Estados de Direito, todavia verifica-se que estas conquistas sofrem várias recessões com a instauração de regimes totalitários (comunistas, nazis, fascistas) em alguns países.

Em 1919, emerge a Sociedade das Nações, organização fundada com a finalidade de manter a paz entre os Estados. Esta organização não cumpre os objetivos para os quais havia sido criada, sendo extinta e servindo de motor de arranque para a formação, em 1945, da Organização das Nações Unidas (ONU). De salientar que esta organização se alicerça no princípio da igualdade soberana entre todos os Estados e na sua participação para a manutenção do direito internacional, paz e segurança.

Perante o cenário de hostilidades deixado pela II Guerra Mundial, assim como a constatação da violação sistemática dos direitos humanos, é elaborada a Declaração Universal dos Direitos Humanos (DUDH), que a 10 de Dezembro de 1948, em Paris, é proclamada e adotada pela ONU.

A DUDH tem como propósito o reconhecimento da dignidade inerente a cada indivíduo, tendo definido para o cumprimento do referido objetivo um conjunto de princípios básicos.

Face às questões abordadas nesta produção científica atente-se aos Artigos 1, 2 e 13 da Declaração supramencionada:

Artigo 1

Todos os seres humanos nascem livres e iguais em dignidade e direitos. São dotados de razão e consciência e devem agir em relação uns aos outros com espírito de fraternidade.

Artigo 2

1. Todo o ser humano tem capacidade para gozar os direitos e as liberdades estabelecidos nesta Declaração, sem distinção de qualquer espécie, seja de raça, cor, sexo, idioma, religião, opinião política ou de outra natureza, origem nacional ou social, riqueza, nascimento, ou qualquer outra condição.

2. Não será também feita nenhuma distinção fundada na condição política, jurídica ou internacional do país ou território a que pertença uma pessoa, quer se trate de um território independente, sob tutela, sem governo próprio, quer sujeito a qualquer outra limitação de soberania.

...............................................

Artigo 13

1. Todo o ser humano tem direito à liberdade de locomoção e residência dentro das fronteiras de cada Estado.

2. Todo o ser humano tem o direito de deixar qualquer país, inclusive o próprio e a esse regressar.

Ao refletirmos sobre os três artigos da DUDH colocamos a tónica dos Direitos do Homem na dignidade do ser humano como o cerne de toda a sua existência, quer no âmbito extrínseco – direitos e igualdade, quer no âmbito intrínseco – respeito, integridade, autonomia, liberdade (Moreira, 2019). Ao ser humano é reconhecida a dignidade e os seus direitos são iguais e inalienáveis em qualquer local, tendo direito à liberdade de movimento dentro do seu próprio país ou em qualquer outro.

Com o fim de robustecer os princípios da DUDH nascem o Pacto Internacional sobre os Direitos Civis e Políticos (1976) que se focaliza em temas como o direito à vida, à liberdade de expressão, à religião e votação e o Pacto Internacional sobre os Direitos Económicos, Sociais e Culturais (1976) que enfoca a alimentação, a educação, a saúde e o refúgio.Destaque no mesmo ano de 1976 para dois protocolos facultativos. Estes documentos formam a Carta Internacional dos Direitos do Homem que proclama a dignidade do Ser Humano, afirmando os seus direitos e proibindo qualquer discriminação.

Em adição à Carta Internacional dos Direitos do Homem muitos outros instrumentos emergiram, tais como: tratados que visam a prevenção e a proibição de abusos específicos (tortura e genocídio e a proteção de populações vulneráveis específicas), a Convenção Relativa ao Estatuto dos Refugiados (1951), a Convenção sobre a Eliminação de Todas as Formas de Discriminação Contra as Mulheres (1979) e a Convenção sobre os Direitos da Criança (1989).

> O século XXI tem vindo a ser chamado o século das pessoas em movimento, enunciado feliz que exprime o impacto da pressão migratória no processo de globalização. Cerca de dois terços dos países à escala mundial, são simultaneamente países de origem de emigrantes e de destino de Imigrantes (Mota, in Pires, 2010:13).

No mesmo ano em que a Comissão Europeia lançava a Agenda Europeia da Migração (2015), Portugal enfrentava cinco desafios, particularmente, decisivos em matéria de migrações: i) o combate transversal ao défice demográfico e o equilíbrio do saldo migratório; ii) a consolidação da integração e capacitação das comunidades imigrantes residentes em Portugal, respeitando e aprofundando a tradição humanista de Portugal; iii) a inclusão dos novos portugueses, em razão da aquisição de nacionalidade ou da descendência de imigrantes; iv) a resposta à mobilidade internacional, através da internacionalização da economia portuguesa, na perspetiva da captação de migrantes e da promoção das migrações como incentivo ao crescimento económico; v) o acompanhamento da nova emigração portuguesa, através do reforço dos laços de vínculo e da criação de incentivos para o regresso e integração de cidadãos nacionais emigrados. Tendo em conta estes cinco desafios é desenhado o Plano Estratégico para as Migrações, (Resolução do Conselho de Ministros 12-B/2015, de 20 de março). De acordo com Relatório de Imigração, Fronteiras e Asilo de 2018, através dos eixos políticos prioritários do Plano Estratégico para as Migrações é criada a Política Nacional de Imigração e Asilo.

Nesta era da globalização, com a aceleração dos movimentos humanos originados pelos mais diversos motivos, entre os quais se destacam, a procura de trabalho, a guerra e as perseguições políticas e/ou religiosas, urge a necessidade de uma reflexão profunda sobre as questões das migrações e dos refugiados. Assim, em 19 dezembro de 2016, a Assembleia Geral da

ONU, com os seus 193 Estados-Membros, dá um primeiro passo ao adotar a Declaração de Nova Iorque para Refugiados e Migrantes. Deste modo reconhece a necessidade de uma abordagem abrangente à mobilidade humana e de cooperação reforçada a nível global.

Com a Declaração de Nova Iorque dá-se início a um processo que resultará no Pacto Global para uma Migração Segura, Ordenada e Regular, concluído a 10 de dezembro de 2018. Este Pacto firma-se em 10 princípios orientadores que promovem uma visão centrada nas pessoas, na cooperação internacional, na soberania nacional, no Estado de Direito, no desenvolvimento sustentável, no respeito pelos direitos humanos, na igualdade de género, no superior interesse das crianças e na abordagem holística das migrações, envolvendo todos os governos e a sociedade civil.

Portugal, país de migrantes, empenhou-se no processo que levou à elaboração do Pacto, tendo sido um dos primeiros países a aprovar o respetivo Plano Nacional de Implementação do Pacto Global das Migrações (Resolução do Conselho de Ministros n.º 141/2019), concebido como um documento operacional, orientado para resultados práticos e seguindo a estrutura de 23 objetivos do Pacto Global das Migrações.

O ano de 2018 foi um ano complexo para Portugal, marcado não só pela globalização, que gera migrações de natureza económica, laboral e educativa, mas também por questões migratórias associadas a sucessivos fenómenos de crises humanitárias e de reações políticas de países europeus perante as vagas de imigrantes e refugiados (Relatório de Imigração, Fronteiras e Asilo, 2018:20).

Posteriormente, o ano de 2020, marcado pela pandemia a nível mundial, veio originar uma grave crise social e económica a qual se repercutiu nos direitos básicos do ser humano, colocando em causa os seus direitos fundamentais e abrindo um fosso profundo entre os que têm altos rendimentos e os que apresentam baixos rendimentos. Diremos pois, que a população imigrante se encontra no grupo dos que apresentam maiores vulnerabilidades. Não obstante as redes de apoio e todo o seu empenho na melhoria da sua qualidade de vida, múltiplos são os obstáculos que se apresentam à perspetiva de um futuro mais próspero, a saber: Impedimento no acesso ao crédito; impedimento em oferecer garantias reais e pessoais para o crédito bancário; desconhecimento das obrigações fiscais e dos requisitos específicos; obstáculos de ordem pessoal e barreiras legais e institucionais; desconhecimento da língua portuguesa e dificuldades no reconhecimento das suas qualificações.

## III. PORTUGAL: CARATERIZAÇÃO DA POPULAÇÃO IMIGRANTE

"A imigração é um barómetro de circunstâncias sociais, económicas e políticas em transformação, a nível nacional e internacional. Em ambos os casos, a imigração é um sinal de grandes disparidades, relativamente às condições económicas e sociais entre o local de origem e o local de destino" (Lopes, 1997:78).

Desde os tempos mais remotos que a necessidade de migrar esteve sempre presente na Humanidade, na busca incessante de melhores condições de vida, na procura da satisfação do desejo expansionista ou nas fugas às guerras, à fome e às epidemias (Desmet, 2015).

O atrativo papel desempenhado pela geografia portuguesa (no extremo sudoeste da Península Ibérica, limitado a Ocidente e a Sul pelo Atlântico), a vontade do Estado em alargar o território e a personalidade-base do povo português, justificaram as condições para início de uma função que Portugal desempenha há mais de seis séculos – emissão de mão-de-obra para outras regiões do mundo (Desmet, 2015). Este fenómeno altera-se, após a década de setenta do século XX, com a Revolução de 25 de Abril de 1974 e a subsequente independência dos países africanos de língua portuguesa.

Provenientes das ex-colónias chegam a Portugal indivíduos, quer originários da então metrópole, quer ali nascidos. A partir das últimas duas décadas do século XX, os movimentos migratórios internacionais passam a construir uma questão emergente, avolumando-se, tornando-se visíveis, construindo uma das expressões da crise económica mundial e do impacto do processo de reestruturação produtiva global (Desmet, 2011).

Nos anos oitenta, Portugal depara-se com uma imigração até então praticamente inexistente, a de cidadãos Brasileiros. Em finais dos anos noventa, novas comunidades afluem a Portugal provenientes dos países da Europa de Leste e da China, a que mais tarde se juntam comunidades provenientes da India, Bangladesh e Nepal. Portugal torna-se, pois, um país multicultural (Desmet, 2011), que necessita de conhecer e de aprender a viver com os "Outros" para formar um "Nós".

"Precisamos de comunicar, descobrir as riquezas de cada um, valorizar aquilo que nos une e olhar as diferenças como possibilidades de crescimento no respeito por todos" (Francisco, 2020:91).

Assiste-se então, em Portugal, a um surto imigratório que se inicia no segundo quartel do século XX e que ainda se expande. Atente-se que de 50.750 imigrantes em 1980 se passa para 590.348 em 2019, existindo 49,8% de indivíduos do género feminino e 50,2 % de indivíduos do género masculino 50,2% (SEF/2020).

No que concerne aos grupos etários assumem maior representação os grupos etários dos 20-49 anos (59,9%) e o grupo etário dos 50-64 anos (16,5%), evidenciando-se o primeiro grupo anteriormente referenciado.

**Quadro 1.** Grupos Etários 2018 (estimativa).

| Grupos Etários 2018 (estimativa) | |
|---|---|
| 65 e mais Anos | 9,8% |
| 50-64 Anos | 16,5% |
| 20-49 Anos | 59,9% |
| 10-19 Anos | 8,2% |
| 0-9 Anos | 5,6% |

**Fonte:** INE (elaboração pela própria).

A população imigrante residente não se distribui de forma homogénea por Portugal, dado que as oportunidades de trabalho e as redes sociais de interajuda funcionam como polos de atração na distribuição geográfica dos estrangeiros no país. Esta população imigrante concentra-se predominantemente no litoral do país, destacando-se, sequencialmente, os distritos de Lisboa, Faro, Porto e Setúbal. Saliente-se que a soma dos dois primeiros distritos representa cerca de 50% do valor total de imigrantes no País (258.075 indivíduos), revelando a grande assimetria na distribuição da população imigrante em Portugal.

Reconhece-se que a população estrangeira em Portugal não é um todo homogéneo. Através do Gráfico 1 pode-se visualizar as dez nacionalidades mais representadas em Portugal no ano de 2019, observando-se a preponderância da nacionalidade brasileira relativamente às outras. No mesmo ano, estas dez nacionalidades estrangeiras mais representadas em Portugal, segundo Relatório Estatístico Anual 2020 do Observatório das Migrações, expressavam 68% do total de estrangeiros residentes no país.

**Gráfico 1.** Principais Nacionalidades em Portugal.

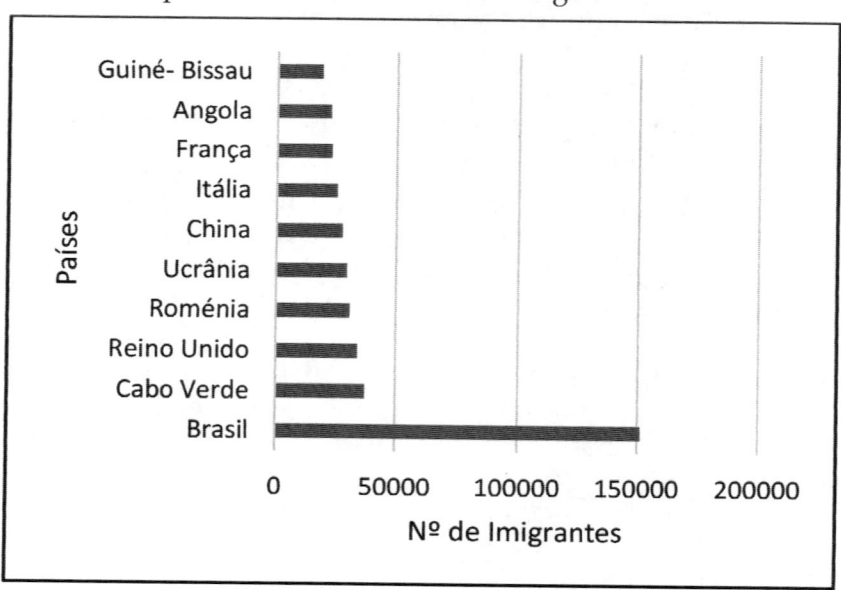

**Fonte:** Dados do Relatório Estatístico Anual 2020 do Observatório das Migrações (elaborado pela própria).

Segundo o Relatório Estatístico Anual 2020 do Observatório das Migrações verifica-se que cerca de metade dos trabalhadores estrangeiros trabalham por conta de outrem, sendo representados nos grupos profissionais de base do mercado de trabalho português: a) indústria, construção e artífices; b) operadores de instalações e máquinas, trabalhadores de montagem; c) trabalhadores não qualificados. Também se pode destacar um outro grupo profissional onde os estrangeiros estão volumosamente representados, o grupo dos trabalhadores dos serviços pessoais, de proteção e segurança e vendedores.

Os trabalhadores estrangeiros em Portugal são complementares da população ativa portuguesa, tendo um perfil de substituição em certos setores particularmente qualificados e nalguns tipos de profissões não qualificadas (Baganha e Marques, 2001). Acrescente-se ainda que Portugal é "capaz de atrair imigrantes para segmentos de topo do mercado de trabalho e, em simultâneo, atrair um número considerável de trabalhadores pouco ou nada qualificados para os segmentos profissionais de base" (Gois e Marques, 2007:20).

No que concerne às habilitações literárias dos trabalhadores por conta de outrem verifica-se, através dos dados do Ministério do Trabalho, Solidariedade e Segurança Social referentes a 2018 (Gráfico 2), que a maior percentagem destes trabalhadores migrantes tem habilitações literárias ao nível do 3º ciclo do ensino básico e do ensino secundário e pós-secundário.

**Gráfico 2.** Trabalhadores Migrantes por conta de outrem segundo o nível de habilitações (%) em 2018.

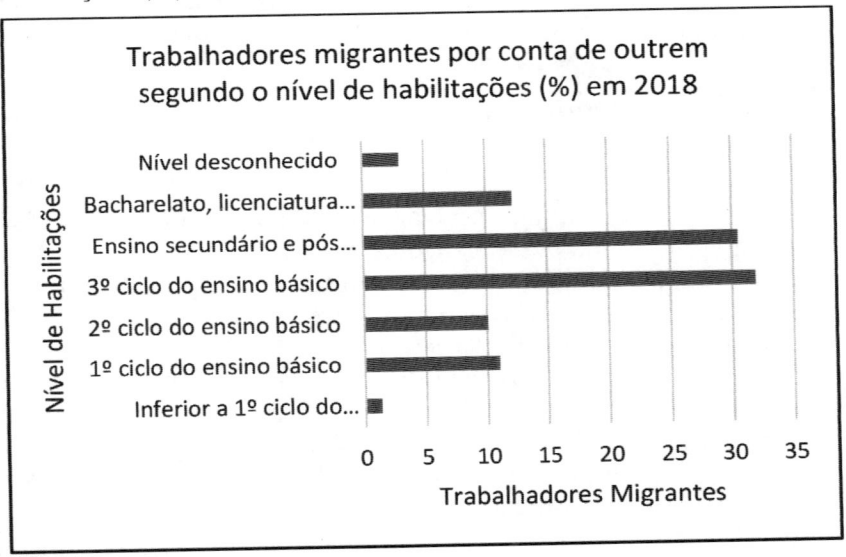

**Fonte:** GEP/MTSSS 2019 (elaboração própria).

Constata-se, através da comparação dos dois gráficos anteriormente referidos, que a inserção dos trabalhadores estrangeiros nos diferentes grupos profissionais e atividades económicas do mercado de trabalho português, não reflete necessariamente a qualificação e experiência profissional desses trabalhadores. Em Portugal tem-se observado que existem estrangeiros a desempenhar funções abaixo do nível das suas habilitações, realizando trabalhos menos cativantes, em condições mais duras e com elevados níveis de insegurança (Góis e Marques, 2014).

Neste contexto, através da caraterização demográfica dos imigrantes residentes em Portugal podemos observar que na sua maioria apresentam baixos rendimentos, maior privação material e, consequentemente, maior vulnerabilidade comparativamente a alguns residentes nacionais.

De ressalvar que os imigrantes que se encontram em situação ilegal (não contabilizados nesta caraterização) não têm contribuições para a segurança social pelo que não usufruem de qualquer sistema de proteção social, tornando-se ainda mais vulneráveis e por vezes expostos a graves situações de exploração.

A intervenção de organizações da sociedade civil, em particular, organizações religiosas de âmbito nacional da Igreja Católica, têm desenvolvido um meritório trabalho junto da imigração, ganhando um espaço de enorme importância na defesa dos direitos humanos, na assistência humanitária, no combate à discriminação e à exclusão social assim como na promoção da justiça social e da dignidade do ser humano.

## IV. IMIGRAÇÃO: INTERVENÇÃO DA CÁRITAS PORTUGUESA

### 4.1. CARATERIZAÇÃO

A Cáritas Portuguesa é uma organização oficial da Conferência Episcopal Portuguesa, sendo uma pessoa jurídica pública de natureza fundacional, nos termos do Direito Canónico. Fundamenta-se na doutrina social da Igreja, nos imperativos da solidariedade e na legislação civil e canónica aplicável, fomentando a partilha de bens e priorizando as situações mais graves de pobreza ou exclusão social. É um dos 162 membros da rede internacional *Caritas Internationalis*, integrando também Cáritas Europa, a Confederação Portuguesa do Voluntariado, a Plataforma Portuguesa das ONGD, a Associação Dignitude e a FESCOOP – Finanças Éticas e Solidárias ao Serviço do Bem Comum.

A rede Cáritas é constituída, em Portugal, por 20 Cáritas Diocesanas e inúmeros grupos locais que atuam em proximidade, nas paróquias e em outras comunidades. As Cáritas Diocesanas têm autonomia jurídica e canónica, apresentando cada organização especificidades próprias, podendo estabelecer as suas prioridades e agir em função destas. Porém, estas especificidades devem estar em conformidade com o Plano Estratégico da Cáritas em Portugal, consensualizado entre todas e ratificado pela Comissão Episcopal da Pastoral Social e Mobilidade Humana.

A Cáritas Portuguesa prossegue as suas orientações primordiais tendo por base quatro objetivos: a assistência em situações de dependência ou emergência; a promoção social e o reforço da autonomia pessoal; o desenvolvimento solidário, integral e personalizado; a transformação social, especialmente nos domínios das relações sociais, dos valores e do ambiente.

## 4.2. HISTORIAL

Após a II Guerra Mundial, em 1946 é fundada a União da Caridade Portuguesa com o objetivo de proteção de menores, sendo a sua primeira atividade (1947) o acolhimento de crianças refugiadas. A partir desta data ficou definida uma das suas principais orientações: a atuação nos problemas de maior gravidade.

Posteriormente, entre 1956 (data dos primeiros estatutos) e 1975, já com a atual denominação, Cáritas Portuguesa, a sua atividade centra-se na distribuição de géneros alimentares pelo país, doados pelos EUA, no âmbito do Plano Marshall, e no acolhimento de crianças vindas do centro da Europa durante a guerra fria. Concretizado através da ligação a experiências de desenvolvimento comunitário, experimenta-se também o atendimento – acolhimento social e a animação local.

Ainda neste período inicia-se o alargamento da Cáritas criando-se a nível diocesano as respetivas comissões.

A partir de 1975 e até à segunda revisão estatutária, em 2000, enceta-se um novo percurso: a criação e funcionamento de equipamentos sociais; a promoção social através do apoio à criação de postos de trabalho; a formação de agentes e a preparação para a atuação estrutural nos domínios do desenvolvimento local e da intervenção junto de centros de decisão política.

A partir do ano 2000 inicia-se uma nova etapa, assente na consolidação da autonomia das Cáritas Diocesanas e na promoção da clarificação e atualização dos objetivos da Cáritas no contexto da Igreja e da sociedade portuguesa.

## 4.3. INTERVENÇÃO DA CÁRITAS COM A POPULAÇÃO IMIGRANTE

"Muitos grupos e organizações da sociedade civil ajudam a compensar as debilidades da Comunidade Internacional, devido à sua falta de coordenação em situações complexas e à sua falta de atenção relativamente aos direitos humanos fundamentais e a situações muito críticas de alguns grupos" Papa Francisco (2020: 117).

As migrações globais, em grande parte do mundo, constituem hoje um enorme desafio e são uma prioridade para a Igreja Católica que pretende apoiar a comunidade internacional na busca de respostas globais e estruturais para os migrantes.

A Cáritas, ao longo dos anos tem vindo a destacar-se pela sua ação junto dos imigrantes, promovendo as migrações como fenómeno de desenvolvimento da humanidade. Um exemplo desta ação materializa-se na sua participação no projeto MIND – Migrações, Interligação e Desenvolvimento, que visa promover oportunidades para o diálogo e encontro entre as pessoas, para que tenham um melhor entendimento sobre as ligações complexas entre migrações, o desenvolvimento sustentável e as respostas a estas questões, com base na humanidade, dignidade e respeito. De realçar de entre as ações realizadas neste projeto o filme documentário "Casa Comum", uma viagem à realidade dos imigrantes em Portugal, que enfatiza as causas da origem das migrações forçadas, as sociedades de acolhimento e as contribuições dos imigrantes para o desenvolvimento. Em suma, o objetivo final é contribuir para uma visão positiva da imigração, assim como para a promoção do envolvimento da sociedade nas questões e desafios do desenvolvimento.

Em Portugal, nestes últimos dois anos, a pandemia da COVID-19 tem representado um desafio histórico pelos profundos impactos económicos, políticos e sociais que tem gerado. O rendimento das famílias reduziu-se aumentando significativamente a pobreza e consequentemente as desigualdades. Através da caraterização sociodemográfica anteriormente efetuada infere-se que os imigrantes se encontram entre a população mais vulnerável, quer pela indocumentação que origina empregos ilegais sem qualquer proteção, quer pela ocupação de postos de trabalho menos qualificados, quer por auferirem baixos salários.

O Programa "Vamos Inverter a Curva da Pobreza", resposta de emergência da Cáritas Portuguesa às situações de carências provocadas pela pandemia, procurou responder às solicitações crescentes das Cáritas Diocesanas, complementando as respostas locais. As situações de desemprego, saúde, baixa médica e isolamento (estudantes estrangeiros), cuja capacidade de sustentação se viu limitada pela impossibilidade de manter um trabalho, em regime de *part-time*, são exemplos de situações críticas que resultam em pedidos de apoio à rede nacional Cáritas. Nestas solicitações existe uma faixa relevante de migrantes cuja situação ficou ainda mais vulnerável desde o início da Pandemia.

Desde abril de 2020 até fevereiro de 2021, o Programa apoiou 10 073 pessoas (vales para aquisição de bens essenciais e apoio financeiro de emergência) num total de valor aplicado de cerca de 355 mil euros. Os principais apoios financeiros destinaram-se ao pagamento de renda de casa, eletricidade, água e despesas de saúde, sendo abrangidas 25 nacionalidades com destaque para a nacionalidade brasileira e PALOP, além da população portuguesa.

A rede Cáritas apresenta seis Centros Locais de Apoio à Integração de Migrantes (CLAIM). Estes Centros, criados em 2003, têm como missão, além de promover a informação, apoiar em todo o processo do acolhimento e integração dos migrantes, articulando com as diversas estruturas locais, e promovendo a interculturalidade a nível local. Prestam ainda, apoio e informação geral em diversas áreas, tais como: regularização, nacionalidade, reagrupamento familiar, habitação, retorno voluntário, trabalho, saúde, educação, entre outras questões do quotidiano.

A título exemplificativo atentemos ao trabalho desenvolvido no ano 2020 pelos CLAIM das Cáritas Diocesanas de Beja, Bragança, Guarda, Portalegre e Viana do Castelo. Estes CLAIM atenderam uma população migrante na sua maioria do género masculino (54,9%) em detrimento do género feminino (45,1%), provenientes maioritariamente dos PALOP (58%) e do Brasil (21%). Nestes imigrantes destacam-se as faixas etárias entre os 26-35 anos e os 36-45 anos. Ao nível das habilitações literárias, o ensino secundário (41,8%) é preponderante relativamente aos outros níveis de ensino. Recorrem aos CLAIM essencialmente para regularização da situação de permanência em Portugal (37,1%) e para atendimento social (27,4%).

O Programa Prioridade às Crianças é outra iniciativa da Cáritas Portuguesa que tem como objetivo o apoio a crianças em situação de carência no território português, ajudando situações de necessidade em áreas como a saúde e a educação nas diversas dioceses. A missão deste Programa visa a sinalização e acompanhamento de cada caso, a proteção do respeito dos direitos das crianças, a garantia do acesso aos serviços necessários e a cooperação com as Comissões de Proteção de Crianças e Jovens e com outros serviços que atuem neste domínio.

A título exemplificativo asseveramos que de janeiro a agosto 2021 (inclusive) foram apresentados 97 casos de 12 Dioceses. As crianças abrangidas tinham uma média de idades de 10 anos. A maioria dos casos apresentados (60%) tinham nacionalidade portuguesa sendo os restantes de outras nacionalidades (40%). De entre os motivos que os levaram a solicitar este apoio são predominantes, sequencialmente, o salário insuficiente para as despesas do agregado familiar e o desemprego. Os pedidos destinados à saúde (70%) superam os pedidos associados à educação (30%).

## V. CONSIDERAÇÕES FINAIS

A crise climática, as perseguições ideológicas e/ou religiosas e as guerras fizeram do século XXI, o século das migrações. O Ser Humano migra em busca da paz, em busca de melhores condições de vida, em busca de uma sociedade que o integre como cidadão de plenos direitos. Contudo, esse lugar na sociedade é-lhe muitas vezes negado pelo racismo, pela xenofobia, por interesses económicos nefastos e, principalmente, por regimes políticos que desconhecem a riqueza socioeconómica e cultural da imigração.

Perante estas ocorrências mundiais é, decerto,

> "… nosso dever respeitar o direito que tem todo o ser humano de encontrar um lugar onde possa não apenas satisfazer as necessidades básicas dele e da sua família, mas também realizar-se plenamente como pessoa…. Os esforços a favor das pessoas que chegam podem resumir-se em 4 verbos: acolher, proteger, promover e integrar" Francisco (2020:88).

Considera-se, deste modo, a relevância do papel da Cáritas Portuguesa no apoio aos imigrantes, sempre com a missão do Desenvolvimento Humano Integral e a Defesa do Bem-Comum, com vista à transformação da sociedade portuguesa, objetivando uma "Casa Comum".

Na defesa dos direitos fundamentais do ser humano somos todos chamados a acolher, proteger, promover e integrar as pessoas forçadas a abandonar o seu lar e que buscam um novo lar em outra terra. É necessário aumentar as vias seguras e legais para os migrantes e refugiados (Acolher), defender os direitos e a dignidade dos migrantes e dos refugiados (Proteger), favorecer o desenvolvimento integral dos migrantes e refugiados (Promover) e enriquecer as comunidades locais por meio de uma maior participação de migrantes e refugiados (Integrar).

Esta missão de 4 passos proclamada pelo Papa Francisco (2020), vai para além de todos os Pactos Globais e, encontra-se acima de qualquer interesse, sendo orientada para o bem comum e centrada na integridade e dignidade da pessoa que habita a "Casa-Comum".

Constatamos, pois, que os elos da triangulação Direitos Humanos – Imigração – Cáritas Portuguesa são os quatro passos proclamados pelo Papa Francisco: Acolher, Proteger, Promover e Integrar.

## VI. REFERÊNCIAS

Baganha, M. I. e Marques, J.C. (2001). *Imigração e política: o caso português*. Lisboa: Fundação Luso-Americana.

Desmet. L. (2011). Contributos para uma reflexão: empreendedorismo na imigração, in Almeida, Cristina (Coord.), Pessoas Grandes em Sítios Pequenos. 19-25. Centro Editorial SCML.

Desmet, L. (Coord.) (2015). Envelhecer no Estrangeiro: Retalhos de Vida, Lisboa, Centro Editorial SCML.

Francisco, Santo Padre, (2020). *Fratelli Tutti*, Paulus Editora, Apelação.

Góis, P e Marques, J. C. (2007). Estudo prospetivo sobre imigrantes qualificados em Portugal. Lisboa. ACIDI.

Góis, P. e Marques, J. C. (2014). Processos de admissão e de integração de imigrantes altamente qualificados em Portugal e a sua relação com a migração circular. Estudo 54 do Observatório da Imigração. Lisboa. ACIDI.

INE (2017). Projeções de população residente 2015-2080. Destaque INE. 29 março de 2017. Lisboa. Instituto Nacional de Estatística.

INE (2019), Redução da população residente em 2018 menor que a de 2017, Destaque INE. 14 de junho. Lisboa. Instituto Nacional de Estatística.

Lopes, P. (1997). Imigração e Comunidades Estrangeiras em Portugal in Janus 97 Anuário de Relações Exteriores. Lisboa. Público e U.A.L.

Moreira, C. (2019). Deficiência e Direitos Humanos in Desmet *et al.* (Coord.), Deficiência: Perspetivas e Desafios na Contemporaneidade. 28-32. Lisboa, universidade Lusófona de Humanidades e Tecnologias.

Oliveira, C. R. e Pires, C. (2010). Imigração e sinistralidade laboral. Estudo 41 do Observatório da Imigração. Lisboa: ACIDI.

ONU (2019). *World Population Prospects* 2019: *Highlights*. Nova Iorque: Organização das Nações Unidas.

Organização das Nações Unidas. (1948). Declaração Universal dos Direitos Humanos. http://www.fd.uc.pt/hrc/eciclopedia/onu/textos_onu/dudh.pdf, (acedido a 17 /9/ 2021).

Relatório Estatístico Anual (2020). Observatório das Migrações. Lisboa. ACM.

Relatório Caritas Portuguesa (2020). Cáritas Portuguesa. Lisboa.

Revista Cáritas (2021). Cáritas Portuguesa 65 anos de História. Caritas Editora. Lisboa.

SEF (2018). Relatório de Imigração, Fronteiras e Asilo, Lisboa.

*Capítulo 8*

# Percepción y prospección del concepto *halal* en alimentación: realidad en el sector minorista cárnico español

Alejandro de Pablo Cabrera

*(EAE Business School de Madrid –España–)*

Pilar Sánchez-González

*(Universidad Complutense de Madrid –España–)*

## I. INTRODUCCIÓN

El presente estudio supone una continuación en el análisis del concepto *Halal* en España, que desde 2014 se está llevando a cabo por los autores firmantes. En este caso se centra en el análisis del sector del retail cárnico en España y se pretende demostrar su posible evolución, en un futuro inmediato, como oportunidad de negocio muy rentable.

Los antecedentes de este trabajo se basan en los datos obtenidos en el primer Observatorio Académico sobre el concepto *Halal* realizado en España. Se realizaron 631 cuestionarios auto cumplimentados que desde 2014 a 2018 aportaron los datos que trazaron un estudio longitudinal y descriptivo de cómo iba evolucionando el concepto de la marca en el sector empresarial español. El cuestionario utilizado estaba dividido en 7 secciones relativas a la religión y la relación que esta tiene con el consumo. Aunque las preguntas iniciales trataban de conocer los conceptos referidos a las diferentes religiones, el cuestionario, mayoritariamente, se centraba en el islam. Específicamente sobre la percepción del concepto *Halal* y su certificación como marca de garantía en diferentes sectores como finanzas, turismo, moda, cosmética y específicamente en el sector de la alimentación.

Los encuestados participantes, en dicho Observatorio, eran no musulmanes puesto que lo que se intentaba era apreciar qué percepción tenían de una realidad, que no siendo la suya, podía afectar a la toma de decisiones empresariales para captar a este público objetivo, habitualmente desconocido, el cliente musulmán.

Este desconocimiento viene dado, mayoritariamente, por prejuicios. Los ciudadanos que poseen una fe rara vez se plantean conocer otra. Sin embargo, el mercado global está haciendo que los profesionales de la empresa y el marketing deban "cambiar su mirada" y se planteen conocer "al otro". La alteridad se convierte, así, en una variable a considerar en las microsegmentaciones. Se ha de conocer "al otro" para poder ofrecerle productos y servicios que les gusten y compren. Es supervivencia empresarial.

El islam es una religión que implica una forma de vida. Tal como expresan Diaz-Mas y de la Puente (2007) la palabra "islam" significa literalmente en árabe, sumisión y obediencia y, por extensión, obediencia a la voluntad divina. Quien acepta el islam se denomina musulmán. Al hacerlo sigue las normas que configuran su forma de vida que incluye los aspectos social y religioso.

Desde la muerte de su iniciador *Muhammmad*, en el año 632, sus seguidores decidieron organizar las creencias que constituyen su doctrina en cinco grandes bloques, llamados "pilares", confiriendo al término "pilar" el sentido de elemento que sostiene y soporta la estructura de la comunidad del islam (Bramon, 2013). Estos cinco pilares que todo musulmán debe de cumplir son: profesión de fe, la oración, la limosna preceptiva, el ayuno durante el mes de Ramadán y la peregrinación a los santos lugares, siempre que sea posible.

Y para hacer cumplir ese estilo de vida los musulmanes siguen el Corán y sus textos sagrados. Tal como señalan Diaz-Mas y de la Puente (2007) cada paso que el creyente da en su vida, desde la manera de lavarse hasta la de comer, procrear o ser enterrado, ha de estar de acuerdo con los preceptos de la ley. Esto no significa, sin embargo, que sean normas inmutables. Dependen de costumbres locales, tradiciones o direcciones políticas que, en su caso, definen y marcan lo que ha de hacerse en cada momento. Tal como explica Romero (2016), el Corán permite que cualquier musulmán establezca y aplique, por sí mismo, los criterios a seguir, garantizando así que cualquier persona pueda alimentarse o vivir de acuerdo a sus principios, aunque el conjunto de la sociedad en la que vive no reúna ninguno de ellos de forma organizada, o bien que los existentes no coincidan con la división individual de su práctica religiosa. Por lo que se convierte en referencia a seguir en la vida de cada musulmán.

El Corán, tal como señala Alserhan (2011), delimita lo que es *halal*, que significa lo recomendable, lo lícito, lo saludable. Lo que es *haram* o prohibido como inaceptable, no recomendado y poco saludable y, por último, también define lo que se considera *mustabeh* o de dudosa procedencia, desconocido o poco fiable y por lo tanto se recomienda su no uso.

En este caso, centrado en la alimentación, se considera la clasificación que realiza Jauregui (2009) de los alimentos *halal*. Así define como tal a leches de vacas, camellos, ovejas y cabras. Vegetales. Miel. Pescado y marisco. Legumbres. Carne sacrificada con el rito musulmán y plantas no intoxicantes, entre otros. Clasifica los alimentos *haram* en: perros, burros, anfibios, reptiles. Animales carnívoros. Rapaces y aves nocturnas. Insectos. Gusanos. Cerdo y derivados. Plantas y bebidas intoxicantes. Alcohol. Narcóticos, etc. Y como *mustabeh*:

Gelatinas. Ácido fólico. Ácidos oleicos. Nitratos, etc.

Todos los sectores *halal* parecen interesantes para analizar, máxime si se ha comprobado que apenas hay estudios al respecto. Sin embargo, se ha decidido centrarse en el consumo de carne en España. Los musulmanes hacen ingesta habitual de la misma, es uno de sus alimentos más cotidianos y, además, el número de población de este tipo de clientes no deja de incrementarse por lo que se ha considerado su rentabilidad como criterio preferente. Por lo que parece obvio que, económicamente, el objetivo de este trabajo sea analizar la demanda interna potencial, y su evolución futura, del sector cárnico en la alimentación en España y diferenciado por comunidades autónomas.

Una vez realizada la revisión de la bibliografía existente, no se ha encontrado ninguna investigación que analice este tema, desde el punto de vista de la demanda interna, por lo que se convierte en oportunidad de análisis.

Los patrones de la población musulmana en cuanto a cantidades de consumo no están lejos de otros segmentos excepto en demandas específicas. Por lo que habrá implicaciones de gestión en las áreas de innovación, producción, distribución y marketing que orientarán las decisiones que las empresas, distribuidores, gerentes comerciales u otros operadores puedan tomar en el mercado minorista. Sin duda, es una gran oportunidad de negocio a considerar en un futuro inmediato.

Por todo ello, a continuación, se muestran los primeros resultados obtenidos en la investigación extrapolando población y consumo hasta el año 2050. Se ha considerado ese año como definitorio de múltiples cálculos realizados por instituciones de prestigio internacional. Es por esto que el equipo investigador ha decidido aportar a la Academia su previsión de evolución de un sector con un gran potencial económico, de marketing y, por tanto, social. Sin olvidar que, aunque los datos que se aportan son del mercado español, el objetivo de dicha investigación es extrapolarlo a otras áreas internacionales de las que forma parte España y que, también, se consideran interesantes comercialmente, como, por ejemplo, el denominado Arco Mediterráneo, Europa o América Latina.

## II. ANÁLISIS

La población musulmana está aumentando progresivamente, en Europa. En 2016, suponía el 4,6% de la población total y será del 11,2% en 2050 (Pew, 2018). Existe un consenso bastante homogéneo, en la literatura académica de marketing, de que este segmento de consumidor podría ser un nuevo público potencial para explorar en términos de consumo para una variedad de sectores, como cosmético, bebidas, alimentación, turismo o financiero.

### 2.1. EVOLUCIÓN DE LA POBLACIÓN MUSULMANA EN ESPAÑA DE 2018 A 2050

El objetivo de la presente investigación es cuantificar el mercado potencial de carne *halal*. Tras la revisión de la literatura académica y la investigación realizada, se asume que una de las mayores demandas potenciales en el sector de alimentos y bebidas es la categoría de carne.

El primer paso ha sido estudiar la senda de crecimiento de la población musulmana en España. Hay que tener en cuenta que la actual ley de protección de datos no permite preguntar o cuestionar aspectos sobre la religión cuando se elabora el censo o se desarrollan investigaciones sociales. Bajo esa premisa, todas las cifras con las que se trabaja se basan en diferentes metodologías de análisis de series temporales.

Se encontraron dos posibles, y fiables, fuentes de información sobre musulmanes: Centro de investigación Pew (PEW). Esta investigación proporciona estimaciones hasta 2050 del peso creciente de la población de musulmanes en diferentes países europeos. Sus estimaciones no solo se basan en inmigrantes sino también en otras ratios como las tasas de fecundidad. Otra fuente potencial proviene del Observatorio Andalusí (UCIDE). Esta investigación proporciona cifras sobre el peso de los musulmanes en España para 2018, y se basa en diferentes nacionalidades y las religiones predominantes en esos países.

Los resultados y las cifras de ambas fuentes son diferentes. La fuente seleccionada es PEW, porque permite extrapolar la misma metodología para cualquier otro país europeo, y proporciona estimaciones para las próximas décadas sobre la evolución del segmento por lo que se estima más objetiva y completa, tal como puede apreciarse en la Tabla 1.

**Tabla 1.** Estimaciones PWE y UCIDE.

| | Tamaño estimado de la población musulmana (% sobre el total de población 2018) | Total Musulmanes 2018 | Tamaño estimado de la población musulmana (% sobre el total de población 2050) | Total Musulmanes 2050 |
|---|---|---|---|---|
| Estimación de PWE | 2,50% | 1.213.142 | 6,80% | 3.375.725 |
| Estimación de UCIDE | 4,30% | 1.993.000 | Na | Na |

**Fuente:** Elaboración propia basada en información de PWE y UCIDE, 2019.

Otra fuente importante contemplada, en España, y en términos de números "absolutos", es el Instituto Nacional de Estadística (INE). Este organismo oficial proporciona estimaciones de la evolución de la población total española para 2050.

En base a ambas fuentes, se calcula el crecimiento medio anual entre 2018 y 2050 para aplicar el peso creciente de la población de musulmanes en la previsión de población española sobre una base anual, y llegando al peso estimado por PWE en el año 2050, tal como se puede apreciar en la Tabla 2.

**Tabla 2.** Estimación de la población musulmana, 2020-2050.

| | 2050 | 2045 | 2040 | 2035 | 2030 | 2025 | 2020 |
|---|---|---|---|---|---|---|---|
| Total Población España | 49.910.653,00 | 49.485.811,00 | 48.905.120,00 | 48.284.479,00 | 47.749.007,00 | 47.749.007,00 | 47.329.981,00 |
| Total Población Musulmana | 3.393.924,40 | 3.040.284,51 | 2.683.668,46 | 2.332.743,89 | 1.993.521,04 | 1.680.168,18 | 1.354.820,71 |
| Peso (%) | 6,80% | 6,14% | 5,49% | 4,83% | 4,18% | 3,52% | 2,86% |

**Fuente:** Elaboración propia basada en información de PWE e INE 2021.

Es interesante destacar la previsión anterior ya que muestra un aumento de más de 2 millones de nuevos seguidores de la religión musulmana, en España, para los próximos años. Cifra que, desde el punto de vista puramente económico, se perfila como un segmento de mercado potencial muy interesante para valorar en las estrategias empresariales y de marketing.

## 2.2. ESTIMACIÓN DEL CONSUMO DE CARNE DE LA POBLACIÓN MUSULMANA EN ESPAÑA

### 2.2.1. Población Total

Para la estimación de la demanda potencial en la distribución moderna se ha utilizado el panel elaborado por el Ministerio de Agricultura, Pesca y Alimentación (2021) que permite tener una información completa sobre el consumo de alimentos y bebidas de la población residente en España, durante el año 2020. Es necesario tener en cuenta que no se considera el consumo turístico ni el consumo de servicios de alimentación, y que, por razones operativas, en el caso del consumo fuera del hogar tampoco se incluye, actualmente, el consumo en las Islas Canarias.

La muestra de esta investigación es de 4.000 hogares panelistas, que representan a casi 9 millones de hogares.

En cuanto al gasto total de los hogares españoles en alimentación, durante el año 2020, ascendió a 79.348,26 millones de euros, lo que supone un incremento de 14,2 puntos porcentuales respecto al año 2019. Equivale a un gasto medio de, aproximadamente, 1.716,27 € per cápita, unos 209 € más que el año pasado (MAPA, 2021). Se estima que este incremento se debe al efecto COVID-19.

Si se considera el gasto total en Carne es la categoría que supone mayor peso en el presupuesto de los hogares españoles: supuso el 20,37 % del valor para alimentación y bebidas en el hogar en 2020. Y, además, aumenta un 10,2 % frente al 2019, situando la cifra en un consumo per cápita de 49,86 kilos per cápita al año (INE, 2021).

El enfoque, de este trabajo, contiene una hipótesis lineal. Se asume que el comportamiento de la población de musulmanes en España, tanto en cuanto al consumo per cápita en kg, como al gasto per cápita en general, será el mismo que el del resto de españoles. Para extrapolar esas cifras de consumo, se parte de los datos iniciales de 2020. Sobre esas cifras se aplica una tasa de aumento/disminución. Esta tasa de aumento proviene de las estimaciones ya realizadas por la fuente Euromonitor (2019).

Se debe tener en cuenta que las estimaciones de crecimiento de Euromonitor incluyen todo tipo de carnes, no solo Halal, incluyendo el cerdo, ingesta prohibida para los musulmanes, tal como prescriben los textos islámicos y el Corán.

En cuanto a la valoración de aumento de precio, se aplicó la misma metodología y fuentes. Si bien, de las cifras que se manejan, el 30,2 % del volumen y el 30,3% del valor incluyen la carne fresca de cerdo, por lo que se ha procedido a su exclusión del análisis, tal como puede apreciarse en la Tabla 3.

**Tabla 3.** Consumo potencial total de España de la población musulmana.

| | 2050 | 2045 | 2040 | 2035 | 2030 | 2025 | 2020 |
|---|---|---|---|---|---|---|---|
| Consumo per capita de carne (exc. Cerdo). Kg | 26,7 | 27,8 | 28,9 | 30,1 | 31,4 | 32,6 | 34,0 |
| Gasto percapita de carne (exc. cerdo). € | 411 € | 380 € | 351 € | 324 € | 299 € | 277 € | 256 € |
| Total Kg | 70.316.422 | 65.570.797 | 60.251.344 | 54.518.836 | 48.500.027 | 42.551.566 | 35.717.928 |
| Gasto total | 1.083.392.708 € | 896.456.935 € | 730.929.561 € | 586.874.427 € | 463.265.980 € | 360.656.531 € | 268.629.888 € |

**Fuente:** Elaboración propia, 2021.

Cabe destacar, que aun considerando una disminución drástica en el consumo per cápita de carne, similar a la esperada para el resto de la población no musulmana, tanto el gasto total como el total volumen, presentan un fuerte incremento. Este, viene explicado por el fuerte incremento poblacional previsto por lo que se justifica el presente estudio y se cree necesario el análisis micro segmentado de las futuras estrategias de las empresas cárnicas hacía el cliente musulmán.

## 2.2.2. Distribución geográfica

La población de musulmanes no se distribuye de forma homogénea en España. Este hecho podría afectar al principal objetivo de determinar el potencial si no se consideran las posibles brechas económicas en las diferentes comunidades autónomas, en cuanto a la distribución. Para resolver esa realidad, se utilizó el rango poblacional, considerando las mayores regiones en términos de concentración de población de musulmanes. La siguiente tabla muestra las cinco primeras (aquellas con 100 k habitantes o más).

**Tabla 4.** Distribución poblacional con mayor representación de población musulmana.

| Regiones con 100K o mas musulmane | % |
|---|---|
| Cataluña | 564.055 | 27% |
| Andalucía | 341.069 | 16% |
| Madrid | 299.311 | 14% |
| Valenciana | 221.355 | 11% |
| Murcia | 112.527 | 5% |

**Fuente:** UCIDE (2020).

Utilizando la misma metodología y parámetros ya utilizados para la población general, se aplican, de igual manera para la población musulmana, segmentados por comunidades y obteniendo los valores que se analizan en la Tabla 5.

**Tabla 5.** Estimación de consumo de carne de la población musulmana versus comunidades autó-nomas.

| | 2050 | 2045 | 2040 | 2035 | 2030 | 2025 | 2020 |
|---|---|---|---|---|---|---|---|
| Cataluña: población Musulmana | 578.494 | 576.214 | 573.942 | 571.680 | 569.427 | 567.182 | 564.947 |
| Total Kg | 11.985.422 | 12.427.386 | 12.885.647 | 13.360.806 | 13.853.487 | 14.364.335 | 14.894.021 |
| Gasto | 184.664.103 € | 169.902.098 € | 156.320.163 € | 143.823.966 € | 132.326.711 € | 121.748.545 € | 112.015.994 € |
| Andalucía: población Musulmana | 349.800 | 348.421 | 347.048 | 345.680 | 344.317 | 342.960 | 341.608 |
| Total Kg | 9.130.059 | 9.466.731 | 9.815.818 | 10.177.777 | 10.553.083 | 10.942.229 | 11.345.725 |
| Gasto | 111.661.453 € | 102.735.263 € | 94.522.630 € | 86.966.512 € | 80.014.430 € | 73.618.095 € | 67.733.081 € |
| Madrid: población Musulmana | 306.973 | 305.763 | 304.558 | 303.357 | 302.162 | 300.971 | 299.784 |
| Total Kg | 6.359.963 | 6.594.487 | 6.837.659 | 7.089.798 | 7.351.235 | 7.622.313 | 7.903.386 |
| Gasto | 97.990.440 € | 90.157.107 € | 82.949.968 € | 76.318.967 € | 70.218.047 € | 64.604.832 € | 59.440.337 € |
| Valenciana: población Musulmana | 227.021 | 226.126 | 225.235 | 224.347 | 223.463 | 222.582 | 221.705 |
| Total Kg | 4.703.501 | 4.876.943 | 5.056.780 | 5.243.250 | 5.436.595 | 5.637.070 | 5.844.937 |
| Gasto | 72.468.682 € | 66.675.553 € | 61.345.524 € | 56.441.577 € | 51.929.651 € | 47.778.407 € | 43.959.012 € |
| Murcia: población Musulmana | 115.407 | 114.953 | 114.500 | 114.048 | 113.599 | 113.151 | 112.705 |
| Total Kg | 2.391.050 | 2.479.220 | 2.570.641 | 2.665.434 | 2.763.722 | 2.865.635 | 2.971.305 |
| Gasto | 36.839.843 € | 33.894.874 € | 31.185.326 € | 28.692.378 € | 26.398.716 € | 24.288.409 € | 22.346.799 € |

**Fuente:** Elaboración propia.

Tal como se puede apreciar el incremento de consumo de carne *halal* es lo suficientemente interesante como para replantearse las estrategias empresariales y de marketing hacía el colectivo musulmán.

## 2.3 CONCLUSIONES

Tras los cálculos y diferentes valoraciones del sector cárnico y sus consumidores *halal*, se muestran las principales conclusiones obtenidas de la investigación realizada:

1) No existe un estudio de la demanda potencial ni de los proveedores ni de la distribución moderna para estimar la demanda potencial de este mercado. Un estudio de estas características podría provocar un cambio de actitud por parte de la distribución moderna para introducir estos productos adecuados al público objetivo y ganar cuota de mercado.

2) La demanda potencial, prevista en los diferentes estudios consultados, y en la distribución moderna, se centrará durante los próximos años en el consumo de carnes.

3) La barrera de la desconfianza, por parte de la población musulmana, para comprar estos productos en la distribución moderna podría superarse mediante campañas de marketing específicas de *Marketing Halal*, adecuadas a sus creencias.

4) El segmento de la carne *halal* podría ser un área de crecimiento potencialmente interesante, tanto para distribuidores como para fabricantes. Tras el análisis la estimación, incluso considerando una disminución gradual del consumo de carne per cápita, muestra que el consumo total de carne en el colectivo formado por los fieles musulmanes se multiplicará por dos durante los próximos años.

5) La estimación también muestra un aumento de 4 veces más, en este segmento de mercado, para el año 2050. Datos nada desdeñables si las empresas cárnicas pretenden seguir creciendo en su oferta empresarial.

6) Es importante destacar que el nivel de fecundidad de la población musulmana, en general, es mayor que el de la no musulmana por lo que el aumento de su población está justificado por su forma de entender la familia, su forma de vida y, por ende, el consumo.

7) Dado que la población musulmana no está distribuida de forma homogénea en España, existe un claro potencial de distribución y manufacturas modernas para iniciar una oferta cárnica *halal* en zonas localizadas: Cataluña, Andalucía y Madrid principalmente. Aunque será interesante realizar previsiones

del sector en el resto de áreas geográficas que son proclives a un cambio en la evolución de la población musulmana.

## 2.4. LIMITACIONES

Analizar la población musulmana, en España, siempre entraña una limitación ya que no hay datos reales del seguimiento de los fieles del islam por lo que se trabaja con estimaciones, lo que dificulta la profundidad de análisis.

Por otro lado, estudiar a la población musulmana suele entrañar una estigmatización del colectivo como consecuencia del terrorismo internacional y su falsa identificación con el islam.

En cuanto a la estimación de la demanda, se ha calculado únicamente el consumo teniendo en cuenta la categoría de carnes, tal y como se recomendó en la investigación cualitativa previa. En este sentido, la demanda potencial en la distribución moderna hay previsión de que puede ser aún mayor.

En el cálculo de la demanda estimada, la hipótesis de partida fue que la cantidad consumida por los musulmanes es igual al consumo per cápita español en general y sin distinguir por la variable Religión. No se introdujo, por tanto, el aumento potencial en el ingreso per cápita de la población musulmana, que incluso puede aumentar las estimaciones de la presente investigación.

## 2.5. FUTURAS LÍNEAS DE INVESTIGACIÓN

En consecuencia, desarrollar una nueva gama de productos cárnicos *Halal* es una excelente oportunidad para la distribución moderna. Será, por tanto, conveniente analizar cómo evoluciona la cuota de mercado en las tiendas tradicionales con la incorporación de la distribución moderna en este segmento de mercado.

El papel de la marca como garantía de calidad de los productos *Halal* es también, un concepto relevante a desarrollar e investigar. La escasez de investigación sobre el tema supone una oportunidad de estudio que se mantiene activa, al menos, en los próximos años.

Finalmente, y teniendo en cuenta el cambio de tendencias globales, es necesario estudiar la demanda potencial en dos nuevas líneas, que, aunque aparentemente parecen diferentes, son complementarias: por un lado, aplicado a otras categorías de productos, tales como: turismo, finanzas, moda, cosmética, etc. Y, por otro, dirigido a nuevos consumidores, que no siendo musulmanes pueden comprar productos *Halal* por asociación del concepto con alimentos saludables. En ambas líneas se está trabajando y próximamente se compartirán resultados con la Academia.

## III. REFERENCIAS

Alserhan, B. A. (2011). *The principles of Islamic Marketing.* Gower.

Bramon, D. (2013). Los fundamentos del poder en el islam. En: El islam y los musulmanes hoy. Dimensión internacional y relaciones con España. *Cuadernos de la Escuela Diplomática*, 31-47. Madrid.

Díaz-Mas, P. y De la Puente, C. (2017). *Judaísmo e islam.* Ares y Mares. Barcelona.

Euromonitor international (2019) *Fresh Food: Euromonitor from trade sources/national statistics* Date Exported: 08/07/2019.

INE (2021) *Población y fenómenos demográficos nacionales: serie 2018-2068.*

Jáuregui, I. (2009). Prescripciones y tabúes alimentarios: el papel de las religiones. *Distribución y Consumo*, 19, 108, 5-25.

Ministerio de Agricultura, Pesca y Alimentación (2021). Informe del consumo alimentario en España 2020.

Observatorio Andalusi (2019): Estudio demográfico de la población musulmana. Ucide.

Observatorio Andalusi (2020): Estudio demográfico de la población musulmana. Ucide.

Pew research center (2018, 2020, 2021), Europe´s growing muslim population.

Romero, I. (2016). *Halal,* un concepto global. En Sanchez, P. y De la Orden, C.: *Ética, marketing y finanzas islámicas. El consumidor musulmán.* ESIC. Madrid.

Kantar (2018). Balance of Distribution and Large Consumption 2018. https://www.kantarworldpanel.com/es/grocery-market-share/spain.

Revista Inforetail (2019), https://www.revistainforetail.com/noticiadet/las-nuevas-demandas-del-consumidor-en-alimentacion.

*Capítulo 9*

# Archivos: importancia para construir la historia jurídica. El caso Cuba

Yorlis Delgado López

*(Colegio Universitario San Gerónimo de La Habana/Secretariado auxiliar de la Academia de Ciencias de Cuba –Cuba–)*

## I. ARCHIVOS Y DERECHO: IDEAS INTRODUCTORIAS

Escribir la historia de las Ciencias Jurídicas no es tarea fácil. El enramado actuar de las instituciones jurídicas, sus causas y consecuencias, es siempre un acertijo para los escritores del pasado. Sin embargo, cada proceder desde el derecho por su propia naturaleza, tiene en reflejo documental. Por esta razón el Derecho no escapa de la leyenda de consultar las fuentes primarias para escribir su historia como el resto de las ciencias. En binomio casi perfecto, un documento existente o no, puede dilucidar como trascurrió un fenómeno, trámite o asunto. La generación documental, ampliamente estudiada por la Archivística en los últimos años, tiene un fuerte componente desde las entidades de esta esfera social. Trasversalmente tiene un impacto importante sobre periodizaciones históricas, fenómenos sociales y secuelas en estos círculos. Indiscutiblemente la gestión, preservación y acceso a estas fuentes propiciará, una mayor conceptualización histórica de los preceptos jurídicos que se manejan.

En el caso Cuba, su Archivo Nacional, creado en 1840, por la reina regente española, ha recopilado un grupo de documentos que sustentan esta tesis. Documentos generados por entidades jurídicas, causas penales, proyectos de disposiciones regulatorias, actas de órganos legislativos y otras fuentes personales de abogados, figuran entre los tipos documentales más importantes que reposan en esta entidad.

Ante esta premisa este trabajo se centra en analizar el impacto preservación documental en la construcción y acceso a la historia de las Ciencias Jurídicas en los países de Latinoamérica, a través del caso estudio del Archivo Nacional de Cuba. Para ello se emplearon los métodos teórico-jurídico, histórico-jurídico, analítico-jurídico y técnica análisis de documentos. Todos propiciaron el análisis del impacto en la historia jurídica.

## II.   ACLARACIONES SOBRE EL CONCEPTO DOCUMENTO

Es preciso analizar qué se entiende entonces por *documentos o registros públicos,* desde la doctrina, a fin de entender el ulterior análisis. La lingüística asume que el:

> **Documento.** (Del lat. documentum). m. Diploma, carta, relación u otro escrito que ilustra acerca de algún hecho, principalmente de los históricos. | | **2.** Escrito en que constan datos fidedignos o susceptibles de ser empleados como tales para probar algo. | | **3.** desus. Instrucción que se da a alguien en cualquier materia, y particularmente aviso y consejo para apartarle de obrar mal. | | ~ **auténtico.** m. Der. El que está autorizado o legalizado. | | ~ **privado.** m. Der. El que, autorizado por las partes interesadas, pero no por funcionario competente, prueba contra quien lo escribe o sus herederos. | | ~ **público.** m. Der. El que, autorizado por funcionarios para ello competentes, acreditan los hechos que refiere y su fecha." (Real Academia Española de la Lengua (RAE), 2019).

Un ejemplo de concepto legal lo prevé como:

> Art. 49.1. Se entiende por documento, a los efectos de la presente Ley, toda expresión en lenguaje natural o convencional y cualquier otra expresión gráfica, sonora o en imagen, recogidas en cualquier tipo de soporte material, incluso los soportes informáticos. Se excluyen los ejemplares no originales de ediciones. (LEY 16, del Patrimonio Histórico Español, 1985 p. 51).

Otro conceto, desde la doctrina, refiere que:

> … puede definirse como aquel objeto material en el que se inserta una expresión de contenido convencional por medio de la escritura o de cualesquiera otros signos imágenes o sonidos. (Mantecón, 2016, p. 122).

En esencia, constituyen la más importante evidencia del actuar de las personas naturales y jurídicas en una sociedad, de ahí su valor jurídico-social. Su preservación es imprescindible, visto hoy como un derecho de los ciudadanos con el fin de lograr un verdadero estado de derecho, donde prime la trasparencia y la rendición de cuentas, como elementos configurativos de la democracia (Mendoza, 2004, p. 52-61). Toda la existencia de una persona colectiva o natural se basa en la generación documental desde su nacimiento, gestión y extinción por cualquiera de las causales legales que hasta hoy se conocen.

Es importante señalar que hoy se concibe a los Archivos, entidades encargadas de preservar estos registros, en un cambio de misión hacia una vocación más de servicio a los públicos. Es decir, en la actualidad, estas entidades existen porque hay una necesidad informativa, implícita o explícita, que implica la conservación de los documentos que estas poseen y ésta se entiende como la misión funcional más trascendental de estas instituciones.

## III. IMPORTANCIA DE LOS ARCHIVOS EN LA CONSTRUCCIÓN DE LA HISTORIA JURÍDICA

Es una premisa instaurada que, para realizar historia y sus valoraciones correspondientes, es preciso acudir a las fuentes primarias de información: los documentos originales generados ante una coyuntura funcional del sujeto productor. Cada uno de estos, contiene un caudal informativo que cada uno de los historiadores debe reflejar, analizar y valorar ante un fenómeno determinado histórico determinado (Alberch, 2003, p. 55). En el caso del Derecho las organizaciones jurídicas han generado a lo largo de su historia un grupo de registros que marcan las formas y manera de hacer de la especialidad científica. Sus expedientes muestran no solo una doctrina histórica jurídica, sino que desde la simplicidad de un caso o trámite se ilustra una manera social de concebir un fenómeno. Otros expertos en otras materias han empleado los documentos jurídicos para ensamblar historias sociales, dejando a los expertos en Derecho un camino por recorrer.

En el análisis desde cada especialidad del Derecho se aprecia cuanto se puede hurgar en los registros para construir una historia y sus consecuencias. En el *Derecho Constitucional*: es casi una generalidad que en todos los archivos nacionales se preserven con un orgullo supremo los originales de los textos constitucionales. No por gusto estas piezas se consideran una de las joyas más preciadas de estas entidades. Los proyectos de constitución que no tuvieron un final acertado y las actas de los órganos constituyentes, con las discusiones y decisiones adoptadas. Estas fuentes permiten dilucidar como se fecundan los procesos constitucionales y sus consecuencias. Por lo general aluden a las causas que lo motivan y por ende a sus efectos, consecuencias y referencias sociales. Otro elemento importante sería los proyectos que no llegan a concretarse pues en esencia ilustran por lo general, figuras jurídicas, apropiadas o no, a un momento histórico.

En el *Derecho Administrativo*: en los documentos de Archivo hay un reflejo exacto de como funcionó la Administración Pública en cada período histórico. Desde la designación de funcionarios, públicos, el tracto funcional-estructural, o la generación del mandato por resolución están en cada uno de los fondos documentales de entidades públicas. Los expedientes de sentencias en el orden administrativo que adoptan tribunales con tal jurisdicción.

En el *Derecho Penal*: las causas penales son el expediente más evidente de un trámite jurídico desde la denuncia hasta la sentencia penal. Actuaciones policiales donde se preservan como se configuro el actuar de este órgano y los procederes establecidos en el actuar policial. En muchos fondos correspondientes a cárceles y entidades correccionales se evidencias expedientes de reos con una ulterior lectura a como se desarrollaba su vida diaria.

En el *Derecho Financiero*: los tribunales de cuentas creados por la colonia española con el fin de fiscalizar y procesar las cuentas e impuestos tienen una evidente prevalencia en nuestros Archivos.

En el *Derecho Notarial*: es quizás una de las especialidades jurídicas más favorecidas en evidencias documentales. Los fondos más antiguos, completos y resguardados por los Archivos son los Protocolos que resguardan estas actuaciones jurídicas. La evolución de los actos y de cómo se describen en los documentos están evidentemente representados en estos registros. Es muy interesante por la trasversalidad del uso de estos documentos pues no solo se emplean en buena técnica jurídica, sino en investigaciones con un espectro amplio. La sociología en general, la lingüística, la historia y otras tienen en estos papeles un evidente reflejó.

A la vez, también llegan hasta los días actuales muchos documentos privados de abogados que de manera independiente o en afiliación a bufetes operaron. Unos conocidos, otros con nombres anónimos pero lo cierto es que en sus archivos se encuentran muchos documentos de trámites de otros sujetos de derecho que en su momento los juristas representaron. Además de un grupo de registros administrativos que marcan el transito evolutivo de cada una de las entidades privadas en su momento histórico.

## IV. HISTORIA DEL DERECHO CUBANO Y ARCHIVO NACIONAL DE CUBA

El Archivo Nacional de la República de Cuba (Arnac), objeto de este caso estudio, es una institución pública, de carácter y jurisdicción nacionales, con domicilio en La Habana, Cuba, que conserva la documentación de valor permanente de alcance nacional. Fundado el 28 de enero de 1840, con el nombre de Archivo General de la Real Hacienda, fue la quinta de estas instituciones creadas en América Latina, luego de Argentina (1821), México (1823), Bolivia (1825) y Brasil (1838), para atesorar y proteger los documentos, siguiendo el espíritu de conservación documental que comenzara con el reinado de Felipe II en España y sus ordenanzas de 1569. Desde entonces ha recopilado la documentación de las sucesivas Administraciones coloniales, neocoloniales y algunas del período revolucionario; la perteneciente a personalidades relevantes de la cultura y la política y la que generaran escribanos notariales, órganos consultivos, sociedades, compañías, institutos, museos, universidades y toda la variedad de formas en que se organiza la sociedad civil.

Según la *Guía de los Fondos Procesados del Archivo Nacional de la República de Cuba –2017–* principal material empleado para este estudio, la entidad cuenta con 150 fondos institucionales, 35 personales y varias colecciones sistematizadas de documentos. (Arnac, 2017, p. 12). De la valoración de esta guía se han simplificado los fondos más importantes para configurar la historia de las instituciones jurídicas y del actuar de juristas desde una mirada integral. Esta descripción a nivel archivístico permite percatarse del aporte de estos fondos a este fin. A continuación, una parte de la guía elaborada:

### GUÍA BREVE DE FONDOS PROCESADOS DEL ARNAC PARA CONSTRUIR LA HISTORIA JURÍDICA CUBANA

I.   Período colonial (hasta 1998)

### 87–JUZGADO PRIVATIVO DEL CUERPO REAL DE INGENIEROS (1825-1867).

**TÍTULO:** Juzgado Privativo del Cuerpo Real de Ingenieros.

**FECHAS EXTREMAS:** 1825-1867. NO. DE FONDO: 87. VOLUMEN: 19 legajos.

**HISTORIA**: Los principales Órganos de la Administración de Justicia durante la dominación española fueron la Audiencia de Santo Domingo, la de Puerto Príncipe, la Real Pretorial de La Habana y Santiago de Cuba. El Juzgado de Ingenieros junto a otras instituciones, eran las administraciones subalternas de Justicia a cargo de las Alcaldías Mayores establecidas en las cabeceras de partido para la administración de justicia ordinaria.

**ALCANCE Y CONTENIDO**: Expedientes judiciales referentes a causas por reyertas, estafas, crímenes, rapto de mujeres, injurias, violaciones expedientes de autos, testamentos, diligencias, poderes y solicitudes. Testimonios escritos de sucesos ocurridos en Matanzas y La Habana. Comunicaciones y testimonios de fiscales y abogados.

**SISTEMA DE ORGANIZACIÓN**: Grupos temáticos

### 186–TRIBUNAL DE CUENTAS (1711-1888)

**TÍTULO**: Tribunal de Cuentas.

**FECHAS EXTREMAS**: 1711-1888. **VOLUMEN**: 66.

**HISTORIA**: El primer Tribunal de Cuentas para Cuba, Puerto Rico y Filipinas fue creado por Real Cédula de 30 de abril de 1855. Antes de esa fecha existían oficiales reales que rendían sus cuentas al tribunal radicado en México. El Tribunal de Cuentas es considerado una de las instituciones más antiguas de las establecidas por la Monarquía Española en tierras americanas. Esta institución se ocupaba de la contabilidad judicial, llevaba un control económico-administrativo de los gastos del Estado. Los Tribunales de Cuentas de Ultramar tenían autoridad para el examen, aprobación y liquidación de las cuentas, así como para la administración y recaudación de los fondos, rentas y pertenencias del Estado, y de las relativas al manejo de los fondos municipales, administrados por cualesquiera dependencias o establecimientos públicos.

ALCANCE Y CONTENIDO: Documentos sobre pagos de alcabalas, finanzas, nombramientos, títulos, tomas de razón, rentas, ventas de tierras y esclavos, gastos y cuentas, entre otros.

**SISTEMA DE ORGANIZACIÓN**: Cronológico.

### 229–TRIBUNAL DE COMERCIO (1794-1869)

**TÍTULO**: Tribunal de Comercio.

**FECHAS EXTREMAS**: 1794-1869. **VOLUMEN**: 523 legajos.

**HISTORIA**: La información de este fondo incluye aspectos relacionados con el comercio marítimo y terrestre. El comercio marítimo aporta datos sobre buques, ventas, cargamentos, tripulantes, litigios entre éstos y los comerciantes, naufragios, protestas, fraudes, arribadas y otros aspectos relacionados con el tema. Los principales países involucrados son España, Estados Unidos, Inglaterra y Francia. Relacionado con el comercio terrestre aparece información sobre los propietarios de tiendas, compañías, quiebras (principalmente hacia mediados de siglo), venta de bienes etc., todo ello relacionado con La Habana mayoritariamente.

**ALCANCE Y CONTENIDO**: Expedientes referentes a conflictos navales de fines del siglo XVIII y principios del XIX que incidieron y perjudicaron la navegación, captura y pérdida de naves y cargamentos. Nombres de los protagonistas del comercio naviero, muchos de ellos involucrados con la trata negrera y el fraude.

**SISTEMA DE ORGANIZACIÓN**: Cronológico.

### 233–AUDIENCIA DE SANTO DOMINGO (1747-1877)

**TÍTULO DEL FONDO**: Audiencia de Santo Domingo.

**FECHAS EXTREMAS**: 1747-1877. **VOLUMEN**: 134 legajos.

**HISTORIA**: La Real Audiencia de Santo Domingo fue fundada en 1511 por Real Cédula de Fernando V, que la sitúa como la primera instituida en América y que completó el cuadro de la Administración Colonial en las posesiones españolas. La Audiencia perteneció al Virreinato de Nueva España y tuvo bajo su jurisdicción a las Islas y Gobierno de La Española, San Juan de Puerto Rico, Jamaica, Cuba, la Isla Margarita y Venezuela. Las autoridades españolas, en 1795, por el Tratado de Basilea, cedieron el territorio de Santo Domingo a Francia. De este modo la Audiencia debía ser cambiada de ciudad, lo que se ordenó por Real Decreto de 17 de marzo de 1799, instalándose definitivamente en 1800 en la Villa de Puerto Príncipe. Esta institución tuvo gran importancia por las funciones que desempeñaba como Tribunal Supremo, fiscalizador de la Hacienda Pública, así como facultades consultivas de Gobierno en negocios arduos o provisión de oficios de la tierra, gastos extraordinarios, reales acuerdos, dictado de leyes y resolución de causas civiles y militares.

**ALCANCE Y CONTENIDO: Expedientes sobre recursos de fuerzas. Causas criminales. Testimonios. Otros.**

**SISTEMA DE ORGANIZACIÓN: Por materias.**

**II. Período de la República Burguesa (1902-1958)**

## 3–JUZGADOS DE INSTRUCCIÓN DEL CENTRO (1919-1958)

**TÍTULO**: Juzgados de Instrucción del Centro.

**FECHAS EXTREMAS:** 1919-1958. **VOLUMEN**: 167 legajos.

**HISTORIA**: Los Juzgados de Instrucción eran tribunales especializados en derecho penal, tenían como función recopilar evidencias, verificar la investigación y los hechos de un delito. Se supeditaban en primera instancia a la Audiencia Provincial y después al Tribunal Supremo. Con la Constitución de 1940 se realizaron algunas transformaciones en el funcionamiento de los juzgados dirigidas a la durabilidad de los jueces en el poder y su inamovilidad. Al surgir los Tribunales de Urgencias, los Juzgados de Instrucción perdieron potestad, y desaparecieron con la primera Ley de Organización del Sistema Judicial de la Revolución y sus funciones pasan a ser desempeñadas por la Fiscalía.

**ALCANCE Y CONTENIDO**: Documentación referente a causas judiciales por diferentes delitos en los municipios Santa Clara, Sagua la Grande, Remedios, Cienfuegos, Sancti Spíritus y Trinidad.

**SISTEMA DE ORGANIZACIÓN: Orgánico.**

## 202–PRISIÓN MILITAR REGIMIENTO # 7 MÁXIMO GÓMEZ (LA CABAÑA) (1913-1952)

**TÍTULO**: Prisión Militar Regimiento # 7 Máximo Gómez (La Cabaña).

**FECHAS EXTREMAS**: 1913-1952. **VOLUMEN**: 75 legajos.

**HISTORIA**: En diciembre de 1774 fue concluida la fortaleza denominada San Carlos de la Cabaña en honor a Carlos III, Rey de España en aquel entonces, que ordenó su construcción y en alusión al lugar donde se enclavó. La historia del lugar estuvo muy vinculada a su función de prisión militar. En la época colonial innumerables próceres y anónimos combatientes independentistas guardaron encierro en las inexpugnables bóvedas de esta fortaleza y muchos de ellos fueron fusilados en sus fosos o deportados hacia las prisiones españolas en África. Durante la República estas bóvedas fueron convertidas en celdas.

**ALCANCE Y CONTENIDO**: Expedientes que reflejan las sanciones que recibían los soldados y civiles por infracciones de las leyes establecidas. Expedientes por delitos de desacato, rapto, deserción, homicidio y amenazas, entre otros que fueron sujetos a investigación.

**SISTEMA DE ORGANIZACIÓN**: Orgánico.

## 228–TRIBUNAL DE URGENCIA DE LA HABANA (1934-1958)

**TÍTULO**: Tribunal de Urgencia de La Habana.

**FECHAS EXTREMAS**: 1934-1958. **VOLUMEN**: 865 legajos.

**HISTORIA**: El Decreto Ley No. 491 de 14 de septiembre de 1934, creó para la provincia de La Habana dos tribunales que se denominaron Tribunal de Urgencia No. 1 y Tribunal de Urgencia No. 2. El Decreto Ley de 28 de marzo de 1936 dispuso la unión de ambos tribunales hasta que se disolvió por ley de 9 de octubre de 1937. Entre sus funciones estaba suprimir el terrorismo y castigar a quienes provocaran desórdenes públicos. Con el triunfo de la Revolución se dictó la Ley No. 1 de 5 de enero de 1959, que declara extinguidos los Tribunales de Urgencia y sus funciones pasaron, con otras características, a las salas de sesiones ordinarias de las respectivas audiencias.

**ALCANCE Y CONTENIDO**: Expedientes sobre delitos políticos o terrorismo. Cartas y telegramas. Otros documentos.

**SISTEMA DE ORGANIZACIÓN**: Cronológico.

III.  Período República Popular (a partir de 1959)

## 284–COMISIÓN NACIONAL DE ARBITRAJE (1962-1968)

**TÍTULO**: Comisión Nacional de Arbitraje.

**FECHAS EXTREMAS**: 1962-1968. NO. DE FONDO: 284. VOLUMEN: 5 legajos

**HISTORIA**: La Comisión Nacional de Arbitraje fue creada por la Ley No. 1047 del 6 de agosto de 1962 para conocer y resolver todos los conflictos que surgieran entre organismos, empresas, personas o entidades de los sectores públicos y sobre las apelaciones de las empresas del sector privado. Quedó disuelta por la Ley No. 1323 de 30 de noviembre de 1976.

**ALCANCE Y CONTENIDO**: Actas. Resoluciones e informes relativos a controversias, apelaciones, acuerdos, discrepancias entre organismos y entidades públicas y privadas. Reclamaciones. Proyectos de leyes. Memorias sobre la actuación de la institución desde su fundación.

**SISTEMA DE ORGANIZACIÓN**: Cronológico y por materias.

IV.  Fondos de varios históricos

## 61–ESCRIBANÍAS JUDICIALES (1578-1900)

**TÍTULO DEL FONDO**: Escribanías Judiciales.

**FECHAS EXTREMAS**: 1578-1900. **NO. DE FONDO**: 61. **VOLUMEN**: 12 756 legajos.

**HISTORIA**: Desde inicios del período colonial los escribanos eran las personas que, con su presencia, su firma y su signo autorizaban los contratos a los particulares y las diligencias judiciales por la fe pública que tenían. Luego, los notarios fueron los encargados de redactar, autorizar y custodiar las escrituras y quedaba reservada la fe pública a los escribanos en las actuaciones judiciales por ley de 1862. Por la Ley Orgánica del Poder Judicial de 15 de septiembre de 1870, se les cambió el nombre de "escribanos" por el de "secretarios". Aunque la ley de 1874 es la que separa lo civil de lo judicial, los escribanos y notarios separaron desde sus comienzos los instrumentos notariales de las actuaciones judiciales.

**ALCANCE Y CONTENIDO**: Autos y expedientes de las antiguas escribanías judiciales de la ciudad de La Habana, relacionados con la actividad de instituciones tales como alcaldías mayores y juzgados, que reflejan los procedimientos realizados para resolver gran número de litigios Entablados por las más diversas causas, gran parte de ellas vinculadas con la economía insular. Bienes de Difuntos. Escribanías de Gobierno (1752-1872), de Guerra (1779-1874), de Hacienda (1771-1865), de Marina (1745-1877). Juzgado de Ingenieros. Varios Judiciales. Escribanías Judiciales.

**SISTEMA DE ORGANIZACIÓN**: Alfabético-cronológico.

## 199–RECLUSORIO NACIONAL PARA HOMBRES (PRESIDIO MODELO) (1912-1961)

**TÍTULO DEL FONDO**: Reclusorio Nacional para Hombres (Presidio Modelo).

**FECHAS EXTREMAS**: 1912-1961. **NO. DE FONDO**: 199. **VOLUMEN**: 206 legajos.

**HISTORIA**: El Presidio Modelo de Isla de Pinos (sólo para hombres) fue construido por el Presidente Gerardo Machado por Decreto No. 1858 de 31 de agosto de 1925. En esta magna construcción se fusionaron las 24 cárceles existentes en Cuba con apariencia de modernidad. El nombre de "modelo" respondía al nuevo tipo de arquitectura y las mejores condiciones de alojamiento, no obstante, sólo logró ser modelo de crímenes, humillaciones, vicios y corrupción. Los primeros presos políticos fueron recluidos en 1931 entre los que se encontraban Pablo de la Torriente Brau y Raúl Roa. En 1938 se le llamó oficialmente Reclusorio Nacional para Hombres. Los jóvenes de la Generación del Centenario formaron parte de esta población penal protagonizando actos cargados de heroísmo. Fue declarado Monumento Nacional en octubre de 1978.

**ALCANCE Y CONTENIDO**: Expedientes referentes a juicios penales.

**SISTEMA DE ORGANIZACIÓN**: Orgánico.

### 205–RECLUSORIO NACIONAL DE MUJERES (1870-1962)

**TÍTULO DEL FONDO**: Reclusorio Nacional de Mujeres.

**FECHAS EXTREMAS**: 1870-1962. **NO. DE FONDO**: 205. **VOLUMEN**: 147 legajos.

**HISTORIA**: La prisión para mujeres de La Habana conocida como Casa de Recogida, fue trasladada al local de la Cárcel de La Habana por razones económicas y de unidad en la dirección que debían tener los establecimientos de esa índole. Posteriormente, por razones de sanidad, higiene y regeneración de la mujer delincuente se estipuló por Decreto Presidencial 1321 de 27 de junio de 1925 el traslado al penal de Guanabacoa. Se trató de adaptar el sistema penitenciario a las necesidades modernas de regeneración moral de los individuos, enseñanza de labores y educación. Además, se tuvo en cuenta la creación de departamentos de enfermería, lavandería, planchado, costura y otras labores propias del sexo femenino.

**ALCANCE Y CONTENIDO**: Expedientes de las reclusas, certificaciones, hojas de entrada y remisiones. Los libros de registro de entrada y salida de las reclusas.

**SISTEMA DE ORGANIZACIÓN**: Alfabético por delitos.

### 222–REAL AUDIENCIA PRETORIAL DE LA HABANA (1798-1958)

**TÍTULO DEL FONDO**: Real Audiencia Pretorial de La Habana.

**FECHAS EXTREMAS**: 1798-1958. **NO. DE FONDO**: 222. **VOLUMEN**: 1150 legajos.

**HISTORIA**: La Real Audiencia Pretorial de La Habana fue creada por Decreto el 16 de junio de 1838. Entre sus funciones estaba administrar justicia y velar por su cumplimiento. Asimiló buena parte del archivo de la institución que la precedió, la Audiencia de Puerto Príncipe. En 1866 fueron aprobadas por Su Majestad las Ordenanzas para el régimen y gobierno de la Real Audiencia de La Habana. Durante el período de 1853-1868 fungió como el único Tribunal Superior de la Isla. La Orden Militar de 15 de junio de 1899 fijó la organización y atribuciones de las audiencias de la Isla.

**ALCANCE Y CONTENIDO**: Expedientes de causas seguidas por asuntos administrativos y criminales.

**SISTEMA DE ORGANIZACIÓN**: Estructural.

## 230– JUZGADOS CORRECCIONALES DE LA HABANA (1928-1960)

**TÍTULO**: Juzgados Correccionales de La Habana.

**FECHAS EXTREMAS**: 1928-1960. **NO. DE FONDO**: 230. **VOLUMEN**: 117 legajos.

**HISTORIA**: El 13 de julio de 1928 se dispuso el establecimiento de cinco juzgados correccionales en el Partido Judicial de La Habana, es decir, se agregaba uno más a los cuatro ya existentes aprobados por la Ley Orgánica del Poder Judicial. A este nuevo juzgado se le denominó Juzgado Correccional de la Quinta Sección de la Habana. Los juzgados correccionales fueron creados por la Orden Militar 213, de 25 de mayo de 1900, dos en la Habana, uno en Matanzas, uno en Cárdenas, uno en Cienfuegos, uno en Santa Clara, uno en Santiago de Cuba y otro en Puerto Príncipe, suprimiéndose en La Habana dos juzgados de primera instancia y dos municipales. El juez correccional, único y omnipotente, se convirtió en el símbolo de la autoridad en la Habana, algunos adquirieron fama y notoriedad por sus caprichos y arbitrariedades. La competencia de los jueces correccionales se redujo al conocimiento y castigo de algunos delitos.

**ALCANCE Y CONTENIDO**: Causas judiciales de determinados delitos, entre ellos: desacato a la autoridad, infracción del código de defensa social, juegos prohibidos, lesiones, ofensa a la moral, riñas, robos, hurtos y abusos lascivos. Los tipos documentales que predominan son: declaraciones juradas, providencias, actas, certificaciones y autos.

**SISTEMA DE ORGANIZACIÓN**: Orgánico.

## 613–TRIBUNAL DE CUENTAS (1952-1961)

**TÍTULO**: Tribunal de Cuentas.

**FECHAS EXTREMAS**: 1952-1961. **NO. DE FONDO**: 613. **VOLUMEN**: 641 legajos.

**HISTORIA**: Con el período colonial desaparece en Cuba el Tribunal de Cuentas y no es hasta 1940 que la Constitución de la República establece de nuevo su organización. Así, el proyecto de Ley Orgánica del Tribunal es aprobado por el Senado el 9 de diciembre de 1942. Sin embargo, el Tribunal de Cuentas se crea en 1950 por la Ley No. 14 de 20 de diciembre de ese año, como una institución de previsión fiscal y defensora de las normas constitucionales y legales. Tenía como funciones la propuesta de medidas necesarias para evitar los déficits, instar al Poder Ejecutivo para el cobro de los impuestos, establecer directamente los recursos procedentes ante el Tribunal de Garantías Constitucionales del Tribunal Supremo e informar al Congreso sobre los proyectos de presupuestos ordinarios y extraordinarios en las amnistías fiscales. El Tribunal de Cuentas se suprime por Ley s/n de 30 de diciembre de 1960, constituyéndose la Auditoría Central.

**ALCANCE Y CONTENIDO**: Libros de registros de expedientes. Malversaciones. Impuestos sobre las más importantes construcciones civiles y militares del país, asociaciones y cajas de retiro.

**SISTEMA DE ORGANIZACIÓN**: Orgánico.

## 622– SECRETARÍA Y MINISTERIO DE GOBERNACIÓN (1893-1959)

**TÍTULO**: Secretaría y Ministerio de Gobernación.

**FECHAS EXTREMAS**: 1893-1959. **NO. DE FONDO**: 622. **VOLUMEN**: 310 legajos y 14 libros.

**HISTORIA**: La Secretaría de Gobernación se creó el 12 de enero de 1901 por Decreto No. 78 de la Ley Orgánica del Poder Ejecutivo, para conocer de todos los asuntos concernientes a los gobiernos provinciales y municipales. Entre sus funciones estaba la dirección e inspección del censo de población, la inspección de las fuerzas armadas, de los archivos nacionales y del Ejército Libertador y la dirección y alta inspección de la Policía. El 15 de septiembre de 1933, por Decreto Presidencial No. 1762, pasó a llamarse Secretaría de Gobernación y Guerra. En 1934 por Decreto No. 45 quedó dividida en Secretaría de Gobernación y Secretaría de la Guerra y Marina. Por último, a raíz de la Constitución de la República de 1940 y en virtud del Decreto No. 2866 de 10 de octubre, adoptó la denominación de Ministerio de Gobernación.

**ALCANCE Y CONTENIDO**: Expedientes de condenados a prisión por diferentes delitos. Hojas histórico-penales pertenecientes al Negociado de Cárceles. Actas y documentos sobre la vida económica y social de los ayuntamientos. Solicitudes de pensiones. Solicitudes de licencia de armas. Otros.

**SISTEMA DE ORGANIZACIÓN**: Orgánico.

## 269–COLECCIÓN DE JUZGADOS MUNICIPALES (1884-1956)

**TÍTULO DEL FONDO**: Colección de Juzgados Municipales.

**FECHAS EXTREMAS**: 1884-1956. **NO. DE FONDO**: 269. **VOLUMEN**: 67 legajos.

**HISTORIA**: La Ley Orgánica del Poder Judicial se crea por Decreto No. 127 de 27 de enero de 1909. La potestad de aplicar las leyes en los juicios civiles, criminales y contencioso-administrativos, juzgando y haciendo ejecutar lo juzgado, correspondería exclusivamente a los tribunales. El territorio de la República de Cuba se dividió a los efectos judiciales en distritos, partidos y términos municipales. En la capital de la República funcionaba el Tribunal Supremo; en cada distrito, una audiencia; en cada partido, uno o más juzgados de primera instancia, instrucción o correccionales y en cada término municipal uno o más juzgados municipales. Los juzgados municipales se dividieron en cuatro clases: De primera clase los del Norte, Sur, Este, Oeste, Centro, Vedado y Almendares, de La Habana. De segunda clase todas los de las capitales de provincias. De tercera clase todos los de cabeceras de términos municipales en que no existiera algún juzgado municipal de las dos clases anteriores. De cuarta clase todos los demás juzgados municipales fuera de las cabeceras de los términos municipales.

**ALCANCE Y CONTENIDO**: Solicitudes de certificaciones. Autos sobre declaración de herederos. Libretas con certificados de nacimiento, soltería, matrimonio y maternidad. Otros.

**SISTEMA DE ORGANIZACIÓN**: Orgánico.

V.   Fondos personales

## ESTANISLAO CARTAÑA (1905-1950)

El doctor Estanislao Cartaña se graduó de Derecho en la Universidad de La Habana. Estuvo ligado a importantes empresas mercantiles tales como la sociedad anónima José Arrechabala de la que fue vicesecretario y director legal. Además, fue secretario de las empresas Motor Fuel Company, la Compañía Arrendataria de La Habana, la Compañía Agrícola Indarra, la Compañía Azucarera Progreso y la Compañía de Construcciones Marítimas. En la política fue una figura destacada del Partido Liberal hasta 1939, en que figuró como candidato a la Asamblea Constituyente.

**ALCANCE Y CONTENIDO**: Correspondencia. Actas. Libros de contabilidad. Facturas. Poderes. Pleitos judiciales. Documentación sobre la asesoría jurídica del Colegio Estomatológico de La Habana y la representación legal de la Compañía de Explotación Agrícola Las Coloradas, Compañía de Edificaciones y Arriendos S.A., Menéndez Pernas y Compañía, Cervecería Condal S.A., Editorial Bazar Ramos y Compañía, Nueva Papelera Cubana S.A. y Compañía Farmacéutica DO S.A.

Es una suerte filosófica que las entidades archivísticas, en este caso estudio el Archivo Nacional de Cuba, preserven estos facsímiles únicos, con un valor imperecedero y vital para escribir la historia de las Ciencias Jurídicas en específico. Su preservación, tratamiento y garantía de acceso es responsabilidad de los Archivos. Valorarlas, exprimirlas y sacar de ellas los análisis jurídicos correspondientes será siempre una labor de los juristas que ven en la historia una oportunidad.

## V.  REFLEXIONES FINALES

La evolución del Derecho tiene un impacto histórico en la generación documental en los países de Latinoamérica.

Los documentos preservados y gestionados por los Archivos tienen un impacto significativo en la construcción de la historia jurídica de los países. Su gestión, conservación y debido acceso es una responsabilidad que la Administración Pública ha confiado a los Archivos, que devienen en importantes guardianes de la memoria.

Los documentos que han llegado a la contemporaneidad se configuran como fuente primaria de información para escribir la historia jurídica. Es imprescindible su gestión y valoración histórica para legar a las nuevas generaciones una apreciación del pasado para que no se incurra en similares desperfectos de los trámites jurídicos y la evolución se sustente en los antecedentes relativos al país de procedencia.

Los fondos procesados en el Archivo Nacional de Cuba ilustran el impacto de la generación documental en la historia del Derecho en ese país.

## VI.  REFERENCIAS

Alberch, R. (2003). Los *archivos, entre la memoria histórica y la sociedad del conocimiento*. Versión Libro.

Arnac. (2017). Guía de los Fondos Procesados del Archivo Nacional de la República de Cuba –2017– Versión Libros.

Ley 16 Del Patrimonio Histórico Español. (1985). BOE de 29 de junio de 1985.

Mantecón, A. (2016). Introducción al Derecho Probatorio. Versión Libros

Mendoza, A. (2004). Transparencia Vs corrupción. Los archivos políticos para su protección. Versión Libros.

Real Academia Española, RAE (2019). *Diccionario de la Real Academia*. http://www.rae.es.

*Capítulo 10*

# La incorporación de conceptos emergentes en la investigación turística ¿Hacia una transición turística inteligente?

Pilar Díaz Cuevas
*(Universidad de Sevilla –España–)*

Daniel Becerra Fernández
*(Universidad de Córdoba –España–)*

Alfonso Fernández Tabales
*(Universidad de Sevilla –España–)*

*El presente texto nace en el marco del proyecto "Inteligencia Territorial Vs. Crecimiento Turístico. La Planificación y Gestión de Destinos ante el Nuevo Ciclo Expansivo Inmobiliario" (PGC2018-095992-B-I00), financiado por: FEDER/Ministerio de Ciencia, Innovación y Universidades/Agencia Estatal de Investigación. Daniel Becerra Fernández ha contado con un contrato Juan de la Cierva Formación (FJC2019-039441-I), financiado por MCIN/AEI/10.13039/501100011033, con el que ha podido realizar este trabajo de investigación.*

## I. INTRODUCCIÓN

El turismo constituye uno de los sectores que ha experimentado un rápido crecimiento desde sus inicios, alcanzando a nivel mundial los 1460 millones de llegadas de turistas internacionales en 2019 (Organización Mundial del Turismo –OMT–, 2020), contribuyendo ampliamente al PIB de varios países (en el caso de España, el sector resulta además clave en la economía alcanzando en 2019 el 12,4% del PIB –INE, 2019–). Este crecimiento, interrumpido solamente por epidemias, pandemias, conflictos sociales, bélicos y otros eventos (Nieto, 2016), ha venido acompañado en múltiples ocasiones de impactos negativos que repercuten en los destinos turísticos. Estos impactos, que han sido objeto de investigación recurrente (Marsiglio, 2015; Rico-Amorós *et al.*, 2019; Mínguez *et al.*, 2019; Mikayilov *et al.*, 2019; Prieto y Díaz, 2021, entre otros), se ven además reforzados por el agravamiento de la crisis ecológica experimentado en los últimos años, avivado en parte por el cambio climático, donde la influencia del ser humano es clara (IPCC, 2014). Todo ello ha originado la puesta en marcha de estrategias para la mitigación de los impactos derivados y el alcance de una transición ecológica justa. Destacan entre las estrategias propuestas a nivel global: los Acuerdos de París y la definición de los diecisiete Objetivos de Desarrollo Sostenible (ODS) en 2015 (ONU, 2015).

El sector turístico se perfila como víctima y causa del cambio climático (Olcina, 2019). Víctima porque será una de las actividades más afectadas por la subida de las temperaturas y del nivel del mar –lo que provocará una escasez de recursos necesarios para el desarrollo de la actividad (agua, nieve, etc.)–, la modificación del régimen térmico y una pérdida de confort climático. Todo ello producirá cambios en los flujos turísticos, siendo el Mediterráneo uno de los destinos más afectados (Joint Research Center –JRC–, 2014; 2018). En relación al turismo como causante del cambio climático, este tiene su origen en las emisiones de gases de efecto invernadero (GEI) provocadas por el sector, que representan según Lenzen *et al.* (2018) alrededor del 8% de las emisiones mundiales, cifra que se verá incrementada en los próximos años debido a las previsiones de crecimiento del sector (OMT, 2011), incluso después de superar el impacto de la COVID-19.

La pandemia COVID-19 ha afectado de forma significativa al turismo, disminuyendo su intensidad e incluso paralizándolo durante varios meses, debido a que los destinos turísticos han adoptado medidas de emergencia y restricciones que han afectado a la movilidad de las personas en todo el mundo. Esta paralización es señalada en varios trabajos como una oportunidad para repensar el modelo turístico (Vărzaru *et al.*, 2021; Jurado *et al.*, 2020; Lund University, 2020; Rodríguez-Antón *et al.*, 2020; Fletcher *et al.*, 2020), estudios que se unen a las estrategias definidas antes de la pandemia, encaminadas hacia una transición turística inteligente y que deriva, por ende, en la aparición e incorporación –en la investigación turística– de conceptos asociados (resiliencia, decrecimiento, gobernanza, etc.). Destaca entre ellos, el concepto de inteligencia territorial, por ser especialmente apto para el tratamiento de los problemas en el sector (Blanco *et al.*, 2021; Foronda-Robles *et al.*, 2020), que –surgido hace dos décadas e incorporado a la investigación turística–, se refiere a una forma de gestión y planificación que se alimenta de las posibilidades que hoy día ofrecen las tecnologías de la información y comunicación para intentar rentabilizar u optimizar los recursos del territorio. De este modo, las ciudades o destinos inteligentes enfatizan las posibilidades que hoy ofrece la revolución tecnológica, principalmente las tecnologías de la información y comunicación para mejorar su organización y gestión en la búsqueda del bien común.

Si bien, varios de estos conceptos están consolidados y son ampliamente tratados por investigadores en la materia, su inclusión en las enseñanzas encargadas de formar profesionales del sector suele ser bastante limitada. El trabajo de Díaz *et al.* (2021) valora la presencia de contenidos relacionados con la transición ecológica y la emergencia climática en los grados de turismo en Andalucía, a partir de un análisis del discurso de los planes de estudio, los programas y los proyectos docentes de todas las materias. Los resultados muestran una ausencia total de términos relacionados con los nuevos desafíos globales, así como un uso mayoritario del concepto de sostenibilidad como eje vertebrador de esos. A pesar de que la sostenibilidad es centro de la investigación y del enfoque educativo desde hace varios años, y aunque constituye un concepto integrador y un avance frente al modelo de crecimiento ilimitado, la situación ecológica actual es quizás más desesperada que nunca, llegando al escenario actual de emergencia climática (ONU, 2019).

El presente trabajo tiene como objetivo analizar la incorporación de términos y metodologías emergentes para una transición ecológica justa y, por ende, una transición turística inteligente, en la investigación concretada en los trabajos fin de grado y posgrado (trabajos fin de máster y tesis doctorales) sobre el Turismo de la Universidad de Sevilla.

## II.  METODOLOGÍA Y FUENTES

La metodología llevada a cabo para el alcance de los objetivos propuestos se ha basado en las siguientes fases:

a. En una primera fase se consultó la página web del depósito de trabajos de investigación de la Universidad de Sevilla (idUS)[1] donde es posible acceder a los textos completos de la producción científica presentada ante tribunales oficiales en dicha Universidad.

---

1.    https://idus.us.es/.

b. En segundo lugar, se recopiló información sobre el título, palabras clave y el departamento al que se adscribe cada uno de los trabajos.

c. En una tercera fase la información recopilada fue analizada detalladamente para identificar la presencia de contenidos relacionados con la comprensión de la realidad actual: *cambio climático, impactos, turistificación, masificación*, etc., y aquéllos que ofrecen alternativas o posibles soluciones encaminadas a la transición turística inteligente (*inteligencia territorial, destinos turísticos inteligentes, capacidad de carga, decrecimiento turístico, desturistización, slow tourism, turismo colaborativo*, entre otros).

d. Toda esta información fue incorporada en una base de datos y sobre ella se realizó en primer lugar un proceso de limpieza, dentro del ámbito de *text mining*, consistente en eliminar del texto todo aquello que no aportase información sobre su temática, estructura o contenido (caracteres sueltos, números, signos de puntuación, preposiciones, determinantes, etc.) y homogeneización de texto (minúsculas y mayúsculas, acentos, etc.).

e. Una vez realizado estos procesos se ejecutaron varias búsquedas y consultas sobre la base de datos (por palabras clave, departamentos…). Los resultados han sido representados gráficamente.

## III. RESULTADOS

### 3.1. SOBRE LOS TRABAJOS DEFENDIDOS EN MATERIA DE TURISMO EN LA UNIVERSIDAD DE SEVILLA

Un total de 195 trabajos defendidos entre 2010 y 2020 en materia de Turismo en la Universidad de Sevilla han sido analizados. De ellos, 21 son tesis doctorales y siete son trabajos fin de máster (en adelante, TFM). En el caso de los trabajos fin de grado (en adelante, TFG), dado el elevado número de alumnos y alumnas matriculados en el Grado de Turismo[2], se ha restringido el periodo de análisis entre 2015 y 2020. Es necesario mencionar, que mientras que el Repositorio de investigación de la Universidad de Sevilla (idUS) permite el acceso a la totalidad de las tesis doctorales defendidas por doctorandos y doctorandas que han accedido a incluir estas en dicho depósito, en el caso de los TFM y TFG sólo se incluyen aquellos trabajos que han alcanzado la calificación de

---

2. Según datos del Anuario Estadístico de la Universidad de Sevilla de 2019, en el curso 2019-2020 se matricularon un total de 305 nuevos estudiantes, mientras que el número de estudiantes totales matriculados en el Grado de Turismo alcanzaba los 1283 estudiantes (García Vázquez, 2020).

"Sobresaliente" y "Matrícula de Honor". Tras una consulta por email a la Comisión de Trabajo Fin de Grado de la Facultad de Turismo y Finanzas de la Universidad de Sevilla, en el caso de los TFG, 879 trabajos fueron realizados y defendidos entre los cursos 2015-2016 y 2019-2020, de los cuales un total de 167 TFG (casi el 19% aproximadamente) alcanzaron dicha calificación y, por tanto, son los que han sido consultados y analizados.

La tabla 1 muestra los trabajos recopilados en idUS. Estos se adscriben principalmente a varios departamentos encargados de impartir docencia en el Grado de Turismo de la Universidad de Sevilla. En cuanto al número de trabajos adscritos por departamento, destaca en el caso de las tesis doctorales el Departamento de Economía Financiera y Dirección de Operaciones, con cuatro tesis defendidas en el periodo analizado, mientras que al Departamento de Administración de Empresas y Marketing se adscriben cuatro de los siete TFM analizados.

**Tabla 1.** Tesis doctorales, trabajos fin de máster y fin de grado en materia de "Turismo".

| Departamentos | Total de trabajos | | |
|---|---|---|---|
| | Tesis (2010-2020) | Trabajos fin de máster (2010-2020) | Trabajos fin de grado (2015-2020) |
| Análisis Económico y Economía Política | 1 | | 6 |
| Antropología Social | 1 | 1 | 3 |
| Administración de Empresas y Marketing | 2 | 4 | 19 |
| Comunicación Audio-visual, Publicidad y Literatura | 1 | | |
| Contabilidad y Economía Financiera | 1 | | 4 |
| Derecho Administrativo | 2 | | 5 |
| Derecho Mercantil | | | 3 |
| Economía Financiera y Dirección de Operaciones | 4 | | 24 |
| Economía Aplicada I | 3 | | 8 |

| Departamentos | Total de trabajos | | |
|---|---|---|---|
| | Tesis (2010-2020) | Trabajos fin de máster (2010-2020) | Trabajos fin de grado (2015-2020) |
| Economía Aplicada II | | | 1 |
| Economía Aplicada III | 1 | | |
| Filología Alemana | | | 19 |
| Filología Inglesa | | | 27 |
| Filología Francesa | | | 12 |
| Geografía Física y Análisis Geográfico Regional | 2 | | 17 |
| Geografía Humana | 1 | 2 | 5 |
| Sociología | 1 | | 1 |
| Historia del Arte | | | 13 |
| Urbanística y Ordenación del Territorio | 1 | | |
| **Total** | 21 | 7 | 167 |

**Fuente:** Elaboración propia a partir de los datos de idUS.

En el caso de los TFG, destacan los departamentos de Filología, a los que pertenecen 58 de los 167 TFG analizados. Les sigue el Departamento de Economía Financiera y Dirección de Operaciones con 24 trabajos. Son precisamente éstos los departamentos encargados de impartir el mayor número de asignaturas en el Grado en Turismo de la Universidad de Sevilla (Díaz *et al.*, 2021).

## 3.2. LA PRESENCIA DE CONCEPTOS EMERGENTES EN LAS TESIS DOCTORALES Y TRABAJOS FIN DE MÁSTER

La figura 1 representa los resultados derivados del análisis de palabras clave y títulos de las 21 tesis doctorales y siete TFM. Un total de 170 conceptos clave han sido recopilados y representados en una nube de palabras. Varios de estos conceptos han sido agrupados entre sí (por ejemplo: turismo/turista/turístico, arquitectura/arquitectónico, etc.), para facilitar el análisis y la comprensión de éstos.

Al margen de la palabra turismo y sus conceptos derivados, que alcanza las 33 repeticiones (ver figura 2), el concepto *patrimonio*, seguido de *cultura* y sus derivados son los más repetidos –empleándose hasta en diez y ocho ocasiones, respectivamente–, un número muy elevado, si se tiene en cuenta el número de trabajos analizados (28). Seguidamente, Andalucía constituye el concepto más frecuente con siete repeticiones, ya que suele ser el ámbito de estudio preferente de estos trabajos.

**Figura 1.** Conceptos y frecuencia.

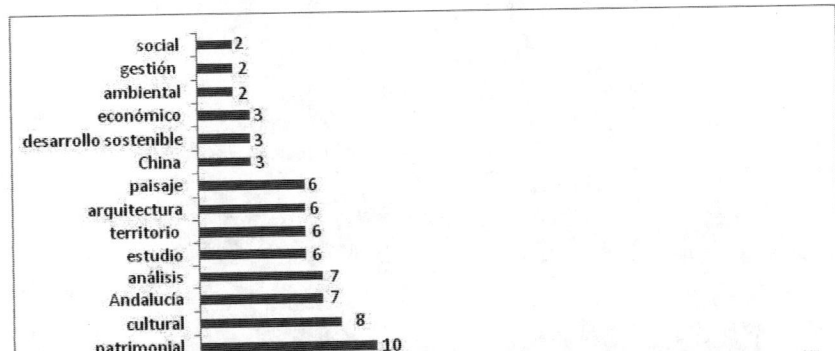

**Fuente:** Elaboración propia.

Debe subrayarse el protagonismo de términos como *análisis* (7), *estudio* (6), *investigación* (2), *caracterización* y *conocimiento* (1 repetición), entre otros vinculados al estricto conocimiento; mientras que la presencia de términos como *gestión* (2), *acciones, aplicación, potenciación,* entre otros es menos frecuente (con 1 aparición solamente). Ello podría interpretarse como una mayor presencia de trabajos dedicados a comprender y analizar la situación actual que a la puesta en práctica de unas competencias vinculadas al conocimiento para la acción.

Igualmente, resulta interesante la alta frecuencia de los términos *territorio* y *paisaje* (6 respectivamente), que se asocia a la actividad de los departamentos de Geografía, con una destacada presencia en la docencia del Grado en Turismo de la Universidad de Sevilla (Villar *et al.*, 2019).

Respecto a la aparición de conceptos relacionados con la comprensión de la realidad actual: se desprende del análisis la total ausencia de algunos términos como *turistización, masificación, slow tourism* o *decrecimiento* y, aunque aparecen débilmente conceptos como *turismo colaborativo* (1) y *Agenda 2030* (1), son los términos vinculados a *desarrollo sostenible* (3), *sostenibilidad* (2) y cada uno de sus pilares (ambiental, social y económico), los que aparecen con mayor frecuencia (Figura 2).

**Figura 2.** Nube de palabras obtenida a partir de los títulos de tesis doctorales y TFM.

**Fuente:** Elaboración propia.

Aunque el término *inteligencia territorial* no está presente en los títulos y palabras clave, sí que se recogen otros vinculados a esta (*redes sociales, investigación, tecnología, información,* entre otros). No obstante, es necesario mencionar, que el término *inteligencia territorial* no alude únicamente a un desafío técnico sino, más bien, a un cambio organizativo orientado a la innovación, la participación, el manejo de diversas variables y gran cantidad de datos y la comunicación (Peñarrubia, 2018). Aparecen además varios términos que se relacionan con principios, valores y normas éticas como *responsabilidad* (2), *satisfacción* (2), *valoración* (2), *límite* (1) y *compromiso* (1).

## 3.3.  LOS TRABAJOS FIN DE GRADO

En relación con el análisis de palabras clave y títulos de los 167 TFG recopilados, dado el gran número de estos, y puesto que los departamentos de Filología han contribuido a este número con más de un tercio de los trabajos (58), se ha procedido a excluir aquéllos vinculados a estos departamentos cuyos objetivos planteados son la traducción de páginas web, audioguías o análisis morfosintácticos, ya que frenan la inclusión de contenidos sobre la temática analizada. De este modo, un total de 23 trabajos han sido excluidos del análisis (tabla 2).

**Tabla 2.** Distribución anual de trabajos fin de grado en materia de "Turismo" (total, analizados y excluidos).

|  | *Total de trabajos* | *Trabajos analizados* | *Trabajos excluidos* |
|---|---|---|---|
| *2015-2016* | 21 | 17 | 4 |
| *2017* | 33 | 27 | 6 |
| *2018* | 34 | 31 | 3 |
| *2019* | 35 | 30 | 5 |
| *2020* | 44 | 39 | 5 |
| *Total* | 167 | 144 | 23 |

**Fuente:** Elaboración propia a partir de los datos de idUS.

La figura 3 muestra los resultados derivados del análisis de palabras clave y títulos de TFG. Una vez más, varios de estos conceptos han sido agrupados entre sí para facilitar el comentario y la comprensión de esta.

Al igual que ocurría con las tesis doctorales y los TFM, la palabra *turismo* y sus derivadas alcanzan el mayor número de repeticiones, pero en el caso de los TFG es *Sevilla* –seguida de *Andalucía* y *España*–, el ámbito de estudio preferente. Deben subrayarse, al igual que ocurría en el caso anterior el protagonismo de términos como *análisis* (32) y *estudio comparativo/a* (9) y, si bien en esta ocasión es mayor la frecuencia de términos que implican la puesta en práctica de unas competencias vinculadas al conocimiento para la acción como son *gestión* (9), *propuesta* (7) o *aplicación* (3), si se compara en relación al número de trabajos, la ratio de presencia de estos en los TFG es menor que en el caso de los TFM y tesis doctorales. Mientras que el término *patrimonio/patrimonial* sigue estando presente, pierde fuerza en su aplicación con respecto a las tesis y TFM, y en relación a la presencia de los términos *territorio/territorial* y *paisaje*, que en el análisis previo adquirían claro protagonismo, es nula en el caso de los TFG.

Respecto a la presencia de conceptos emergentes, se hallan por primera vez términos como *turistización* (2), *masificación* (2), *cambio climático* (2), *capacidad de carga* (2), *destinos turísticos inteligentes* (2) y *huella de carbono* (1). Aparecen además otros términos, relacionados con la inteligencia territorial como *big data* (2) e *innovación* (1), junto con otros como *turismo colaborativo* (2), *impactos* (2) y otros vinculados a la *sostenibilidad* (3), *ecoturismo* (2), *Objetivos de Desarrollo Sostenible* (2) y cada uno de sus pilares (ambiental, social y económico). Además, de nuevo aparecen otras palabras como *mejora* (2), *responsabilidad* (1), *satisfacción* (1) o *valoración* (2), que se relacionan con principios, valores y normas éticas.

**Figura 3.** Nube de palabras obtenida a partir de los títulos de TFG.

**Fuente:** Elaboración propia.

Con idea de avanzar en el análisis realizado de los TFG, la tabla 3 muestra los términos que adquieren mayor número de repeticiones en cada año. Una vez excluidos los términos *turismo* –y sus derivados– y *análisis*, presentes casi con la misma frecuencia en todos los años, se observa que conceptos como *cambio climático*, aparecen por primera vez en dos trabajos de 2018, mientras que conceptos como *capacidad de carga, huella de carbono* e *inteligencia territorial*, se vinculan a tres TFG de 2019. Igualmente, en 2020 aparecen por primera vez términos como *turistización* en el título de dos TFG, mientras que otros términos como *destinos turísticos inteligentes, masificación, integral* y *multidisciplinar* (estos dos últimos, relacionados con la necesidad de nuevas aproximaciones para la resolución y tratamiento de conflictos actuales) aparecen cada uno de ellos en un TFG.

**Tabla 3.** Los conceptos con mayor frecuencia de aparición en los TFG.

| | 2015-2016 | 2017 | 2018 | 2019 | 2020 |
|---|---|---|---|---|---|
| Conceptos y palabras clave más frecuentes | Sevilla Calidad Enológico Hotelero | Sevilla Página web Airbnb Alojamiento Andalucía Aplicación Colaborativo Destinos Estudio Estrategia Gestión Hoteles Ruta Viajes | Hotelero Sevilla Gestión Andalucía Cambio climático Comparativo Desarrollo Destino Enoturismo España Estudio Fotografía Granada Industrial Influencia Patrimonio Percepciones Propuestas La Rioja | Sevilla Aproximación Cultura Desarrollo Destinos España Estudio Evolución Gestión Influencia Madrid online Ruta Tecnología Vino | España Cultura Sevilla Andalucía Calidad Páginas web Accesible/ilidad Cataluña Colaborativo Comparativa Discapacidad Empresa Estudio Evolución Gestión Legado Medioambientales Modelo Mujeres Objetivos de Desarrollo Sostenible Oferta París Propuesta Ruta Social Transporte Turistización Vino Visión |

| | 2015-2016 | 2017 | 2018 | 2019 | 2020 |
|---|---|---|---|---|---|
| *Otros Con-ceptos* | Impacto Límite Pro-puesta Reto | Big Data Calidad Decisiones Economía Colabora-tiva Innovación Masificación | Amenazas Debilidades Emergentes Impactos Fortalezas Oportuni-dades Sostenible Sinergias Redes Sociales | Big Data Capacidad de carga Desigualda-des Economía Colaborativa Ecoturismo Generación Y Huella de Carbono Inclusiva Inteligencia Territorial Sostenible | Big Data Comprometido Concienciación Conflicto Crisis Destinos turísticos inteligentes Diversidad Económico Ecoturismo Excelencia Garantía Impacto Integral Masificación Mejora Multidisciplinar Responsabilidad Gestores Satisfacción |

**Fuente:** Elaboración propia.

## IV. CONCLUSIONES

Los nuevos desafíos globales y sus repercusiones sobre el sector turístico, en parte causante y en parte víctima de estos, requiere de la incorporación y aplicación de nuevos conceptos, surgidos para mitigar los impactos derivados. El presente trabajo analiza la presencia de contenidos relacionados con la transición ecológica y la transición turística inteligente en los estudios de grado (TFG) y postgrado (tesis doctorales y TFM) de la Universidad de Sevilla.

En el caso de las tesis doctorales y TFM, los resultados muestran la ausencia total de conceptos clave como *cambio climático*, *capacidad de carga*, *turistización* y otros emergentes como *decrecimiento*, *gobernanza territorial* y *destinos turísticos inteligentes*, todos ellos con sólidas referencias en la investigación y fuertes implicaciones en el turismo y, aunque aparecen débilmente términos como *turismo colaborativo*, son los vinculados a desarrollo sostenible los que se hacen presente con mayor frecuencia. En el caso de los TFG, se aprecia la presencia de varios conceptos emergentes y, si bien su uso es débil, parece ir incrementándose con los años. En ambos casos, TFG y tesis doctorales-TFM, es mayor la frecuencia de aparición de conceptos relacionados con la adquisición de conocimiento en sí que con la adquisición de un conocimiento por y para la acción. No obstante, la presencia de estos últimos es mayor en el caso de las tesis doctorales y TFM, como corresponde a un nivel más avanzado de profundización en los problemas, que incluye avances hacia un enfoque más propositivo, superando los meros enfoques analíticos. También aparecen varios términos de intencionalidad ética.

Los resultados ponen además de manifiesto la existencia de un cierto desfase temporal entre la aparición y difusión de conceptos emergentes (a menudo en el contexto de revistas especializadas o documentos técnicos de las instituciones), y su incorporación a los trabajos académicos presentados ante tribunales oficiales. Este desfase es especialmente significativo ante conceptos o enfoques que implican cambios sustanciales en las pautas y tendencias imperantes hasta el momento (un claro ejemplo sería la casi testimonial presencia de términos como *decrecimiento turístico* o *transición ecológica*), dado que los mismos implican reformular íntegramente los modos de trabajo que el sector turístico, y por ende las disciplinas que lo estudian, han asumido desde hace décadas. No obstante, cabe señalar que resulta imprescindible incorporar rápidamente estos nuevos conceptos, vinculados al *Turismo Inteligente*, dado que la realidad en la que los futuros profesionales desarrollarán su labor requerirá su plena aceptación, al menos como hipótesis o enfoque para la investigación.

Igualmente, es de destacar la prácticamente ausencia de términos como *seguridad turística* o *resiliencia turística*, que han cobrado especial relevancia y actualidad con la pandemia de COVID-19, dado lo reciente aún de esta y el hecho de que todavía no haya finalizado. Parece probable que en los próximos años se detecte una mayor presencia de estos conceptos en los trabajos de investigación sobre turismo.

## V.   REFERENCIAS

Blanco, A., Blázquez, M., De la Calle, M., Fernández, M., García, M., Lois, R., Mínguez, M.C., Navalón, R., Navarro, E., Troitiño, L. (2020): *Diccionario de Turismo* (pp. 392). Ediciones Cátedra.

Díaz-Cuevas, P. Becerra-Fernández, D. y Villar-Lama, A. (2021). Transición ecológica y emergencia climática en las enseñanzas de Turismo. *Cuaderno de Turismo*, 48, en prensa.

Fletcher, R., Mas, I.M., Blazquez-Salom, M. y Blanco-Romero, A. (2020). Tourism, Degrowth, and the COVID-19 Crisis. Political Ecology Network. Available online: https://politicalecologynet-work.

org/2020/03/24/tourism-degrowth-and-the-covid-19-crisis/ (accessed on 1 April 2021).

Foronda-Robles, C., Galindo-Pérez-De-Azpillaga, L. y Fernández-Tabales, A. (2020). Progress and stakes in sustainable tourism: indicators for smart coastal destinations. *Journal of Sustainable Tourism*. https://doi.org/10.1080/09669582.2020.1864386.

García Vázquez, P. (2020). *Anuario Estadístico 2019-2020*. Universidad de Sevilla. http://servicio.us.es/splanestu/WS/Anuarios.html.

Gössling, S. (2020). Lund University, What COVID-19 Can Teach Tourism about the Climate Crisis. Available online: https://www.eurekalert.org/ pub_releases/2020-07/lu-wcc071520.php (accessed on 11 June 2021).

INE (2019). Cuenta satélite del turismo en España 2019. https://www.ine.es/dyngs/INEbase/es/operacion.htm?c=Estadistica_C&cid=125 4736169169&menu=ultiDatos&idp=1254735576863 (Consultado: junio 2021).

Intergovernmental Panel on Climate Change (2014). AR5 Synthesis Report: Climate Change. https://www.ipcc.ch/report/ar5/syr/.

JRC (2014). The PESETA II Project (Projection of Economic impacts of climate change in Sectors of the European Union based on bottom-up Analysis). European Commission Joint Research Centre Institute for Prospective Technological Studies. Louxembourg. https://ec.europa.eu/jrc/en/publication/eur-scientific-and-technical-research-reports/climate-impacts-europe-jrc-peseta-ii-project (Consultado: enero 2020).

JRC (2018). Climate Impacts in Europe. Final report of the JRC PESETA III project. (Projection of Economic impacts of climate change in Sectors of the European Union based on bottom-up Analysis). European Commission Joint Research Centre Institute for Prospective Technological Studies. Louxembourg. https://ec.europa.eu/jrc/en/peseta-iii (Consultado: enero 2020).

Jurado, E. N., Palomo, G. O. y Bernier, E. T. (2020). Propuestas de Reflexión Desde el Turismo Frente al COVID-19. Incertidumbre, Impacto y Recuperación. Universidad de Málaga. http://www.i3t.uma.es/wp-content/uploads/2020/03/PropuestasReflexiones-Turismo-ImpactoCOVID_i3tUMA.pdf (accessed on 14 March 2021).

Lenzen, M., Sun, Y-Y., Faturay, F., Ting, Y-P, Geschke, A. y Malik, A. (2018). The carbon footprint of global tourism. *Nature Climate Change*, 8, 522-528. https://doi.org/10.1038/s41558-018-0141-x.

Marsiglio, S. (2015). On the carrying capacity and the optimal number of visitors in tourism destinations. *Tourism Economics*, 23(3):632-646. https://doi.org/10.5367/te.2015.0535.

Mikayilov, J. I., Mukhtarov, S., Mammadov, J. Azizov, M. (2019). Re-evaluating the environmental impacts of tourism: does EKC exist? *Environ Sci Pollut Res*, 26, 19389-19402. https://doi.org/10.1007/s11356-019-05269-w.

Mínguez García, C., Piñeira Mantiñán, M.J. y Fernández Tabales, A. (2019).

Social Vulnerability and Touristification of Historic Centers. *Sustainability*, 11(16), 4478-4502. https://doi.org/10.3390/su11164478.

Nieto, J.L., Román, I., Bonillo, D. & Paulova, N. (2016). El turismo a nivel mundial. *International Journal of Scientific Management and Tourism*, 2(1), 129-144.

Olcina, J. (2019): Cambio climático y actividad turística: dos procesos que se retroalimentan. En Cañada, E. & Murray, I. (Eds.). *Turistificación global. Perspectivas críticas en turismo* (pp. 433-462). Ed. Icaria.

OMT (2011).*Tourismtowards 2030/ Global Overview*. OMT.

OMT (2020). *Panorama Internacional del Turismo. Madrid: Organización Mundial del Turismo*. OTM. https://www.e-unwto.org/doi/epdf/10.18111/9789284422746.

ONU (2015). *Transforming Our World: The 2030 Agenda for Sustainable Development*. New York: United Nations.

ONU (2019). Perspectivas del medio ambiente mundial.

Peñarrubia, M. P. (2018). *Los datos estadísticos públicos y su uso en el conocimiento y comportamiento de los turistas en destinos inteligentes*. Universidad de Valencia.

Prieto Campos, A. y Díaz Cuevas, P. (2021). Aproximaciones a la capacidad de acogida de las playas como recurso turístico en tiempos de la COVID-19: el caso de la costa atlántica andaluza. *Boletín De La Asociación De Geógrafos Españoles*, 88. https://doi.org/10.21138/bage.3012.

Rico-Amoros, A.M., Olcina-Cantos, J. y Sauri, D. (2009).Tourist land use patterns and wáter demand: Evidence from the Western Mediterranean. *Land Use Policy*, 26, 493-501. https://doi.org/10.1016/j.landusepol.2008.07.002.

Rodríguez-Antón, J.M. y del Alonso-Almeida, M.M. (2020). COVID-19 Impacts and Recovery Strategies: The Case of the Hospitality Industry in Spain. *Sustainability*, 12, 8599.

Vărzaru, A.A., Bocean, C.G. y Cazacu, M. (2021). Rethinking Tourism Industry in Pandemic COVID-19 Period. *Sustainability*, 13, 6956. https://doi.org/10.3390/su13126956.

Villar-Lama, A. y Díaz-Cuevas, P. (2019). La presencia de la geografía en las enseñanzas universitarias. Retos docentes en el grado de Turismo. En Macía Arce, J.C., Armas Quintá F.X. y Rodríguez Lestegás, F. (Eds.) *La reconfiguración del medio rural en la sociedad de la información. Nuevos desafíos en la educación geográfica. Quiroga (Lugo)* (pp. 21-34). Editorial Andalvira.

*Capítulo 11*

# Pensar la ciudad desde el lenguaje cinematográfico. Málaga a través de dos miradas: Tarkovsky y Sorrentino

Alberto E. García-Moreno
*(Universidad de Málaga —España—)*

María José Márquez-Ballesteros
*(Universidad de Málaga —España—)*

Javier Boned Purkiss
*(Universidad de Málaga —España—)*

## I. INTRODUCCIÓN

### 1.1. EL LENGUAJE CINEMATOGRÁFICO EN LA REPRESENTACIÓN URBANA

"El cine nace terriblemente urbano" afirma Comolli (2007, p. 506). Y es que, desde sus inicios, la disciplina cinematográfica quedó íntimamente ligada al nacimiento y desarrollo de la metrópolis moderna, una relación que "proporciona numerosas pistas sobre la estética a través de la cual podemos experimentar la ciudad no solo como cultura visual sino, sobre todo, como espacio psíquico" (Donald, 1999, p. 84). No trata tanto de representar una determinada realidad como de recrear una realidad paralela. Cualquier espacio, al convertirse en cinematográfico, muestra una potencialidad añadida, no refiriéndose tan sólo a una realidad inmediata, sino aludiendo a todas las posibilidades que el espacio encierra: "en esto radica la trascendencia sociológica de este invento nacido en el ocaso del siglo de las máquinas" (Gubern, 2001, p. 28). En palabras de Benjamin (1968), el cine ha potenciado las posibilidades simbólicas y estéticas del espacio urbano, ya que la cámara ha proporcionado ópticas inconscientes del mismo modo que lo hace el psicoanálisis con los impulsos involuntarios.

Los primeros registros, cuyo objeto recurrente era el paisaje urbano, captaban no sólo la frenética realidad de las ciudades en continuo crecimiento y su imparable transformación moderna, sino que se convertían en soporte y vehículo para conformar un imaginario paisajístico colectivo, un contexto y una forma de interpretar lo filmado. El papel del cine ayudó a dar forma a las experiencias urbanas, especialmente en América y Europa, proporcionando, de alguna manera, una "pedagogía mediadora entre la realidad de la metrópoli y su lugar imaginario en la vida mental" (Donald, 1999, p. 63). Como continuación de la literatura, la pintura o la fotografía, el cine perfeccionaba el capítulo de la representación realista del mundo y de sus ciudades, ya que, como imagen en movimiento, comenzó a ofrecerse de una manera aparentemente más fiel "al disminuir la dependencia de la destreza artística" (Gámir y Valdés, 2007, p. 159), frente a otras manifestaciones artísticas.

Ya desde principios del siglo XX, los realizadores percibieron la capacidad del cine de inventar, además, lugares inéditos y añadirlos al catálogo de paisajes que el cine estaba construyendo. Autores como Méliès integró los "lugares de la imaginación" al inventario de lugares que el cine venía registrando, gracias a su "Viaje a la luna" (Voyage à la lune, 1902) y "Viaje a través de lo imposible" (Voyage à travers l'impossible, 1904). Desde entonces, bien desde lo real, bien desde la imaginación, el cine ha ido construyendo el mundo como paisaje cinematográfico (Ortiz, 2007) y ha actuado como "espejo para las ciudades del siglo XX y para las personas que viven en ellas. Las películas son, más que cualquier otro arte, documentos históricos de nuestro tiempo [...] El cine pertenece a la ciudad y refleja su esencia" (Wenders, 2005, p. 115).

A finales de la década de 1920, Dziga Vertov registra la ciudad en un ejercicio cinematográfico, su *cine-ojo*, que, de alguna manera, supondría el precedente de las producciones documentales. En el montaje resultante, *El hombre de la cámara*, Vertov aclaró, al inicio de los títulos de crédito, que se trataba de

> un experimento en la comunicación cinematográfica de hechos reales. Sin la ayuda de intertítulos, sin la ayuda de una historia, sin la ayuda del teatro. Este trabajo experimental aspira a

la creación de un auténtico lenguaje internacional para un cine absolutamente separado del lenguaje del teatro y de la literatura (Vertov, 1929).

La autenticidad con que podemos observar la ciudad de San Petersburgo en su obra es muy singular. Un registro de la ciudad sin historia y sin actores, que supone un claro posicionamiento, tal y como se advierte en los títulos del inicio, para encontrar un lenguaje único que sea capaz de recoger y comunicar la atmósfera de la ciudad, el palpitar de la vida urbana, el nacimiento de la ciudad contemporánea.

Este extrañamiento generado por la ciudad moderna ha suscitado recurrentemente en los artistas la necesidad de ser narrado. Tal y como afirma August Endell, en *La belleza de la metrópolis.1908*,

> pese a sus feos edificios, su bullicio y todas las otras cosas que se le pueden reprochar, –la metrópoli– continúa siendo un milagro de belleza y de poesía, una fábula, la más multiforme y variopinta, jamás narrada por un poeta, una patria, una madre, que cotidianamente colma a sus hijos de alegrías siempre nuevas (Endell, 1973, p. 134).

En el caso de los cineastas, esa necesidad de ser testigos de la vida urbana, es saciada a través de la cámara que ofrece, como ningún otro lenguaje, el retrato del bullicio incesante, el movimiento constante, el ajetreo de las personas y de modernos medios de transporte que recorren la ciudad. Lo refleja Ruttmann en *Berlín: Sinfonía de una gran ciudad*, (1927) en la que se muestra la vida real de la capital alemana desde que amanece hasta que anochece, un extracto de tiempo que por la manera de filmarse parecería que se fuera a repetir una y otra vez en un eterno bucle. Una vida incesante, pero un tanto alienante en lo referente a la máquina, las fábricas y el trabajo obrero.

El lenguaje cinematográfico utilizado para registrar la ciudad supone una abstracción de lo filmado en donde los límites de lo real y lo simbolizado se vuelven difusos. Esta particularidad es la que se pretende explorar con la experiencia que se presenta en este trabajo. Usando como herramienta un lenguaje cinematográfico concreto, se propone a jóvenes arquitectos y artistas audiovisuales que desarrollen una reflexión urbana y paisajística basada en la gramática audiovisual de dos cineastas, como son Andréi Tarkovski y Paolo Sorrentino.

Esto proporcionará una reflexión crítica en torno a la utilidad de la herramienta cinematográfica para abordar visiones complejas y selectivas de la ciudad y el paisaje, permitiendo construir aproximaciones conceptuales desde su interrelación con un lenguaje cinematográfico determinado, comprendiendo su valor como mecanismo de interpretación, representación y creación espacio-temporal.

## 1.2. OBJETIVOS DE LA INVESTIGACIÓN

Lo urbano y su paisaje, como elementos recurrentes del discurso fílmico, ofrecen conexiones que trascienden lo meramente descriptivo o turístico, para convertirse en soporte generador de un imaginario social en el que poder identificarse. Por ello, ciudad y paisaje se revelan como diferentes a cada instante, y deben ser recreados constantemente a través del cine y su lenguaje audiovisual, como visiones novedosas. La ciudad filmada, aunque se muestra reconocible por sus iconos y espacios identitarios, adquiere un significado diferente según el lenguaje cinematográfico utilizado por cada realizador.

Esta investigación pretende indagar diferentes representaciones que un paisaje urbano puede presentar en la cinematografía actual, atendiendo a las características estilísticas y semánticas de los dos cineastas mencionados anteriormente, cuyo lenguaje cinematográfico presenta formas de visualización y conceptualización de la ciudad contemporánea muy singulares. El lenguaje cinematográfico de estos dos cineastas puede considerarse de una gran intensidad "poética y simbólica", caracterizado no sólo por la gran fuerza de sus imágenes, sino por el hecho de que éstas expresan con gran concreción, singularidad y precisión, los lugares filmados.

Se busca, así, en palabras de Dipaola, pensar la ciudad como "series de relaciones y características ofrecidas por la multiplicidad, los flujos, la movilidad, sus diferentes dimensiones, su carácter global […], en definitiva, pensar imágenes de ciudades y los intersticios producidos entre esas imágenes y las propiamente cinematográficas" (2011, p. 1), tomando como objeto de trabajo la ciudad de Málaga.

## II. METODOLOGÍA

El lenguaje audiovisual es una herramienta íntimamente ligada al origen y desarrollo de la ciudad contemporánea, la comunicación actual y la expresividad personal y colectiva de nuestro entorno. En palabras de Bazin (1991), "tanto por el contenido plástico de la imagen, como por los recursos del montaje, el cine dispone de todo un arsenal de procedimientos para imponer al espectador su interpretación del acontecimiento representado" (p. 84).

El cine se convierte, así, en un dispositivo sensible a las demandas de la sociedad actual capaz de conformar un imaginario común de imágenes en movimiento, lo cual, unido a una narrativa proyectual arquitectónica y urbana, permite una interesante experimentación sobre las formas de pensar la ciudad, su arquitectura y su paisaje. Un ejercicio visual que puede expresar múltiples maneras de mirar y transitar las imágenes de la ciudad contemporánea, que se transforma así en laboratorio de ensayos audiovisuales, en los que es posible ejercitar y desplegar la capacidad de invención de nuevas realidades desde el lenguaje espacio-temporal.

Esta búsqueda de lo visual en el espacio urbano a través de la experiencia cinematográfica tiene su desarrollo, en el caso de esta investigación, en el análisis de la estética y el significado de la producción artística de los cineastas A. Tarkovski y P. Sorrentino. Dos realizadores cuya técnica, ejecución y resultado visual sobre la ciudad filmada pueden parecer diametralmente opuestos, pero que, aplicados sobre una ciudad concreta, nos ofrecería un registro de imágenes y disposiciones visuales comunes, cartografías espaciales tangentes e incluso identidades flexibles de un mismo lugar.

## 2.1.  LA DECADENTE BELLEZA DE SORRENTINO

*"Siempre se termina así, con la muerte. Pero primero, ha habido una vida. Escondido bajo el bla, bla, bla, bla. Todo está resguardado bajo la frivolidad y el ruido. El silencio y el sentimiento, la emoción y el miedo. Los demacrados e inconstantes destellos de belleza. La decadencia y la desgracia, y el hombre miserable. Todo sepultado bajo la cubierta de la vergüenza de estar en el mundo. Bla, bla, bla, bla. En otros lugares, hay otras cosas; a mí no me importan los otros lugares. Así pues, que empiece la novela. En el fondo, es sólo un truco. Sí, es sólo un truco".*

Jep Gambardella. *La Gran Belleza*, Paolo Sorrentino

En el cine contemporáneo, la ciudad se ha convertido en un elemento central de todo el discurso fílmico, ya que ofrece conexiones que trascienden el carácter meramente turístico o descriptivo de los lugares filmados, para convertirse en personaje, en trama y en resorte emocional, dramático o fenomenológico.

Paolo Sorrentino utiliza en sus producciones el paisaje urbano en toda su extensión, no sólo como escenario o soporte visual, sino como contrapunto de todas las vicisitudes emocionales que atraviesan sus protagonistas. Las ciudades de Sorrentino y su arquitectura –contemplativas, sorprendentes al tiempo que reconocibles– son protagonistas, transitan desde una concepción realista y concreta, hasta una imagen totalmente subjetiva, idealizada y abstracta, aunque apoyada en iconos y espacios existentes y reconocibles.

En dos de sus películas más conocidas, *La grande bellezza* (2013) y *Youth – La Giovinezza* (2015), lo urbano y la concepción vital en la ciudad moderna se entiende y revela como diferente a cada momento, constantemente reinventada gracias al cine y al lenguaje específico de Sorrentino. Por un lado, el espectador es capaz de encontrar elementos identitarios en los espacios registrados, pero, al mismo tiempo, ve reflejadas situaciones desconocidas, alejadas de la arquetípica imagen urbana conocida (Figura 1).

En *La grande belleza*, la Roma de Sorrentino posibilita el redescubrimiento y la reconstrucción de la ciudad. Cada espacio filmado se convierte en una forma de relacionarse con la ciudad, en un entendimiento subjetivo por parte del espectador y, por tanto, su visualidad y percepción se fragmenta en infinidad de interpretaciones. Su cine posibilita lo enunciado por Tirri (2012):

> Los escenarios de la ciudad –espacios verídicos– se ofrecen como un engaño, ya que al ser proyectados se cargan de nuevas significaciones. Si en sucesivas películas se frecuentan locaciones urbanas, se está construyendo el imaginario de una ciudad común que se comienza a repetir en la pantalla con pretensiones de compartirse como legítima, suponiendo también que el espectador sienta el placer de imaginar algo más de lo que advierte a simple vista. (p. 139).

**Figura 1.** Collage de fotogramas de las películas *La grande bellezza* (2013) y *Youth – La Giovinezza* (2015), de P. Sorrentino.

**Fuente:** Elaboración propia.

No se trataría necesariamente de la Roma que conocemos. Es un lugar abstracto que, aunque descubre elementos icónicos e identitarios de la ciudad, da la posibilidad de ser reconstruida en la medida que el espectador se adentra en la trama fílmica que despliega Sorrentino. Así, en palabras de Bórquez (2016):

> pareciera que la arquitectura de la ciudad desaparece y los espectadores solo logran atisbar, de manera abstracta y desde la intimidad, una ciudad que se intuye, pero no se muestra. Esta desaparición del contexto real en la ficción hace que lo identitario, lo patrimonial ceda su condición de tal para convertirse en un territorio mental donde escenarios y edificaciones, por ejemplo, se proyectan incompletos y solo a modo de sugerencias, donde el encuadre oculta y la cámara busca aquello que no se ve. (p. 85).

En su lenguaje predomina el preciosismo sobre la imagen real, la carga estética –aunque decadente– sobre la ciudad funcional. Los referentes arquitectónicos y urbanos son recurrentes, registrados con la maestría de su director de fotografía Luca Bigazzi, a través de planos seductores y etéreos y largos *travellings* que contrastan, sin embargo, con el desenfreno de la fiesta nocturna, donde la decadencia y los aspectos más grotescos de la élite romana se muestran sin ambages, en un perfecto contraste –visual y sonoro– entre mundos y paisajes dispares.

## 2.2. EL TRIUNFO DE LA RUINA EN TARKOVSKI

El escenario industrial y posindustrial, uno de los paisajes más contradictorios de la modernidad, tendrá en el siglo XX un amplio reconocimiento, puesta en valor y difusión, especialmente centrado en su carácter romántico como huella del progreso y esplendor tecnológico de la humanidad. Su interpretación en términos estéticos, como *nuevos monumentos*, ha evocado los argumentos artísticos de autores como Stephen Magsig, Mario Sironi, Charles Sheeler o Robert Smithson, entre otros (Río, 2010).

Trasladado al cine, realizadores como A. Tarkovski, han convertido el paisaje desolado y la ruina romántica en protagonistas de sus narraciones, en una interpretación muy personal e intimista, casi sagrada. Un escenario decadente y devastado que hereda las reglas de una modernidad caduca pero que no responde a ninguno de sus atributos. Los vestigios industriales que nos presenta Tarkovski vinculan los conceptos de imagen, recuerdo, experiencia y realidad en un ejercicio fascinante, conformado por los restos de territorios industriales desolados que, sin embargo, generan una enorme capacidad de evocación.

Con una limitada producción cinematográfica a siete películas: *La infancia de Iván (1962), Andrei Rublev (1966), Solaris (1972), El Espejo (1975), Stalker (1979), Nostalgia (1983) y Sacrificio (1986)*, A. Tarkovski apuesta deliberadamente por un cine poético de percepciones puramente sensitivas y un distanciamiento ante cualquier tipo de narrativa o lenguaje convencional. Una producción profundamente humanista, despojada de cualquier simbolismo y sentidos ocultos y basada esencialmente en el manejo del tiempo. No en vano, esta condición temporal es la que vertebra –y esculpe– la construcción de todo su paisaje cinematográfico: "la concatenación entre causa y efecto, es decir, el paso de un estado a otro, es también una forma de existencia del tiempo" (Tarkovski, 2000, p. 79).

En 1967 el artista R. Smithson, en su viaje de vuelta a su ciudad natal, Passaic (Nueva Jersey), encontró un paisaje industrial abandonado, pero con una gran capacidad evocadora. Una primera publicación de su experiencia en la revista Artforum de ese mismo año (Smithson, 1967) que recoge el testimonio textual del artista y la serie de fotografías que realizó en su trayecto y encuentro con esta suerte de ruinas posindustriales, resulta muy significativa si la enmarcamos dentro del horizonte de enérgica transformación y "desmaterialización" del objeto escultórico desde el último lustro de los sesenta del pasado siglo. Los restos hallados y los espacios y objetos en desuso, adquieren con la mirada y la interpretación del artista el carácter de *nuevos monumentos*. En el paseo del viajero-espectador Smithson, el arte se dirige hacia una curiosidad constante de la mirada por descubrir las formas del espacio recorrido, las construcciones devastadas y las infraestructuras en desuso en términos estéticos, "como ruinas capaces de alcanzar la inmortalidad del monumento y como memoria de un paisaje agotado. Su lectura abre nuevas maneras de entender lo pintoresco, lo romántico, apuntando cambios en la sensibilidad artística a los cuales el cine no permanecerá ajeno" (Río, 2010, p. 426).

Coetáneo a Smithson, y posiblemente no ajeno a sus experiencias, Tarkovski registró este carácter de paisaje desolado en sus películas, pero también en las fotografías que pudo realizar al salir de su Rusia natal. La imagen romántica y poética que captaba su mirada, se veía potenciada por su máquina Polaroid, "cuyo mecanismo de positivado inmediato reflejaba del mismo modo el poder del tiempo sobre la materia" (Río, 2010, p. 422).

En las películas de Tarkovski, sus ruinas son etéreas, efímeras, más cercanas a un recuerdo inestable o a una memoria fugaz; su territorio es "un paisaje ruinoso, en los que aún encontramos las formas, que indican, como muñones, el lugar al que pertenecieron, al tiempo que la imposibilidad de que nada de eso regrese" (Ramos, 2009, p. 35).

**Figura 2.** Collage de fotogramas de las películas *Nostalghia* (1983), *Stalker* (1979) y Sacrificio (1986), de A. Tarkovski.

**Fuente:** Elaboración propia.

Los dos elementos recurrentes en sus paisajes y casi fetiches, el agua y la tierra, son los símbolos que vinculan la acción del hombre en ese pasado industrial con la naturaleza más intacta: "incluso cuando nos presenta mundos alienígenas, como el planeta Solaris o en la extraña zona de Stalker, son estos dos elementos primigenios los que producen mayor fascinación y reflexión (Río, 2010, p. 425).

## III. RESULTADOS

A partir de las características compositivas y simbólicas de los lenguajes cinematográficos de los dos cineastas analizados, y usándolas como herramientas de composición artística, se ha propuesto a un grupo de jóvenes arquitectos y artistas visuales generar una serie de documentos audiovisuales de corta duración, en los que se registre la ciudad de Málaga desde las premisas estéticas analizadas. El análisis crítico de la producción cinematográfica de Tarkovski y Sorrentino ha desencadenado una serie de reflexiones filmadas que han desvelado escenarios, visualidades, redescubrimientos de la propia ciudad y, en cualquier caso, interesantes exploraciones en peculiares enfoques del mundo circundante.

Las reflexiones y experimentaciones en torno al director napolitano han sido materializadas en filmaciones en las que el paisaje urbano ha actuado de soporte emocional a la pequeña trama que vertebraba la filmación. Una de las grabaciones más interesantes, "Ciudad de sentimientos" (Boulogne *et al.*, 2021) refleja la historia melancólica de un hombre que deambula por una ciudad que fue testigo de un amor pasado. La ciudad de Málaga se reconoce vagamente en la mayoría de sus escenas, intencionadamente sesgadas, pero se muestra muy reconocible en algunos puntos del relato, en los que el uso de espacios y arquitecturas icónicas cosen el relato y trasladan al espectador a una identificación identitaria con la ciudad.

Un recurso, el de la deriva urbana filmada con secuencias de picados y contrapicados, que nos evoca algunas escenas míticas del cine como las de Hitchcock o Antonioni, pero que ya estaba presente en las investigaciones teóricas de Sergéi Eisenstein sobre la cualidad dinámica de la arquitectura y la ciudad, y su visión del concepto de "trayectoria". Para él la trayectoria es el punto de unión entre el cine y la arquitectura, ya que es la característica que está presente en la experiencia artística y fenomenológica de ambas disciplinas (Eisenstein, 2001).

Esta experiencia apoya la hipótesis de partida, en torno a la cual la ciudad filmada no se reduce a lo registrado por la cámara, sino que se convierte en una red de signos y de relaciones que condensa las múltiples experiencias de sus moradores. La ciudad fílmica se representa a sí misma, pero, al mismo tiempo, a su propia proyección; una dimensión itinerante en la que el cine "se alza como medio fundamental para establecer puentes entre las ciudades, sus panoramas y matices arquitectónicos" (Barber, 2006, p. 99). Con intenciones similares, pero sin hacer referencia explícita a la cinematografía, recordamos las palabras de García Vázquez (2008) cuando afirma que la ciudad se define también como "espacio vivido", donde el escenario, la acción y la visión conforman la experiencia urbana que integra la estética y la narrativa de las diferentes formas de circulación y de paisaje.

En "Ciudad de sentimientos" hay una clara apuesta por la sensibilidad estética y por una personalización y carga emocional de las imágenes, donde lo poético, lo melancólico y, en algunas ocasiones, lo surrealista, está presente en todo el relato. Destaca igualmente el uso de colores saturados para dotar de significado a la trama y mostrar una ciudad que acompaña fielmente la decadencia emocional del protagonista, que busca en su deambular por ella, las huellas perdidas de un esplendor pasado que nunca volverá (Figura 3).

**Figura 3.** Collage de fotogramas del cortometraje *Ciudad de sentimientos* (Boulogne, C., Lorente, J.C., Fernández, A. y Sauceda, P., 2021).

**Fuente:** Elaboración propia.

Respecto a las propuestas relativas al director A. Tarkovski, destaca la filmación "Marejada" (Bandera *et al.*, 2021), que supone una experiencia visual y poética que entronca con la estética del cineasta ruso. La ciudad de Málaga se convierte en un lugar anónimo, fuera de cualquier referencia reconocible, a través de un registro dominado por el ritmo. Pero un ritmo *tarkovskiano*, que es el que, como afirma el propio cineasta, reproduce el flujo del tiempo dentro de una toma.

> Y si es el flujo del tiempo lo esencial del cine, se deduce que sus obras podrían prescindir de actores, de música, de construcciones y decorados, de estructura narrativa, e incluso de montaje. Es a partir de esta otra convicción que Tarkovski valora el cine que nos hace ver "la presión del tiempo dentro de un plano", y que muestra "la vida interior del material filmado" [...] Tarkovski sostiene que lo que el realizador debe tener en mente al montar una película no son los símbolos ni las alegorías, sino la "consistencia temporal que recorre un plano" (Gutiérrez, 2018, p. 15).

Al igual que el propio Tarkovski, que vertebraba algunos de sus relatos a través de los poemas de su padre, Arseny Tarkovski, la propuesta "Marejada" se inspira en el pasaje "La vida anterior" de Charles Baudelaire (1857), para, a partir de él, reflejar un escenario extraño, brumoso y descontextualizado. La ciudad de Málaga se muestra aquí desde sus más desolados y desconocidos escenarios que, sin embargo, son lugares relativamente transitados en el flujo cotidiano de sus habitantes (Figura 4).

Una mirada romántica y poética, potenciada con la condición temporal extendida hasta el extremo, que da como resultado un registro ambiguo de relaciones entre el tiempo y los *nuevos monumentos* que conforman este paisaje fascinante. Nos traslada inevitablemente a contemplar unas ruinas en las que entrevemos la existencia de un pasado que no es un viaje en la historia o el pasado que busca resucitar una restauración, sino que "nos hablan de un tiempo al que no se le pueden asignar fechas o acontecimientos, de un tiempo perdido cuya recuperación compete sólo al arte" (Río, 2010, p. 426).

**Figura 4.** Collage de fotogramas del cortometraje *Marejada* (Bandera, M., Ramos, A. y Ramos, K., 2021).

**Fuente:** Elaboración propia.

## IV.   CONCLUSIONES Y DISCUSIÓN

La ciudad es circulación, flujos y trayectos, es movimiento que el cine puede registrar en sus diferentes modalidades y relaciones. Se compone de un entramado de imagen y lenguaje que se traduce en expresiones estéticas y narrativas en la cinematografía contemporánea. En definitiva, "expresa un ejercicio de lo visual, y en ese sentido no es una representación de la realidad, sino una composición de visualidades entre las imágenes de eso que denominamos realidad" (Dipaola, 2011, p. 4).

El espacio urbano es al mismo tiempo social –por cuanto acumulación histórica y humana, materializada en una organización física espacial y territorial– y mental –en tanto lugar en el que conviven lo percibido, lo concebido y lo vivido–. Lo urbano como espacio vivido está caracterizado por la representación y construido por una compleja interacción de símbolos y signos que aportan elementos de cohesión social y "tienen su origen en la historia, en la historia del pueblo y en la historia de cada individuo que pertenece a este pueblo" (Lefebvre, 1991:41). En definitiva, las imágenes construyen identidades contemporáneas y articulan unidades culturales coherentes.

La representación del espacio y todo lo que en él ocurre no sería relevante por sí mismo, sino que a través del cine y el concepto de imagen-tiempo que impulsa, lo esencial se traslada a los significados, las expresiones estéticas y la narrativa de ese espacio a través de un lenguaje y unas herramientas determinadas. Lo que nos interesa de este potencial de lo visual "no es tanto la imagen en sí misma y lo que ésta impone cuanto la abertura a lo real que ésta puede producir" (Chevrier, 2007:219).

El cine piensa en imágenes, como diría Deleuze, y en el caso de la ciudad, se trata de "imágenes móviles", entendidas como las diferentes experiencias, interpretaciones y visualidades que pueden coexistir en un mismo lugar, gracias al lenguaje cinematográfico. El registro de un paisaje urbano a través de unas determinadas herramientas, prácticas y estéticas ofrece multitud de variaciones, capaces de producir experiencias diferentes, cuando no dispares, sobre un mismo lugar.

La experiencia nos ha permitido constatar la importancia del lenguaje cinematográfico en la construcción de la visualidad urbana y corroborar la hipótesis de partida de que el cine puede revelar y generar un imaginario múltiple, amplio, fluido y multidimensional en función de las formas estéticas con las que se acometa su registro.

## V. REFERENCIAS

Barber, S. (2006). *Ciudades proyectadas. Cine y espacio urbano*. Gustavo Gili.

Baudelaire, C. (1857). *Les Fleurs du mal*. Auguste Poulet-Malassis.

Bazin, A. (1991). *¿Qué es el cine?* Rialp.

Benjamin, W. (1968). *Illuminations*. Houghton Mifflin Harcourt.

Bórquez Núñez, V.M. (2016) La ciudad como escenario fílmico. Un aporte para entender la identidad. *Hombre y Desierto, 20*, 74-87.

Comolli, J-L. (2007). *Ver y poder*. Aurelia Rivera.

Dipaola, E. (2011). Visualidades de la ciudad contemporánea: imágenes, estéticas y espacios en la cinematografía reciente. *Revista LIS, Letra, Imagen, Sonido. Ciudad mediatizada, 8*, 36-45.

Donald, J. (1999). *Imagining the Modern City*. U. Minnesota.

Eisenstein, S. M. (2001). *Hacia una teoría del montaje (vol. 1)*. Paidós Comunicación.

Endell, A. (1973). La belleza de la metrópolis. 1908. En M. Cacciari (Ed.), *Metropolis* (pp. 129-131; 134-136; 143). Officina.

Gámir Orueta, A. y Valdés, C. M. (2007). Cine y geografía: espacio geográfico, paisaje y territorio en las producciones cinematográficas. *Boletín de la A.G.E. 45*, 157-190. https://bage.age-geografia.es/ojs/index.php/bage/article/view/643.

Gubern, R. (2001). *Historia del cine*. Anagrama.

Ortiz Villeta, A. (2007). Paisaje con figuras: el espacio habitado del cine. *Saitabi, 57*, 205-226.

García Vázquez, C. (2008). *Ciudad hojaldre. Visiones urbanas del siglo XXI*. Gustavo Gili.

Gutiérrez, E. (2018). Construcción de la realidad y percepción de lo real en el arte cinematográfico. *Rigel. Revista de estética y filosofía del arte,5*, 8-29.

Lefebvre, H. (1991). *The production of space*. Blackwell.

Ramos, M.A. (2009). Vaho. En S. Martínez Samper et al. (Eds.). *Fidelidad a una obsesión. La obra fotográfica de Andrei Tarkovski*. Fundación Luis Seoane.

Río Vázquez, A.S. (2010). El paisaje post-industrial como escena y lugar. Tres miradas complementarias: Tarkovski, Wenders y Lynch. En M.A. Álvarez Areces (Ed.). *Patrimonio y arqueología de la industria del cine* (p. 421-426). Asociación de Arqueología Industrial Máximo Fuertes Acevedo.

Smithson, R. (1967). A tour of the Monuments of Passaic, N. J. *Artforum* 6(4), 48-51. https://www.artforum.com/print/196710.

Sorrentino, P. (Director) (2013) *La Gran Belleza* [Película]. Indigo Film, Medusa Produzione.

Tarkovski, A. (2000). *Esculpir en el tiempo*. Rialp.

Tirri, N. (2012). *El transeúnte inmóvil. La perspectiva urbana en el cine*. Paidós.

Wenders, W. (2005). *El acto de ver. Textos y conversaciones*. Paidós.

*Capítulo 12*

# Legitimidad social de evaluación externa. Comunicación y buen gobierno ante la crisis sanitaria de la COVID-19

Tomás Gómez Franco
*(Universidad Francisco de Vitoria –España–)*

Eva Matarín Rodríguez-Peral
*(Universidad Rey Juan Carlos –España–)*

Almudena García Manso
*(Universidad Rey Juan Carlos –España–)*

## I. INTRODUCCIÓN

La pandemia de la enfermedad COVID-19, causada por el síndrome respiratorio agudo severo coronavirus 2 SARS-CoV-2, ha supuesto una crisis poliédrica con especial repercusión en la esfera sanitaria, económico-social y política. En enero del año 2020 la Organización Mundial de la Salud declara la emergencia de salud pública a nivel internacional. Esta pandemia ha hecho quebrar el modelo sanitario asentado en los países desarrollados, orientado a atender las enfermedades crónicas y en el que las enfermedades infecciosas estaban superadas. La globalización y una nueva enfermedad de transmisión comunitaria, la COVID-19, ha evidenciado la debilidad de los sistemas sanitarios y su deficiente reacción ante la crisis sanitaria.

La COVID-19 no discrimina entre pacientes según su renta, por tanto, no es un problema del subdesarrollo, aunque sus efectos sean más crueles. Pero esta circunstancia, en el orden interno de los países ricos obliga a la universalización de los servicios sanitarios. No dar cobertura sanitaria a un segmento de la sociedad equivale al contagio de los que si tienen acceso al sistema. Gestionar adecuadamente la crisis sanitaria supone revisar estas cuestiones, por un lado, una obligación de los gobiernos con sus administrados, por otra, una obligación de unos países con otros por la alta transmisibilidad del virus.

El Global Health Security Index señala que las amenazas biológicas traen consigo riesgos que requieren de acciones dirigidas a la prevención, detección y a una rápida capacidad de reacción y respuesta ante situaciones que amenazan la salud pública (Cameron, Nuzzo y Bell, 2019). El balance de la pandemia, hasta el momento, no es muy alentador. El número de infectados a nivel mundial en agosto de 2021 es de 198.963.720 y el de fallecidos 4.236.749 (Johns Hopkins University, 2021).

En cuanto a los efectos económicos, son devastadores. La deslocalización producida por su capacidad de ubicuidad territorial, la caída del PIB en las principales áreas económicas, la dificultad para predecir su expansión y la incapacidad para ser reparado (Sanahuja, 2020) son indicadores de que la gestión de las administraciones debería ser evaluada para subsanar errores, porque mientras haya un problema sanitario, habrá una crisis económica.

La respuesta de los gobiernos ha sido diferente según los países, incluso entre los territorios de un mismo país. Las medidas en los cantones suizo o la respuesta de los gobiernos autonómicos en España ha sido desigual. Por ello, es importante comparar datos internacionales. En España, la situación ha sido especialmente complicada si se compara con otros países. El Centro europeo para la prevención y el control de enfermedades de la Unión Europea (ECDC, 2020) recoge el número de casos acumulados en los últimos 14 días por cada 100.000 habitantes. Según esta información, a finales de agosto de 2020 España contaría con 191,8 casos, situándose ligeramente por detrás de Estados Unidos con 193,8 y muy por delante de países del entorno como Francia con 65,6, Bélgica con 54,7 o más alejado aún de países como Portugal con 28,8 o Italia 16,4 casos. En el año 2021, España cuenta con 4.342.054 casos y 81.268 fallecidos, siendo la tasa de notificación de casos en 14 días por 100.000 habitantes durante el período de notificación de 783,67 (ECDC, 2021).

Las primeras medidas para su gestión se establecen el 10 de marzo de 2020, dando lugar, 5 días después, al confinamiento de la población. Los datos de fallecimientos (28.996), contagios por habitante (429.507) (Johns

Hopkins University, 2020) y entre el personal sanitario o sociosanitario (5,7% de los casos, datos del Instituto de Salud Carlos III, 2020, p. 14), así como la prevalencia en residencias, señalan a España como uno de los países más afectados por la COVID-19 con numerosos rebrotes.

La figura 1 muestra la incidencia y letalidad que ha tenido la COVID-19 en las residencias de mayores en distintos países, duplicando en el caso de Canadá y España a países como Italia, Inglaterra y Países Bajos. Durante esta pandemia, modelos como el de Singapur y Hong Kong se han distinguido como modelos de éxito debido a que a diferencia de los países mostrados en la figura 1, en este caso su incidencia y letalidad han sido bajas, debido a las medidas desarrolladas para evitar contagios (Ministerio de Ciencia e Innovación, 2020). Destacan en estos dos países, medidas como el aislamiento, emplazamientos medicalizados u hospitalarios, centrados en el usuario (Ministerio de Ciencia e Innovación, 2020).

**Figura 1.** Mortalidad en residencias respecto a la mortalidad total, comparación entre países.

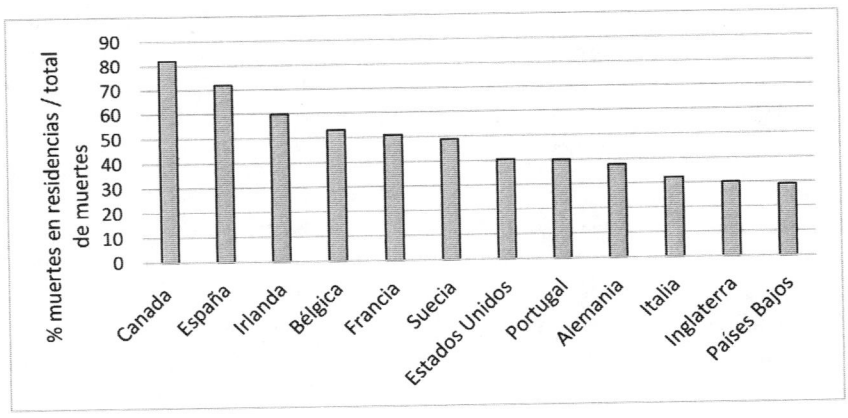

**Fuente**: Ministerio de Ciencia e Innovación. 2020. https://acortar.link/p6hvGG.

Los países han establecido diferentes estrategias para hacer frente a la COVID-19. El índice de contención y salud analiza las respuestas políticas de los distintos gobiernos para hacer frente a la COVID-19. Para ello, estudia medidas como el cierre de escuelas, confinamientos, restricciones en cuanto a los viajes, pruebas de rastreo realizadas (PCR), siendo 0 el valor más permisivo y 100 el más estricto o restrictivo. La figura 2 muestra las respuestas ofrecidas por España y países del entorno como Portugal, Francia, Italia, Alemania, Suecia y Suiza.

**Figura 2.** COVID-19: Índice de contención y salud.

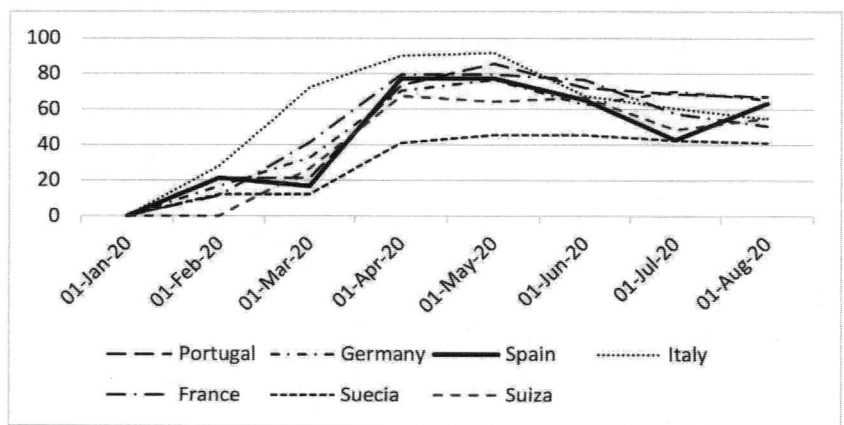

Fuente: Elaboración propia a partir de Hale, Webster, Petherick, Phillips, and Kira (2020). Oxford COVID-19 Government Response Tracker, Blavatnik School of Government. OurWorldInData.org/coronavirus. https://acortar.link/IUl7qu.

Se observa que Italia, llegó a ser en mayo de 2020 el país menos permisivo con un índice de contención y salud de un 91,67. A partir del mes de junio todos estos países comenzaron a ser más permisivos en cuanto a sus medidas, sin embargo, durante el mes de julio comenzaron a tomarse medidas más estrictas, dando lugar en el caso de España a tener una pendiente más pronunciada que el resto de los países analizados en la figura 2.

Los datos de la investigación llevada a cabo por Roser, Ritchie, Ortiz-Ospina y Hasell (2020) facilitados a través del OurWorldInData, señalan que, en el caso de España durante los últimos días del mes de agosto, el número de casos confirmados fue menor que el de casos reales debido a la limitación de las pruebas PCR. Países como España, Portugal, Rumania, Suecia y Finlandia, son los únicos países de la Unión Europea donde el rastreo de los contactos COVID-19 se está haciendo de manera limitada. En el resto de los países se hace un rastreo exhaustivo que comprende todos los casos, a excepción de Estonia y Bosnia en los que no se está llevando a cabo ningún tipo de rastreo.

En una nueva enfermedad no están definidas previamente las medidas de salud pública, procesos clínicos y elaboración de vacunas y medicamentos adecuados para su tratamiento, por tanto, algunas decisiones se toman erróneamente o, sencillamente, son mejorables. La buena gobernanza no es un menú cerrado de comportamiento, por el contrario, se basa en una serie de exige transparencia y dación de cuentas (Chica,

(2015). No existe una única definición de buen gobierno (Meneu y Ortún, 2011), se ha definido de diversas maneras por diferentes autores. La OCDE (2014) se refiere a un conjunto de prácticas que mejoren y racionalicen el funcionamiento del sector estatal. Pero el concepto es más amplio, Repullo y Freire (2008) lo definen como "la migración desde el escenario actual –caracterizado por su fuerte inercia– a otro de diseño activo de un futuro con más potencial de eficiencia, equidad y sostenibilidad" (p. 121). Repullo (2015) definió la gobernanza como la capacidad de los países de promover la acción colectiva y adoptar soluciones que persigan el interés general.

El índice Global Health Security (GHS) evidenció unos resultados preocupantes sobre la capacidad de los países para poder ofrecer una solvente gestión ante posibles brotes similares a la COVID-19 (Cameron *et al.*, 2019). Esto supone un precedente de evaluación integral de los países y su capacidad de respuesta ante este tipo de situaciones. El debate es, fundamentalmente, práctico, requiere el análisis de caso y la detección de ineficiencias para ser subsanadas. En España el ministerio de Sanidad ha confirmado que promoverá una auditoría tras casi un año y medio después del comienzo de la pandemia. El inicio de esta auditoría está fechado para el 30 de junio del año 2021, después de que prácticamente un año antes, un grupo de 20 prestigiosos investigadores, especialistas en Epidemiología y Salud Pública en España, ha realizado una publicación en la revista Lancet en la que proponen una evaluación externa de la gestión de la crisis sanitaria provocada por la COVID-19 (García-Basteiro *et al.*, 2020). Ante esa situación diversas entidades se sumaron a la petición (SESPAS, 2020; SEMI, 2020) con el objetivo de que aporte las claves para controlar la pandemia y sus brotes.

Esta investigación se centra en un ámbito territorial concreto, España y en la percepción de la sociedad española acerca de la información de que dispone sobre el virus, las medidas tomadas por el gobierno y los efectos en materia de salud y económicos durante los primeros meses de pandemia. El objetivo de la investigación es estudiar la opinión de la sociedad española en referencia a su preocupación por la enfermedad, en relación con la gestión sanitaria realizada. Identificando, además, una mayor exigencia de información y responsabilidad en la gestión sanitaria de la crisis.

Este estudio parte de las siguientes hipótesis:

a. Hipótesis 1: la población se muestra preocupada ante la situación del coronavirus COVID-19.

b. Hipótesis 2: existe desconfianza en la gestión llevada a cabo por el gobierno central en la lucha contra la COVID-19 según estudios.

c. Hipótesis 3: a la población le gustaría que el gobierno transmitiera una mayor información sobre la COVID-19.

## II. MÉTODO

A partir de los cinco barómetros de opinión elaborados por el CIS desde el mes de marzo a junio del año 2020. Debido a que los barómetros son encuestas mensuales, esto posibilita el análisis en serie de las mismas preguntas a lo largo de un periodo de tiempo. La selección de estos barómetros coincide en el tiempo con el inicio de la pandemia de la COVID-19 en España. El estudio se ha realizado a partir de los datos puestos a disposición por el CIS y recogidos en distintas oleadas para la elaboración de análisis. Los barómetros de opinión del CIS (2020) utilizados son: 3277(a); 3279(b); 3281(c); 3283(d). A esta selección se le ha añadido el análisis del estudio sobre bienestar emocional, 3285 (e) por contener preguntas relacionadas con la COVID-19.

Se han estudiado cinco cuestiones para medir la legitimidad social: "Opinión sobre la descentralización de medidas anti-COVID-19 según ideología"; "Confianza en el Gobierno central en la lucha contra la COVID-19 según estudios"; "Información recibida sobre las medidas de aislamiento de serv. Sanitarios"; "Suficiencia de la información transmitida por el gobierno según estudios"; "Suficiencia de la información transmitida por el gobierno según ideología".

A través de un análisis bivariado con tablas de contingencia se ha observado la asociación entre las variables independientes nivel de estudios; clase social; ideología y las variables dependientes: preocupación por la situación producida por la COVID-19, Opinión sobre la descentralización de medidas anti COVID-19; Preocupación por los efectos del coronavirus; Confianza en el Gobierno central en la lucha contra la COVID-19; Información recibida sobre las medidas de aislamiento; la percepción de suficiencia de la información transmitida por el gobierno y la percepción de la conveniencia de reformar la sanidad española tras la pandemia de la COVID-19.

En la selección se ha realizado una búsqueda de aquellos estudios en los que se haya preguntado acerca de la COVID-19. Esta información ha sido filtrada a través de la aplicación análisis en línea del Centro de Investigaciones Sociológicas: analisis.cis.es que ofrece la información por estudios, preguntas y series. Se ha tomado una serie de datos de estudios del CIS relativos a la actitud de la población ante la irrupción de la emergencia sanitaria para analizar sus principales preocupaciones y su percepción sobre la transparencia en la gestión gubernamental de dicha crisis.

## III. RESULTADOS

La situación política y sus protagonistas (15,9%) es considerada por la población encuestada como el primer problema que tiene España, seguido del paro (13,5%), la COVID-19 (12,5%) y la crisis económica (10,2%), como puede observarse en la Tabla 1. La irrupción de la pandemia y la declaración del estado de alarma, incluyendo el confinamiento de la población, son determinantes para que, en abril, el virus se convierta en la primera preocupación de los españoles (42,3%) en tanto que en el mes de marzo tan solo el 1,8% de la población lo señalaba. En el mes de mayo continúa siendo el primer problema percibido por la sociedad pasando al tercer lugar en el mes de junio en el que se levanta el estado de alarma. En marzo, el paro era la primera preocupación declarada (39,2%), cayendo al 7,7% en abril en la medida que la COVID-19 copa la preocupación de la sociedad española, experimentando un crecimiento hasta el 13,5% en el mes de junio. Sin embargo, el desempleo crece durante los meses de abril y mayo como segundo problema declarado por los encuestados.

En el caso de la actuación gubernamental, aumenta en un 68,96% el número de respuestas que la sitúan como primer problema, unido a la situación política general, cuya percepción negativa aumenta en un 189%, exploraremos si estos datos indican que la sociedad española responsabiliza de lo que considera sus principales problemas a gobierno y oposición o está penalizando la falta de unidad política para atender la emergencia nacional. En la Tabla 1 se muestran los resultados de distintos estudios realizados en los meses de marzo (estudio 3277), abril (estudio 3279), mayo (estudio 3281) y junio (estudio 3283) de 2020.

Tabla 1. Principales problemas que existen actualmente en España.

| | Primer problema | | | | Segundo problema | | | | Tercer problema | | | |
|---|---|---|---|---|---|---|---|---|---|---|---|---|
| | Mz-20 | Ab-20 | My-20 | Jn-20 | Mz-20 | Ab-20 | My-20 | Jn-20 | Mz-20 | Ab-20 | My-20 | Jn-20 |
| Los políticos en general, partidos y política | 5,5 | 9,9 | 12,5 | 15,9 | 5,9 | 6,3 | 5,2 | 4,6 | 4,6 | 4,8 | 5,4 | 3,4 |
| El paro | 39,2 | 7,7 | 13,1 | 13,5 | 14,4 | 18,6 | 17,8 | 13,0 | 6,2 | 9,7 | 10,3 | 6,0 |
| El coronavirus | 1,8 | 42,3 | 26,1 | 12,5 | 0,9 | 5,1 | 6,3 | 8,8 | 0,8 | 1,9 | 2,3 | 3,8 |
| La crisis económica, los problemas de índole económico | 9,0 | 5,5 | 8,7 | 10,2 | 11.0 | 22,6 | 21,6 | 17,0 | 8,7 | 11,0 | 8,6 | 7,8 |
| El Gobierno, la gestión del COVID-19 | - | 5,8 | 6,3 | 9,8 | - | 2,2 | 2,3 | 1,8 | - | 1,2 | 1,7 | 0,7 |
| Ninguno | 0,2 | 0,1 | 0,1 | 0,4 | 1,0 | 4,9 | 4,1 | 16,9 | 2,5 | 12,5 | 11,4 | 28,6 |

Fuente: Elaboración propia a partir de CIS Estudios 3277, 3279, 3281 y 3283.

Una vez detectada la preocupación que surge con la COVID-19, que va tomando intensidad en la medida que el gobierno va realizando medidas más restrictivas para el control de la pandemia, se analiza cómo se percibe el problema según el nivel de estudios de la población en el momento actual. Estudiando el grado de preocupación de la población ante la situación del coronavirus COVID-19, atendiendo a la información correspondiente al estudio 3285 realizado en el mes de junio, se observa en la Tabla 2 que el 89,1% de los entrevistados declaran sentirse muy o bastante preocupados. Solo un 2,1% afirma no estarlo.

**Tabla 2.** Preocupación ante la situación del coronavirus COVID-19 según estudios.

| | Sin estudios | Primaria | Secundaria 1.ª etapa | Secundaria 2.ª etapa | FP | Superiores | Total |
|---|---|---|---|---|---|---|---|
| **Mucho** | 58,2 | 47,1 | 42,4 | 47,7 | 39,1 | 47,2 | 45,3 |
| **Bastante** | 37,8 | 36,2 | 49,3 | 38,2 | 47,4 | 44,4 | 43,8 |
| **Algo** | - | 12 | 5,9 | 13,3 | 9,4 | 7,5 | 8,7 |
| **Nada** | 4 | 4,7 | 2,4 | 0,8 | 4,1 | 0,8 | 2,1 |
| **NS/NC** | – | – | – | – | – | – | 0,1 |
| **Recuento total** | 100 | 100 | 100 | 100 | 100 | 100 | 100 |

**Fuente**: Elaboración propia a partir de CIS Estudio 3285 (junio 2020).

Prácticamente todas las personas sin estudios muestran el mayor nivel de preocupación (96%), lo mismo sucede con el 91,6% de las personas que tienen estudios superiores. El resto de los grupos se mantiene en niveles cercanos al 90%. Analizando la identificación subjetiva de clase se observa que dentro de todas las clases sociales existe un nivel de preocupación alto ante la situación producida por la COVID-19. Todas ellas señalan en un porcentaje superior al 80% que están muy o bastante preocupados como se observa en la Tabla 3.

**Tabla 3.** Preocupación ante la situación del coronavirus COVID-19 según clase social.

|  | Media-alta | Media-media | Media-baja | Trabaja-dora | Baja | Otras | Total |
|---|---|---|---|---|---|---|---|
| **Mucho** | 43,8 | 46 | 41 | 49 | 46 | 44 | 45 |
| **Bastante** | 41,1 | 44 | 48 | 42 | 47 | 27 | 44 |
| **Algo** | 13,8 | 8 | 7 | 8 | 8 | 23 | 9 |
| **Nada** | 1,3 | 2 | 4 | 1 | - | 6 | 2 |
| **NS/NC** | – | – | – | – | – | – | 0 |
| **Recuento total** | 100 | 100 | 100 | 100 | 100 | 100 | 100 |

**Fuente**: Elaboración propia a partir de CIS Estudio 3285 (junio 2020).

Los resultados señalan que el grado de preocupación ante esta situación no depende ni del nivel de estudios, ni de la clase social de la población. La prueba del chi-cuadrado, aunque presenta una significación baja (0,080 para el nivel de estudios y de 0,053 en la correlación con la clase social), también lo corroboran. Como primera conclusión, se advierte una eclosión de preocupación por la COVID-19 coincidente en el tiempo con las medidas adoptadas por el gobierno, como el estado de alarma que afecta a todas las clases sociales y niveles de estudio.

Ante la pregunta "¿En qué ámbito gubernamental deberían tomarse las medidas para combatir el COVID-19?"(10) la mayoría de las personas encuestadas (55,9%) afirman que consideran que las medidas las debe tomar el Gobierno de España, frente a un 36,6% que afirman que deberían tomarlas los gobiernos autonómicos. Atendiendo al nivel de estudios se obtiene una respuesta similar en todos los grupos (en torno al 55% como media). La prueba de chi-cuadrado señala que la opinión sobre quién debería de tomar las medidas para combatir la COVID-19 no se puede explicar a través del nivel de estudios.

Sin embargo, cuando se cruzan las repuestas sobre las medidas que creen que debería tomar el gobierno autonómico y aquellas que deberían tomar los gobiernos regionales con la ideología del entrevistado se observa la existencia de una fuerte correlación entre ambas variables, como corrobora la prueba del chi-cuadrado, con un nivel de significación del 0,000. Se aprecian diferencias significativas entre derecha e izquierda. Pese a lo que se podía presumir, son los grupos de centro izquierda e izquierda (con datos que oscilan entre el 63,9% y el 67%) los que más desean la centralización de las decisiones en el gobierno central.

Tabla 4. Opinión sobre la descentralización de medidas anti COVID-19 según ideología.

| | 1 izq. | 2 | 3 | 4 | 5 | 6 | 7 | 8 | 9 | 10 dcha. | NS | NC | Total |
|---|---|---|---|---|---|---|---|---|---|---|---|---|---|
| **Las medidas las debe tomar el gobierno de España** | 67 | 67,5 | 65,6 | 63,9 | 54,5 | 47,3 | 44,4 | 37,3 | 37,5 | 35 | 52,7 | 42,1 | 55,9 |
| **Las medidas las deberían tomar los gobiernos autonómicos** | 28,9 | 27,8 | 29,8 | 30,5 | 37,9 | 45,2 | 47,6 | 50 | 57,5 | 52 | 28,2 | 30,3 | 36,6 |
| NS | 3,5 | 4,7 | 4,2 | 4,6 | 6,2 | 6,5 | 6 | 10 | 2,5 | 12 | 18,2 | 21,1 | 6,3 |
| NC | 0,6 | - | 0,4 | 1 | 1,4 | 1,0 | 2 | 2,7 | 2,5 | 1 | 0,9 | 6,5 | 1,2 |
| **Recuento total** | 100 | 100 | 100 | 100 | 100 | 100 | 100 | 100 | 100 | 100 | 100 | 100 | 100 |

**Fuente:** Elaboración propia a partir de CIS Estudio 3281 (mayo 2020).

La explicación podría residir en que a medida que la ideologización de aproxima a la derecha, los grupos van siendo más críticos con el gobierno central.

A continuación, se procede a analizar qué consecuencias de la pandemia son las que preocupan a los entrevistados. La mayoría de las personas encuestadas (91,4%) se muestran preocupadas por los efectos que pueda tener la COVID-19 sobre la economía o sobre la salud física, frente a un 0,5% que afirma no sentirse preocupado. El 31% de los encuestados muestran su preocupación por los efectos negativos sobre la economía y el empleo. Este porcentaje es mayor entre las personas que tienen estudios de formación profesional (36,7%).

Es clarificador considerar la salud en su conjunto, física y emocional, el resultado es que el 43,8% muestra preocupación por la salud, el 31% por el empleo y la economía y el resto por ambas cuestiones. Es decir, los daños en economía y salud son los que generan más preocupación y dadas las consecuencias de las medidas de control de la pandemia en la actividad productiva, van unidas.

Si se explora la confianza en la gestión del gobierno para afrontar la crisis sanitaria atendiendo a la cualificación académica, se observa que existe un mayor porcentaje de población que no siente confianza en el gobierno, sobre el que sí que confía. Un 48,4% de la población afirma sentir poca o ninguna confianza en la gestión del gobierno y un 46% indica que confía bastante o mucho, como se puede observar en la Tabla 5.

**Tabla 5.** Confianza en el Gobierno central en la lucha contra la COVID-19 según estudios.

| | Sin estudios | Primaria | Secundaria 1.ª etapa | Secundaria 2.ª etapa | FP | Superior | Total |
|---|---|---|---|---|---|---|---|
| Mucha confianza | 10,3 | 12,8 | 12,1 | 11,5 | 11,9 | 9,6 | 10,8 |
| Bastante confianza | 36,2 | 35,5 | 33,1 | 31,7 | 34,3 | 37,4 | 35,2 |
| Regular | 10,3 | 4,5 | 6,3 | 3,9 | 4,0 | 2,9 | 4,0 |
| Poca confianza | 20,7 | 26,8 | 29,2 | 28,2 | 29,4 | 28,7 | 28,6 |

| | Sin estudios | Primaria | Secundaria 1.ª etapa | Secundaria 2.ª etapa | FP | Superior | Total |
|---|---|---|---|---|---|---|---|
| Ninguna confianza | 15,5 | 15,8 | 17,3 | 23,6 | 19,4 | 20,3 | 19,8 |
| NS | 6,9 | 3,8 | 2,0 | 0,7 | 0,8 | 0,7 | 1,2 |
| NC | – | 0,8 | - | 0,4 | 0,3 | 0,4 | 0,3 |

**Fuente**: Elaboración propia a partir de CIS Estudio 3281 (mayo 2020).

Si el análisis se realiza teniendo en cuenta la posición ideológica, como se ha comentado anteriormente, los grupos con ideología de izquierda toman posición a favor de la gestión gubernamental, decantándose claramente en contra las ideologías de derecha. Cabe destacar que las ideologías más centristas, entre 5 y 6, muestran un suspenso en confianza al gobierno, entre un 57,9% en el centro izquierda y 68,9% el centro derecha, como se observa en la Tabla 6.

**Tabla 6.** Confianza en el Gobierno central en la lucha contra la COVID-19 según ideología.

| | 1 izq. | 2 | 3 | 4 | 5 | 6 | 7 | 8 | 9 | 10 dcha. | NS | NC | Total |
|---|---|---|---|---|---|---|---|---|---|---|---|---|---|
| Mucha confianza | 27,7 | 24,5 | 18,8 | 13,9 | 5,3 | 3,6 | 2,8 | 1,3 | 10 | 4 | 5,5 | 7,9 | 10,8 |
| Bastante confianza | 48 | 50,9 | 58,9 | 49,4 | 29 | 23,1 | 18,5 | 8 | 5 | 8 | 21,8 | 14,5 | 35,2 |
| Regular | 1,3 | 2,8 | 2,9 | 4,8 | 6,2 | 3,8 | 1,6 | 2,7 | - | 2 | 5,5 | 3,9 | 4 |
| Poca confianza | 17 | 16 | 15,1 | 24,9 | 35,4 | 38,9 | 37,1 | 33,3 | 27,5 | 32 | 33,6 | 28,9 | 28,6 |
| Ninguna | 6 | 5,2 | 3,3 | 6,2 | 22,5 | 30 | 38,7 | 52,7 | 57,5 | 54 | 20,9 | 34,2 | 19,8 |
| NS | – | 0,6 | 0,7 | 0,6 | 1,4 | 0,6 | 0,8 | 1,3 | – | – | 10,9 | 3,9 | 1,2 |
| NC | – | – | 0,3 | 0,2 | 0,1 | - | 0,5 | 0,7 | – | – | 1,8 | 6,7 | 0,4 |
| Recuento total | 100 | 100 | 100 | 100 | 99,9 | 100 | 100 | 100 | 100 | 100 | 100 | 100 | 100 |

**Fuente**: Elaboración propia a partir de CIS Estudio 3281 (mayo 2020).

Es decir, en el mes de mayo, desde el centro izquierda hasta las posiciones más extremas a la derecha desconfían de la manera en que el ejecutivo central está afrontando la crisis sanitaria. De manera global, la sociedad se encuentra dividida respecto a su posición de confianza/desconfianza en el gobierno central en la lucha contra la COVID-19 según la variable ideología.

En cuanto a la información disponible, cuando se pregunta sobre la suficiencia de la información transmitida por el gobierno central sobre la COVID-19, el 54,5% demanda mayor nivel de información, como puede observarse en la Tabla 7. De este porcentaje es ligeramente mayor entre las personas con formación, sin embargo, no se puede establecer que la variable nivel educativo pueda explicar esa necesidad de una mayor información.

**Tabla 7.** Suficiencia de la información transmitida por el gobierno según estudios.

| | Sin estudios | Primaria | Secundaria1.ª etapa | Secundaria2.ª etapa | FP | Superior | Total |
|---|---|---|---|---|---|---|---|
| **Suficiente** | 47,8 | 50 | 44,2 | 42 | 41,5 | 43,1 | 43,4 |
| **Le gustaría tener más** | 41,3 | 46,1 | 54,3 | 54,9 | 56,4 | 55,6 | 54,5 |
| **NS** | 8,7 | 2,7 | 1,3 | 2,9 | 2,1 | 0,9 | 1,8 |
| **NC** | 2,2 | 1,2 | 0,2 | 0,2 | - | 0,4 | 0,3 |
| **Recuento total** | 100 | 100 | 100 | 100 | 100 | 100 | 100 |

**Fuente**: Elaboración propia a partir de CIS Estudio 3279 (abril 2020).

Al introducir la variable autoubicación ideológica, se observa que desde el centro izquierda, incluido, hasta las posiciones de la derecha extrema reclaman una mayor información al ejecutivo central. (Tabla 8).

Tabla 8. Suficiencia de la información transmitida por el gobierno según ideología.

| | 1 izq. | 2 | 3 | 4 | 5 | 6 | 7 | 8 | 9 | 10 dcha. | NS | NC | Total |
|---|---|---|---|---|---|---|---|---|---|---|---|---|---|
| **Suficiente** | 58,3 | 61,4 | 62,2 | 55,3 | 38,4 | 29,4 | 29,2 | 27,8 | 29,4 | 20,8 | 29,5 | 37,7 | 43,4 |
| **Le gustaría tener más** | 39,5 | 36,7 | 36,7 | 43,4 | 59,5 | 68,9 | 68,9 | 70,3 | 67,6 | 76 | 60,7 | 54,7 | 54,5 |
| **NS** | 1,9 | 1,9 | 0,5 | 1,1 | 1,9 | 1,7 | 1,4 | 1,3 | 2,9 | 1 | 9,8 | 5,7 | 1,8 |
| **NC** | 0,3 | - | 0,6 | 0,2 | 0,2 | - | 0,5 | 0,6 | 0,1 | 2,2 | - | 1,9 | 0,3 |
| **Recuento total** | 100 | 100 | 100 | 100 | 100 | 100 | 100 | 100 | 100 | 100 | 100 | 100 | 100 |

Fuente: Elaboración propia a partir de CIS Estudio 3279 (abril 2020).

La conclusión que se obtiene es que el grado de polarización política es elevado y divide a la sociedad en dos grupos, a favor y en contra de la gestión del gobierno, así como determina su percepción sobre la información recibida. No obstante, el 54,5% es un porcentaje elevado de personas que demandan más información para afrontar las principales preocupaciones que tienen. La idea que subyace es que hay una mayoría de ciudadanos preocupados por la pandemia, que las preocupaciones pertenecen al ámbito de la salud y de la economía y que expresan sus dudas en forma de desconfianza hacia el gobierno, lo que indica que consideran que la gestión de la crisis es mejorable.

La percepción de poca información contrasta con la frecuente presencia del gobierno y de la autoridad sanitaria en medios de comunicación y refleja la necesidad de mayor conocimiento de los resultados obtenidos con las decisiones tomadas y la evaluación de las mismas. Un último argumento que refuerza lo expuesto se obtiene observando la respuesta a la pregunta sobre la conveniencia de reformar la sanidad española del barómetro de junio. Prácticamente el 90% se manifiesta a favor, lo que indica la percepción de aspectos mejorables en el sistema.

## IV. CONCLUSIONES

Como la buena gobernanza se suele discutir en torno al diseño de políticas, esto es, a la planificación estratégica y a la fiscalización democrática de la gestión de los recursos públicos, la propuesta de evaluación externa (García-Basteiro *et al.*, 2020) abre una nueva dimensión del concepto que resulta aplicable a situaciones no previstas. En este sentido, la evaluación de la gestión gubernamental de la gestión de la pandemia en los últimos 6 meses hubiese sido conveniente. Existe, en general, una resistencia de los gobiernos a someterse al escrutinio público y la opinión de los ciudadanos es determinante en la construcción de modelos de evaluación de la gestión. Este estudio aporta conocer la legitimidad social de la propuesta de estos expertos en salud pública de realizar una evaluación externa que detecte las causas de la brecha existente entre los indicadores de mortalidad y de personas infectadas por la COVID-19 en España. Esta información es clave para la gestión de la crisis sanitaria y la buena gobernanza, ofreciendo información acerca de la opinión de la sociedad.

En este estudio se cumple el objetivo de estudiar la opinión de la sociedad española en relación con el grado de preocupación por la COVID-19, la percepción de la gestión sanitaria de la crisis y una mayor exigencia de información y dación de cuentas. Se corrobora la hipótesis 1, mostrando que la mayoría de la población entrevistada se muestra preocupada ante la situación del coronavirus COVID-19. Además, se ha constatado que esta preocupación no puede ser explicada a través de las variables nivel de estudios ni clase social. Respecto a la segunda hipótesis cabe destacar que, aunque se corrobora la existencia de desconfianza en la gestión llevada a cabo por el gobierno central en la lucha contra la COVID-19, existe una polarización de las posiciones en función de la ideología. Los datos también corroboran la tercera hipótesis al verificar señalar que a la población le gustaría que el gobierno transmitiera una mayor información sobre la COVID-19.

Las conclusiones más relevantes pueden ser sintetizadas en las siguientes:

1.–La variable nivel de estudios de los entrevistados no es determinante en las diferentes respuestas estudiadas en esta investigación, obteniendo resultados similares en los distintos grupos ordenados respecto a este criterio.

2.–Si es relevante la ideología, detectándose una elevada polarización ideológica en relación con la confianza en el gobierno central y las medidas que ha tomado, así como en relación con la información proporcionada.

3.–Los entrevistados situados en el espectro ideológico de la izquierda se muestran partidarios del ejecutivo, observándose un importante rechazo en los sectores de derecha.

4.–Sin embargo, el centro izquierda se muestra mayoritariamente crítico tanto con la gestión como con la información proporcionada. Este hecho es relevante porque vuelca la balanza de la opinión general de los españoles.

5.–La propuesta del grupo de expertos, instando a realizar una evaluación completa de la gestión de la pandemia en aras a subsanar errores y deficiencias cuenta con suficiente legitimidad social entre los españoles.

6.–A partir de los datos disponibles en la realización de estudios por el organismo público CIS, concluimos que existe un alineamiento de la sociedad española con dicha propuesta.

7.–La investigación no aborda si la causa reside en que el gobierno ha tenido una mala estrategia de comunicación o, si esta, ha sido insuficiente. En todo caso, la opinión de especialistas reputados y sociedad coincide.

8.–La sociedad española se muestra muy favorable a una reforma del sistema sanitario. Sin duda, las reformas practican para mejorar y subsanar errores, fallos e ineficiencias, cuestión que implica la necesidad de una evaluación veraz, objetiva, completa y concreta del funcionamiento. No hay certeza acerca de escenarios similares al de la COVID-19 en el futuro con nuevas enfermedades contagiosas. Por ello, los sistemas deben prepararse para nuevos paradigmas de salud que solo son posibles incorporando el análisis de experiencias como el de esta pandemia.

9.–La polarización, a su vez, aumenta el riesgo de politización partidista del debate sanitario. Una crisis doble como la actual exige la no utilización partidista de la evaluación de la gestión en la pandemia, de lo contrario, no se podrá avanzar en el camino de un mundo más saludable.

## V. REFERENCIAS

Cameron, E. E., Nuzzo, J. B. y Bell, J. A. (2019). Global health security index: Building collective action and accountability. *Nuclear Threat Initiative and Johns Hopkins Bloomberg School of Public Health*. https://acortar.link/i3USNk.

CIS. (2020a). *Estudio 3277, Barómetro de marzo 2020*. Madrid: CIS. https://acortar.link/q07akn.

CIS. (2020b). *Estudio 3279, Barómetro de abril 2020*. Madrid: CIS. http://www.cis.es/cis/opencm/ES/1_encuestas/estudios/ver.jsp?estudio=14505.

CIS. (2020c). *Estudio 3281, Barómetro especial de mayo 2020*. Madrid: CIS. http://www.cis.es/cis/opencm/ES/1_encuestas/estudios/ver.jsp?estudio=14508.

CIS. (2020d). *Estudio 3283, Barómetro especial de junio 2020*. Madrid: CIS. https://acortar.link/HxbCSe.

CIS. (2020e). *Estudio 3285, Estudio sobre bienestar emocional*. Madrid: CIS. http://www.cis.es/cis/opencm/ES/1_encuestas/estudios/ver.jsp?estudio=14512.

Chica, S. A. (2015). Gestión para resultados en el desarrollo: hacia la construcción de buena gobernanza. *Administración & Desarrollo*, 45(1), 71-93. https://cutt.ly/5fjjXx9.

ECDC. (2020). Actualización de la situación de COVID-19 para la UE/EEE y el Reino Unido, a 28 de agosto de 2020. *Actualizaciones de situación en COVID-19*. https://www.ecdc.europa.eu/en/cases-2019-ncov-eueea.

ECDC. (2021). *Actualización de la situación de COVID-19 para la UE/EEE, a partir de la semana 29, actualizada el 29 de julio de 2021*. https://www.ecdc.europa.eu/en/cases-2019-ncov-eueea.

García-Basteiro A., et al. (2020). The need for an independent evaluation of the COVID-19 response in Spain. *The Lancet*. doi: https://doi.org/10.1016/S0140-6736(20)31713-X.

Hale, T., Webster, S., Petherick, A., Phillips, T. y Kira, B. (2020). Oxford COVID-19 Government Response Tracker, Blavatnik School of Government. https://acortar.link/g7jPbq.

Instituto de Salud Carlos III. (2020). Informe n.° 40. Situación de COVID-19 en España. Casos diagnosticados a partir 10 de mayo. Informe COVID-19. 20 de agosto de 2020. https://acortar.link/AXus3p.

Johns Hopkins University. (2020). COVID-19 Dashboard by the Center for Systems Science and Engineering (CSSE). https://acortar.link/G9iTy.

Meneu, R. y Ortún, V. (2011). Transparencia y buen gobierno en sanidad: También para salir de la crisis. Gaceta Sanitaria, 25(4), 333-338. https://acortar.link/dLDNlJ.

Ministerio de Ciencia e Innovación. (2020). Informe del GTM sobre el impacto de la COVID-19 en las personas mayores, con especial énfasis en las que viven en residencias. https://acortar.link/p6hvGG.

Repullo, J. R. y Freire, J. M. (2008). Gobernabilidad del Sistema Nacional de Salud: mejorando el balance entre los beneficios y los costes de la descentralización. Informe SESPAS 2008. Gaceta Sanitaria, 22, 118-125. https://cutt.ly/gfjj8vK.

Repullo Labrador, J. M. (2015). Austerity: reforming systems under financial pressure, en Scott Greer, loseph Figueras, et al. Strengthening health system governance: better policies, stronger performance. Open University Press-European Observatory on Health Systems and policies.

Roser, M., Ritchie, H., Ortiz-Ospina, E. y Hasell, J. (2020). "Pandemia de coronavirus (COVID-19)". Publicado en línea en OurWorldInData.org. https://ourworldindata.org/coronavirus.

Sanahuja, J. A. (2020). COVID-19: riesgo, pandemia y crisis de gobernanza global. Anuario CEIPAZ 2019-2020. Riesgos globales y multilateralismo: el impacto de la COVID-19, 27-54. https://eprints.ucm.es/60555/.

SESPAS. (2020). Subscribimos la necesidad de una evaluación independiente de la respuesta de España a la COVID-19. Noticias. https://acortar.link/AhgWSh.

Sociedad Española de Medicina Interna (SEMI). (2020). Comunicado conjunto de distintas SS.CC. de apoyo al artículo de "The Lancet" sobre auditoría externa independiente en España en relación al COVID-19. Información. https://acortar.link/JZIrQM.

*Capítulo 13*

# Propuesta de un Servicio de Análisis de Información en la Biblioteca Médica Nacional de Cuba

María del Carmen González Rivero
*(Centro Nacional de Información de Ciencias Médicas/INFOMED/Biblioteca Médica Nacional —Cuba—)*

Consuelo Tarragó Montalvo
*(Centro Nacional de Información de Ciencias Médicas/INFOMED/Docencia e Investigación —Cuba—)*

Arelys Borrell Saburit
*(Centro Nacional de Información de Ciencias Médicas/ INFOMED/BVS —Cuba—)*

Yanet Lujardo Escobar
*(Centro Nacional de Información de Ciencias Médicas/INFOMED/ Biblioteca Médica Nacional —Cuba—)*

## I. TENDENCIAS EN LOS SERVICIOS BIBLIOTECARIOS

Los servicios, unidades o departamentos de bibliometría se están convirtiendo en una consolidada tendencia o realidad para las bibliotecas médicas. La asunción de tareas relacionadas con la bibliometría o la creación de un servicio completo dentro de la biblioteca no tiene que ser una vía de mercado impuesta, sino que tiene que ser vista por los bibliotecarios como una oportunidad.

Cada vez aparecen más razones que justifican el creciente interés que están despertando estos servicios y sobre todo el de los líderes de las ciencias, por su creación y puesta en funcionamiento, motivo que finalmente ha sido el determinante en la creación de estos servicios.

Desde la preocupante y demanda de los usuarios (investigadores e instituciones), que son claves a la hora de diseñar un servicio bibliotecario, está el reconocimiento académico; pues desde el mismo momento que un autor escribe su primer artículo científico, o en el caso de las instituciones cuando publican el primer número de sus revistas académicas, surgen múltiples interrogantes; *¿será relevante?, ¿qué impacto tendrá?, ¿cómo será evaluado y en qué ranking se posicionará? ¿Cuántas cita va a recibir?* y lo que es más significativo para muchos, *¿tendrá aceptación en la comunidad académica?* Este último de alguna manera afecta todas las incógnitas planteadas, porque de este depende que se cumplan o no.

En ese escenario se encuentran los servicios de las bibliotecas médicas, que hoy apoyan procesos académicos y de investigación que, si bien no resuelve todas las interrogantes, si plantea alternativas a mediano y largo plazo para responder y enfrentar las necesidades inmediatas. En este contexto científico, los estudios métricos de información surgen como herramientas de apoyo para la evaluación y gestión de información generando un contexto amplio de la dinámica científica y marcando la pauta de orientación en el desarrollo de la ciencia.

Algunos investigadores afirman "la necesidad de crear unidades de bibliometría propias que valoren el rendimiento científico de forma adecuada", en las bibliotecas especializadas y universitarias. Estas instituciones y usuarios demandan de las bibliotecas médicas una constante adaptación y respuesta a los retos y factores de competitividad que se presentan continuamente. Son los propios investigadores y grupos de investigación los que demandan una mayor formación en el campo de la evaluación de la investigación científica, como se constata diariamente en bibliotecas médicas, así como la necesidad de conocer las metodologías de mejores prácticas para la investigación o datos cuantitativos sobre los resultados producidos.

El desarrollo del presente estudio responde a la necesidad actual que posee la Biblioteca Médica Nacional (BMN) de vincular sus servicios y productos, con las actividades de apoyo a la investigación y los análisis métricos de la información, las cuales tienen como punto de partida la evaluación de la productividad científica nacional e internacional.

Este proceso evaluativo se centra, principalmente, en el análisis y uso de indicadores bibliométricos que permiten visualizar las dinámicas y tendencias presentes en los resultados de investigación de las instituciones y/o usuarios.

Metodológicamente se utilizó como principal fuente documental, el trabajo de (Torres-Salinas y Jiménez-Contreras, 2012), donde se expone el concepto de Unidad Bibliométrica, porque se ajusta al propósito que se persigue para diseñar un servicio de Análisis de Información y sus productos en la BMN.

A partir de la propuesta se plantearon las conclusiones y recomendaciones del estudio; orientadas a responder a la adaptación de la unidad bibliométrica en un sentido más abarcador como lo es un Servicio de Análisis de Información en la Biblioteca Médica Nacional/ INFOMED.

El estudio busca encontrar puntos de partida que den respuesta a la siguiente interrogante, como sustento al sostenimiento futuro de este tipo de servicio de información y para el mejoramiento de la investigación científica que demandan usuarios e instituciones.

¿Cuáles son los componentes teóricos y prácticos para la creación de un Servicio de Análisis de Información, propuesto a la Biblioteca Médica Nacional/INFOMED?

El objetivo general y específico que se plantea es Diseñar un servicio de Análisis de Información para la Biblioteca Médica Nacional/INFOMED.

– Analizar aspectos teóricos conceptuales relacionados con estos tipos de servicios.

– Caracterizar los modelos y funciones de los servicios de unidades bibliométricas a nivel internacional.

– Proponer diseño de servicio de análisis de información y productos para la Biblioteca Médica Nacional/Infomed.

Justificación del estudio

En el escenario cubano, las bibliotecas médicas se vinculan a departamentos de docencia e investigación que son encargados de gestionar procesos investigativos de sus especialistas y así conforman un sistemas como parte fundamental del proceso investigativo, sin embargo, más allá de este funcionamiento y el control de la investigación que generan, las bibliotecas médicas deben propiciar, de igual forma un acompañamiento y apoyo al actividad investigativa de sus usuarios potenciales, a través de un rol activo en el manejo y diseño de sus servicios y productos, capaces de responder a las necesidades de los usuarios investigadores como instituciones dedicadas a la investigación en salud.

Acorde al planteamiento anterior y por la evidente falta de un servicio y metodología que responda a esta necesidad, el presente trabajo propone un diseño a partir de la información analizada, para la creación de un servicio de Análisis de Información (bibliometría, informetría, bibliocometría, cienciometría), que tiene como objetivo principal adaptar la biblioteca a las exigencias de las Ciencias en la Salud y la investigación en el país, principalmente en los aspectos de apoyo a la investigación, atendiendo las necesidades reales de sus usuarios en relación con los procesos de productividad científica.

Para la realización del estudio se partió del análisis documental clásico a fin de determinar componentes teóricos conceptuales necesarios para la creación de un servicio de Análisis de Información en el ámbito de bibliotecas médicas. Por otro lado, se seleccionaron un conjunto de bibliotecas españolas que permitieran identificar metodologías posibles para la implementación de la unidad bibliométrica, como lo son: Universidad de Barcelona, Universidad de Navarra, Universidad Carlos III de Madrid.

## 1.1. ANÁLISIS TEÓRICO CONCEPTUAL RELACIONADO CON LOS SERVICIOS DE ANÁLISIS DE INFORMACIÓN BASADOS EN ESTUDIOS BIBLIOMÉTRICOS

En la actualidad, los análisis bibliométricos constituyen la base principal del desarrollo de políticas de investigación. A ello se debe la necesidad de la creación de servicios de Análisis de Información, las que garantizan la disposición actualizada de todos los datos sobre la productividad científica en una institución.

Dado el creciente interés que han despertado los estudios métricos, las bibliotecas especializadas y universitarias, han desarrollado servicios que responden a la creciente demanda de los investigadores. Por ello, varios autores proponen un marco teórico conceptual acerca de consolidar servicios de Análisis de Información o Unidades de Bibliometría de apoyo a la investigación.

En este caso, la comprensión que conlleva el concepto de unidad bibliométrica que se aplica como servicio en algunas bibliotecas del mundo, exige la apreciación de algunas de las definiciones y terminologías que se le han otorgado y se ajustan al propósito planteado, como el que plantea (González-Fernández-Villacencio, 2017) "Las unidades de bibliometría son una realidad cada vez más extendida debido sobre todo al interés de los gestores de las instituciones académicas por mejorar los resultados de la producción científica y su propia política científica".

En igual sentido (Torres-Salinas y Jiménez-Contreras, 2012) explica que "Una unidad de bibliometría ha de entenderse como un servicio capaz de controlar todas las fuentes que almacenan los registros sobre cualquier tipo de actividad científica y tras diferentes procesos convertir dichas fuentes en registros útiles que puedan ser explotados ágilmente en la generación de conocimiento." Así, (Sobarzo y Chaviano, 2014) utilizan el concepto de "unidades bibliométricas", refiriéndose a ello como una de las tendencias actuales en cuanto a principales áreas de trabajo de un servicio bibliométrico de apoyo a la investigación desde las bibliotecas. Los autores (Gorraiz, Wieland y Gumpenberge, 2016) emplean la terminología "departamento de bibliometría". Estos autores incluyen diversos servicios dentro del departamento, por lo que no delimitan el concepto a un servicio.

Algunas ventajas de la creación de unidades bibliométricas, según (Torres-Salinas y Cabezas Clavijo, 2012) son:

– Intensificación de los procesos de evaluación.

– Lanzamiento de los programas competitivos de financiación.

– Múltiples sistemas de evaluación de la ciencia.

– Modelos y funciones de los servicios de unidades de bibliometría en las universidades españolas.

**Tabla 1.** Sitios especializados en Bibliometría e información científica en Universidades y Centros e instituciones Internacionales.

| País | Institución | Sitio web (URL) |
|---|---|---|
| España | Universidad de Barcelona | https://www.ub.edu/web/portal/ca/ |
| | Universidad de Navarra | http://www.unav.edu/web/biblioteca/investigacion-aprendizaje/servicio-de-bibliometria |
| | Universidad de Granada | http://investigacion.ugr.es/ugrinvestiga/pages/unidad-de-bibliometria |
| | Universidad Carlos III de Madrid | http://lemi.uc3m.es/ |
| | Observatorio IUNE | http://www.iune.es/ |
| | Unidad de bibliometría de la Universidad de Las Palmas | https://www2.ulpgc.es/index.php?pagina=vidi&ver=ubi |
| | Centro Nacional de Investigaciones Cardiovasculares | https://www.cnic.es/ |
| | Fundación del Centro Nacional de Investigaciones Oncológicas | https://www.cnio.es/ |
| Australia | Universidad Victoria | https://www.vu.edu.au/ |
| | Universidad de Nueva Gales del Sur | https://www.unsw.edu.au/ |
| | Universidad de Queesland | https://www.uq.edu.au/ |
| Austria | Universidad de Viena | https://www.univie.ac.at/en/ |
| Estados Unidos | Universidad de Minnesota | https://twin-cities.umn.edu/ |
| | Science-metrix | http://www.science-metrix.com/en/about-us/who-we-are |

| País | Institución | Sitio web (URL) |
|---|---|---|
| Colombia | Observatorio de Ciencia y Tecnología de Colombia | http://ocyt.org.co/es-es/ |
| China | Universidad Tecnológica de Nanjing | https://studyinchinas.com/es/university/universidad-tecnologica-de-nanjing/ |
| Japón | National Institute of Science and Technology Policy | http://www.nistep.go.jp/en/?page_id=52 |
| Alemania | Centro de Investigación Jülich | https://www.fz-juelich.de/portal/EN/Home/home_node.html |
| Alemania | University of Bielefeld | https://www.uni-bielefeld.de/(en)/ |
| Holanda | The Centre for Science and Technology Studies | https://www.cwts.nl/ |
| Sudáfrica | Universidad de Stellenbosch | http://www.sun.ac.za/english |
| Reino Unido | Universidad de Warwick | https://warwick.ac.uk/ |
| Noruega | Ministerio de Educación e investigación (todas las universidades) | https://espowiki.com/ministry_of_education_and_research_norway |
| Suecia | Universidad de Lund | https://www.lunduniversity.lu.se/ |
| Bélgica | Universidad de Gante | https://www.ugent.be/ |

**Fuente:** Elaboración propia.

Existen estudios que plantean que entre los países más representativos en el manejo de servicios enfocados de apoyo a la investigación se encuentran Australia, Irlanda, Inglaterra y Nueva Zelanda. Estos países adelantan tanto políticas bibliométricas en el tratamiento de la investigación como incorporación de estos servicios en diversas bibliotecas.

En la siguiente tabla se muestran algunos sitios especializados en Bibliometría e información científica en Universidades y Centros e instituciones Internacionales.

Es notable que los servicios bibliométricos alrededor del mundo se concentran, principalmente en países desarrollados. No se patentizaron estudios relevantes en América Latina.

A través de estudios de seguimiento y evaluación de la producción científica, los servicios bibliométricos analizados, apoyan los procesos investigativos, como:

– Selección del medio donde publicar.

– Asesoramiento sobre difusión de la publicación para obtener mayor visibilidad: perfiles de autor (ORCID, ResearcherID, Scopus ID, DADUN, etc.).

– Asesoramiento sobre la forma de registrar la firma institucional y el nombre del autor en las publicaciones.

– Elaboración de la memoria anual de investigación de la Universidad.

– Elaboración de informes bibliométricos por áreas temáticas.

– Elaboración de informes bibliométricos de investigador.

– Cálculo del Índice H de investigadores, centros, revistas, etc.


## 1.2. CUBA. UNA PANORÁMICA DE LOS SERVICIOS Y PRODUCTOS BASADOS EN BIBLIOMETRÍA

En cuanto al análisis realizado en el ámbito cubano, se aprecia que no existe tratamiento teórico del área de los servicios de Análisis de Información bibliométricos en las bibliotecas. Es muy común encontrar estudios bibliométricos a nivel micro y macro, sin embargo, estos no responden a la interrogante de este estudio. Estos estudios si bien utilizan la bibliometría como herramienta de análisis, no proponen teóricamente una aproximación a ofrecer servicios y productos de bibliometría para bibliotecas médicas, que resulta el objetivo de la investigación.

En el Centro Nacional de Información de Ciencias Médicas/Infomed han existido algunos servicios (década 80 y 90) donde de alguna manera se aplicaba el Análisis de Información con bases bibliométricas, pero no en función de ofrecer servicios a usuarios potenciales o instituciones de Salud.

Actualmente en la Biblioteca Médica Nacional/Infomed se realiza un análisis básico de información con valores añadidos bibliométricos y factográficos, para el servicio Diseminación Selectiva de la Información, con previa determinación de los temas que resultan ser altos índices de incidencias de salud en Cuba y como resultado de este servicio un equipo de especialistas de la información científica elabora boletines electrónicos bibliográficos y factográficos, con previo análisis de contenidos de gran volumen, que aparecen en bases de datos. A continuación, un ejemplo:

Boletines electrónicos bibliográficos y factográficos con valor añadido: basado en análisis bibliométrico

En los Boletines Bibliomed existen espacios bibliométricos como valor añadido.

Las variables utilizadas en el análisis fueron:

- Autores con mayor productividad científicas.
- Productividad científica por años.
- Revistas con mayor número de publicaciones sobre el tema.
- Países a la vanguardia sobre el tema.

En los Boletines Factográficos de Salud en un 90 por ciento basa su información en estudios bibliométricos ya sea cuando refiere a temas de salud por regiones del mundo o a indicadores de salud en países determinados. *Ejemplo:* Boletín de diciembre del 2020 que desarrolló el tema "Cáncer en niños. Estadísticas mundiales".

Las unidades, servicios o departamentos de bibliometría se han convertido en una consolidada tendencia para las bibliotecas. Actualmente por la alta demanda de servicios de información para la investigación, existe marcado interés por parte de líderes y gestores bibliotecarios para su puesta en marcha, como lo revela la Unidad bibliométrica en la biblioteca central de la Universidad de La Habana (UH), con un servicio orientado a la investigación, capaz de controlar sus fuentes y convertir en registros útiles que puedan ser explotadas ágilmente en la generación de conocimiento sobre la universidad.

Otro ejemplo recogido en la identificación, resulta BioCubaFarma. Servicios de unidad bibliométrica integrado por profesionales de la Ciencia de la Información y la informática con habilidades en el uso de bases de datos especializadas, la utilización de herramientas y recursos para la búsqueda de información, el uso de técnicas de recuperación, procesamiento analítico-sintético y visualización de la información, así como la elaboración de documentos científicos. Intercambian con expertos a partir de las necesidades y opiniones de los clientes en el proceso de co-creación de productos y servicios informacionales de valor agregado para la toma de decisiones.

## II. PROPUESTA PARA LA BIBLIOTECA MÉDICA NACIONAL DE CUBA/INFOMED

Luego de un estudio relacionado con la actual actividad científica informativa del Centro Nacional de Información de Ciencias Médicas / INFOMED, se alcanzaron resultados que indicaban la necesidad de un servicio basado en análisis bibliométricos. Por tanto, en diciembre del año 2020 se realiza la propuesta de un Servicio Análisis de Información (bibliometría, patentometría, informetría, bibliotecometría, cienciometría) desde la Biblioteca Médica Nacional/Infomed, por ser el área donde un equipo de especialistas de la ciencia de la información ofrecía un servicio y productos basados en el Análisis de Información con el uso de herramientas propias de la bibliometría.

En enero del año 2021 se crea una agenda de trabajo que reunía los siguientes pasos para dar cumplimiento a la propuesta:

- Conformar equipo de especialistas
- Lluvia de ideas
- Identificar propósitos y alcance
- Organización y planificación
- Cargos, responsabilidades y funciones
- Identificar temas de investigación y asignar a especialistas (equipos de trabajo)

## 2.1. PROPUESTA DEL SERVICIO ANÁLISIS DE INFORMACIÓN EN LA BIBLIOTECA MÉDICA NACIONAL/INFOMED

En reuniones de trabajo con el equipo de dirección y grupo de trabajo que llevará el servicio se consolidaron y aprobaron pautas como:

Preparación y entrega de Informes que contengan información previamente analizada y evaluada sobre los logros de la ciencia y la técnica más importantes, nacionales e internacionales, acaecidos en un año dado. Los informes deben ser confeccionados por especialistas de alto nivel de la ciencia de la información y con grado de investigador, con el fin de crear productos para de usuarios de nivel dirección del Ministerio de Salud Pública de Cuba (MINSAP) e instituciones de investigación científica del Sistema Nacional de Salud (SNS).

### 2.1.1. Objetivo del servicio Análisis de Información/BMN

1. Apoyar el proceso de toma de decisiones en el Sistema Nacional de Salud (SNS) mediante el monitoreo, control, evaluación y mejoramiento de la visibilidad e impacto de la producción científica cubana en salud, con un análisis bibliométrico donde se implementen indicadores que permitan realizar dicho trabajo.

2. Tratar la información como un activo para mejorar la competitividad y capacidad de respuesta de la biblioteca, con acciones, de identificar, colectar y analizar la información eficazmente y entonces dirigirla a los puntos de toma de decisiones y al servicio de los usuarios.

### 2.1.2. Etapas fundamentales para la preparación y realización del servicio

- Determinación de los problemas priorizados y de los factores que frenan su solución.

- Selección, dirección, análisis y evaluación sistemática de las fuentes de información que ingresan en el fondo de información.

- Determinación y selección de información documentaria y factográfica sobre logros nacionales y extranjeros más importantes.

- Elección de los fragmentos de textos de los documentos seleccionados con sus datos bibliográficos.

- Confección de la lista bibliográfica de los documentos seleccionados.

- Análisis multifacético del contenido de los documentos seleccionados (sistematización, consolidación, comparación lógica, evaluación, estructuración de los datos, etc.).

- Investigación técnico-económica para la evaluación de logros seleccionados.

- Redacción del informe.

- Preparación de las ilustraciones.

- Maquetación o impresión del informe.

- Entrega (distribución) del informe científico-técnico.

Para crear una base teórica del servicio Análisis de Información en la Biblioteca Médica Nacional/Infomed, fue necesario identificar y consultar documentos metodológicos como el Clasificador Uniforme de Servicios Científicos – Técnicos de la actividad científico informativa (CUSA-CI), que aborda con claridad los servicios y productos que deben ofrecerse en las bibliotecas médicas cubanas, y que no siempre están habilitados, otros documentos de consulta como diccionarios temáticos y el Manual de Procedimientos que se elaboró a partir de la experiencia de los especialistas que laboran en el grupo DSI desde donde se habilitará el nuevo servicio.

Se cuenta para la recuperación, compilación y análisis de la información con las fuentes y recursos que ofrece la Biblioteca Virtual de Salud-Cuba (BVS) que va desde áreas de especialidades, bases de datos bibliográficas, boletines, catálogos, directorios, fuentes de información disponibles a texto completo y repositorios documentales, bases datos nacionales e internacionales, como pueden ser Cumed, Lilacs, Scielo Cuba, Scielo regional, PubMed y Scopus.

De igual importancia fue necesario identificar Recursos y herramientas de acceso libre, para utilizar en el servicio Análisis de Información, útiles para contabilizar datos, contenidos y graficar la información resultante de la investigación según indicadores planteados, tales como: PubMed PubReMiner, VOSviewer (Visualizin scientific landscapes) Mapeode patentes, Almetric explorer, EndNote, Zotero, Scimago Journal (SJR).

### 2.1.3. Productos propuestos para el servicio Análisis de Información

– Elaborar informes de análisis, prospectiva y vigilancia (Informes bibliométricos convencionales del estado de la investigación; informes bibliométricos especializados en aspectos concretos de las Ciencias de la Salud. Resultados del proceso: documento bibliométrico (Producto trimestral).

– Difundir en los centros de investigación la importancia de este modelo de gestión para el reconocimiento y la visibilidad de la institución, publicación, como del propio personal de la investigación. (Lista – promoción – divulgación).

– Cursos de formación para profesores, investigadores, departamentos/áreas de los centros de investigación sobre el manejo de Base de datos, herramientas y recursos y fuentes, dedicados a la evaluación científica, prácticas de publicación científica o difusión de resultados.

### 2.1.4. Estructura del Análisis de Información. Ejemplo

Para realizar el análisis se deben dividir los indicadores según nivel de agregación: País, Institución, Revista, Autor y también según lo que se vaya a estudiar: Impacto, visibilidad. Los indicadores se pueden aplicar a otras regiones, países, revistas, etc. para poder comparar. Además, se pueden combinar varios indicadores según se requiera.

En el caso del "Informe sobre ciencia cubana en la salud vista a través de sus publicaciones internacionales" se divide en 5 aspectos generales para organizar el trabajo.

1. Estado general de Cuba.

2. Contribución de la producción científica de salud a la ciencia cubana hasta el año(x).

3. Contribución de la producción científica de salud a Latinoamérica hasta el año (x).

4. Comportamiento de las revistas científicas de salud cubanas hasta el año (x).

5. Comportamiento de los autores de salud cubanos hasta el año (x).

Luego de realizar el análisis se procede con la detección de problemas resultante del análisis anterior y se proponen posibles soluciones.

### 2.1.5. Productos electrónicos y/o impresos

– Informe bibliométrico anual donde se describa el estado de la producción científica cubana en salud del año anterior, basándose en indicadores bibliométricos de producción e impacto predefinidos según niveles de agregación (Institución, revista, autor, etc.).

– Sitio web donde los usuarios del sistema tengan acceso al informe anual y a los datos, gráficas, etc. que se produzcan de las investigaciones realizadas.

Estructura del producto final:

- Portada
- Índice
- Resumen
- Introducción

1. *MARCO TEÓRICO DE LA INVESTIGACIÓN*

- Marco Histórico
- Bases Teóricas
- Investigaciones o antecedentes del estudio
- Marco Conceptual.

2. *EL PROBLEMA, OBJETIVOS, HIPÓTESIS Y VARIABLES*

- Planteamiento del problema
- Descripción de la realidad problemática.
- Antecedentes teóricos.
- Definición del problema general y específicos.
- Objetivos, delimitación, y Justificación de la Investigación
- Objetivo general y específico.
- Delimitación de Estudio.

- Justificación e importancia del estudio.
- Hipótesis, Variables, definición Operacional.
- Supuestos Teóricos
- Hipótesis general y especificas (si el estudio lo requiere)
- Variables, definición operacional e indicadores

3. *MÉTODO, TÉCNICA E INSTRUMENTOS*

- Tipo de la investigación
- Diseño a utilizar
- Universo, población, muestra y muestreo
- Técnicas e instrumentos de recolección de datos
- Procesamiento de Datos

4. *PRESENTACIÓN Y ANÁLISIS DE RESULTADOS*

- Presentación de resultados
- Contrastación de hipótesis
- Discusión de resultados

5. *CONCLUSIONES*

- Conclusiones
- BIBLIOGRAFÍA
ANEXOS

## III. VALOR AÑADIDO: ALTMETRICS (MÉTRICAS ALTERNATIVAS EN REDES SOCIALES)

Altmetrics se utiliza para designar a las nuevas métricas que se proponen como alternativas al factor de impacto, usado para las revistas científicas, y a los índices de citas de persona, como el índice h.

Aunque a menudo las Altmetrics se consideran como métricas sobre artículos, pueden utilizarse para personas, revistas, libros, conjuntos de datos, presentaciones, videos, repositorios de código fuente, páginas web, etc.

Las Altmetrics no solo cubren el número de citas, ya que también pueden usarse para otros aspectos del impacto de un trabajo, como cuántos datos o bases de conocimiento se refieren a él, visualizaciones del artículo, descargas, o menciones en medios sociales o en prensa.

En este marco donde las bibliotecas médicas son un eje fundamental, el profesional de la información es el engranaje conductor que permite la conexión con la sociedad; donde procesos como la formación y la difusión (impacto social) están directamente ligados y apuntan primordialmente a la generación de conocimiento.

Resulta evidente incorporar nuevas competencias en el bibliotecario, dada la creciente demanda de una mayor formación en el campo de la evaluación de la investigación científica, la necesidad de conocer las metodologías de mejores prácticas para la investigación o los datos cuantitativos de los resultados, la irrupción de nuevas métricas de evaluación del impacto de la producción científica, la necesidad de la existencia de fuentes de información sobre la actividad científica de los investigadores, fiables, veraces y normalizadas, para la posterior elaboración de indicadores bibliométricos, entre otras.

## IV. CONCLUSIONES

En síntesis, en la actualidad los análisis bibliométricos constituyen la base principal del desarrollo de políticas de investigación. A ello se debe la necesidad de la creación de Servicios de Análisis de Información, que garanticen la disposición actualizada de todos los datos sobre la productividad científica en una institución o usuarios.

Es notable que los servicios de Análisis de Información bibliométricos alrededor del mundo se concentran, principalmente en países desarrollados. No se evidenciaron estudios relevantes en América Latina. En cuanto a los servicios internacionales se pudo constatar que en los estudios españoles es donde el concepto de Unidad bibliométrica está tomando mayor relevancia.

Dado el vacío existente relativo a unidades o servicios de bibliometría en la BMN y a la creciente demanda de los investigadores de informes relacionados con el impacto de sus investigaciones, se ha propuesto un diseño de servicio capaz de apoyar la gestión de la investigación en Infomed/BMN, a través de herramientas basadas en indicadores bibliométricos.

## V. REFERENCIAS

Arciniegas E. C., Gómez, Y. M., Gregorio-Chaviano, O. (2018). La biblioteca universitaria y su rol en los procesos de investigación: una mirada desde los servicios de información con enfoque bibliométrico en Colombia. *Biblios*. [Internet]. [citado 9 Feb 2021]; 42(3):[aprox. 3 p.]. Disponible en: https://biblios.pitt.edu/ojs/index.php/biblios/article/view/439.

Aguillo. (2016). Bibliotecas y bibliotecarios académicos: 4 ensayos y un funeral. *Anuario ThinkEPI*. [Internet]. [citado 9 Feb 2021]; 42(3):[aprox. 3 p.]. Disponible en: https://recyt.fecyt.es/index.php/ThinkEPI/article/view/thinkepi.2016.07.

Aguillo. (2016). Informetrics for librarian: describing impact role in the evaluation proccess. *El profesional de la Información*. [Internet]. [citado 9 Feb 2021]; 42(3):[aprox. 3 p.]. Disponible en: https://dialnet.unirioja.es/servlet/articulo?codigo=5341600&orden=0&info=link.

Alfaro, P. (2015). La biblioteca universitaria como soporte a la investigación: La importancia de los rankings universitarios. RUIDERAe: *Revista de Unidades de Información*(8). [Internet]. [citado 9 Feb 2021]; 42(3):[aprox. 3 p.]. Disponible en: https://revista.uclm.es/index.php/ruiderae/article/view/965.

Corral, V. A. (2013). The researcher view: context is critical. *Library Trends*. [Internet]. [citado 9 Feb 2021]; 42(3):[aprox. 3 p.]. Disponible en: https://www.cambridge.org/core/books/better-library-and-learning-space/researchers-view-context-is-critical/BEB8338386785E76DB3C765974FE570B.

Filippo, D., Sanz-Casado, *et al.* (2011). El papel de las bases de datos institucionales en el análisis de la actividad científica de las universidades. *Revista Española de documentación científica*, vol. 34 No. 2. [Internet]. [citado 9 Feb 2021]; 42(3):[aprox. 0 p.]. Disponible en: http://redc.revistas.csic.es/index.php/redc/article/view/691.

González, Argote J., García Rivero, A. A. (2017). Indicadores cienciométricos de la bibliografía activa del Dr. Zoilo E. Marinello Vidaurreta. *Rev. electron. Zoilo* [Internet]. [citado 9 Feb 2021]; 42(3):[aprox. 0 p.]. Disponible en: http://revzoilomarinello.sld.cu/index.php/zmv/article/view/1109.

González-Villavicencio. (2017). Unidades de bibliometría y bibliotecas universitarias: hacia la transparencia. *Anuario ThinkEPI*. [Internet]. [citado 9 Feb 2021], 42(3):[aprox. 0 p.]. Disponible en: https://recyt.fecyt.es/index.php/ThinkEPI/article/view/thinkepi.2017.12.

Gorraiz, J., Wieland, M., Gumpenberger, C. (2016). Individual Bibliometric Assessment University of Vienna: From Numbers to Multidimensional

Profiles. *Bibliometrics and Publication Strategies*(5). [Internet]. [citado 9 Feb 2021]; 42(3):[aprox. 0 p.]. Disponible en: https://www.researchgate. net/publication/310392220_Individual_bibliometric_assessment_at_ University_of_Vienna_From_numbers_to_multidimensional_profiles.

González Hernández R., Cruz, G. M. (2018). Fuentes de información de patentes y procedimiento para las búsquedas de libertad de acción en Cuba. *Revista Cubana de Información en Ciencias de la Salud* [revista en Internet]. [citado 2021 Feb 17];29(3):[aprox. 0 p.]. Disponible en: http:// www.acimed.sld.cu/index.php/acimed/article/view/1207.

Gumpenberger, C., Wieland, M., Gorraiz, J. (2017). Bibliometric practices and activities at the University of Vienna. *Library Management*, 33(3). [Internet]. [citado 9 Feb 2021]; 42(3):[aprox. 0 p.]. Disponible en: DOI: 10.1108/01435121211217199.

Gutiérrez, Y., Arciniegas, E. (2016). Aplicación metodológica para la creación de una unidad bibliométrica: caso de estudio del departamento de física de la Universidad de los Andes. Bogotá: *Facultad de Comunicación y Lengua*. [Internet]. [citado 9 Feb 2021]; 42(3):[aprox. 0 p.]. Disponible en: https://repository.javeriana.edu.co/handle/10554/19947.

Iribarren-Maestro, I. (2018) Bibliometría y bibliotecas universitarias: ¿matizando el perfil profesional? *Anuario ThinkEPI*. [Internet]. 2018 [citado 9 Feb 2021]; 42(3):[aprox. 0 p.]. Disponible en: https://doi.org/10.3145/ thinkepi.2018.15.

Iribarren-Maestro, I., Grandal, T., Alecha, M., *et al.* (2014). Apoyando la investigación: nuevos roles en el servicio de bibliotecas de la Universidad de Navarra. *El profesional de la información*. [Internet]. [citado 9 Feb 2021]; 42(3):[aprox. 0 p.]. Disponible en: http://dx.doi.org/10.3145/ epi.2015.mar.06.

Sobarzo, X., Chaviano, O. G. (2014). Servicios de información desde la bibliometría: Escenarios para las bibliotecas y los profesionales de la información. [Internet]. [citado 9 Feb 2021]; 42(3):[aprox. 0 p.]. Disponible en: https://docplayer.es/59109469-Servicios-de-informacion-desde-la-bibliometria-escenarios-para-las-bibliotecas-y-los-profesionales-de-la-informacion.html.

Torres-Salinas, Jiménez-Contreras, J. (2012). Hacia las unidades de bibliometría en las universidades: modelo y funciones. *Revista española de documentación científica*, vol. 35 No. 3 469-480. [Internet]. [citado 9 Feb 2021]; 42(3):[aprox. 0 p.]. Disponible en: http://redc.revistas.csic.es/ index.php/redc/article/view/753.

Torres-Salinas, Cabeza-Clavijo. (2012) Herramientas para la evaluación de la ciencia en universidades y centros I+D: descripción y usos. *Anuario ThinkEPI*. [Internet]. [citado 9 Feb 2021]; 42(3):[aprox. 0 p.]. Disponible en: https://recyt.fecyt.es/index.php/ThinkEPI/article/view/30406.

Torres-Salinas, Robison-García, A. (2016). Bibliometrics and benchmark analysis of gold open access in Spain: big output and little impact. *El profesional de la Información*. [Internet]. [citado 9 Feb 2021]; 42(3):[aprox. 0 p.]. Disponible en: https://revista.profesionaldelainformacion.com/index.php/EPI/article/view/epi.2016.ene.03.

*Capítulo 14*

# Aprendizaje basado en experiencias en la formación de intérpretes: resultados de una experiencia piloto (II)

Ana Gregorio Cano
*(Universidad de Granada –España–)*

## I.  INTRODUCCIÓN

Este capítulo supone la continuación de los resultados presentados parcialmente en Gregorio (2020), obtenidos a partir de una investigación en la que analizamos cualitativa y cuantitativamente el aprendizaje basado en la experiencia de acompañamiento de los intérpretes en formación en el contexto comunitario, en particular, en el contexto médico en un hospital infantil en Texas (EE. UU.).

El trabajo aquí presentado sigue la estela de otros trabajos anteriores en los que se ha ofrecido una visión más teórica sobre la formación de intérpretes comunitarios que reciben una formación reglada en el contexto universitario (Valero-Garcés, 2008; Iliescu y Ortega-Herráez, 2015). Asimismo, en esta ocasión se pretende completar los datos iniciales ofrecidos en la primera parte del estudio piloto sobre la experiencia de acompañamiento de intérpretes en formación en el contexto médico-hospitalario a intérpretes profesionales (Gregorio, 2019, 2020). En este sentido, cabe señalar que los datos que analizamos en esta contribución se corresponden con las experiencias de los estudiantes de la especialización de interpretación en los servicios públicos y, en concreto, en la especialización médica, concretamente hospitalaria, en el contexto estadounidense.

## II. NECESIDAD DE LA PROFESIONALIZACIÓN DE LA INTERPRETACIÓN COMUNITARIA: EL CASO DEL INTÉRPRETE MÉDICO

El abanico de nacionalidades que se recogen bajo la denominación "(in)migrante" acrecienta la necesidad de la interpretación y la traducción en los servicios públicos (o comunitaria) desde y para la comunidad (in) migrante, entendida como la traducción de los diferentes tipos de texto que tienen por objeto facilitar la comunicación entre los servicios públicos y aquellas personas que no tienen pleno dominio del idioma (o idiomas) principal del país. Estos textos pueden ser producidos por las autoridades nacionales o locales, organizaciones no gubernamentales, asociaciones de vecinos, entre otros (Taibi y Ozolins, 2016). Asimismo, el acceso a la información no escrita, es decir, la información oral, es también una necesidad que requiere de la interpretación en los servicios públicos. Al igual que en el caso de la traducción en los servicios públicos, la falta de consenso en cuanto a la denominación es un hecho en este tipo de interpretación, a la que se hace referencia bajo la etiqueta de interpretación en los servicios públicos (ISP), interpretación comunitaria, interpretación social, cultural y de enlace. En el caso de la interpretación en los servicios públicos, tomamos como referencia la definición de Abril (2006) por parecernos que describe de manera clara y concisa las características identificativas de la ISP:

> Aquella que facilita la comunicación entre los servicios públicos nacionales –policiales, judiciales, médicos, administrativos, sociales, educativos y religiosos– y aquellos usuarios que no hablan la lengua oficial del país y que habitualmente pertenecen a minorías lingüísticas y culturales: comunidades indígenas que conservan su propia lengua, inmigrantes políticos, sociales o económicos, turistas y personas sordas. (p. 5).

Los traductores e intérpretes en los servicios públicos se caracterizan por encontrarse con numerosos obstáculos a la hora de desarrollar su profesión, entre otros, los motivados, entre otras razones, por la falta de consenso en cuanto a la definición de su ámbito de actuación, es decir, fruto de la indefinición, por lo que los profesionales que desarrollan el papel de traductor y/o intérprete en los servicios públicos tienen que luchar constantemente para demostrar lo necesario que resulta su trabajo, así como la importancia de la profesionalización de su labor para garantizar un hecho fundamental que no admite discusión alguna: todo ciudadano tiene derecho a acceder a la información (Ortega-Herráez, 2013).

La afirmación de que el acceso a fuentes de información de calidad en el sistema de salud resulta clave, ya que facilita el acceso a los servicios de salud, el nivel de comprensión de una enfermedad, así como el trata-miento necesario, entre otras razones, parece obvia. Con esta propuesta pretendemos dar respuesta a una necesidad social en el contexto objeto de estudio en torno a la figura del intérprete médico en un centro hospi-talario infantil por parte de la población que pertenece a lo que se conoce como minoría lingüística que, en realidad, no es tan minoritaria, pero que sí tiene como lengua principal una diferente al inglés; en este caso, el español. Uno de los ejes vertebradores de esta propuesta encuentra el origen en la necesidad científica de dar forma tangible a una realidad que todos cuantos nos dedicamos a la traducción y/o la interpretación conocemos bien de cerca: la insuficiente profesionalización y todo lo que queda por hacer para avanzar hacia unos servicios lingüísticos fácil-mente accesibles y de calidad en el contexto médico. A la hora de realizar una revisión sobre la literatura existente, salta a la vista que son nume-rosos los estudios e informes que, desde una perspectiva cuantitativa y sociodemográfica, es decir, se contabilizan cuántos y qué estados cuen-tan con diferentes tipos de población (in)migrante. Sin embargo, resulta menos frecuente encontrar estudios que desde la perspectiva traducto-lógica describan y analicen las necesidades lingüísticas para el acceso a los servicios médico-sanitarios, los servicios lingüísticos que existen en el contexto de los servicios médicos o el perfil de los intérpretes en plan-tilla en el contexto hospitalario de Texas (EE. UU.), donde se desarrolla el estudio empírico.

## III. METODOLOGÍA: CARACTERIZACIÓN DEL ESTUDIO EMPÍRICO

Dada nuestra trayectoria y experiencia en formación de intérpretes en el contexto médico, podemos afirmar que la inclusión del componente práctico, ya sea mediante convenios de prácticas para los estudiantes en etapa de formación o mediante el componente de acompañamiento (*shadowing*), es clave para que puedan experimentar en primera persona las competencias que se activan y entran en juego junto con la adrena-lina que se vive en un encuentro real de interpretación (Johnston, 2007; Bentley-Sassaman, 2009).

En el presente capítulo, se presentan los resultados obtenidos a partir de las percepciones y opiniones de los estudiantes participantes en el acom-pañamiento, protagonistas del proceso de enseñanza-aprendizaje durante la experiencia de acompañamiento en el hospital infantil Children's Health de Dallas (EE. UU.), a intérpretes en plantilla del mencionado hos-pital infantil. Esta experiencia fue una colaboración del Departamento de

Lenguas Modernas de la Universidad de Texas en Arlington y el Departamento de Servicios de Acceso Lingüístico de Children's Health[1].

Los datos analizados en esta experiencia piloto se gestaron en el seno de la asignatura de especialización de interpretación en el contexto médico de último curso del grado en Traducción e Interpretación de la Universidad de Texas en Arlington. Esta asignatura consta de 3 créditos presenciales más 9 horas de estudio como mínimo fuera del aula; a estas 9 horas había que añadirle las 25 horas de acompañamiento que cada estudiante participante invirtió en el hospital. El número de estudiantes que participó en la experiencia piloto fue la práctica totalidad de la clase, es decir, 16 de los 18 estudiantes matriculados.

Como ya hemos subrayado en otros trabajos, la formación en interpretación en los Servicios Públicos, Social o Comunitaria resulta una realidad compleja y que no queda exenta de controversia. La profesión del intérprete (tampoco la del traductor) cuenta con un reconocimiento universal, por lo que delimitar las competencias necesarias del intérprete médico en este caso, por ejemplo, resulta difícil (Abril, 2006). Por esta razón, uno de los objetivos que perseguíamos, con el seguimiento del proceso de aprendizaje de los estudiantes que accedieron a formar parte de la experiencia piloto de acompañamiento en el hospital, era conocer las expectativas de los futuros intérpretes médicos –por aquel entonces nuestros estudiantes– a partir de las necesidades exigidas por el desempeño de la profesión. En la experiencia de acompañamiento, el desempeño de la profesión se limitaba en la mayoría de los casos a seguir los pasos de un intérprete profesional en su día a día en el hospital, como veremos en las respuestas aportadas por los estudiantes en la herramienta para la obtención de datos.

La experiencia piloto de la que se extraen los datos analizados forma parte de un componente práctico voluntario que se ofertó como parte de la formación de los estudiantes del grado en Traducción e Interpretación en el marco de la asignatura de interpretación médica en la University of Texas at Arlington. Los estudiantes participantes, así como los intérpretes profesionales, participaron voluntariamente en una encuesta en formato electrónico, además de en una serie de entrevistas individuales

---

1. Gracias a los estudiantes de interpretación en los servicios públicos de los cursos comprendidos entre 2015 hasta 2019 de la Universidad de Texas en Arlington, así como al Departamento de Lenguas Modernas de dicha institución. Hágase extensivo el agradecimiento de la autora de este capítulo al Departamento de Servicios de Acceso Lingüístico del hospital infantil Children's Health de Dallas (EE. UU.) y, en particular, a Melina Kolbeck.

para completar la información obtenida a partir de la encuesta, una vez finalizado el acompañamiento (Gregorio, 2018).

En este sentido, a la hora de implementar la experiencia piloto de acompañamiento, establecimos diferentes objetivos, pero el que analizamos a partir de los resultados descritos en este capítulo es: describir las competencias clave que los intérpretes en formación desarrollan gracias a la inclusión del elemento de acompañamiento, competencias que se desarrollan gracias al contacto directo entre intérpretes médicos profesionales e intérpretes en formación.

Para el diseño de los componentes estudiados, a partir de las respuestas de los estudiantes en el diario reflexivo, tuvimos en cuenta las propuestas de competencia traductora de Kelly (2002, 2005, 2007) y de competencia profesional del intérprete en los servicios públicos (Abril, 2006).

De este modo, pasaremos revista a las respuestas de los estudiantes en relación a los siguientes aspectos:

a. La capacidad para preparar un encuentro de interpretación en el contexto hospitalario (competencia instrumental profesional, competencia comunicativa y textual en al menos dos lenguas y culturas, competencia cultural e intercultural, competencia temática, competencia interpersonal, competencia estratégica).

b. La interpretación consecutiva en el contexto hospitalario (competencia cultural e intercultural, competencia instrumental profesional, competencia comunicativa y textual en al menos dos lenguas y culturas, competencia temática, competencia interpersonal y competencia psicofisiológica).

c. La interpretación simultánea en el contexto hospitalario (competencia cultural e intercultural, competencia instrumental profesional, competencia comunicativa y textual en al menos dos lenguas y culturas, competencia temática, competencia interpersonal y competencia psicofisiológica).

d. La traducción a vista de documentos propios del contexto hospitalario (competencia instrumental profesional, competencia cultural e intercultural, competencia comunicativa y textual en al menos dos lenguas y culturas, competencia temática).

Todas estas competencias que necesitan activarse para ejecutar la labor del intérprete médico han sido definidas por Abril (2006), a partir del modelo de Kelly (2002, 2005, 2007) y también por Pérez-Luzardo (2005). Si bien estos trabajos no tienen como objeto de estudio central el perfil del intérprete médico-hospitalario, sí que es cierto que todas las características a las que pasan revista estos autores, son aplicables a la figura del intérprete, independientemente de su campo de especialidad, ya que en el caso en particular del intérprete médico pone en práctica diferentes modalidades de interpretación incluso en un mismo encuentro (interpretación simultánea, consecutiva e incluso la traducción a vista).

Pasamos revista a continuación a la descripción de cada una de las competencias que hemos identificado en cada una de las acciones que los estudiantes en formación durante el componente de acompañamiento tenían la oportunidad de desarrollar a partir de la investigación de Abril (2006):

1. Competencia comunicativa y textual en, al menos, dos lenguas y culturas. También conocida como competencia lingüística, hace referencia a la comunicación activa y pasiva del intérprete y a su conocimiento sobre la anatomía de la lengua, es decir, registros, dialectos, acentos, entre otros.

2. Competencia cultural e intercultural. No se basa en conocimientos enciclopédicos sobre los países de las lenguas en cuestión, sino también sobre los valores, mitos, percepciones, creencias y comportamientos. Esta competencia desempeña un papel crucial, ya que el intérprete debe conocer el fenómeno social del país en cuestión, sus referencias culturales o su manera de comunicar en entornos interculturales.

3. Competencia temática. Aglutina el conocimiento de las áreas del saber sobre las que el intérprete ejercerá su labor. Esta competencia favorecerá la comprensión del discurso y el acceso a la documentación. En el caso de la interpretación de conferencias, cabría mencionar la organización profesional, administrativa y protocolaria de un congreso o la base terminológica sobre un ámbito temático especializado.

4. Competencia instrumental profesional. Alude al uso de los conocimientos en tecnología y documentación de intérprete, a su capacidad de explotar las fuentes documentales y las aplicaciones informáticas. Además, esta competencia abarca conocimientos sobre la práctica profesional (contratos, facturas, obligaciones fiscales, entre otros), así como cuestiones deontológicas sobre la actuación del intérprete.

5. Competencia psicofisiológica. Comprende el autoconocimiento del intérprete, es decir, la conciencia del intérprete sobre sus cualidades

transversales o genéricas como la capacidad de atención y de concentración, la memoria, entre otras.

6. Competencia interpersonal. Abarca aspectos como el trabajo en equipo, la relación con los distintos eslabones que intervienen en el proceso de interpretación y en la actividad profesional. Se trata de una competencia de indudable importancia en el ámbito de la interpretación médica, ya que interviene directamente en valores como la escucha activa, la asertividad o las estrategias de interrogación y negación, así como en las relaciones sociales que se establecen durante los encuentros.

7. Competencia estratégica. Engloba todos los procedimientos que se aplican a la organización y realización del trabajo, a la identificación y resolución de problemas y a la autoevaluación y a la revisión.

Las competencias necesarias para la exitosa labor del intérprete comunitario (o en los servicios públicos) son diversas y varían fruto de la complejidad intrínseca de la propia actividad de interpretación en un contexto en el que además de la especialización (competencia temática), subyacen infinidad de variables espontáneas en un mismo encuentro de interpretación (Abril, 2006). Como expuso un intérprete médico en el contexto hospitalario, donde los estudiantes desarrollan su período de acompañamiento, en una charla orientativa para los estudiantes de la especialización de interpretación médica celebrada en 2018, jamás se imaginó que una de las mayores dificultades durante sus primeros días como intérprete en plantilla sería interpretar oraciones y plegarias de un pastor o *dar* la extremaunción, cuando comenzó como intérprete en el contexto hospitalario. En este sentido y con el objetivo de dar respuesta a los diversos factores involucrados en un encuentro de interpretación, los estudiantes de interpretación tuvieron que evaluar como punto débil o fuerte diferentes aspectos enmarcados bajo las cuatro etiquetas listadas anteriormente en dos momentos: antes de comenzar el acompañamiento y una vez acabado el mismo. Cada una de estas etiquetas recogía un abanico de características que se detallan en las tablas de resultados por una cuestión de economía de espacio y con el objetivo de optimizar y agilizar la lectura y el análisis de los resultados obtenidos.

## IV. RESULTADOS

Los resultados que se obtienen en este estudio piloto no pretenden ser extrapolados, sino considerados como punto de partida para caracterizar el potencial significado que la experiencia de acompañamiento a intérpretes profesionales en su contexto habitual de trabajo ha tenido para los intérpretes en formación. Asimismo, en esta propuesta se completarán las respuestas de los estudiantes con la información obtenida a partir de entrevistas realizadas a los tutores de los estudiantes, a saber: intérpretes en ejercicio del hospital en el que los estudiantes realizaron sus horas de acompañamiento, así como las impresiones de la Jefa del Servicio de Acceso Lingüístico del hospital en el que se desarrolló la experiencia piloto. El fin es en sí mismo es aprender de las experiencias de los agentes involucrados en el estudio piloto para mejorar las posibles deficiencias de cara a posibles colaboraciones futuras con diferentes instituciones que deseen colaborar con intérpretes en formación para darles la oportunidad de experimentar en primera persona el rol que desempeñarán en su día a día como intérpretes profesionales en el contexto de España, donde cada vez cobra mayor relevancia la profesionalización del perfil de intérprete médico en el contexto hospitalario.

El número de estudiantes matriculados en la asignatura era 18, pero 2 de ellos optaron por una opción alternativa al *shadowing*, que era voluntario, por lo que en total fueron 16 los estudiantes participantes en nuestra investigación. En cuanto a la edad, no existe un perfil mayoritario entre los estudiantes de la clase. El 12,5% (2 estudiantes) tiene entre 18 y 20 años, el 31,25% (5 estudiantes) tiene entre 21 y 23 años, un 18,75% (3 estudiantes) tiene entre 24 y 25 años, otro 18,75% (3 estudiantes) tiene entre 26 y 30 años. El grupo de clase se compone también por un estudiante en el rango de edad de entre 31 y 35 años, otro estudiante en el rango de edad de entre 36 y 40 años y otro estudiante que se encuentra en el rango de edad de entre 41 y 45 años. La distribución por sexos de la clase se corresponde con el 87,5% (14 estudiantes) de mujeres, frente al 12,5% (2 estudiantes) de hombres. Este dato parece corroborar la realidad que predomina en las aulas de formación de traductores e intérpretes (Gregorio, 2018).

## 4.1. LA CAPACIDAD PARA PREPARAR UN ENCUENTRO DE INTERPRETACIÓN EN EL CONTEXTO HOSPITALARIO

La capacidad para preparar un encuentro de interpretación en el contexto hospitalario depende estrechamente de la capacidad para activar diferentes competencias, a saber: competencia instrumental profesional, competencia comunicativa y textual en al menos dos lenguas y culturas, competencia cultural e intercultural, competencia temática, competencia interpersonal, competencia estratégica.

En lo que respecta a la experiencia de los estudiantes, los resultados para los diferentes aspectos que se enmarcan dentro de la capacidad para preparar un encuentro de interpretación en el contexto hospitalario son los siguientes antes de haber completado las horas del componente de acompañamiento (*shadowing*) y después como se recoge en la tabla 1:

**Tabla 1.** Percepciones de los estudiantes 1.

| Capacidad para preparar un encuentro de interpretación en el contexto hospitalario | Pre-shadowing | | Post-shadowing | |
|---|---|---|---|---|
| *Considero mi conocimiento sobre* | *Punto fuerte* | *Punto débil* | *Punto fuerte* | *Punto débil* |
| las leyes y los reglamentos relacionados con la interpreta-ción médica y la atención médica (actualizacio-nes, cuestiones actuales) | 6,25% | 93,75% | 37,5% | 62,5% |
| el rol y los límites del papel del intérprete médico: soy capaz de recono-cer situaciones para las que no estoy pre-parado y, por tanto, rechazar el encargo | 25% | 75% | 43,75% | 56,25% |
| la cultura sanita-ria de EE.UU. y los principios de la biomedicina occidental | 6,25% | 93,75% | 25% | 75% |

| Capacidad para preparar un encuentro de interpretación en el contexto hospitalario | Pre-shadowing | | Post-shadowing | |
|---|---|---|---|---|
| Considero mi conocimiento sobre | Punto fuerte | Punto débil | Punto fuerte | Punto débil |
| los protocolos de seguridad, el equipo de protección personal y las precauciones universales en el sistema sanitario | 43,75% | 56,25% | 100% | |
| los métodos para investigar nueva terminología y encontrar equivalentes apropiados en la lengua meta | 68,75% | 31,25% | 81,25% | 18,75% |
| el desarrollo de habilidades de memoria | 43,75% | 56,25% | 56,25% | 43,75% |
| la técnica de toma de notas | 50% | 50% | 50% | 50% |
| la creación de planes de desarrollo personal y mejora profesional eficaces para el intérprete médico | 18,75% | 81,25% | 56,25% | 43,75% |
| el autocuidado del intérprete (ergonomía, etc.) | 25% | 75% | 50% | 50% |

**Fuente:** Elaboración propia.

Como se puede observar en la tabla 1, la experiencia de acompañamiento tiene un impacto positivo y enriquecedor, como se desprende de las respuestas de los estudiantes, en 7 de los 9 elementos analizados.

Existe un porcentaje de estudiantes que reconocen la toma de notas como un punto igual de débil que antes de haber completado el *shadowing*, es decir, no consideran que la experiencia les haya hecho mejorar. Este hecho se puede ver justificado en la propia naturaleza del componente de acompañamiento, donde los estudiantes no tenían que interpretar (realmente), sino acompañar al intérprete profesional y en plantilla del hospital. En lo que se refiere al desarrollo de habilidades de memoria, y siempre según las percepciones de los estudiantes, no existe ninguna evolución en este sentido después de haber completado el componente de acompañamiento.

Los estudiantes consideran que la formación previa del Hospital Children's antes de estar a la sombra de los intérpretes (Gregorio, 2020) es muy completa, de ahí que de sus respuestas se infiera una notable evolución post-acompañamiento en lo que se refiere a las leyes y los reglamentos relacionados con la interpretación médica y la atención médica (actualizaciones, cuestiones actuales), donde inicialmente solo el 6,25% lo consideraba un punto fuerte, frente al 37,5% una vez finalizado el *shadowing*. En esta misma línea, se sitúa la evolución que experimentan los estudiantes en cuanto a los protocolos de seguridad, el equipo de protección personal y las precauciones universales en el sistema sanitario, del 43,75% pre-acompañamiento al 100% posterior. Asimismo, parece que existe un impacto positivo en torno a la concepción del rol y los límites del papel del intérprete médico y que los estudiantes son capaces en un mayor porcentaje (43,75% frente al 23% previo al *shadowing*) de reconocer situaciones para las que no estoy preparado y, por tanto, rechazar el encargo. Un aspecto fundamental que se relaciona directamente con la ética y la calidad de los servicios prestados.

## 4.2.  LA INTERPRETACIÓN CONSECUTIVA EN EL CONTEXTO HOSPITALARIO

En el caso de la interpretación consecutiva en el contexto hospitalario, el intérprete debe activar las siguientes competencias, a saber: la competencia cultural e intercultural, la instrumental profesional, la comunicativa y textual en al menos dos lenguas y culturas, la temática, la interpersonal y la psicofisiológica.

La interpretación consecutiva ha sido siempre para el grupo de estudiantes participantes en el estudio el Talón de Aquiles (Way, 2008) en su desarrollo como intérpretes. En el caso de este grupo en concreto, se trata de estudiantes que se consideran bilingües y que, pese a que han contado con las herramientas para el desarrollo de las estrategias necesarias para el adecuado dominio de la toma de notas, fundamental en esta modalidad de interpretación, han obviado y dejado a un lado el entrenamiento necesario de escucha de discursos y toma de notas. Ese autoconcepto de bilingüismo entra en conflicto cuando los intérpretes tienen su primera toma de contacto en clase con lo que implica interpretar, ya que no es solo el dominio de las lenguas, sino una técnica en sí. Este hecho se constata en la práctica nula evolución que experimenta la interpretación consecutiva tras el acompañamiento como se puede ver en la tabla 2:

**Tabla 2.** Percepciones de los estudiantes 2.

| *Competencias para la interpretación consecutiva en el contexto hospitalario* | *Pre-shadowing* | | *Post-shadowing* | |
|---|---|---|---|---|
| *Considero mi conocimiento para* | *Punto fuerte* | *Punto débil* | *Punto fuerte* | *Punto débil* |
| el desarrollo de habilidades de interpretación consecutiva con un enfoque específico hacia la atención médica (por ejemplo: interpretación durante un parto, interpretación en una consulta de gastroenterología, interpretación en una cita con el dentista, etc.) | | 100% | 25% | 75% |
| el desarrollo de habilidades específicas de la lengua para interpretación consecutiva | 25% | 75% | 50% | 50% |
| el desarrollo de habilidades de interpretación consecutiva en otros contextos (interpretación jurídica, interpretación de conferencias, etc.) | 25% | 75% | 25% | 75% |

**Fuente:** Elaboración propia.

Asimismo, huelga decir que al tratarse de un componente eminentemente pasivo en lo que se refiere a la interpretación en acción, muchos de los estudiantes no aprovecharon la oportunidad que les brindaba ir a la sombra de un intérprete médico profesional para practicar la interpretación muda.

## 4.3. LA INTERPRETACIÓN SIMULTÁNEA EN EL CONTEXTO HOSPITALARIO

Al igual que en el caso anterior, los resultados constatan que el impacto del componente de acompañamiento en el desarrollo de las competencias de interpretación simultánea en los estudiantes es prácticamente inexistente, al menos de manera consciente, como se puede ver en la siguiente tabla:

**Tabla 3.** Percepciones de los estudiantes 3.

| *Competencias para la interpretación simultánea en el contexto hospitalario* | *Pre-shadowing* | | *Post-shadowing* | |
|---|---|---|---|---|
| *Considero mi conocimiento para* | *Punto fuerte* | *Punto débil* | *Punto fuerte* | *Punto débil* |
| el desarrollo de habilidades de interpretación consecutiva con un enfoque específico hacia la atención médica (por ejemplo: interpretación en Urgencias, interpretación en una consulta de salud mental, etc.) | | 100% | 12,5% | 87,5% |
| el desarrollo de habilidades específicas de la lengua para interpretación simultánea | 6,25% | 93,75% | 18,75% | 81,25% |

| Competencias para la interpretación simultánea en el contexto hospitalario | Pre-shadowing | | Post-shadowing | |
|---|---|---|---|---|
| Considero mi conocimiento para | Punto fuerte | Punto débil | Punto fuerte | Punto débil |
| el desarrollo de habilidades de interpretación simultánea en otros contextos (interpretación jurídica, interpretación de conferencias, etc.) | 6,25% | 93,75% | 6,25% | 93,75% |

**Fuente:** Elaboración propia.

Estos datos pueden responder a la baja autoestima que tienen muchos de los estudiantes de interpretación durante su etapa formativa, ya que ven como un imposible alcanzar el nivel de los intérpretes a los que acompañan. Sin embargo, como demuestra el alto número de egresados del grado en Traducción e Interpretación de la University of Texas en Arlington que, una vez finalizados sus estudios, encuentran su primer empleo como intérpretes en el contexto médico-hospitalario (Gregorio, 2018).

## 4.4. LA TRADUCCIÓN A VISTA DE DOCUMENTOS PROPIOS DEL CONTEXTO HOSPITALARIO

En este caso, los estudiantes experimentan una evolución en los cuatro aspectos objeto de estudio. La traducción a vista es una de las modalidades que más seguridad producía en el contexto de clase, ya que los estudiantes cuentan con el texto en papel, por lo que sienten que el peso de la responsabilidad es menor al no tener que confiar única y exclusivamente en su capacidad de comprensión del mensaje (oral), como en el caso de la interpretación consecutiva y simultánea.

En este sentido, además de preguntar a los estudiantes sobre sus percepciones de traducción a vista, se les planteaba la cuestión de su capacidad para producir mensajes escritos en el ámbito de la medicina y, como se puede ver en la tabla 4, parece que la experiencia de acompañamiento en el hospital ha reforzado e incrementado su competencia temática, entre otras:

**Tabla 4.** Percepciones de los estudiantes 4.

| Competencias para la traducción a vista de documentos propios del contexto hospitalario | Pre-shadowing | | Post-shadowing | |
|---|---|---|---|---|
| Considero mi conocimiento sobre | Punto fuerte | Punto débil | Punto fuerte | Punto débil |
| el desarrollo de habilidades para la traducción a vista de textos médicos (por ejemplo: documentos de educación del paciente relacionados con la salud de la mujer, etc.) | 25% | 75% | 68,75% | 31,25% |
| el desarrollo de habilidades de traducción a vista de ciertas tipologías textuales características del ámbito médico (por ejemplo: formularios de historia clínica, documentos casi legales dentro del ámbito médico como comunicados, exenciones, etc.) | 12,5% | 87,5% | 68,75% | 31,25% |
| el desarrollo de habilidades lingüísticas específicas para la traducción a vista | 18,75% | 81,25% | 62,5% | 37,5% |

| Competencias para la traducción a vista de documentos propios del contexto hospitalario | Pre-shadowing | | Post-shadowing | |
|---|---|---|---|---|
| Considero mi conocimiento sobre | Punto fuerte | Punto débil | Punto fuerte | Punto débil |
| el desarrollo de habilidades para la traducción escrita de textos médicos, hospitalarios y relacionados con los seguros de vehículos | 43,75% | 56,25% | 50% | 50% |

**Fuente:** Elaboración propia.

## V. CONCLUSIONES

A partir de las respuestas de los estudiantes, parece desprenderse que la experiencia de acompañamiento a intérpretes en plantilla tiene un impacto muy positivo y fácilmente reconocible por los estudiantes en aquellas competencias que se relacionan con la autoconfianza y el autoconcepto como intérpretes (en formación). Sin embargo, todos los aspectos relacionados con sus habilidades prácticas (activas) de interpretación siguen en un punto de, en muchas ocasiones, infravaloración de lo que son capaces de hacer, por sus perfiles y por la falta de experiencia real en el contexto médico-hospitalario.

Si bien los resultados obtenidos de esta segunda parte del estudio piloto pueden no parecer los más halagüeños en lo que se refiere al desarrollo de competencias, cabe matizar dos aspectos: por un lado, trabajamos con las percepciones de los estudiantes y no con pruebas prácticas que pongan a prueba sus competencias. Por otro lado, un resultado no esperado puede interpretarse como una fuente de inspiración para mejorar en ediciones futuras los aspectos que los estudiantes pueden trabajar durante el *shadowing*, por lo que consideramos muy relevador y positivo el aprendizaje que extraemos de las voces de los estudiantes.

El componente de acompañamiento que inspira esta propuesta fue valorado muy positivamente por todos sus participantes y agentes implicados, a saber: estudiantes, hospital (intérpretes y personal médico), así como por los propios pacientes y sus familias, ya que consideraron fundamental saber que, las personas que sirven de puente entre los especialistas médicos y la salud de sus pequeños, son personas que reciben una formación y no cualquier persona con conocimiento de inglés y español, en nuestro caso. Asimismo, desde el propio hospital se valoró y facilitó todo el proceso previo para poder dar acceso a los estudiantes a un centro hospitalario infantil, que en Estados Unidos implica un amplio protocolo de seguridad (policial) y médico (plan de vacunación específico), al considerar que este tipo de iniciativas y de colaboraciones entre la Universidad y el mundo laboral es necesario para que los avances científicos tengan una implementación real en el mundo profesional.

Este capítulo hemos presentado los resultados obtenidos a partir de una investigación en la que analizamos cualitativa y cuantitativamente el aprendizaje basado en la experiencia de acompañamiento de los intérpretes en formación en el contexto comunitario y que en este capítulo se han traducido en datos cuantitativos.

## VI. REFERENCIAS

Abril Martí, M. I. (2006). *La interpretación en los servicios públicos.* (Tesis doctoral). Universidad de Granada.

Bentley-Sassaman, J. (2009). The Experiential Learning Theory and Interpreter Education. *International Journal of Interpreter Education*, vol. 1, 62-67.

Gregorio Cano, A. (2018). El diario reflexivo como método docente para la adquisición de competencias profesionales en los estudiantes de interpretación médica en el contexto hospitalario. En E. Domínguez, J. Bobkina y M. L. Pertegal (Coords.) *Alfabetización digital e informacional* (pp. 257-271). Editorial Gedisa.

Gregorio Cano, A. (2019). A la sombra del intérprete médico: aprendizaje fuera del aula. En R. Castellanos Vega, G. Rodríguez Lorenzo y S. Meléndez Chávez (Coords.), *Profundizando en temas de investigación de vanguardia.* Ediciones Pirámide.

Gregorio Cano, A. (2020). Aprendizaje basado en experiencias en la formación de intérpretes: resultados de una experiencia piloto (I). En A. Adá Lameiras, F. Vidal Auladell y Ó. Zambrano Valdivieso (Coords.). *Actualizando las lecturas de las temáticas clásicas.* Tirant Lo Blanch.

Iliescu Gheorghiu, C., y Ortega Herráez, J. M. (2016). El intérprete oye voces... perspectivas académicas y profesionales radiografiadas y anotadas. *MonTI. Monografías De Traducción E Interpretación*, 9-36. https://doi.org/10.6035/MonTI.2015.ne2.1.

Johnston, S. (2007). Interpreter internship program: Forging employer and community partnerships. En B. Cecilia Wadensjö y A. Nilsson (Eds.). *The Critical Link 4* (pp. 263-271). John Benjamins.

Kelly, D. (2002). Un Modelo de Competencia Traductora: Bases para el Diseño Curricular. *Puentes. Hacia Nuevas Investigaciones en la Mediación Intercultural, 1*, 9-20.

Kelly, D. (2005). *A Handbook for Translator Trainers. A Guide to Reflective Practice*. St. Jerome.

Kelly, D. (2007). Translator Competence Contextualized. Translator Training in the Framework of Higher Education Reform: in Search of the Alignment in Curricular Design. En D. Kenny y K. Ryou (Eds.). *Across Boundaries: International Perspectives on Translation Studies* (pp. 128-142). Cambridge Scholars Publishing.

Ortega-Herráez, J. M. (2013). "La intérprete no sólo tradujo lo que le vino en gana, sino que respondió ella a las preguntas que los abogados le realizaban al testigo": requisitos de calidad en la subcontratación de servicios de interpretación judicial y policial en España. *Sendebar*, 9-42. http://revistaseug.ugr.es/index.php/sendebar/article/view/548/1641.

Pérez-Luzardo Díaz, J. (2005). *Didáctica de la interpretación simultánea*. (Tesis doctoral). Universidad de Las Palmas de Gran Canaria, Las Palmas.

Taibi, M., y Ozolins, U. (2016). *Community Translation*. Bloomsbury Academic.

Valero-Garcés, C. (2008) Hospital interpreting practice in the classroom and the workplace. En C. Valero-Garcés y A. Martin (Eds.) *Crossing Borders in Community Interpreting* (pp. 165-185). John Benjamins.

Way, C. (2008). Systematic assessment of translator competence: in search of Achilles's heel. En J. Kearns (Ed.). *Translator and Interpreter Training: Issues, Methods and Debates.* (pp. 88-103). Continuum Publishers.

*Capítulo 15*

# La multi-competencia en el aula bilingüe universitaria: el impacto de las desviaciones de uso del idioma

Mary Griffith
*(Universidad de Málaga –España–)*

## I. INTRODUCCIÓN

Hay una instrucción implícita de segundo idioma dentro de las universidades en Europa con un número considerable de profesorado no nativo dando sus clases en inglés a un alumnado no nativo. Aunque el dominio de una segunda lengua parece ser parte de la discusión, es crucial entender que el uso "perfecto" del idioma forma un aspecto menor del impacto comunicativo del discurso académico. En el pasado, una representación "no nativa" indicaba un uso menospreciado. Hoy en día, inglés como una lengua franca se refiere a una forma de uso estandarizado del idioma entre hablantes no nativos (Paradowski, 2008; Griffith, 2021). No es nuevo este fenómeno, pero es importante resaltar que hay más usuarios no nativos de inglés que nativos, y sin duda, la inteligibilidad del acto de habla en ámbitos bilingües merece mayor estudio.

En su conceptualización de instrucción bilingüe en la universidad, Dafouz y Smit (2020) sugieren que existe una necesidad de un marco más holístico para permitir un análisis interdisciplinar y desde perspectivas más amplias. De esta manera un análisis sistemático de discurso académico puede poner de manifiesto la importancia de las estrategias comunicativas en el aula bilingüe. Sin embargo, debemos preguntar hasta qué punto estos usos irregulares impactan en la inteligibilidad del mensaje.

Este estudio examina las implicaciones prácticas de la docencia bilingüe en la universidad desde el punto de vista del profesorado. Destaca, en particular, la implementación bilingüe en áreas no tradicionalmente asociadas con el idioma tales como la Escuela Técnica Superior de Informática. La iniciativa forma parte de la formación continua del profesorado en la integración de sus contenidos en inglés conocido por sus siglas en inglés, EMI (*English Medium Instruction*). El estudio presenta una cuidadosa examinación lingüística de ocho profesores españoles quienes impartían sus asignaturas en inglés. Los resultados indican que dependemos cada vez menos en variedades de idioma considerado "nativas" y acogemos con mayor naturalidad los usos irregulares.

## 1.1. CONTEXTO DIDÁCTICO, COMUNICATIVO Y LAS DESVIACIONES

El análisis de discurso es el estudio de lenguaje dentro de su uso contextualizado, cómo se usa y se organiza para crear significado. Tanner (2012) hace hincapié que este análisis examina fragmentos más amplios de textos para ver cómo confluyen. En esta confluencia, cada acto de habla abarca una multitud de elementos, pero, en definitiva, hay una combinación de tres elementos: la intención del hablante, el significado de la frase, y lo que el oyente entiende. Dentro del aula de informática la transmisión del mensaje depende en gran medida de la complejidad de los contenidos y la capacidad comunicativa del profesor. Pero dentro del aula de informática *bilingüe*, se puede complicar aún más la inteligibilidad del mensaje.

No nos engañemos, enseñar en un segundo idioma a un alumnado que no domina este idioma requiere estrategias compensatorias propias de la didáctica y propias de la comunicación. Contextualizado dentro de la Escuela Técnica Superior de Informática, el estudio explora la eficacia comunicativa del aula bilingüe centrándose en usos irregulares y su impacto en la transmisión del mensaje. En colaboración con el profesorado de informática, se ponen de manifiesto las múltiples diferencias entre la enseñanza de la lengua y la de los contenidos.

El discurso académico abarca cualquier interacción que se encuentra dentro del aula u otro ámbito educativo (Jocuns, 2021) y, necesariamente, la interacción es clave en el análisis de la comunicación. Dentro del aula bilingüe se revelan usos más complejos, tanto de los hablantes, como de los oyentes. En consecuencia, el contexto bilingüe requiere mayor clarificación y mayor conexión con la creación colaborativa del significado. En definitiva, no tenemos una buena didáctica si no tenemos una buena comunicación.

Hyland (2007) resalta que hay numerosos estudios que han establecido que el análisis de discurso incluye interacciones, pero son menos los que han examinado como pequeños actos de reformulación contribuyen a la efectividad de acto comunicativo. Estos ajustes crean mayor coherencia y evidencia que el usuario tiene una sensibilidad en la relación entre el oyente y la complejidad del mensaje. Es aquí donde se centra este estudio en los procesos cognitivos de una mente bilingüe en un acto comunicativo. La competencia de acoger a dos sistemas lingüísticos en un mismo cerebro, junto a la creación colaborativa del significado, es el punto de partida de este estudio.

## II. OBJETIVOS

El objetivo de este estudio es examinar los usos irregulares de ocho profesores no nativos para valorar su impacto o no en la inteligibilidad de mensaje. La meta es examinar el lenguaje en contraste con sus desviaciones discursivas y su impacto en la transmisión del enunciado. La eficacia comunicativa no se puede determinar de manera unidireccional porque dentro del aula bilingüe si no contemplamos también la intención de uso junto a su comprensión, no estaría completo este análisis.

En consecuencia, hay que examinar no solo el mensaje sino también la formación cognitiva de este mensaje. La multi-competencia (Cook y Wei, 2016) resta importancia de un uso irregular en la segunda lengua para asombrarse por el mero hecho de poder comunicar con, y a pesar de, estas desviaciones. Con esta perspectiva este estudio pretende indagar en la multi-competencia y su relación con la inteligibilidad.

Encontramos las causas de las desviaciones en la segunda lengua (L2) en la primera lengua (L1). Tarone *et al.* (2013) destacan que un adulto proyecta directamente aspectos de su L1 a su uso en la L2. Parece ser que una vez que la relación conceptual se establece, elementos morfo-sintácticos o fonológicos que no están presentes en su L1, se ignoran. Y aunque conceptualmente se solapan la L1 con la L2 en la mente del hablante, los patrones semánticos, fonológicos y sintácticos entre los dos idiomas a menudo entran en conflicto. Por tanto, las representaciones de la L1 persistan en la L2 y se conoce como interferencia. Por eso tenemos acento, por eso se distinguen las desviaciones en el uso no nativo y crucialmente, por eso, el significado se transmite o no dependiendo del impacto en la inteligibilidad.

En el contexto de del Espacio Europeo de Educación Superior (EEES), la comunicación multilingüe es tan común que las deviaciones son cada vez más habituales en la práctica. La inteligibilidad es compleja de definir y es conveniente aclarar. Su definición oscila desde un enfoque en rasgos fonológicos, sintácticos, o semánticos hasta la eficacia comunicativa del acto de habla. Aun así, el término sigue siendo muy difícil de definir y de medir (Yazan, 2015; Griffith, 2021).

Derwing y Munro (2005) y Munro (2008) distingue tres aspectos. Para estos autores, la *inteligibilidad* es la capacidad de ser comprendido, la *comprensibilidad* es la capacidad del oyente de comprender y el *acento* (en inglés: *accentedness*) es la desviación de un patrón anticipado de uso. De esta manera estos autores consideran la producción como separado de la comprensión. No obstante, esta producción, su comprensión y todas las desviaciones forman un gran conjunto en la transmisión de un mensaje. La inteligibilidad no se puede medir sin un contexto de interacción donde ambas partes ajustan y acomodan las desviaciones, tal y como pretende el presente estudio.

Los claves del discurso académico son precisamente cómo los usuarios encuentren significado en un esfuerzo cooperativo y cómo estos mismos usuarios superen los retos del uso de un idioma que no es suyo. Para este estudio, los términos inteligibilidad, comprensibilidad y las desviaciones están estrechamente entrelazados. Ellis y Larsen Freeman (2006) sugieren que los comportamientos comunicativos emergen de las interacciones y reformulaciones de sus usuarios. Así, con esta definición, la cooperación es un proceso de comunicación dinámico que sustenta a una inteligibilidad "cooperativa" y nos lleva a dos preguntas de investigación:

i. ¿Cuáles son las desviaciones más comunes de los hispanoparlantes en inglés y su relación con la multi-competencia de los hablantes?

ii. ¿Cuál es el impacto de estas desviaciones en la inteligibilidad del mensaje en los oyentes?

## III. METODOLOGÍA

En esta sección se detallen la metodología, la muestra, así como la validación de los procedimientos de recogida de datos para apoyar su análisis posterior y contestar las dos preguntas de investigación, no sin antes reflexionar sobre las relaciones entre la investigación y la práctica docente. "Muchos docentes no parecen muy inclinados a incorporar los avances de la investigación en el ámbito de la enseñanza y el aprendizaje; miran a los investigadores con recelo, como a teóricos (…) que desconocen la realidad de las aulas" (Morales, 2010, p. 48). Conocer la realidad del aula de informática ha sido clave para este estudio. La práctica docente de informática se combina con la investigación lingüística, y, ambas partes enriquecen este estudio con sus perspectivas.

El marco metodológico de este estudio es la investigación de acción que se diferencia de estudios más teóricos en que se parece a la resolución progresiva de problemas, en constante revisión y avance. Sobre todo, la investigación de acción es práctica y relevante para los participantes. La resolución progresiva de problemas es relativa a uno de los retos inherentes a la implantación plurilingüe. ¿Cómo combinar la especialización en contenidos con la especialización en la enseñanza de lenguas extranjeras? Debemos explorar las preocupaciones más prácticas de los profesores de contenidos a la hora de enfrentarse a la enseñanza bilingüe. Por lo tanto, en la investigación de acción existe el doble compromiso de estudiar un sistema y, al mismo tiempo, colaborar con los miembros del sistema para mejorarlo.

La consecución de este doble objetivo requiere la colaboración activa de la investigadora y de los participantes. Los profesores participantes tenían gran interés en su propio uso del idioma y, a su vez, en su capacidad de transmitir sus mensajes complejos dentro de sus clases. Por tanto, su competencia como usuarios de una L2 junto a la inteligibilidad se convirtieron en las metas comunes del grupo y, en consecuencia, el propósito de este estudio. Su implicación en el estudio ha sido clave para la validación.

## 3.1. PARTICIPANTES Y MUESTRA VALIDADA

Ocho profesores de informática participaban en el estudio junto a una investigadora nativa, externa a su departamento quien facilitaba su práctica docente bilingüe. Aunque todos tenían amplia experiencia docente, para el profesorado ha sido la primera experiencia impartiendo sus materias en la L2. Todos eran hablantes nativos de español y la recogida de datos transcurría durante un año académico en nueve asignaturas ofrecidas en una universidad española durante el curso académico de 2011-2012. La modalidad de la muestra es del uso oral y *semi-preparado* de discurso académico. Resaltamos que no es ni espontáneo, ni leído, sino que semi-preparado, propio de un docente que prepara sus clases y *natural* desde un punto de vista discursivo. Los instrumentos de recogida de datos incluyen las grabaciones de audio y la observación directa de aproximadamente 34 horas de discurso académico.

De estas intervenciones, la investigación comienza su análisis centrándose en las desviaciones de uso. Los datos preliminares han sido clasificados en los niveles lingüísticos de fonología y de léxico-sintaxis. Todos los datos han sido contrastados con las grabaciones y los apuntes de cotejo sistemático, junto a otros instrumentos cualitativos presentados en Griffith (2017). Las entrevistas adicionales con el profesorado y con el alumnado junto a los resultados finales constituyen la triangulación (Denzin, 2006) de la muestra para validar el estudio.

En referencia a los errores fonológicos, 207 ejemplos fueron observados, mientras que para los errores de uso 215 ejemplos fueron recogidos de los ocho hablantes. Para comprobar su vínculo con la L1, las subcategorías empleadas incluyen la substitución, la omisión o la inserción. Para valorar la inteligibilidad, los resultados se presentan en dos bloques divididos entre las desviaciones comunes de menor impacto y las complejas con mayor impacto negativo en la inteligibilidad. Los resultados indican que hay estructuras irregulares y sistemáticos entre los hablantes que impactan a la inteligibilidad, pero no todas del mismo grado.

## IV. RESULTADOS Y ANÁLISIS

En esta sección se detallen las desviaciones que, en su mayoría, son el resultado de la interferencia estructural de la L1. Aunque no se puede probar que todas las desviaciones se deban a la interferencia de la L1, el vínculo entre la desviación en L2 y el uso normal en la L1 queda más que comprobado. La intención de este estudio no cuestiona esta relación, sino que pretende examinar la importancia de la multi-competencia contrastiva entre los dos idiomas junto al impacto que tienen estas desviaciones en la inteligibilidad del mensaje. Primero, se presentan los fallos de menor impacto y a continuación los de mayor impacto negativo en la inteligibilidad.

### 4.1. DESVIACIONES COMUNES

Es importante resaltar la diferencia entre acento y mis-comunicación ya que el acento es una desviación que no siempre conlleva la mis-comunicación[1]. Una de las causas de un acento en la L2 se debe a la fuerza de la memoria fonológica de la L1. Los hablantes no nativos tienden a producir y a percibir todos los sonidos dentro del marco acústico de su propio idioma. En esta sección se detallan las desviaciones más sistemáticas en producción oral relacionadas con la fonología. Dado que los datos totales se

---

1. La autora reconoce que esta percepción es subjetiva, pero basada en una amplia experiencia como evaluadora de inglés y como nativa de este idioma. Lo que se considera aceptable se establece dentro del Marco Común Europeo de Referencias (MCER) para los niveles C1 y C2.

han extraído de 34 horas de grabaciones, los números totales de desviaciones son insignificantes en su impacto negativo. Los resultados dan 8 usos ininteligibles, 106 substituciones, 46 omisiones, 29 errores de entonación y 26 inserciones (tabla 1, columna central). La gran mayoría se considera de ninguno o de poco impacto negativo en la inteligibilidad con solo el 3.9 % de la muestra de desviación fonológica clasificados como no inteligibles.

No obstante, destacamos las desviaciones más comunes coincidían con las expectativas para los hispanoparlantes usando inglés como una L2. La pronunciación era una de las preocupaciones del profesorado, pero en ningún caso impedía la comunicación. Los fallos en la discriminación fonológica se compensaban fácilmente por los oyentes. Sin embargo, la precisión de las vocales mostraba significante desviación, al igual que los patrones de acentuación tónica. Los profesores decían, *lunch* en lugar de *launch*, *pee* en lugar de *pi*, *impotent* en lugar de *important*, *estor* en lugar de *store*, por mencionar sólo algunos de los errores más frecuentes[2].

**Tabla 1.** Muestra total de desviaciones de uso desglosado de hispanoparlantes en inglés.

| | *Desviaciones fonológicas* | *Desviaciones de uso* |
|---|---|---|
| Muestra total sacada de 34 horas de clases | 207 | 215 |
| No inteligible | 8 | – |
| Sustitución | 106 | 102 |
| Omisión | 46 | 22 |
| Entonación | 29 | – |
| Inserción | 26 | 36 |

**Fuente:** Elaboración propia.

Al igual que las desviaciones fonológicas, las de uso léxico-sintáctico también se atribuyen a interferencias de la L1. El análisis de errores incluye 102 desviaciones debido a sustitución, 36 de inserción y 22 de omisión (tabla 1, columna derecha). En líneas generales el español tiene mayor flexibilidad sintáctica que el inglés y lo resultados indican que fallos sintácticos impactaban de manera más negativa que los léxicos.

En respuesta a la pregunta de investigación primera, esta clasificación muestra una relación clara con una construcción cognitiva de la L1. Por

---

2.    El símbolo * se refiere a una desviación en el uso.

ejemplo, en la tabla 2 se observa un contraste entre los dos idiomas. Es claramente una desviación en el orden sintáctico y corresponde al patrón de la L1. Se ve el patrón de L1, mientras si se contrastan los usos, se observan que la inversión sintáctica del inglés está vinculada a la función interrogativa en inglés, pero no en español. Un usuario con *multi-competencia* puede llevar estos dos patrones en su mente. Un pensante en inglés tiene más opciones sintácticas al usar el español, mientras un pensante en castellano debe aprender la restricción al usar el inglés.

**Tabla 2.** Desviación sintáctica de poco impacto negativo en el acto de habla.

| *Desviación* | *Intención* | *Corrección* |
|---|---|---|
| *This is why appears this message.* | "Esto es porqué aparece este mensaje" | [This is why this message appears]. |

A pesar de estas desviaciones, lo que es saliente es que la intención del hablante no se pierde. Su multi-competencia no se mide por la desviación, sino por la eficacia comunicativa. En contestación de la pregunta de investigación segunda, en el contexto de la interacción de clase, las desviaciones sencillas mostraban poco o ningún impacto negativo en la inteligibilidad del mensaje. Los oyentes compensaban fácilmente dentro del contexto de discurso académico en un 82% de los usos irregulares.

## 4.2. DESVIACIONES COMPLEJAS DE IMPACTO NEGATIVO EN LA INTELIGIBILIDAD

Una desviación compleja combina usos irregulares y abarca cuestiones de las funciones básicas comunicativas. De hecho, cuanto más se aleja el uso real de la intención del hablante, más difícil es compensar para comprenderlo. Los resultados destacan patrones de desviación de los hispanoparlantes que impactan negativamente en la transmisión del mensaje. Al igual que la sección anterior destacaremos las desviaciones fonológicas con el impacto ambiguo o negativo y luego examinaremos los ejemplos léxico-sintácticos.

### 4.2.1. Frases con la función negativa o la interrogativa

Hay una relación fonológica con la entonación de las frases negativas que a menudo los hablantes no nativos no percatan. Al nivel fonológico los resultados muestran menor impacto en la inteligibilidad con fallos de la discriminación fonémica y mayor impacto negativo con los fallos de la entonación o de acentuación tónica. Es significativo perder la polaridad de una frase, por tanto, la prosodia es clave para la inteligibilidad. Se observaba una omisión frecuente de la /nt/ en posición final junto a una carencia de entonación tónica en el auxiliar o modal tal y como se ve en el ejemplo ilustrativo de patrones naturales (tabla 3). En (3a) se observa la afirmativa y en (3b), la negativa. Para apreciar la diferencia hay que fijarse en la unión entre el pronombre y auxiliar y la decidida entonación de la (3b).

**Tabla 3.** Entonación de la negación por fallo de entonación.

|  | *Ejemplo polararidad* | *Transcripción* | *Desviación* |
|---|---|---|---|
| (3a) | *You can do that* | /'juːkən 'duː 'ðæt/ | Ninguno |
| (3b) | *You can't do that* | /'juː 'kaːnt 'duː 'ðæt/ | Ambiguo |

Los participantes evitaban los patrones naturales de enlace entre el pronombre y el auxiliar en las afirmativas, o no marcaba con suficiente entonación la prosodia de la negativa. Los resultados con gran frecuencia mostraban usos entre las dos opciones, dejando al oyente con la ambigüedad de la intención negativa del enunciado.

En las desviaciones más complejas se combinan usos irregulares que obstaculizan la comunicación no solo con las negativas, sino también con las interrogativas. Los resultados muestran desviaciones en la sintaxis de la interrogativa junto a una entonación compensatoria o no. Curiosamente, parece ser que la entonación juega un papel más significativo que la sintaxis en la transmisión del mensaje. Las frases con fallos combinados de sintaxis y entonación mostraban peor comprensibilidad que las frases en las que solo fallaba la sintaxis y mostraban una entonación natural (tabla 4). El ejemplo (4a) comprueba que la entonación compensa el fallo en sintaxis. En contraste, el ejemplo (4b) que combina una desviación sintáctica con una fonológica que deja al oyente con ambigüedad.

**Tabla 4.** Desviación sintaxis de la interrogativa junto a la entonación compensatoria.

|  | Desviación | Intención | Corrección |
|---|---|---|---|
| (4a) | *How we *could put a Boolean here? **Ninguna** | "¿Cómo podemos poner un Booleano aquí?" | [[How could we put a Boolean here?] |
| (4b) | In which course* are enrolled these students? **Ambigua** | "¿En qué curso están matriculados estos alumnos?" | [In which course are these students enrolled?] |

Para entender los dos sistemas debemos reflexionar sobre las relaciones conceptuales subyacentes y las reglas de uso. La multi-competencia nos obliga a acoger dos sistemas que a menudo entran en conflicto a nivel sintáctico en relación con la negación, la interrogación, y el énfasis. En (4b) se observan no solo una desviación combinada, sino uno de los usos erróneos más comunes en los ocho participantes. El uso correcto en inglés está en violación con el uso normal en español. El español no separa la unidad verbal insertando el sujeto en medio al igual que la inversión sintáctica en inglés de la interrogativa es extraña para un hispano pensante.

## 4.2.2. Patrones verbales y la sintaxis

Hasta ahora hemos observado que las desviaciones con mayor impacto negativo en la inteligibilidad a menudo combinan fallos de sintaxis y fonología o de sintaxis y semántica. Otras desviaciones comunes entre los participantes tienen que ver con la sintaxis de la frase adverbial, con los patrones verbales, así como con la transitividad (tabla 5). El ejemplo (5a) indica una colocación errónea de la frase adverbial, *at least*, junto a otra desviación recurrente de la sintaxis de la pregunta indirecta. Aunque se puede deber a énfasis, los patrones naturales del castellano colocan a la frase adverbial en un lugar medial de la frase mientras que en inglés se opta por las posiciones de inicio o final.

**Tabla 5.** Desviaciones y contrastes entre el español e inglés, sintácticos, patrones verbales y transitividad.

| | *Desviación* | *Intención* | *Corrección* |
|---|---|---|---|
| (5a) | I want you to *at least find which are the remaining constraints. | "Quiero que al menos encontréis cuáles son las limitaciones restantes" | [I want you to find at least which the remaining constraints are] |
| (5b) | I want *that you bring to the class the printed worksheet. | Quiero que traigas a la clase la hoja impresa | [I want you to bring the printed worksheet to (the) class] |
| (5c) | Well, I have prepared *for this class several problems. | Bueno, (yo) he preparado para esta clase varios problemas | [Well, I have prepared several problems for this class] |

Si comparamos el ejemplo (5a) con la desviación presentada en (5b) se puede contrastar el uso del verbo de control want[3]. En español este verbo

---

3.  En la lingüística aplicada la palabra 'control' se refiere a que el sujeto de un determinado predicado está determinado por el contexto. En inglés, estos verbos dan lugar

genera una frase relativa mientras en inglés genera una frase reducida. En (5b) el hablante inserta el relativo *that* para crear una frase gramatical, pero no natural. En los ejemplos (5a) y (5c) la desviación es una cuestión de transitividad obligada en inglés, pero no en español de los verbos *find* y *prepare*.

Está claro que ningún nativo se para a pensar en cómo funcionan estos verbos, pero hay un rasgo común. En inglés los verbos tienen una mayor transitividad[4]. junto a su sintaxis más rígida. La inteligibilidad a menudo depende de lo que el oyente anticipa y cuando se rompen las expectativas de uso, este oyente tiene que compensar el mensaje. Lo saliente de esta expectativa de uso es que un nativo la tiene, mientras un no nativo menos. Hacemos hincapié: La comprensibilidad de los usuarios no nativos no fue afectada de la misma manera.

### 4.2.3. Patrones verbales del causativo

En esta sección se presentan unos ejemplos de desviación que abarcan la función interrogativa junto a las expresiones causativas. Talmy (2003) ha identificado elementos de espacio, tiempo y causación como parte de una estructura conceptual profunda y vinculado con la L1.[5] Las desviaciones hacen perder el énfasis de la frase, o pueden crear cierta confusión en un oyente nativo quien anticipa unas estructuras específicas.

**Tabla 6**. Desviación comparativa entre el español e inglés, frases causativas.

|  | *Desviación* | *Intención* | *Corrección* |
|---|---|---|---|
| (6a) | *Which way are we asking \*for doing this?* | ¿Cómo debemos pedir para hacer esto? | [*How should we ask* **to do** *this*] |
| (6b) | *A path \*for going to this node...* | Un camino para ir a este nódulo | [*A path* **to go** *to this node*] |

Cada ejemplo en la tabla 6 indica un fallo sistemático de uso del grupo, ya que cada profesor, sin excepción, presentaba desviación con este uso. Los ejemplos que combinan varias desviaciones tienen mayor impacto negativo

---

a una reducción de la frase relativa. Este verbos "controlan" el argumento verbal de otro verbo no finito de la frase, p.ej. *I believe him to be innocent.*

4.  Por ejemplo, en (5c), el verbo *prepare* es altamente transitiva y lo que "se prepara" se coloca más próximo al verbo que dónde, cuándo o cómo "se prepara".

5.  Tomemos como ejemplo un español cuando acude a abrir a la puerta diría "ya voy" mientras un inglés diría "I'm coming". Cada idioma tiene un referente conceptual del espacio diferente de construcción.

en la transmisión del mensaje como era de esperar. En el (6a) se observa la desviación común de la frase causativa que en español sería *"para hacer algo"* mientras en ingles sería *"to do something"*, junto a una desviación de la modalidad (*should*) y un uso no natural de la relativa de interrogación (*which*). En los ejemplos (6a) y (6b), se observan que los usos son gramaticales, pero no naturales. Corresponden a la nominalización del verbo dentro de las frases preposicionales [prep + V +ing]. Sin embargo, la función causativa en inglés no generaría una frase preposicional mientras en español, sí. El hispano pensante normaliza la equivalencia de *para = for*, en vez de emplear la expresión causativa, conocida en inglés como *"causal to"*.

Para cerrar este análisis recordamos las preguntas de investigación. La primera pregunta pretende relacionar las desviaciones no solo con la L1 sino con la multi-competencia en la L2. Los resultados indican que las desviaciones son comunes y sistemáticos entre los hablantes de una misma L1 en la L2 y el usuario que haga una reflexión contrastando los usos puede fomentar su multi-competencia en la L2.

La segunda pregunta valora el impacto de la desviación en la inteligibilidad del mensaje. Lo destacable ha sido que la mayoría de las desviaciones no registraban ningún impacto en la transmisión del mensaje y el contexto propio de una clase resolvía con soltura la eficacia comunicativa. La interacción proporciona la posibilidad de clarificación in situ y los especialistas de informática impartían sus materias a la vez que aprendían de sus propios fallos y mejoraban su multi-competencia en L2 compensando sus mensajes.

## V. DISCUSIÓN

El reto mayor de este análisis contrastiva es encontrar la utilidad para los profesores participantes. Su meta nunca ha sido enseñar inglés, sino impartir sus clases de informática en inglés. Por tanto, la finalidad común de este estudio no han sido las desviaciones en uso, sino una comprensión mayor de sus causas y una valoración real de su impacto en la transmisión del mensaje o su inteligibilidad.

El estudio cuestiona cómo el segundo idioma puede ser un impedimento para la comunicación, porque ésta es la primera preocupación para los profesores de informática participantes. Sin embargo, hay una limitación intrínseca en el análisis de errores si no se hace el esfuerzo de valorar la eficacia del acto comunicativo. Las desviaciones comunes y sistemáticas en su gran mayoría (82%) no afectaban la inteligibilidad. Los resultados indican que un hispanoparlante con un nivel de competencia alto en su L2 debe de prestar especial atención a las estructuras que obstaculiza la transmisión de su mensaje. Solo las desviaciones que combinaban fallos registraban un impacto negativo en la transmisión. Resaltamos las estructuras conflictivas en la Tabla 7.

**Tabla 7.** Desglose de desviaciones por su impacto negativo en la inteligibilidad.

| Categoría | Ejemplo | Impacto Negativo | Porcentaje |
|---|---|---|---|
| *Uso Negativo y enfático* | Omisión verbo auxiliar, fallos de entonación | Poco o medio impacto negativo | 1.9 % |
| *Sintaxis del Adverbial* | Fallos sintácticos normalmente de cohesión temporal | Poco o medio impacto negativo | 2.1 % |
| *Ambigüedad de la frase Interrogativa* | Fallos de entonación y la sintaxis de las preguntas indirectas | Poco o medio impacto negativo | 5.0 % |
| *Patrón verbal* | Fallos en las cláusulas reducidas y expresión causativa | Medio impacto o muy negativo | 9.0 % |
| *Desviación común* | Compensadas por el contexto y la comprensibilidad | Ningún impacto negativo | 82.0 % |

**Fuente:** Elaboración propia.

En el contexto (EEES) se aprecia un cambio: una decidida compensación en las estrategias comunicativas que contrapesan las desviaciones y sugiere que la inteligibilidad depende de más factores que una producción perfecta. Jenkins (2007) lo denomina la "no importancia" del error. Aunque el dominio de una segunda lengua parece ser parte de la discusión, es crucial entender que el uso "perfecto" del idioma forma un aspecto menor del impacto comunicativo del discurso académico. Los claves del discurso académico son precisamente cómo los usuarios encuentren significado en un esfuerzo cooperativo y cómo estos mismos usuarios superen los retos del uso de un idioma que no es suyo. Los comportamientos comunicativos emergen de las interacciones y reformulaciones de sus usuarios.

## VI. CONCLUSIONES

Hay una instrucción implícita de segundo idioma dentro de las universidades en Europa con un número considerable de profesorado no nativo dando sus clases en inglés a un alumnado no nativo. El Aprendizaje Integrado de Contenidos y Lenguas Extranjeras (AICLE) o la Enseñanza en inglés (EMI) son los nuevos lemas de la internacionalización en las universidades de toda Europa. Sin embargo, uno de los problemas inherentes a la implantación plurilingüe es cómo combinar la especialización en contenidos con la especialización en la enseñanza de lenguas extranjeras, debemos explorar las preocupaciones más prácticas de los profesores de contenidos a la hora de enfrentarse a la enseñanza bilingüe desde el contexto real de sus aulas.

Para este estudio, los términos inteligibilidad, comprensibilidad y las desviaciones han estado estrechamente entrelazados. Un análisis formal distorsiona el énfasis en la forma, mientras que con un análisis más holístico y con una perspectiva discursiva se puede considerar la función comunicativa. El paradigma de inglés como una lengua franca da mayor importancia a la comunicación que a la forma del idioma. Hemos postulado que la multi-competencia exige que acojamos a dos o más sistemas lingüísticos en la mente para poder evitar las desviaciones. Futuros estudios deben continuar filtrando las desviaciones para fijarnos en los que realmente afecta negativamente al mensaje y examinando las estrategias compensatorias que nos permite comunicar con mayor eficacia.

## VII.   REFERENCIAS

Cook, V., y Wei, L. (Eds.). (2016). *The Cambridge Handbook of Linguistic Multicompetence.* [Manual de Cambridge sobre la multi-competencia lingüística.] Cambridge University Press. https://doi.org/10.1017/CBO9781107425965.

Dafouz, E., y Smit, U. (2020). Roadmapping *English medium education in the Internationalised University*. [Mapa de carreteras: educación en inglés en la universidad internacionalizada]. MacMillan-Palgrave Pivot. https:// doi.org/10.1007/978-3-030-23463-8.

Denzin, N. (2006). *Sociological Methods: A Sourcebook.* [Manual de métodos sociológicos]: Aldine Transaction.

Derwing, T., y Munro, M. (2005). Second Language Accent and Pronunciation Teaching: A Research-based Approach. [El acento en segundo idioma y la enseñanza de pronunciación: Un enfoque basado en la investigación]. *TESOL Quarterly* 39 (3): 379-397. https://doi.org/10.2307/3588486.

Griffith, M. (2017). Tapping into the Intellectual Capital at the University. [Sacar provecho del capital intelectual dentro de la comunidad universitaria]. *Universal Journal of Educational Research* 5 (12A): 134-143. https://doi.org/10.13189/ujer.2017.051320.

Griffith, M. (2021). Compensatory discourse strategies in the bilingual university classroom". [Las estrategias discursivas de compensación en el aula bilingüe universitaria]. En E. Crespo (Ed.), *Discourse Studies in Public Communication,* 298-319 John Benjamins https://doi.org/10.1075/dapsac.92.13gri.

Hyland, K. (2007). Applying a Gloss: Exemplifying and Reformulating in Academic Discourse. [Apilcando una glosa: Ejemplos y reformulaciones en el discurso académico]. *Applied Linguistics 28*(2): 266-285. Oxford University Press. https://doi.org/10.1093/applin/amm011.

Jenkins, J. (2007). *English as a Lingua Franca: Attitude and Identity.* [Inglés como una lengua franca: Actitud e identidad]. Oxford University Press.

Jocuns, A. (2021). Classroom Discourse. [Discurso académico]. En C. Chapelle, (Ed.) *Encyclopedia of Applied Linguistics,* 620-625. Blackwell. https://doi.org/10.1002/9781405198431.wbeal0134.

Morales, P. (2010) Investigación e innovación educativa. *REICE. Revista Iberoamericana sobre Calidad, Eficacia y Cambio en Educación,* vol. 8, núm. 2, 2010, pp. 47-73 Red Iberoamericana de Investigación Sobre Cambio y Eficacia Escolar.

Munro, M. (2008). Foreign Accent and Speech Intelligibility. [El acento extranjero y la inteligibilidad del acto de habla]. En J. Hanson Edwards y M. Zampini (Eds), *Phonology and Second Language Acquisition,* 193-218. John Benjamins. https://doi.org/10.1075/sibil.36.10mun.

Paradowski, M. (2008). Winds of Change in the English Language-Air of Peril for Native Speakers? [Aires de cambio en el inglés: ¿Peligra el hablante nativo?]. *Novitas-Royal 2*(1), 92-119.

Tanner, K. (2012). Promoting Student Metacognition. [Fomentando la Metacognición del alumnado]. *CBE – Life Sciences Education,* 11, 113-120. https://doi.org/10.1187/cbe.12-03-0033.

Tarone, E., Bigelow, M., y Hansen, K. (2013). *Literacy and Second Language Oralacy.* [Alfabetación y oralidad en la segunda lengua]. Oxford University Press.

Yazan, B. (2015). Intelligibility. [Inteligibilidad]. *ELT Journal 2*(69), 202-204. https://doi.org/10.1093/elt/ccu073.

*Capítulo 16*

# False friends in scientific and technical language: a corpus-based study in climate change discourse

Amal Haddad Haddad

*(Universidad de Granada –España–)*

## I.  INTRODUCTION

English is the *lingua franca* in science and technology and is considered the main source of new terms in almost all fields (Linder and De Sterck, 2016: 36; Bozděchová 2015: 2252; Temmerman 2018: 9; Scarpa 2020: 77, etc). Steurs and Kockaert (2014: 5) distinguish between primary and secondary term formations. Primary term formation is "the naming of a concept that is completely new, and is the result of scientific and technological innovation (usually monolingual and very often in English as the lingua franca of scientific publications)". Secondary term formation is "the creation of a new term for an existing concept", a phenomenon which relates to the transfer of scientific and technological knowledge from one linguistic community to another, mainly from English, the *lingua franca*, into other languages. In this context "term formation" is defined as "the process of labelling the concepts within a particular subdomain in order to stimulate the development of cognitive processes and communication" (Steurs and Kockaert, 2014: 1).

Terms may be created by assigning new meanings to existing terms or by combining and deleting lexical elements (Dubuc and Lauriston, 1997). Steurs and Kockaert (2014: 3) explain that there are certain semantic principals which contribute to the creation of new terminology such as i) expansion, extending the meaning of a term by giving it a new meaning; ii) metaphor, giving a new meaning by analogy to that of an established term; iii) metonymy, taking the part for the whole or the whole for the part; iv) eponymy, widening the use of a proper name as a common noun; v) conversion of grammatical category; vi) adopting a term from another subject field with a slight change in meaning such as from animate to inanimate. With respect to metaphor, Faber and Márquez (2004: 585) highlight that it is considered "a powerful cognitive mechanism that triggers both lexical and textual creativity". Steurs and Kockaert (2014: 4) describe three main methods for neoterm creation: i) compounding, using a new designation formed of two or more elements; ii) terminologisation and transdisciplinary borrowing, using existing forms in general language and other specialised languages; iii) translingual borrowing, using new terms and appellations that originate in another language. This study focuses on the strategy of translingual borrowing, especially in those cases where metaphorical transfer is present, as it is "an integral component of our cognition which shapes our understanding of the world" (Faber and Márquez, 2004: 585).

From a cognitive linguistic point of view, metaphor defined as "a mapping of conceptual structure from a source to a target domain" (Ruiz de Mendoza, 2017: 302) is considered as a dimension of construal (i.e. that has the capacity for conceptualising the same situation in different ways), "since it reflects a very general ability to conceive of and structure one entity against the background of another" (Faber and Márquez, 2004: 585). The analogy which resides in metaphoric-based terms may help in the comprehension of new terms, but when transferring these terms into other languages, obstacles may arise due to the different conceptual systems that may be constructed on unshared cultural or structural elements. This is due to the fact that metaphor is "dependent upon a body of domain knowledge already organised and dependent on other more basic concepts" (Faber and Márquez, 2004: 594).

According to Bordet (2016), these translation processes may lead in some cases to the standardisation of the underlying conceptual constructions in the source specialised domains and a risk of domain loss in some target languages and cultures, above all in languages with low priority status, in other words, "the will of the language community to maintain and improve its cultural identity through a fully developed language in all domains of life" (Steurs and Kockaert, 2014: 9). This is due to the fact that English is considered as a language of hegemony worldwide, and the uncontrolled expansion of terms which are transferred from English into other languages entails a risk of erosion of cultural and linguistic diversity (Anderman and Rogers, 2005: 2) with a resulting tendency to the standardisation of scientific conceptualisation (Bordet, 2016: 1).

The translation techniques used to transfer scientific terms from one language into another involve in some cases some linguistic difficulties related to the presence of false friends in some technical terms. According to Földi (2020: 730) false friends are defined as "words from different languages which seem *prima facie* to be the same, but which have different meanings". Sirbu and Alibec (2016: 167) classify the most common false friends types related to English and other European languages: "the first category of English words that are most likely to evolve into false friends are those of Greek and/or Latin origin which have either not retained their primary meaning or have gained additional meanings throughout the time in either language". Spanish shares the Greek and Latin origin with some English words and that is why it is common to find many false friends between those two languages, such as the words "exit" and *"éxito"* meaning "triumph" and "idiom" vs *"idioma"* meaning "language". On the other hands, other studies like Al-Wahy (2009) and Al-Athwary (2021) highlight the existence of lexical false friends between genetically unrelated languages like English and Arabic such as the words "safe" and "سيف" *[sayf]* meaning "sword".

When false friends arise in scientific and technical languages, this difficulty provokes the coinage of inappropriate secondary terms in specialised languages. This problem hinders the communicative function of the terms as the message they underlay may be severely altered in the target language and culture (Ramos and Ruiz, 2008: 125). This problem results to be greater when the neologism originally created is a metaphor based one as it would alter the cognitive and conceptual order of the domain. In such cases, Bordet (2012: 1) suggests the practice of dynamic translation to keep non-English specialised languages alive. Meanwhile Steurs and Kockaert (2014: 9) propose a strategy based on domain dynamics, which entails a four-phase procedure: 1) conquest, the development of means of professional communication where previously lacking; 2) reconquest, the recreation or updating of terminology; 3) expansion, the simultaneous creation of all the means necessary for the distribution of terminology; and 4) cultivation, the creation of terminologies for completely new areas of knowledge.

The main approach used in this research to study the conceptual and structural dimension of terms is Frame-Based Terminology (FBT). It is "a systematic set of theoretical principles that reflect the cognitive and linguistic nature of terms as access points to larger knowledge configurations" (Faber, 2015: 14). It is a descriptive and text-driven cognitive approach that studies the conceptual constructions of specialised texts and the behaviour of specialised units and their role in the transfer, communication, and representation of specialised knowledge. FBT uses corpus based-approach for the elaboration of terminographic definitional models, based on semantic, syntactic and pragmatic micro-theories, in which lexical relations are codified, to guarantee the internal and external coherence of the conceptual representation. Within this approach, each specialised domain can be represented by a general event as a network of both hierarchical and non-hierarchical semantic relations. Based on the FBT, previous case studies were carried out in order to study the conceptualisation of certain subdomains in the field of environment, such as Ureña and Buendía (2017) in the subdomain of natural disaster, Fernandez (2011) in the subdomain of climate change, Faber et al. (2006) in the subdomain of coastal engineering, etc. At the same time, many studies also explored the metaphorisation processes in certain subdomains from the point of view of FBT, such as Ureña and Faber (2014) in marine biology, Ureña (2014) in Zoosemiotics, etc. All these works have proved that FBT is an effective method for the construction of environmental events and sub-events, in which frames have become large-scale representations that link categories by means of semantic relations, offering at the same time, more consistent and flexible representations of the conceptual structures (Faber, 2015: 15).

## II.   OBJECTIVE

In this paper, special emphasis was placed on the case of the insertion and generation of metaphor based new terminology in English and its transfer to Spanish and Arabic. The case study focuses on the term "carbon capture and sequestration" created originally in English then transferred into other languages via translation processes. A frame based terminology approach and analysis is carried out in order to understand the conceptual dimension of the neologism and the adequacy of its transfer in Spanish and Arabic.

## III.   MATERIALS AND METHODS

The main method used for the extraction of relevant information is corpus analysis, which was carried out with the help of the programme Sketch Engine (https://www.sketchengine.eu/). A multilingual corpus English, Spanish and Arabic was used. The main corpus in English is the EcoLexicon corpus available in the Sketch Engine online corpora. In order to compare the frames of the neologism "carbon capture and sequestration", *ad hoc* corpus was created in Spanish and in Arabic. In the case of

Spanish, and taking into consideration the availability of good quality research online, a web-based corpus was created with the help of "find texts on the web tool" offered by Sketch Engine. In the case of Arabic, special attention was paid for the selection of corpus in order to guarantee the liability of resources, this is also due to the fact that the resources available online in Arabic are not always adequate because of their format[1]. The entire corpora contain specialised, semi-specialised and informative texts. The selection criteria for the corpus of study coincides with the adequacy criteria established by Buendía and Ureña (2010). Special emphasis was placed on the following parameters: (1) text authority, the identification of the author or the entity publishing a text is crucial (2) topic, which in this case study must be related to the subject of climate change; (3) title of the text, which is indicative of the topic and helps in the searching criteria; (4) availability of full articles and texts, in order to adequately compile and cite the corpus; (5) impact factor, as it is especially important to choose journals with scientific quality.

To analyse the results obtained through corpus analysis, different levels of the text were taken into consideration: i) the conceptual domain level, i.e. the category member that acquires a prototypical characteristic of the role they play in the environmental event due to being within an interrelated conceptual domain, ii) the terminographic meaning created through the metaphoric extension, iii) the propositional meaning and the conceptual frame they produce and the specific parameters of meaning they activate, and iv) the pragmatic context and the specific type of construal it activates according to the level it occupies at the conceptual level (Faber and Márquez, 2004: 586).

## IV.  RESULTS AND ANALYSIS

### 4.1.  THE CARBON CAPTURE AND SEQUESTRATION EVENT

After carrying out a bottom up and top down analysis, the CARBON CAPTURE AND SEQUESTRATION event was built in consonance with the FBT principles as a subevent of climate change. It is one of the methods created in order to mitigate the negative effects of this phenomenon. This term was particularly selected as a metaphor based term because the meaning of "capture" in the Cambridge Online Dictionary is: "to take someone as a prisoner, or to take something into your possession, especially by force".

---

1.    The complete list of selected texts of the Arabic corpus can be found in: https://www.dropbox.com/s/hrzs9bntq560gfg/Annexes_Frame%20Based%20Translation_Neologisims.pdf?dl=0.

This meaning induce a metaphoric image when related to climate change mitigation methods. Figure (1) shows the articulations of this event in which the conceptual representation of the subevent can be visualised as a process (PROCESS) to capture (PROCESS) carbon dioxide (PATIENT) produced during the human activity (AGENT) of combustion of fossil fuel (PROCESS), transport it (PROCESS) and finally, storage it (PROCESS) permanently (DURATION) in geological formations or in deep sea-beds (ENTITY), to prevent it from reaching the atmosphere (PATIENT) and consequently mitigate climate change (PROCESS).

**Figure 1.** Carbon capture and sequestration event.

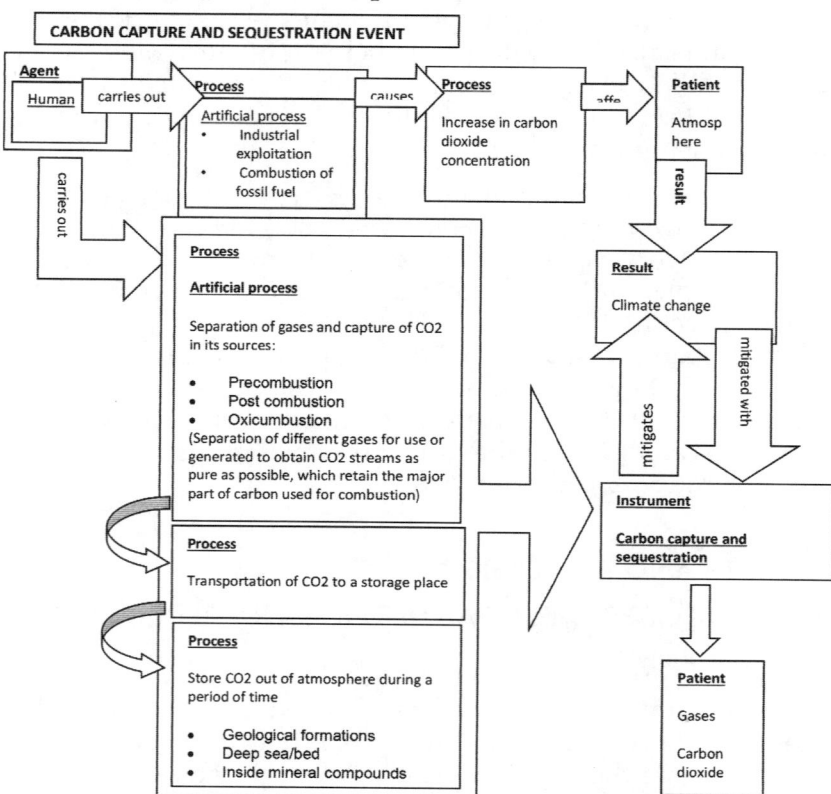

**Source:** Author.

The event of CARBON CAPTURE AND SEQUESTRATION can be compared to the "police seizure" frame as both frames share the most important frame elements (FEs), as can be seen in Table (1). The CARBON CAPTURE AND SEQUESTRATION event can be visualised as the action of police seizure and capture of a criminal, to judge him/her properly and decide whether he/she is guilty or not; and if declared guilty, transport him/her to jail and imprison him/her for a determined period of time.

**Tabla 1.** Mapping between the frames police seizure and carbon capture and sequestration.

| FEs of POLICE SEIZURE | FEs of CARBON CAPTURE AND SEQUESTRATION |
|---|---|
| Capture (PROCESS) | CARBON-CAPTURE-STORAGE |
| Imprisonment (PROCESS) | STORAGE/SEQUESTRATION |
| Transportation (PROCESS) | TRANSPORTATION |
| Liberation (PROCESS) | RELEASE |
| Police (ENTITY) (AGENT) | HUMAN-BEING: SCIENTIST |
| Criminal (ENTITY) (PATIENT) | CARBON-DIOXIDE |
| Crime (PROCESS) | GLOBAL-WARMING/ CLIMATE-CHANGE |
| Duration (ATTRIBUTE: TIME) | DURATION (TEMPORARY/ PERMANENT) |
| Prison (ENTITY) (LOCATION) | UNDERGROUND/ SEA-BED |
| Victim(ENTITY) (PATIENT) | ATMOSPHERE/EARTH-SYSTEM |
| Police Car (ENTITY) (INSTRUMENT) Criminal (AGENT) | PIPELINES CO2 |

At the conceptual domain level, the elements in the conceptual domain of the CARBON CAPTURE AND SEQUESTRATION event acquired the prototypical characteristics of the role they play in the POLICE SEIZURE event. The metaphoric extension helped in the identification and creation of the terminographic meaning of each element. The propositional meaning activated specific parameters which enabled locating the events in the anthropomorphic activity of police seizure, which is detected from its semantic relations. Such relations were acquired from the pragmatic context via bottom up and top down analysis.

## 4.2. SPANISH EQUIVALENTS OF THE CARBON CAPTURE AND SEQUESTRATION EVENT

Corpus analysis helped in the identification of the Spanish equivalents of the term "carbon capture and sequestration": *"captura y secuestro del carbono"* and *"captura y almacenamiento del carbono"*. Both terms are frequently used to refer to the same process being the first term the most used in the corpus of study. When analysing the first term *"captura y secuestro del carbono"* it is found that the lexical unit *"captura"* is defined in the Real Academia Española Online Dictionary as: *"apresar o hacer prisionero a alguien, especialmente a un delincuente"* [imprison or make someone a prisoner, specially a criminal][2], whereas, the lexical unit *"secuestro"* is defined as *"retener indebidamente a una persona para exigir dinero por su rescate, o para otros fines"* [kidnap a person in order to obtain a ransom]. Nevertheless, the lexical unit "sequestration" in the Cambridge Online Dictionary is defined as "to separate and store a harmful substance such as carbon dioxide in a way that keeps it safe". This indicated that the term "carbon capture and sequestration" coincides more with the Spanish term *"captura y almacenamiento del carbono"* as *"almacenamiento"* means "storage".

The term *"captura y secuestro del carbono"* does not coincide with the metaphoric lexical construction coined in English, whereas, the terms *"captura y almacenamiento del carbono"* does. In spite of that, both terms coincide in the construction of the metaphorical frame created originally in English, taking into consideration that in this case some texts use both terms to refer to the same phenomenon as if they were synonyms. Table (2) shows some of the similarities in the lexical formalisations in English and Spanish extracted from the English and Spanish corpus. It also shows the metaphoric frame elements corresponding to each lexical construction.

**Tabla 2.** Metaphoric lexical projection of "Carbon capture and sequestration "in English and Spanish.

| Lexical constructions in English and Spanish | FEs of police seizure |
|---|---|
| "capture and sequestration of carbon dioxide" *"el secuestro de carbono", "la captura y almacenamiento de dióxido de carbono atmosférico"* | CAPTURE – CRIMINAL – IMPRISONMENT |
| "the sequestration of greenhouse gases such as carbon dioxide" *"Captura y Secuestro de Carbono (CCS) una inyección arriesgada"* | CRIMINAL – IMPRISONMENT |
| "storing captured carbon dioxide underground" *"el secuestro de dióxido de carbono en suelos y biomasa"* | IMPRISONMENT –CAPTURE-CRIMINAL-PRISON |

---

2.    Translation between brackets.

| Lexical constructions in English and Spanish | FEs of police seizure |
|---|---|
| "carbon sequestration"<br>"Captura y secuestro del carbono" | IMPRISONMENT – CRIMINAL |

## 4.3. ARABIC EQUIVALENTS OF THE CARBON CAPTURE AND SEQUESTRATION EVENT

In order to analyse weather the carbon capture and sequestration process is metaphorically projected in Arabic as well, the first step was to identify the terms used to make reference to this concept. The corpus analysis leaded to the identification of the terms "حجز الكربون" [hajz al-karbwn], and "احتجاز ثنائي أكسيد الكربون" [ihtija:z thuna:?i:?uksi:d al-karbwn]. Table (3) shows some of the similarities in the lexical formalisations in English and Arabic extracted from the English and Arabic corpus.

**Tabla 3.** Metaphoric lexical projection of "Carbon capture and sequestration "in English and Spanish".

| Lexical constructions in English and Arabic | FEs of police seizure |
|---|---|
| "capture and sequestration of carbon dioxide"<br>'اسر ثنائي اكسيد الكربون و فصله'; 'احتجاز ثنائي اكسيد الكربون وتخزينه;<br>[asr thuna:?i:?uksi:d al-karbwn wa fasluh]; [ihtija:z thuna:?i:?uksi:d al-karbwn wa takhzi:nih] | CAPTURE – CRIMINAL – IMPRISONMENT |
| "the sequestration of greenhouse gases such as carbon dioxide"<br>'احتباس غازات الدفينة و لا سيما ثاني اكسيد الكربون'<br>[ihtiba:s gha:za:t al-dafy?a wala:siyama: thuna:?i:?uksi:d al-karbwn] | CRIMINAL – IMPRISONMENT |
| "storing captured carbon dioxide underground"<br>'امتصاص الغاز الكربوني و حجزه في تلك الصخور'<br>[imtisa:s al-ga:z al-karbwny wa hajzih fi: tilka al-sukhu:r] | IMPRISONMENT–CAPTURE-CRIMINAL-PRISON |

| Lexical constructions in English and Arabic | FEs of police seizure |
|---|---|
| "carbon sequestration"<br>" عزل الكربون ‘ " ; " ‘ تنحية الكربون‘<br>[ᶜazl al-karbwn]; [tanḥiyat al-karbwn] | IMPRISONMENT – CRIMINAL |

In those fragments, it can be observed that the carbon capture and sequestration process is described in terms of the anthropomorphic activity which has as a source domain the act of police seizure and capture of a criminal. The Arabic texts amplify the conceptual metaphor of police seizure by using more metaphoric based terms related to this frame, such as "تنحية" [tanḥiyat] and "عزل" [ᶜazl], which mean "isolation" both used in the domain of criminology. Corpus analysis also showed some other articulations of the term. Examples as (1) can be observed:

(1)

(a) خزن الكربون و تصريفه [khazn al-karbwn wa taṣryfih]

(b) كما يمكن خزن ثنائي اكسيد الكربون بحقنه في باطن الارض [kama: yumkin khazn thuna'y 'oksyd al-karbwn biḥaqnih fy ba:ṭin al-arḍ]

(c) و استخدامه كما في صناعة اليوريا CO² هناك امكانات اخرى في الصناعة لالتقاط [una:k imka: na:t ukhra: fy aṣṣina:ᶜa waistikhda:muh liltiqa:t CO2 waistikhda:mih fy ṣinaᶜat al yu:rya]

(d) أما صرف ثنائي اكسيد الكربون فيتم عن طريق امتصاصه من قبل النباتات [amma ṣarf thuna'y 'uksyd al-karbwn fayatimmu ᶜan ṭaryq imtiṣaṣih min qibal al.naba:atat]

Examples (1) the combination of the lexical unit "كربون" [karbown] with the lexical units "تصريف" [tasryf] and "صرف" [sarf] in (a) meaning "to discharge" and (d), "حقن" [haqn] in (b) meaning "injecting" and "التقاط" [iltiqa:t] in (c) meaning "catching". The use of those metaphor based lexical unit indicate that the original metaphoric frame based on the police seizure frame, is not the only source to articulate the discourse in Arabic, but also other metaphoric frames were also used.

## V. ANALYSIS OF RESULTS

The implementation of frame-based analysis helped in the creation of the CARBON CAPTURE AND SEQUESTRATION subevent, defining it as a technique or method of climate change mitigation, which consists of capturing the emitted carbon dioxide, then storing it underground, instead of leaving it in the atmosphere. Such process implies that a mapping between FEs of POLICE SEIZURE and conceptual categories of the frame CARBON CAPTURE AND SEQUESTRATION has been established. Consequently, the principles of frame-based analysis were applied in order to identify the elements of the frames, and afterwards establish the correspondence between them. The results of the analysis suggest that the English term "carbon capture and sequestration" was created on a metaphorical basis, and that the Spanish terms *"captura y secuestro del carbono"* and *"captura y almacenatmiento de carbono"* and the Arabic term "احتجاز الكربون" [ihtija:z al-karbwn] were created as a result of the transfer from English into Spanish and Arabic via translation processes, comprehended as pure calques and literal translation.

In the case of Spanish language, the analysis shows that a false friends was used to coin the term *"captura y secuestro del carbono"* as the word *"secuestro"* meaning "kidnapping" is a false friend of the term "sequestration" which means "storage". This translation error provoke a mismatch in the cognitive association of the metaphoric basis of the term *"captura y secuetro del carbono"* and the POLICE SEIZURE frame. This error hinders the appropriate conceptual construction of the term in Spanish. On the other hand, the false friends used in the Spanish term also underlies a metaphoric basis, as the word *"secuestro"* implies the activation of the kidnapping metaphoric frame. This means that the Spanish term *"captrua y secuetro del carbono"* provoke the activation of two contradictory frames at a time: the police seizure frame related to the lexical unit *"captura"* and the kidnapping frame related to the lexical unit *"secuetro"*. Those two contradictory frames activated through the two lexical units in Spanish hinder the communicative function of the term and impedes its correct articulation in scientific discourse.

In relation with the Arabic equivalents of the term "carbon capture and sequestration", corpus analysis helped in the identification of the terms "حجز الكربون" [hajz al-karbwn]', and "احتجاز ثنائي أكسيد الكربون" [ihtija:z thu-na:?i:?uksi:d al-karbwn]. Both terms are in consonance with the metaphoric basis of the original term in English and activate the frame of POLICE SEIZURE. As the Arabic language does not share the Latin origin of the lexical units with English, no false friends errors where found. The coinage of the terms in Arabic shows that the transfer of those neologisms was carried out based on a more conscious previous comprehension of the conceptual system behind the term. The appropriate use of the lexical units in Arabic helped in the articulation of discourse and amplification of the conceptual metaphor through the use of terms like "عزل الكربون" [ʕazl al-karbwn] and "تنحية الكربون" [tanhiyat al-karbwn]. On the other hand, other lexical units were also used in Arabic which imply the use of other different metaphoric frames, such as the lexical units "تصريف" [tasryf], "صرف" [sarf] meaning "to discharge", "حقن" [haqn] meaning "injecting" and "التقاط" [iltiqa:t] meaning "catching". The analysis of each metaphoric frame activated through these lexical units may be subject of future studies.

## VI. CONCLUSIONS

Very often, the source language in technical and scientific communication is English, and an immediate concern is the translation of neologisms into different target languages. However, English, used as a source language lacks very often a clear delineation of concepts and terms (Steurs and Kockaert, 2014: 6). As a consequence, these transfer processes, from English, lead in some cases to the impoverishment of the conceptual systems of the target languages and hinder the conceptual comprehension required in communication. Besides that, they also lead to cognitive fuzziness as is the case with polysemy and synonymy due to the lack of stability in the degree of lexicalisation (Steurs and Kockaert, 2014: 5). For this reason, Faber and Cabezas-Garcías (2019) argue about the necessity of a previous analysis of the text before creating neologisms in languages via translation processes. This analysis should comprehend the various levels of the text in order to understand the construction of meaning. Bordet (2016) calls in these cases for a dynamic translation process which takes into consideration the conceptual representation of languages and their cultural perspective. In other words, in these cases, a frame-based translation approach is required for the insertion of neologisms in new languages, above all in scientific texts.

In this research, the principles of Frame-Based Terminology have been applied in order to study the metaphorically based neologism "carbon capture and sequestration" in the subdomain of climate change and its conceptual representation. Corpus analysis helped in the construction of the frame event of the neologism. The CARBON CAPTURE AND SEQUESTRATION event proved to be similar to the POLICE SEIZURE frame. These neologisms were inserted into Spanish and Arabic via translation processes. Each of these terms created originally in English, had more than one term coined to it in Spanish and in Arabic.

The Spanish equivalents are *"captura y secuestro del carbono"* and *"captura y almacenamiento del carbono"* being "captura y secuestro del carbono" the most frequent term in the web based corpus. In the case of the first term, the lexical unit *"secuestro"* is a false friend of the lexical unit "sequestration" which in is considered as an inappropriate coinage of the term and that is has been mistakenly transferred via translation processes. The neologism created is not in consonance with the conceptual frame that underlies the linguistic reality of the term and its metaphoric extension. This error in the translation process misleads the comprehension and the articulation of the conceptual system in Spanish. The underlying conceptual construction of the frame elements of the original terms has been ignored when creating the corresponding neologisms into Spanish. The reason is that *"captura"* indeed implies the activation of the POLICE SEIZURE frame, and all its elements, whereas *"secuestro"* leads to the activation of the KIDNAPPING or even HIJACKING frame. Nonetheless, the second term *"captura y almacenamiento del carbono"* is the most appropriate term as it does not alter the conceptual metaphoric basis of the term neither provokes the activation of two contradictory frames at a time.

With respect to the Arabic language, the Arabic equivalents are "احتجاز ثنائي أكسيد الكربون" [ihtija:z thuna:?i:?uksi:d al-karbwn]. Those neologisms are the result of literal translation of the term from English into Arabic and activate the same metaphoric frame of POLICE SEIZURE. Moreover, this appropriate coinage led to the adequate articulation of the metaphoric frame elements in the discourse in Arabic, noticeable through the use of lexical units such as lexical units like "عزل الكربون" [ᶜazl al-karbwn] and "تنحية الكربون" [tanhiyat al-karbwn].

As Bordet (2016) and Steurs and Kockaert (2014) claim, the errors in translation processes when transferring the scientific neologisms impoverish the scientific conceptual systems of these languages and may lead eventually to domain loss. For this reason, they call for a dynamic translation process which takes into consideration the conceptual systems lying behind. In other words, translators need to be aware of the role of terms as access points to larger conceptual networks.

As Sirbu and Alibec (2016: 170) claim: "words may be regarded as a polygon and one can never be sure of the result unless all dimensions of said geometrical shape have been thoroughly measured and studied", for this reason, we believe that a previous frame based strategy is needed in order to coin secondary neologisms. We also believe that language planning authorities must have a more active role in channelling the information and in the coining of new terms in all languages to guarantee a more effective circulation of information.

## VII.  ACKNOWLEDGMENT

This research was carried out as part of the project PID2020-118369GB-I00, Transversal integration of culture into an environmental terminological knowledge base (TRANSCULTURE), and the project A-HUM-600-UGR20 funded by the Spanish Ministry of Science and Innovation. Funding was also provided by an FPU grant (FPU18/05327) given by the Spanish Ministry of Education.

## VIII.  REFERENCES

Al-Athwary, A. H. (2021). False friends and lexical borrowing: A linguistic analysis of false friends between English and Arabic. *Journal of Language and Linguistic Studies*, 17, 368-383.

Al-Wahy, A. S. (2009). Idiomatic false friends in English and Modern Standard Arabic. *Babel*, 55(2), 101-123. https://doi.org/10.1075/babel.55.2.01wah.

Anderman, G. and Rogers, M. (eds) (2005). *In and Out of English: for better, for worse*. Multilingual Matters: Clevedon (UK).

Bordet, G. (2016). Counteracting domain loss and epistemicide in specialized discourse: A case study on the translation of Anglophone metaphors to French. *Publications*, 4 (2), 18, 1-12.

Bratkovich, M. O. (2018). Shining Light on Language for, in, and as Science Content. *Science and Education* 27, 769-782. https://doi.org/10.1007/s11191-018-9998-3.

Buendía Castro, M, and Ureña Gómez-Moreno, J. M. (2010). ¿Cómo diseñar un corpus de calidad? Parámetros de evaluación. *Sendebar*, 21, 165-180.

Cambridge Dictionary: https://dictionary.cambridge.org/es/.

Dubu, R. and Lauriston, A. (1997). Terms and contexts. In Wright, S. E. and Budin G. (Eds.). *Handbook of Terminology Management.* (pp. 80-87). John Benjamins Publishing Company.

Faber, P. and Márquez Linares, C. (2004). The role of imagery in specialized communication. *In* B. Lewandowska-Tomaszczyk and A. Kwiatkowska (eds.). *Imagery in Language* (pp. 585-602). Frankfurt: Peter Lang.

Faber, P., Montero-Martínez, S., Castro Prieto, M.R., Senso Ruiz, J., Prieto Velasco, J. A., León Arauz, P., Márquez Linares, C. and Vega Expósito,

M. (2006) Process-oriented terminology management in the domain of Coastal Engineering. *Terminology,* 12(2):189-213. doi:10.1075/term.12.2.03fab.

Faber, P. (2015). Frames as a framework for Terminology. In Kockaert, H. J. and Steurs, F. (eds.). *Handbook of Terminology* (pp. 14-33). Amsterdam/Philadelphia: John Benjamins.

Faber, P. and Cabezas-Garcías, M. (2019) Specialized Knowledge Representation: From Terms to Frames. *Research in Language,* 17(2):197-211. https://doi.org/10.2478/rela-2019-0012.

Földi A. (2020). "False Friends" and Some Other Phenomena Refecting the Historical Determination of the Terminology of Hungarian Private Law. *International Journal for the Semiotics of Law – Revue Internationale de Sémiotique Juridique,* 33 (3), 729-747. DOI: 10.1007/s11196-020-09727-4.

Linder, D. and De Sterck, G. (2016). Non-native scientists, research dissemination and English neologisms: What happens in the early stages of reception and re-production? *Ibérica 32,* 35-58.

Ramos Fernández, R. and Ruiz Mezuca, A. (2008) *Traducción y Cultura. Lenguas cercanad y lenguas lejanas: los falsos amigos.* Libros encasa: España.

Real Academia Española: https://www.rae.es/.

Ruiz de Mendoza, F. J. (2017). Conceptual complexes in cognitive modeling. *Revista Española de Linguistica Aplicada,* 30: 297-322.

Scarpa, F. (2020*). Research and Professional Practice in Specialised Translation.* Palgrave Studies in Translating and Interpreting. Palgrave Macmillan, London. https://doi.org/10.1057/978-1-137-51967-2.

Sirbu, A. and Alibec, C. (2018). A Friend in Need Is a Friend Indeed. Beware of False Friends,Though! *Scientific Bulletin of Naval Academy,* XXI, 166-171.

Steurs, F. and Kockaert, H. J. (2014). Language planning and domain dynamics: challenges in term creation. *Dragoman,* 2 (2), pp. 1-14.

Temmerman, R. (2018). European Union multilingual primary term creation and the impact of its neologisms on national adaptations. *Parallèles,* 30(1), 8-20. Doi: 10.17462/para.2018.01.02.

Ureña Gómez-Moreno, J. M. (2014). The Role of Image Schemas and Superior Psychic Faculties in *Zoosemiosis.* In Calzolari, N., Choukri, K., Declerck, T., Loftsson, H., Maegaard, B., Mariani, J., Moreno, A., Odijk, J. and Piperidis, S. (eds.). *Biosemiotics,* 7(3):405-427.

Ureña Gómez-Moreno, J. M. and Faber, P. (2014). A cognitive sociolinguistic approach to metaphor and denominative variation: A case study of marine biology terms. *Review of Cognitive Linguistics*, 12(1):193-222.

Ureña Góme-Moreno, J. M. y Buendía Castro, M. (2017). Semantic and Conceptual Aspects of Volcano Verb Collocates within the Natural Disaster Domain: A Frame-Based Terminology Approach. In Marcin Grygie (eds.). *Cognitive Approaches to Specialist Languages* (pp. 330-350), Cambridge Scholars.

*Capítulo 17*

# Impact of COVID-19 in mental health. Levels of anxiety, depression and obsession in general population

José Henrique Santos
*(University of Extremadura –Spain–)*

Francisco Vaz Leal
*(University of Extremadura –Spain–)*

Maria Suárez Gómez
*(University of Extremadura –Spain–)*

## I.  INTRODUCTION

Most of reports show the impact of COVID-19 in mental health by hitting populations with anxiety, depression, and stress, (WHO, CDC, NIMH) – "There's no health without mental health" (WHO), and in that line of thought, we carried out an on-line survey to assess anxiety, depression, and obsession during lockdown, in order to comprehend if mental health aspects linked to COVID-19 had some kind of expression in general population.

COVID-19 stroke us as people and societies in a brutal way, in a manner unseen at least for about 100 years, when the so called *Pneumonica*, in 1918, could have killed 100 million, with at least three waves in 1918, 1919 and 1920 (Johnson and Mueller, 2002, cit. in Knobler S, *et al.*, 2005).

Before that, history teaches us about the Black Death or Bubonic Plague in 1347, that stroke Europe killing twenty million people, devastating societies, economies and turning life into chaos (Damen, 2019), not to mention previous similar events, for instance, in the times of Roman Empire.

So, it is a fact that, pandemics hit societies in a cyclic way overtime and the pandemic of our time is COVID-19, which might be something with at least similar potential of destruction like the ones we just mentioned above – today we might think that somehow, we can be more prepared for such an event, but in fact one can never tell, because these pandemics come in mysterious ways, and we are trying to figure out how was this possible as we write.

Thus, this pandemic has large effects on public Health, both now and in years to come, with effects on children, teenagers, elderly, people with disabilities, homeless, people with mental health disorders, healthcare workers and professionals (Javed, *et al.*, 2020), and in mental health of general population, pointing out for anxiety, depression, the most common effects pointed out in the literature, and obsession, among other features, and that was what we proposed.

## II.  OBJECTIVES

What is meant to be known relies upon the identification of anxiety, depression and obsession that might be featuring a part of general population's mental health, due to COVID-19, aiming to give a contribution to perceive the impact of COVID-19 in mental health general population, on the grounds of age and gender ranges and how are they affected.

## III.  METHOD

Data collection was gathered using proper instruments to measure anxiety – Corona Virus Anxiety Scale (CAS) (Lee, 2020) adapted by Pires *et al.* (2020) to the Portuguese Population; to measure depression, the widely used Beck's Depression Inventory (BDI); to measure obsession, we have chosen the Obsession with Covid Scale (OCS) (Lee, 2020) adapted by Pires *et al.* (2020) to the Portuguese Population, and Graffar Scale was used showing the householder professional status, level of instruction, family income, home comfort and residential area), whose variables n<10 had to be recoded, for analysis purposes; also level of instruction, family income, home comfort/housing comfort and residential area were recoded for analysis purposes, and gender by age groups were set using crosstabs, using SPSS to operate descriptive statistics displayed on frequencies, as well as percentages of responses, featuring the sample (district of living, environment where one lives, nationality, marital status, and professional rank).

Total scores for CAS, OCS and BDI scales were displayed, after the means as well as the standard deviations. Kolmogorov-Smirnov and Shapiro-Wilk normality tests showed no normal distribution. Central Limit Theorem supports an assumption for parametric tests concerning large samples, and accordingly, parametric tests were used.

Comparison between groups were analyzed using one-way ANOVA, for more than 2 groups (age, professional condition, home comfort and residential area features), and Student T-test for 2 groups (gender).

To develop a predictive model, able to explain if the characterization and social variables were predictors of anxiety, obsession or depression symptoms, a logistic regression took place (rather than a linear regression, on the grounds that this one could not be used taking the fact that scales did not meet the assumption to normality in the sample distribution); that way 2 assumptions had to be considered for the application of a binary logistic regression: 1) a codification between positive and negative symptoms has been defined for each instrument aiming binary variables.

Concerning the instruments used, for CAS a cut-off point score of 9 points was defined; for OCS a score of 7 points, and for BDI a score of 12 points; 2) concerning variables with n>10 $R^2$ closer to 1 shows how much more the proposed model describes the phenomenon measured by the scales and only variables with statistical significance have been presented, once defined a significance level of p<.05 using Statistical Package for Social Sciences (SPSS 27.0).

## IV.   RESULTS

A sample of 537 respondents was assessed for measuring anxiety, depression, and obsession in an on-line survey between 3/22/2021 and 4/29/2021, comprising 78.0% (n=419) female and 22.0% (n=118) male.

Age brackets between 21-39 years, 40-49 and 50-59 years old were the most representative groups, with 34.6% (n=186; 29.2% [n=157] female, 5.4% [n=29] male), 33.5% (n=180; 26.4% [n=142] female, 7.1% [n=38] male) and 20.3% (n=109; 13.4% [n=72] female, 6.9% [n=37] male), respectively.

Lower and upper borderline age groups had less respondents, 6.1% (n=33; 5.4% [n=29] female, 0.7% [n=4] male) with less or equal to 20 years and 5.4% (n=29; 3.5% [n=19] female, 1.9% [n=10] male) with greater than or equal to 60 years old (Figure 1).

**Figure 1.** Distribution of gender between age groups.

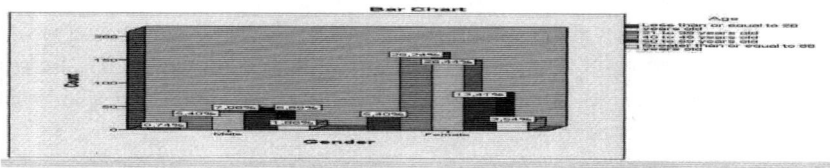

Most respondents are from the South of Portugal: 37.50% (n=201) from Beja, 8.96% (n=48) from Évora, 2.2% (n=12) from Faro, and Lisbon Metropolitan Area, with 36.19% (n=194) (Figure 2).

**Figure 2.** Distribution by living district.

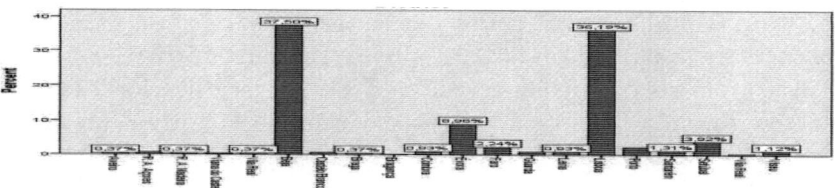

**Note: 1 (0.2%) respondent did not answer this question**

A percentage of 28.10% (n=151) lives in a rural environment, and 71.90% (n=386) lives in an urban environment (Figure 3).

About 99.1% (n=532) were Portuguese, 0.4% (n=2) were Brazilian and 0.2% (n=1) were Cape Verdean, French, or Spanish (Figure 4).

**Figure 4.** Distribution by nationality.

**Figure 3.** Distribution by living environment.

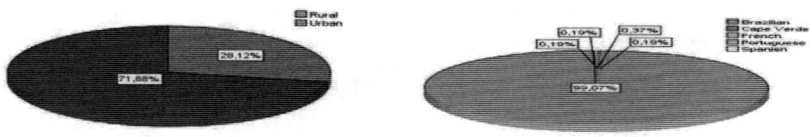

A total of 67.4% (n=362) work for others, 11.5% (n=62) were self-employed, 12.5% (n=67) were students, 3.5% (n=19) were retired and 5.0% (n=27) were unemployed (Figure 5). Marital status showed that 38.7% (n=208) were married, 13.8% (n=74) were unmarried but in a relationship, 34.5% (n=185) were single, 12.3% (n=66) were divorced and 0.7% (n=4) were widower (Figure 6).

**Figure 5.** Distribution by marital status. **Figure 6.** Distribution by professional condition.

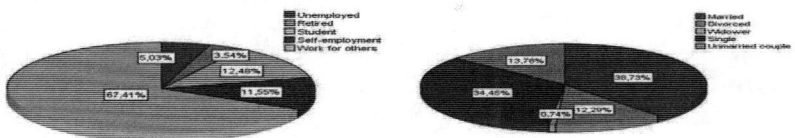

## V. SOCIAL WELLBEING

About householder profession, most of respondents, 43.58% (n=234), were bank directors, technicians, graduates, university degrees, 24.58% (n=132) were technical assistants, designers, cashiers, first class officers, foremen, 17.32% (n=93) were drivers, bellboys, kitchen helpers, cleaning services staff/women and others (manual workers or unskilled workers), and 14.53% (n=78) were heads of administrative or business sections of large companies and merchants (Figure 7).

In terms of level of instruction concerning householders, almost a half (49.35%; n=265) had university education or its equivalent, 26.63% (n=143) had middle education or lower technicians (industrial or commercial courses, low-ranking military, or no academic degrees), 14.71% (n=79) had middle education or higher technique skills (technicians and experts), 8.38% (n=45) had complete primary education and 0.93% (n=5) had incomplete or null primary education (Figure 8).

**Figure 7.** Distribution by profession of householder. **Figure 8.** Distribution by level of instruction of householder.

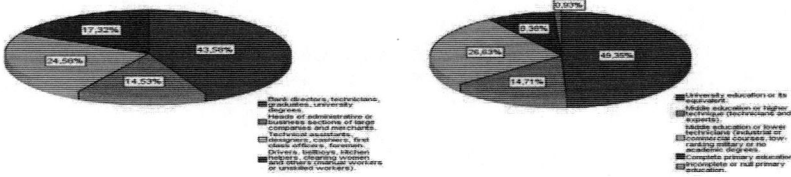

Most of respondents had a steady/fixed monthly salary (77.28%; n=415) as family income, and about 16.76% (n=90) received incomes from wages, pay per week, hours, tasks, 4.47% (n=24) received corporate profits, high fees, well-paid posts, 1.12% (n=6) lived with an inheritance or acquired fortune and, in the opposite site, 0.37% (n=2) sustained their families depending upon public charity (Figure 9).

Regarding to housing comfort, most of respondents lived in houses or apartments that are not luxury but are wide/spacious and comfortable (53.82%; n=289) or in modest houses or apartments, well-constructed and in good condition, bright and airy, with kitchen and bathroom (39.11%; n=210).

In borderlines, 3.35% (n=18) lived in luxury houses or large apartments offering the maximum comfort, and in the opposite site, 3.17% (n=17) lived in intermediate category between modest floors and improper accommodation and 0.56% (n=3) lived in unsuitable accommodation for a decent life, tents, overcrowding (Figure 10).

**Figure 9.** Distribution by family income. **Figure 10.** Distribution by housing comfort.

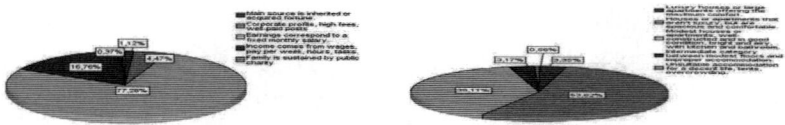

In terms of residential area features, most of respondents (74.67%; n=401) lived in a good residential quarter (neighbourhood), with wide streets and comfortable houses and apartments, while in a smaller number, about 14.71% (n=79) lived in neighbourhoods on shopping, narrow and old streets, 8.75% (n=47) lived in elegant residential quarter (neighbourhood) where the land value is high and residually, 1.49% (n=8) lived in workers' quarters, crowded, poorly ventilated, close to factories and 0.37% (n=2) lived in degraded and illegal neighbourhoods (Figure 11).

**Figure 11.** Distribution by residential area features.

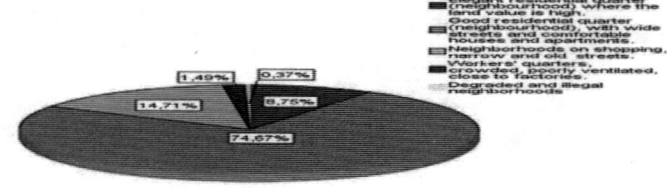

## VI. INSTRUMENTS

Table 1 displays means and standard deviations, maximum and minimum of the three instruments used, considering that recoding the instruments in dichotomic variables were needed for logistic regression purposes, dividing each one in presence/absence, according to cut-offs defined in literature.

**Table 1.** Instrument´s characterization.

|  | **M±SD** | **m-M** |
|---|---|---|
| CAS_Score | 3.261±4.162 | 0.0-20.0 |
| OCS_Score | 4.147±3.746 | 0.0-16.0 |
| BDI_Score | 9.277±8.845 | 0.0-48.0 |

About 12.7% (n=68) respondents revealed anxiety with COVID-19, and 87.3% (n=469) did not; 23.3% (n=125) revealed obsession with COVID-19, 76.7% (n=412) did not; 30.7% (n=165) revealed depression and 69.3% (n=372) did not.

## VII. COMPARISON OF MEANS BETWEEN AGE GROUPS

A significant difference between age groups in OCS score was found $[F(4,532)=3.940; p<.05]$. i.e. age influences the obsession with COVID-19 index (Table 2), meaning in a more detailed analysis, that the post-hoc LSD test showed significant mean differences between age groups in OCS scores, which were significantly higher for younger people than for elderly people ($M_{G1-G4}=1.671$; $M_{G2-G4}=1.509$; $M_{G2-G5}=1.690$; $M_{G3-G4}=1.148$), and the results showed that, by mean, obsession with COVID-19 is different for ages between 50 and 59 years old, and for anxiety or depression with COVID-19 there is no differences between groups.

## VIII. COMPARISON OF MEANS BETWEEN GENDER GROUPS

Significant differences between gender groups in BDI ($t(535)=-3.412$; $p=.000$), CAS ($t(200.411)=-2.629$; $p=.009$) and OCS scales ($t(222.721)=-4.110$; $p=.000$) (Table 3) were found ($p<.05$). On mean, BDI, CAS and OCS depend on gender, and females showed more likely to develop depression, anxiety, and obsession related to COVID-19.

**Table 2.** Mean Differences of influence of age in OCS.

| | | M±SD | F | p | Differences between groups* |
|---|---|---|---|---|---|
| OCS_Score | ≤ 20 years old (G1) N=33 | 4.818±4.042 | | | |
| | 21 to 39 years old (G2) N=186 | 4.656±3.726 | | | G1-G4 |
| | 40 to 49 years old (G3) N=180 | 4.294±3.841 | 3.940 | .004 | G2-G4 |
| | 50 to 59 years old (G4) N=109 | 3.147±3.602 | | | G2-G5 |
| | ≥ 60 years old (G5) N=29 | 2.965±2.485 | | | G3-G4 |
| | Total | 4.147±3.747 | | | |

*LSD Post-Hoc test. p<.05.

**Table 2.** Mean Differences of influence of gender in OCS.

| | Male N=118 | Female N=419 | t | p |
|---|---|---|---|---|
| | M±SD | M±SD | | |
| BDI_Score | 6.847±7.709 | 9.962±9.031 | -3.727 | .000 |
| CAS_Score | 2.415±3.879 | 3.499±4.213 | -2.629 | .009 |
| OCS_Score | 3.034±3.173 | 4.461±3.838 | -4.110 | .000 |

## IX. COMPARISON OF MEANS BETWEEN PROFESSIONAL CONDITIONS

There has been a significant difference between professional condition groups in BDI score was found [$F_{(4,532)}$=2.433; $p<.05$] (Table 4), i.e., professional condition influences the depression COVID-19-related, which means in a more detailed analysis, that the post-hoc LSD test showed significant mean differences between professional conditions in BDI scores, that were significantly higher in unemployed people than in retired, self-employed or working for others ($M_{G1-G2}$=6.138; $M_{G1-G4}$=4.038; $M_{G1-G5}$=4.484), meaning that, by mean, depression to COVID-19-related is higher for unemployed people, the opposite for anxiety or obsession with COVID-19 that did not show differences between groups.

**Table 3.** Mean Differences of influence of professional condition in BDI.

| | | M±SD | F | p | Differences between groups* |
|---|---|---|---|---|---|
| BDI_Score | Unemployed (G1) N=27 | 13.296±9.903 | | | |
| | Retired (G2) N=19 | 7.158±10.172 | | | G1-G2 |
| | Student (G3) N=67 | 10.791±9.853 | 2.433 | .047 | G1-G4 |
| | Self-employed (G4) N=62 | 9.258±9.163 | | | G1-G5 |
| | Work for others (G5) N=362 | 8.812±8.362 | | | |
| | Total | 9.277±8.845 | | | |

*LSD Post-Hoc test. p<.05.

## X. COMPARISON OF MEANS BETWEEN LEVEL OF INSTRUCTION OF HOUSEHOLDER GROUPS

A significant difference between level of instruction of householder and BDI scores was revealed [$F(3,533)$=3.276; p<.05] (Table 5), highlighted through post-hoc LSD test with significant mean differences between levels of instruction of householders, and with scores significantly lower in householders with primary education ($M_{G1-G4}$=-3.656; $M_{G2-G4}$=-4.762; $M_{G3-G4}$=-3.821), that is to say that level of instruction of householder influences the depression related to COVID-19 and, by mean, is different in families which householders have primary education, and no significant differences were observed for anxiety and obsession.

**Table 5.** Mean Differences of influence of level of instruction of householder in BDI.

| | | M±SD | F | p | Differences between groups* |
|---|---|---|---|---|---|
| BDI_Score | University education or its equivalent (G1) N=265 | 9.143±8.384 | | | |
| | Middle education or higher tech-nique (G2) N=79 | 8.038±8.572 | 3.276 | .021 | G1-G4 |
| | Middle education or lower techni-cians (G3) N=143 | 8.979±9.101 | | | G2-G4 |
| | Primary edu-cation (G4) N=50 | 12.800±10.228 | | | G1-G4 |
| | Total | 9.277±8.845 | | | |

*LSD Post-Hoc test. p<.05.

## XI.   COMPARISON OF MEANS BETWEEN HOUSING COMFORT GROUPS

A significant difference between housing comfort groups in CAS and OCS scores was found [$F(3,530)=3.967$; $p<.05$; $F(3,530)=4.167$; $p<.05$] (Table 6), i.e., housing comfort influences the anxiety and obsession with COVID-19 index, which means that in a more detailed analysis, the post-hoc LSD test showed significant mean differences between age groups in CAS and OCS scores, which were significantly higher in intermediate cate-gory between modest floors and improper accommodations than in more comfortable houses (CAS[$M_{G1-G4}=-3.957$; $M_{G2-G4}=-3.266$; $M_{G3-G4}=-2.745$];

OCS[$M_{G1\text{-}G4}$=-3.248; $M_{G2\text{-}G3}$=-.714; $M_{G2\text{-}G4}$=-2.685; $M_{G3\text{-}G4}$=-1.971]); thus the results showed that, by mean, anxiety and obsession with COVID-19 is different for people living in an intermediate accommodation, but not for depression COVID-19-related.

**Table 6.** Mean Differences of influence of housing comfort in CAS and OCS.

| | | M±SD | F | p | Differences between groups* |
|---|---|---|---|---|---|
| CAS_Score | Luxury house (G1) N=18 | 2.278±3.982 | | | |
| | Spacious and comfortable house (G2) N=289 | 2.969±4.014 | | | G1-G4 |
| | Modest house (G3) N=210 | 3.490±4.246 | 3.967 | .008 | G2-G4 |
| | Intermediate category (G4) N=17 | 6.235±4.893 | | | G3-G4 |
| | Total | 3.255±4.169 | | | |
| OCS_Score | Luxury house (G1) N=18 | 3.222±3.671 | | | G1-G4 |
| | Spacious and comfortable house (G2) N=289 | 3.785±3.462 | | | G2-G3 |
| | Modest house (G3) N=210 | 4.500±3.983 | 4.167 | .006 | G2-G4 |
| | Intermediate category (G4) N=17 | 6.471±3.970 | | | G3-G4 |
| | Total | 4.133±3.731 | | | |

*LSD Post-Hoc test. p<.05

## XII. COMPARISON OF MEANS BETWEEN RESIDENTIAL AREA FEATURES GROUPS

A significant difference between residential area features groups in OCS and BDI scores was found [$F(2,524)=3.236$; $p<.05$; $F(2,524)=8.874$; $p<.05$] (Table 7), i.e., residential area features influence the obsession and depression COVID19-related.

**Table 7.** Mean Differences of influence of residential area features in OCS.

|  |  | M±SD | F | p | Differences between groups* |
|---|---|---|---|---|---|
| CAS_Score | Elegant residential quarter (G1) N=47 | 3.383±3.645 | | | |
| | Good residential quarter (G2) N=401 | 3.993±3.707 | | | G1-G3 |
| | Neighborhoods on shopping streets (G3) N=79 | 4.987±3.818 | 3.236 | .040 | G2-G3 |
| | Total | 4.087±3.734 | | | |
| OCS_Score | Elegant residential quarter (G1) N=47 | 7.425±7.448 | | | |
| | Good residential quarter (G2) N=401 | 8.628±8.560 | | | G1-G3 |
| | Neighborhoods on shopping streets (G3) N=79 | 12.797±9.142 | 8.874 | .000 | G2-G3 |
| | Total | 9.146±8.685 | | | |

*LSD Post-Hoc test. p<.05.

Post-hoc LSD test showed significant mean differences between residential area features groups in OCS and BDI scores; thus, these scores were significantly higher in neighbourhoods on shopping, narrow and old streets than in more privileged residential quarters (OCS[$M_{G1-G3}$=-1.604; $M_{G2-G3}$=−.975]; BDI[$M_{G1-G3}$=-5.372; $M_{G2-G3}$=-4.169]), and the results showed that, by mean, obsession with COVID-19 is different for people living in modest quarters, but not for anxiety COVID-19-related.

## XIII.  PREDICTIVE MODELS

Binary logistic regression showed that gender and profession of householder were predictors of obsession with COVID-19 (Table 8), both showed a significantly positive relationship with obsession indicators, and finally gender revealed that females, with a positive coefficient (.611), are 1.83 times more likely to develop obsession with COVID-19 than males.

Profession of householder demonstrated that householders in better economic groups have a more predisposition to obsession with COVID-19 than more modest groups; bank directors, technicians, graduates, university degrees showed 1.825 times more predisposition and heads of administrative or business sections of large companies and merchants 2.828 times more than drivers, bellboys, kitchen helpers, cleaning women and others. There were not significant differences between technical assistants, designers, cashiers, first class officers, foremen and drivers, bellboys, kitchen helpers, cleaning women and others.

Predictive model of obsession indicators is: $\chi^2$ = 15.297; p<..05; $R^2_{Negelkerke}$ =.042, which means that despite the significantly relation between obsession with COVID-19 and gender and profession of householder, only 4.2% of the model is explain with these variables, concluding that this model is weak.

Binary logistic regression showed that residential area features showed was the only predictor of depression COVID-related (Table 9).

Looking at residential area features, elegant and good residential quarter have a positive coefficient (.994 and.897, respectively), which suggest a significantly positive relationship with depression indicators, i.e., people who lived in elegant and good residential quarter have 2.70 and 2.45 times, respectively, more likely to develop depression than people who lived in neighbourhoods on shopping streets.

So, the possible predictive models rest upon the OCS scale, and the BDI scale which results concerning both provide indications alike, this is to say that OCS predicators together with BDI Scale predictors were found: in a word we found predictors for OCS, BDI, and we could not find the same for CAS scale.

Predictive model of depression indicators is: $\chi^2 = 13.056$; p<..05; $R^2_{Negelkerke}$ =.035, which means that despite the significantly relation between depression COVID-related and residential area features, only 3.5% of the model is explained with this variable, revealing a limitation and in what concerns the CAS scale, we could not find a predictive model, and the reason why was because no variable showed significant differences inside each group at all – these results are pointed out in the next two tables.

**Table 8.** Predictors of OCS.

| Variable | | Coef (B) | S.E. | Odds ratio (Exp (B)) | 95% CI upper lower | p-value |
|---|---|---|---|---|---|---|
| Gender | Male | | | 1 | | |
| | Female | .611 | .282 | 1.842 | 1.060-3.198 | <.05 |
| Profession householder | Drivers, bell-boys, kitchen helpers, cleaning women and others | | | | | <.05 |
| | Bank directors, technicians, graduates, university degrees. | .596 | .276 | 1.814 | 1.056-3.116 | <.05 |
| | Heads of administrative or business sections of large companies and merchants. | 1.040 | .395 | 2.828 | 1.303-6.138 | <.05 |

| Variable | | Coef (B) | S.E. | Odds ratio (Exp (B)) | 95% CI upper lower | p-value |
|---|---|---|---|---|---|---|
| Gender | Male | | | 1 | | |
| | Technical assistants, designers, cashiers, first class officers, foremen. | .255 | .297 | 1.276 | .721-2.309 | >.05 |

**Table 9.** Predictors of BDI.

| Variable | | Coef (B) | S.E. | Odds ratio (Exp (B)) | 95% CI upper lower | p-value |
|---|---|---|---|---|---|---|
| | Neighborhoods on shopping streets | | | 1 | | <.05 |
| Residential Area Features | Elegant residential quarter | .994 | .403 | 2.703 | 1.226-5.958 | <.05 |
| | Good residential quarter | .897 | .251 | 2.452 | 1.498-4.014 | <.05 |

## XIV. DISCUSSION AND CONCLUSIONS

Though literature is scarce over this issue, COVID-19 hit us recently and hardly putting our world upside down. Since March 2020 the new coronavirus changed all of our lives worldwide – "the fear of contracting the virus (…) the significant changes to our daily lives as our movements are restricted (…) to contain and slow down the spread of the virus. Faced with new realities of working from home, temporary unemployment, home-schooling of children, and lack of physical contact with other family members, friends and colleagues, it is important that we look after our mental, as well as our physical health." (WHO, 2020).

"The coronavirus disease 2019 (COVID-19) pandemic may be stressful for people. Fear and anxiety about a new disease (…) can be overwhelming and cause strong emotions in adults and children. (…) social distancing can make people feel isolated and lonely and can increase stress and anxiety." (CDC, 2020); moreover "COVID-19 is an emerging, rapidly evolving situation" (NIMH, 2020).

In fact, psychological consequences of COVID-19 are wide, global, and almost at all levels, like for instance, according to Pietrabissa & Simpson (2020) "Perceived social isolation during the COVID-19 pandemic significantly has had an extraordinary global impact, with significant psychological consequences. Changes in our daily lives, feeling of loneliness, job losses, financial difficulty, and grief over the death of loved ones have the potential to affect the mental health of many".

In a study about mental health during the lockdown in UK (Pieh *et al.*, 2021), several mental health and well-being indicators were assessed, among which one can find assessment on depression and anxiety as well, showed that a large part of the sample –52% to be more precise– screened for a common mental health disorder, especially among adults under 35 years old, women, jobless and low incomes.

Our study, based on a sample of 537 respondents (78% females/22,0% males), with age brackets from 21-39 years, 40-49 and 50-59 years old (most representative groups), mostly from South Portugal, mainly living in an urban area, working for others, married, in the banking business, high level of instruction, with a steady income, living in good apartments, in good residences of good neighbourhoods, stated that age influences obsession with COVID-19 for younger people, and depression, anxiety and obsession depend on gender, with females reporting more prone to be influenced, with professional conditions, influencing depression, prone to be higher in unemployed, level of instruction influencing depression in people with lower education, housing comfort influencing anxiety and obsession, higher in intermediate category between modest and improper accommodations, while residential area features influences obsession and depression and can be a predictor for depression when it comes to people living in elegant good residential quarters than people living in neighbourhoods which are not exclusive for inhabitation.

This is wide enough to conclude that everyone is/was/will be somehow affected in their mental health by the impact of coronavirus, in wide layers of population, like, for instance, among pregnant women's risk perception (Qi, *et al.* 2020; Naurin, *et al.*, 2021); healthcare workers (Duarte, *et al.*, 2020); child and adolescents (Shah, *et al.*, 2020); students (Kekojevic, *et al.*, 2020); and the list could go on and on.

Depression and anxiety associated to COVID-19 have been studied more often when it comes to different aspects of mental health, but literature, being overall scarce, is even scarcer when it comes to obsession, which means that might be something innovative about our study and should be considered in future research related to mental health associated to the pandemic.

The literature consulted, together with the results we found in our study, state that mental health is impacted by the coronavirus pandemic in multiple ways, no doubts can remain, and affect life quality of people and societies in a wide manner, and so, this must have policy implications, and our study stands as a contribution to alert governments and policy makers to address this issue, something that we will do introducing the data obtained to local authorities in South Portugal.

Our study pretends to be a very simple and objective message, calling attention for mental health and try to issue a general alert on these utmost important aspects in the life both of people and societies, because it can effectively disrupt people's behavior to the point of turmoil.

"There's no health without mental health" (WHO).

## XV.  REFERENCES

Beck *et al.*, (1996). Beck Depression Inventory (BDI-II) adapted by Campos and Gonçalves (2011).

Damen, M. (2019). Section 6 Man and Disease: The Black Death. USU 1320: History and Civilization.

Duarte, I., *et al.*, (2020). Burnout among Portuguese healthcare workers during the COVID-19 pandemic. *BMC Public Health* 20, 1885 (2020). https://doi.org/10.1186/s12889-020-09980-z.

Fausto, A. (1990). Graffar Scale, (GS), adapted in Costa, A *et al.* (1996). Currículos Funcionais. Lisboa: IIE, Vol.II".

Javed, B., *et al.* (2020). Impact of SARS-CoV-2 (Coronavirus) Pandemic on Public Mental Health. *Frontiers in public health, 8,* 292.

Kecojevic, A., Basch, C. H., Sullivan, M., & Davi, N. K. (2020). The impact of the COVID-19 epidemic on mental health of undergraduate students in New Jersey, cross-sectional study. *PloS one, 15*(9), e0239696. https://doi.org/10.1371/journal.pone.0239696.

Knobler S, *et al.* (2005) The Threat of Pandemic Influenza: Are We Ready? Workshop Summary. Institute of Medicine (US) Forum on Microbial Threats. Washington (DC): National Academies Press (US); 2005.

Lee, (2020) Obsession with COVID Scale (OCS), adapted by Pires *et al.* (2020).

Lee, (2020). Corona Virus Anxiety Scale (CAS), adapted by Pires *et al.* (2020).

Mengsha, Q., *et al.*, (2020). Impact of the COVID-19 epidemic on patterns of pregnant women's perception of threat and its relationship to mental state: A latent class analysis. Published: October 2, 2020. https://doi.org/10.1371/journal.pone.0239697.

Naurin, *et al.* (2021). Pregnant under the pressure of a pandemic: a large-scale longitudinal survey before and during the COVID-19 outbreak, *European Journal of Public Health*, Volume 31, Issue 1, February 2021, Pages 7-13, https://doi.org/10.1093/eurpub/ckaa223.

Pieh, C., *et al.*, (2021). Mental Health During COVID-19 Lockdown in the United Kingdom. Psychosom Med. 2021 May 1;83(4):328-337. doi: 10.1097/PSY.0000000000000871. PMID: 33009276.

Pietrabissa, G., and Simpson, G. (2020). Psychological Consequences of Social Isolation During COVID-19 Outbreak. Frontiers in Psychology. Volume 11. https://www.frontiersin.org/article/10.3389/fpsyg.2020.02201 DOI=10.3389/fpsyg.2020.02201.

Shah, K., *et al.* (2020). Impact of COVID-19 on the Mental Health of Children and Adolescents. Cureus 12(8): e10051. doi:10.7759/cureus.10051.

www.cdc.com (2020).

www.nimh.com (2020).

www.who.com. (2020).

*Capítulo 18*

# Programas de inmersión cultural corporativa total en español como lengua de herencia (ELH)

Emilio Iriarte Romero
*(CLM, Universidad de Granada) –España–*

## I. INTRODUCCIÓN

Esta investigación se centra en el análisis de la puesta en práctica de un programa de inmersión cultural corporativa por parte de 28 estudiantes universitarios estadounidenses de español como lengua de herencia[1] durante los años académicos comprendidos entre 2011 y 2018. El programa de inmersión se llevó a cabo en empresas multisectoriales que se asignaban a los aprendientes de acuerdo con los estudios que realizaban en su país de origen. Esta investigación pretende contribuir a tener un conocimiento más profundo de la idiosincrasia que caracteriza esta área de la enseñanza del español como lengua extranjera, puesto que el objetivo principal que se persigue es delimitar qué factores contribuyen al buen funcionamiento de un programa de inmersión corporativo y del proceso de aculturación. Una vez obtenidos los resultados y las conclusiones tras el análisis, se delimitarán aspectos a tener en cuenta en la elaboración de programas futuros con relación a ambas áreas.

---

1. Una lengua de herencia se define, de manera amplia, como "una lengua minoritaria (inmigrante, indígena, colonial o de refugiados) y sus hablantes, aquellos quienes tienen alguna conexión personal o familiar hacia esa lengua". (Cummins, 1991, pp. 601-2). Valdés, quien acuñó este concepto, define al hablante de herencia como toda persona que se haya criado en un hogar donde no se habla el inglés, o donde el inglés es lengua secundaria; pueda hablar o comprender la lengua de herencia; y en cierta medida ser bilingüe en inglés y en la lengua de herencia o familiar (2001, p. 37).

El proceso de globalización ha traído consigo una serie de medidas educativas emplazadas a conformar una serie de políticas y programas que estén enfocados en la formación, adaptación y preparación del alumnado a esta nueva realidad que le rodea. Para que dichos procesos se hagan realidad, los organismos e instituciones europeos se han puesto en marcha para la elaboración de planes que permitan poner en práctica los medios de actuación pertinentes. De este modo, se han ido elaborando planes orientados a la inmersión lingüística y cultural. Una de las ramificaciones que surgen dentro de este contexto está unida al ámbito profesional y, más concretamente, al mundo de la empresa, el cual posee unas connotaciones propias que obligan a tratar esta situación desde una perspectiva diferente. Por un lado, este enfoque ofrece un entorno educativo diferente, puesto que el espacio en el que tiene lugar no es el aula sino la empresa. Por otro lado, el proceso de aculturación exige el dominio de una serie de conocimientos, destrezas y habilidades que capaciten al alumnado a actuar como agentes interculturales en un contexto marcado por la cultura corporativa meta.

Teniendo en cuenta que uno de los rasgos que definen la política educativa europea de los últimos años es la internacionalización de Europa, el pluriculturalismo y el plurilingüismo se tornan ejes principales. En este entorno, surge la necesidad de crear programas que permitan la creación de proyectos educativos que confluyan más allá de las propias fronteras europeas. Es necesario, por lo tanto, analizar los rasgos definitorios de los programas de inmersión cultural corporativa en el marco educativo europeo e identificar cuáles son dichos programas. Además, también hay que establecer otros aspectos esenciales tales como, qué entendemos por el proceso de aculturación en estos contextos, cómo se lleva a cabo dicho proceso y qué aspectos son esenciales para que estos programas lleguen a buen puerto a la hora de satisfacer las necesidades reales de los aprendientes. En consecuencia, la elaboración de programas de esta naturaleza nos permitirá delimitar los rasgos que deben definir los programas de inmersión orientados al alumnado procedente de fuera de las fronteras europeas.

En términos generales, los programas de inmersión lingüística y cultural se caracterizan por el uso de la lengua meta como lengua vehicular en la enseñanza de las diferentes asignaturas que conformen el programa de enseñanza-aprendizaje. Asimismo, el entorno educativo tiene lugar en el país de la lengua y cultura objeto de estudio. Se deduce, por lo tanto, que el objetivo prioritario de un programa de inmersión es el bilingüismo, junto con el desarrollo de las competencias generales. En un primer plano, el aula pasa a ser el escenario en el que se producen las actividades del proceso de enseñanza y aprendizaje de la lengua y la cultura y, en un segundo plano, la sociedad meta se convierte en el escenario para la actuación de los nuevos agentes sociales interculturales en proceso de formación.

El fenómeno de los programas de inmersión surge en los años sesenta del pasado siglo en Canadá, principalmente para determinar y satisfacer las necesidades sociales que existían en los estudiantes angloparlantes que estudiaban francés, una lengua minoritaria en dicho país. De acuerdo con Cloud *et al.* (2000) existen programas de inmersión total, cuando la lengua extranjera es la lengua vehicular dominante en el proceso de enseñanza y aprendizaje o de inmersión parcial, cuando la lengua materna y la lengua meta se utilizan en el aula alternativamente. Para Ignasi Vila (2004), los programas de inmersión abordan la adquisición de una segunda lengua desde una perspectiva comunicativa en las que predomina la negociación de los contenidos en la interacción adulto-niño. Met define la inmersión del siguiente modo: "método para la enseñanza de una lengua extranjera en el que el currículo regular de la escuela es enseñado a través de esta lengua. La lengua extranjera es el vehículo para la enseñanza del contenido; no es el contenido en sí". (1991, p. 88).

Llegados a este punto, es necesario adentrarse en el concepto de aculturación, puesto que se establece una correlación con la aplicación de los programas de inmersión. No olvidemos que el tratamiento de la cultura es un factor común en ambos. Dicho concepto está estrechamente relacionado con la evolución gradual de un aprendiente, o grupo de aprendientes, que se encuentran en una situación de adaptación a un entorno social, lingüístico y cultural, que es diferente al de su entorno de origen. Por lo tanto, en esta investigación el concepto de aculturación se entiende desde la misma perspectiva del Instituto Cervantes, que define este concepto de la siguiente manera:

> Proceso de adaptación gradual de un individuo (o de un grupo de individuos) de una cultura a otra, con la cual está en contacto continuo y directo, sin que ello implique, necesariamente, el abandono de los patrones de su cultura de origen. Dicho contacto suele derivar en influencias culturales mutuas que comportan cambios en una o en ambas culturas. (IC, 2021, en línea).

Adentrándonos directamente en el análisis de los diversos programas creados por la Comisión Europea y el Consejo de Europa en las últimas décadas, es necesario aclarar que ambas instituciones se han mostrado muy activas a la hora de promover y crear programas de esta índole (dirigidos a diversos sectores de población), con el ánimo de proveer espacios educativos en los que desarrollar las capacidades y habilidades necesarias en el mundo de la empresa y del trabajo.

Son variadas y numerosas las publicaciones que han aflorado por parte de ambas instituciones, pero habida cuenta que la enseñanza del español para fines específicos es el área en la que se enmarca esta investigación, se hace necesario analizar las publicaciones realizadas en las últimas décadas, a causa de la relación que guardan con nuestro propósito. Se trata, pues, de analizar qué programas, orientados a la inmersión lingüística y cultural en el ámbito empresarial, se han creado dentro de las políticas educativas de la Unión Europea y del Espacio Europeo de Educación Superior (EEES). A continuación, mostramos algunos de ellos:

a. El primer programa que podemos citar dentro de esta sección es el programa MAREP (Marco de Referencia para los Enfoques Plurales de las Lenguas y de las Culturas). Dicho proyecto persigue dotar al profesorado de las herramientas necesarias dentro de las perspectivas de los enfoques plurales[2] y consta de un referencial de competencias y recursos, así como de un banco de datos. Este programa se puede realizar en línea y en la modalidad presencial.

b. Proyecto Odysseus. El lenguaje en el mundo del trabajo está moldeado por unas normas culturales explícitas e implícitas dentro de una comunidad profesional y, por lo tanto, desde el punto de vista de este proyecto, el lenguaje se ve como un instrumento de práctica social más que un sistema estructural. Desde esta perspectiva lingüística, el proyecto Odysseus se aventura en la creación de materiales que capaciten al alumnado en las competencias necesarias para interactuar en el mundo laboral.

c. Proyecto ICOPROMO (*Intercultural Competence for Professional Mobility*[3]). Creado como complemento al programa Leonardo da Vinci, es:

Un modelo transformacional, en el sentido en que articula las fases por las que atraviesa un individuo cuando llega a ser consciente de los retos interculturales a los que se enfrenta, como consecuencia de su propia movilidad o la de otros con los que se debe comunicar de una manera efectiva. (Consejo de Europa, 2007, p. 15).

---

2. De acuerdo con el Consejo de Europa (2013, p. 6), se entiende por enfoques plurales de las lenguas y de las culturas a los enfoques didácticos que ponen en práctica actividades de la lengua en las que se utilizan dos o más variedades lingüísticas y culturales.

3. Competencia intercultural para la movilidad profesional.

d. Erasmus+ es el programa de movilidad de la UE en los ámbitos de la educación, la formación, la juventud y el deporte para el período 2021-2027. Es un proyecto con una gran diversidad de áreas en las que enfocarse. De todas ellas, merecen la pena destacar el multilingüismo y el multiculturalismo, ya que se enfoca más allá de las fronteras de la Unión Europea.

En definitiva, esta investigación persigue analizar qué factores son esenciales a la hora de establecer criterios para el desarrollo del proceso de aculturación y cuáles determinan que el grado de satisfacción del alumnado sea positivo. Destacar dichos factores, nos permitirá tener objetivos didácticos futuros basados en evidencias, además de tener unos parámetros a seguir para el diseño de programas de esta índole en situaciones de aprendizaje futuras.

## II. OBJETIVOS

En la consecución de los objetivos se consideró oportuno realizar un análisis de las diferentes perspectivas que los participantes tenían sobre su experiencia en el programa de inmersión cultural corporativa. Las opiniones se realizaron tras finalizar dicho programa. Los objetivos divergían hacia dos fines diferentes, que son los siguientes:

Objetivo 1. Grado de satisfacción alcanzado. El grado de satisfacción personal (grado alto, medio o bajo) obtenido por los usuarios tras realizar el programa de inmersión cultural corporativa, con relación al análisis de los puntos positivos o negativos del programa de inmersión que el grupo meta había manifestado. El alumnado debía establecer qué aspectos o parámetros les conducía a afirmar el grado de satisfacción alcanzado.

Objetivo 2. Desarrollo del proceso de aculturación. La percepción personal, por medio de una autoevaluación, del nivel alcanzado en el desarrollo propio de las competencias generales (aculturación). La valoración abarca desde el principio hasta el final de la inmersión. Se trata de reflejar cómo se ha llevado a cabo el proceso de desarrollo de las competencias generales (establecidas en el MCERL[4]), tal y como el alumnado lo ha ido experimentando desde su propia perspectiva.

Es necesario aclarar que para los miembros del grupo meta, la lengua y la cultura actúan como factores de herencia y están en contacto con ellas en el ámbito familiar. Por lo tanto, la distancia cultural y lingüística de este grupo nos permite establecer qué nivel de influencia puede tener

---

4.    Marco Común Europeo de Referencia para las lenguas.

dicho factor a la hora de adaptarse a una cultura similar a la de su entorno familiar, pero diferente a la de su entorno social.

## III. METODOLOGÍA

Tras el diseño y elaboración de una asignatura creada en el Centro de Lenguas Modernas de la Universidad de Granada (España), se puso en práctica este proyecto en el curso académico 2011-2012. El objetivo principal que se perseguía era satisfacer una demanda que se venía observando con anterioridad: la necesidad de elaborar y diseñar un programa de inmersión cultural corporativa que permitiera al alumnado poner en práctica los conocimientos lingüísticos y culturales que habían ido adquiriendo en etapas previas de su formación. Dicho programa se diseñó para estudiantes internacionales y la gran demanda vino por parte de estudiantes universitarios estadounidenses, que estudiaban diferentes especialidades y grados en sus universidades de origen. Los datos aquí expuestos se obtuvieron durante siete años académicos, que van desde 2011 hasta 2018, y en el tamaño muestral se analizaron un total de 28 sujetos. Es necesario destacar que las muestras son representativas, puesto que abarcan la diversidad de dicho grupo, es decir nacidos en EE.UU. o en un país hispanohablante y con progenitores totalmente hispanohablantes o mixtos (español y otra lengua, generalmente el inglés).

También, se concertaron acuerdos con empresas pertenecientes a diversos sectores. Estas empresas eran asignadas al alumnado con relación a su especialidad. Tras haber estado inmersos en el programa por un período de tres o cuatro meses, el alumnado debía realizar un proyecto final, el cual serviría de base de obtención de datos. Concretamente, los datos se obtuvieron a partir de tres secciones diferentes, que estaban encaminadas a la reflexión de los participantes sobre la experiencia vivida. Las secciones analizadas fueron las siguientes:

a. Reflexión personal. En este apartado se les sugería especificar qué les había aportado esta experiencia a nivel personal y profesional con relación a su carrera académica. Dicha información se pudo obtener para establecer la graduación correspondiente en torno al grado de satisfacción obtenido tras la realización del programa. Además, se les propuso contestar a preguntas abiertas para que respondieran de manera libre y, así, no interferir en sus opiniones. Las preguntas fueron las siguientes:

– ¿Cómo crees que pueden contribuir estas prácticas en tu futuro laboral?

– ¿Consideras que una experiencia de este tipo puede influir en tus posibilidades de encontrar un trabajo en el futuro?

– ¿Aconsejarías a tus compañeros a hacer esta asignatura? ¿Por qué?

b. Sugerencias. Este punto iba dirigido a detectar posibles carencias del programa para poder buscar soluciones futuras. De esta manera, se les daba la siguiente información: en este apartado debes especificar qué aspectos, de todo el proceso de prácticas en empresas, te parece que se podrían mejorar o cambiar.

c. Conclusiones finales. En esta sección se pretendía obtener datos acerca del desarrollo y evolución de las competencias generales y, por ende, del proceso de aculturación. De esta manera, se le solicitaba al alumnado que expresara cualquier opinión personal sobre las ventajas o desventajas de realizar un programa de estas características en lo concerniente a sus capacidades y habilidades interculturales en el ámbito profesional. Además, al igual que en el primer apartado, se les propusieron unas preguntas abiertas para que la información obtenida estuviera dirigida a buscar respuestas para los objetivos establecidos previamente. Algunas de las preguntas asignadas fueron las siguientes:

– ¿Crees que estos programas universitarios benefician al estudiante y su adaptación a la cultura corporativa española?

– ¿Crees que tu competencia intercultural ha mejorado después de haber realizado esta asignatura?

Los elementos que se han establecido para corroborar y dar evidencia del nivel de satisfacción que el grupo meta ha alcanzado en su participación en el programa, así como del nivel de aculturación adquirido a través del desarrollo de las competencias generales, se han basado principalmente en cuatro ítems de análisis, que son los siguientes:

a. Ítem 1. Los beneficios de aprender haciendo[5].

b. Ítem 2. Mejora y desarrollo de su propia experiencia y habilidades laborales.

---

5.    Aprender haciendo es un método de enseñanza propuesto por Roger Schank. Este modelo es de naturaleza constructivista y en él se le da más prioridad al aprendizaje que a la enseñanza. Es un método de que prioriza la acción como medio para alcanzar el desarrollo de destrezas y habilidades por parte de los alumnos. Para Schank, la experiencia es la clave para un aprendizaje significativo: "el aprendizaje es un proceso inductivo. En otras palabras, el aprendizaje se produce por experiencia". (Shank, 2005, p. 11).

c. Ítem 3. Aumento de posibilidades en el mercado laboral.

d. Ítem 4. Desarrollo de las competencias generales y del proceso de aculturación.

De esta manera, los ítems 1, 2 y 3 permitirán obtener resultados acerca del objetivo 1 y el ítem 4 nos conducirá a obtener datos con relación al objetivo 2. Los datos fueron almacenados y analizados por medio del programa Nvivo. Este programa sirvió de base para la clasificación de las muestras en sus respectivos ítems y para el análisis estadístico. Las variables que se analizaron son mixtas y su clasificación se hizo desde dos perspectivas. Primero, a partir de la correlación que se establecía entre las respuestas y cada uno de los ítems de análisis (variables cualitativas) y después, por medio de la medición y la correlación con el número de referencias que se encontraban para cada uno de los ítems (variables cuantitativas).

## IV. RESULTADOS

Para mostrar los resultados obtenidos se han establecido dos secciones que están marcadas por la tipología de las variables que se están analizando en esta investigación.

### 4.1. VARIABLES CUALITATIVAS

En esta tabla 1, se puede observar una selección de las muestras encontradas con relación a los objetivos 1 y 2 de este estudio. Las muestras se han clasificado tomando como referencia los cuatro ítems establecidos para determinar los datos correspondientes a cada uno de los objetivos previos que se persiguen. En este primer escenario de análisis se tomaba como referencia el área a la que aludía en sus respuestas cada uno de los miembros de grupo meta. Este proceso permitió clasificar las respuestas por área temática, junto con los posibles factores colaterales que pudieran surgir de las respuestas:

**Tabla 1.** Selección de muestras encontradas para determinar los objetivos.

| *Ítems* | *Muestras*[6] |
|---|---|
| Ítem 1. Los beneficios de aprender haciendo: grado de satisfacción. | – Yo sí aconsejaría a mis compañeros que hagan esta asignatura porque como dije anteriormente yo creo que la mejor manera de aprender es por experiencia, porque uno raciona diferente en situaciones de teoría comparado a en realidad. Aprendí mucho porque tuve la oportunidad de aprender de todos con quien trabajé no solo del profesor. <br> – En el futuro les aconsejaría a mis compañeros esta asignatura porque para mí fue una experiencia en la cual pude aprender más en la vida actual y el trabajo actual que en un salón de clases. |
| Ítem 2. Mejora y desarrollo de su propia experiencia y habilidades laborales: grado de satisfacción. | – Aprendí mucho sobre la cultura corporativa española y es algo que me ayudará no solo en mi vida laboral sino también en mi vida personal. <br> – Creo que esta experiencia a nivel personal y profesional me ha aportado conocimiento tanto profesional como cultural a mi carrera profesional. Creo que haber realizado estas prácticas puede contribuir en mi futuro laboral. |
| Ítem 3. Aumento de posibilidades en el mercado laboral: grado de satisfacción. | – Creo que las prácticas en empresas es una experiencia que muchos estudiantes extranjeros pueden beneficiarse de aprender las diferencias culturales corporativas será extremadamente útil más adelante en la vida cuando/si viajan a un otro país para trabajar. Nuestros futuros empleadores apreciarán que tenemos una comprensión más amplia y global de las diferencias culturales de otros países y cómo trabajar con esas diferencias en un entorno empresarial. <br> – Creo que todos los estudiantes que llevan esta asignatura tienen una ventaja competitiva en el mercado laboral. |

---

6. Las muestras expuestas son textos escritos por el alumnado y para mantener su autenticidad, no se han manipulado ni corregido.

| Ítems | Muestras[6] |
|---|---|
| Ítem 4. Desarrollo de las competencias generales y del proceso de aculturación. | – Al aprender sobre las diferencias en las culturas, me volví más abierto de mente. Ahora, si tuviera que trabajar en una cultura corporativa diferente a la mía, me sentiría menos intimidada y más abierta de mente. En general, aprendí mucho de esta experiencia y sé que puedo usar esto cuando ingrese a la fuerza de trabajo. <br> – Mi experiencia intercultural ha mejorado mucho, yo he aprendido a respetar la manera de trabajar de otras culturas, aunque sea diferente de las mías. <br> – Yo creo que mi competencia intercultural ha mejorado mucho más de lo que esperaba y ahora entiendo que no todas las empresas del mundo tienen la misma manera de hacer las cosas. |

## 4.2. VARIABLES CUANTITATIVAS

En términos generales, se ha observado que, en lo concerniente al objetivo 1, el grado de satisfacción alcanzado por el alumnado es muy alto (100%). Ningún usuario ha mostrado un grado medio o bajo de satisfacción. También, con relación al objetivo 2, todos los participantes han afirmado haber experimentado un desarrollo de las competencias generales bastante alto y, consecuentemente, de su proceso de aculturación.

En los siguientes apartados se muestran las gráficas de resultados obtenidos para cada uno de los cuatro ítems analizados:

## 4.2.1. Los beneficios de aprender haciendo

**Figura 1.** Porcentaje del alumnado que ha tenido en cuenta los beneficios del aprender haciendo para mostrar un grado alto de satisfacción del programa de inmersión.

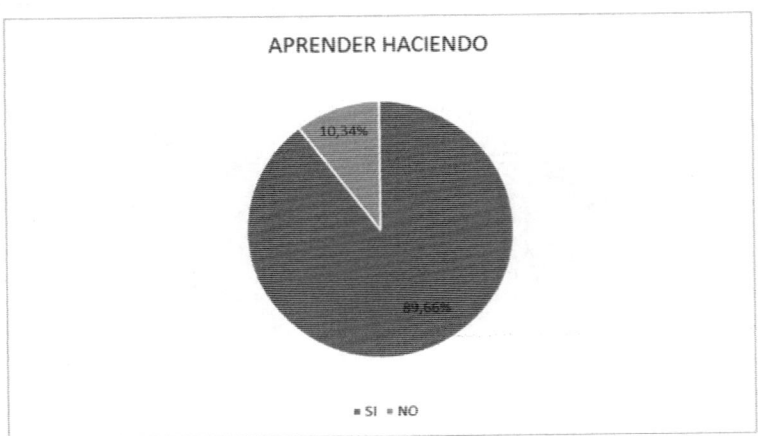

**Fuente:** Elaboración propia.

## 4.2.2. Mejora y desarrollo de su propia experiencia y habilidades laborales

**Figura 2.** Alumnado del grupo meta que ha tenido en cuenta el desarrollo de las habilidades laborales y profesionales para mostrar un grado alto de satisfacción.

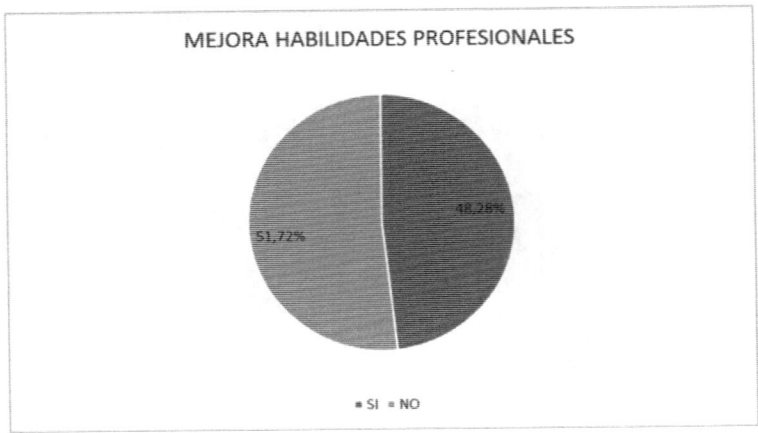

**Fuente:** Elaboración propia.

### 4.2.3. Aumento de posibilidades para el mercado laboral

**Figura 3.** Alumnado del grupo meta que ha tenido en cuenta el aumento de posibilidades en el mercado laboral para tener un grado alto de satisfacción del programa de inmersión cultural corporativa.

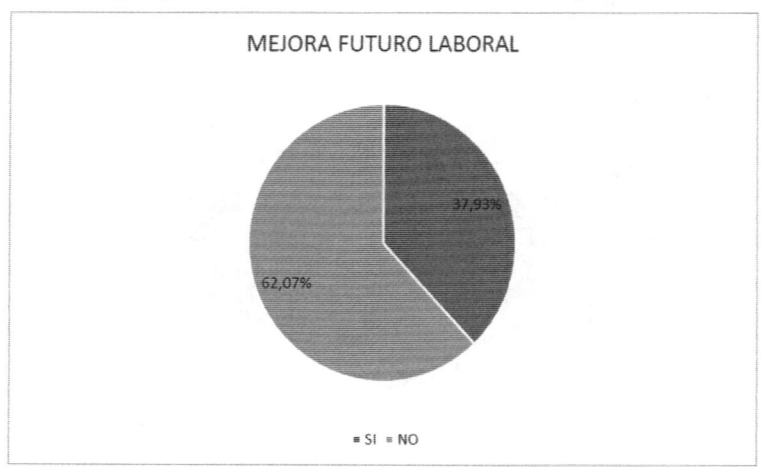

**Fuente:** Elaboración propia.

### 4.2.4. Desarrollo de las competencias generales y del proceso de aculturación

**Figura 4.** Alumnado del grupo meta que ha tenido en cuenta el desarrollo de las competencias generales y del proceso de aculturación para tener un grado alto de satisfacción en el programa.

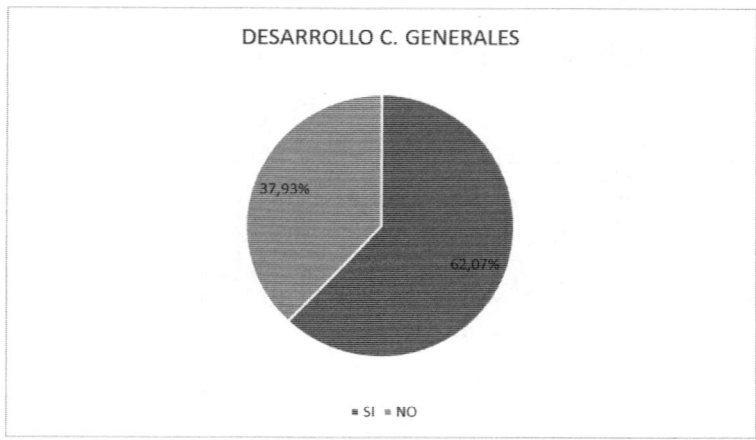

**Fuente:** Elaboración propia.

## V. DISCUSIÓN

En cuanto a los resultados obtenidos, con relación a los dos objetivos de análisis de esta investigación, se ha encontrado un porcentaje satisfactorio en ambos. No se han encontrado muestras en las que los participantes hayan expresado algún tipo de insatisfacción relacionada con el proceso de inmersión. Esta evidencia nos permite afirmar que los alumnos, en su totalidad, se han visto favorecidos con relación al desarrollo de destrezas y habilidades relacionadas con su aprendizaje y conocimiento de la cultura corporativa española (aculturación). También, se puede aplicar el mismo estadio en lo concerniente al grado de satisfacción alcanzado.

A continuación, mostramos los resultados obtenidos en los diferentes ítems utilizados para medir las dos variables de estudio.

### 5.1. OBJETIVO 1. GRADO DE SATISFACCIÓN ALCANZADO

Ítem 1. Se ha podido comprobar que, pese a no haber habido mención directa sobre este ítem en el cuestionario, algunos de los aprendientes han expresado que uno de los factores que le han permitido tener un alto grado de satisfacción se basa en la enseñanza relacionada con aprender haciendo, ya que dicho componente permite una mejora del proceso de enseñanza y aprendizaje. Factores tales como el desarrollo de la experiencia profesional, la aplicabilidad de los conocimientos adquiridos en clase, experimentar la vida real de la empresa y la obtención de más fuentes de conocimientos complementarios, permiten evidenciar la importancia de este ítem.

Es necesario observar que este parámetro ha sido mencionado por el alumnado un 10.34%, lo cual nos lleva a observar que ha sido el ítem menos determinante para concretar qué factores le ha llevado al grupo meta a obtener un alto grado de satisfacción al participar en este programa de inmersión cultural corporativa.

Ítem 2. En el factor relacionado con la mejora y el desarrollo de la propia experiencia y habilidades profesionales, hay que destacar que un 48.28% de los encuestados ha considerado este ítem el más relevante para mostrar su grado de satisfacción con el programa. La motivación para seguir en su carrera profesional, mayor autoconfianza y seguridad en sí mismos, uso de la experiencia como referencia para su futuro laboral y profesional y el alcance de un mayor conocimiento de la realidad de una empresa, que realiza actividades propias de su especialización, han sido factores determinantes que se han mencionado por parte de los usuarios aprendientes para corroborar las ventajas que han percibido, tras la participación en el programa de inmersión propuesto en esta investigación.

Ítem 3. Otro de los rasgos que los alumnos del grupo meta han mencionado en sus opiniones sobre esta variable, guarda una estrecha relación con la mejora de su grado de competitividad en el mercado laboral. Un 37.93% de los encuestados ha mencionado este factor como relevante en el grado de satisfacción. Factores como la mejora de su currículum vitae, el poder certificar su participación en una empresa hispana, además de experiencia laboral en su especialidad, han sido algunos de los componentes mencionados por el alumnado para tomar este ítem en consideración.

## 5.2.  OBJETIVO 2. PROCESO DE ACULTURACIÓN

Ítem 4. A través de las opiniones de los participantes, en lo tocante al desarrollo de las competencias generales y el proceso de aculturación, se ha obtenido información relevante acerca de los factores que les motivan. Un 62.07% del alumnado afirma que su competencia intercultural ha mejorado tras la participación en el programa de inmersión cultural corporativa, principalmente por el mero hecho de haber desarrollado unas habilidades interculturales con las que no habían contado previamente. Esto nos lleva a poder afirmar que este ítem ha sido el más relevante de los cuatro y el que se debe tener más en cuenta para el diseño de este tipo de programas.

Es necesario, en esta etapa del proceso de análisis de datos, analizar cuáles han sido los diversos factores que han permitido a los participantes del grupo meta dar evidencias para afirmar que han experimentado un desarrollo de la competencia intercultural. Estos factores, a su vez, guardan una estrecha vinculación con algunos de los subcomponentes que conforman las competencias generales y, a continuación, mostramos dichas correlaciones:

a.  Desarrollo del conocimiento de la cultura corporativa meta y la propia, por medio del conocimiento de pequeños matices que permiten distinguirla de la de otros países (Consciencia intercultural).

b.  Respeto y concienciación de la diversidad cultural corporativa. (Consciencia intercultural).

c.  Adquirir nuevos conocimientos para tener más éxito en su vida laboral. (Conocimientos socioculturales).

d.  Experimentar y superar choques culturales. (Competencia existencial).

e.  Mayor apertura mental, estrategias resilientes y flexibilidad, entendidas como relativismo cultural. (Competencia existencial).

f. Búsqueda de información y consulta de diversas fuentes para mejora de conocimiento. (Capacidad de aprender).

g. Aumento de habilidades relacionadas con el mundo corporativo y las relaciones interpersonales. (Habilidades prácticas e interculturales).

Un último factor mencionado en esta variable se relaciona con el aprendizaje y entendimiento, no solo de la cultura corporativa meta, sino también de la cultura de origen, lo cual genera una mayor concienciación de los rasgos a tener en cuenta al experimentar una cultura corporativa diferente a la de origen.

## VI. CONCLUSIONES

Tras los resultados obtenidos en esta investigación, se puede afirmar que el grado de eficacia del programa es alto. Todos los estudiantes de este grupo han reflejado haber experimentado un desarrollo de las competencias generales y, consecuentemente, del proceso de aculturación. De hecho, este factor ha resultado ser el más relevante de todos, lo cual nos lleva a la conclusión de que estos tipos de proyectos favorecen el desarrollo del proceso de aculturación. Además, con relación a la segunda variable, podemos corroborar que los usuarios han manifestado haber obtenido un alto nivel de satisfacción sobre el programa de inmersión. Los resultados obtenidos nos permiten sostener que algunas de las ventajas de la puesta en práctica de estos programas son las siguientes: capacitan para el desarrollo de habilidades profesionales, mejoran el grado de competitividad en el mercado laboral, favorece el desarrollo de habilidades profesionales a través de la experiencia y desarrolla el proceso de aculturación.

Por un lado, este hecho permite evidenciar la necesidad de diseñar programas de esta naturaleza con relación a la enseñanza de idiomas. Por otro lado, se han observado evidencias acerca de la importancia que tienen, en el proceso de enseñanza y aprendizaje de lenguas extranjeras, el conocimiento de la cultura corporativa meta y el desarrollo de la competencia intercultural, ya que permiten alcanzar en el alumnado un aumento en el desarrollo de todos los componentes que abarcan las competencias generales. Estas conclusiones nos sirven de referencia para crear y diseñar nuevos contenidos en futuros programas.

Algunas líneas de investigación que pueden surgir a partir de esta investigación guardan una estrecha relación con las competencias comunicativas de la lengua y el nivel de determinación que pueden tener en programas de esta naturaleza. Además, también emergen otras áreas de investigación como, por ejemplo, determinar en qué aspectos socioculturales del ámbito profesional surgen mayores divergencias o qué factores individuales de la competencia existencial impiden que el proceso de aculturación sea más o menos exitoso.

Finalmente, es necesario aclarar que un número reducido de usuarios ha afirmado no haber sufrido choques culturales en las empresas españolas, pero sí en las estadounidenses. Principalmente, los miembros de este grupo nacieron en países de habla hispana y se trasladaron a EE.UU. en su infancia o adolescencia. Este hecho nos lleva a subrayar la importancia de corroborar la existencia de un cierto grado de heterogeneidad dentro de estos grupos, aunque, a priori, parezca estar caracterizado por una cierta homogeneidad. Es necesario, por tanto, que aumenten el número de investigaciones relacionadas con la enseñanza del español como lengua de herencia, puesto que sería un gran error considerar dicho grupo como un todo no diverso. Estas investigaciones deberán ir orientadas a satisfacer las diferentes necesidades que se vayan observando con relación a los microcosmos que surgen en estos tipos de grupos.

## VII. REFERENCIAS

Cervantes, I. (12 de julio de 2021). *Diccionario de términos claves de ELE.* https://cvc.cervantes.es/ensenanza/biblioteca_ele/diccio_ele/diccionario/inmersionlinguistica.htm.

Cloud, N., Genesee, F., y Hamayan, E. (2000). Dual language instruction. A handbook for enriched education. Heinle & Heinle publishers.

Consejo de Europa. (2007). *ICOPROMO project: Intercultural competence for professional mobility.* Council of Europe Publishing.

– (2013). *Marco de Referencia para los Enfoques Plurales de las Lenguas y de las Culturas* (MAREP). Ediciones del Consejo de Europa.

Cummins, J. (1991). Introduction. *The Canadian Modern Language Review*, 47(4), 601-5.

Met, M. (1991). Foreign language on starting early. Trends foreign language. Educational Leadership.

Shank, R. C. (2005). Lessons in Learning, e-Learning and Training. Pfeiffer.

Valdés, G. (2001), "Heritage Language Students: Profiles and Possibilities", en J. K. Peyton, D. A. Ranard y S. McGinnis (eds.), *Heritage languages in America: Preserving a national resource. McHenry*, pp. 37-80.

Vila, I. (2004). "Diversidad, escuela e inmigración". En Aula de innovación educativa, 131, pp. 62-66.

*Capítulo 19*

# La improvisación en la formación de intérpretes de música clásica

Arantza Lorenzo de Reizábal

*(Universidad Pública de Navarra —España—)*

## I. INTRODUCCIÓN

La investigación de la improvisación en la enseñanza musical se ha realizado principalmente desde el ámbito jazzístico y ha estado orientada en gran medida —sobre todo en sus inicios— a la búsqueda de explicaciones sobre los procesos cognitivos que tienen lugar en las personas que improvisan *jazz*. No obstante, especialmente a partir de las dos últimas décadas, la inclusión de diferentes perspectivas ha permitido ampliar el campo de acción investigador, aumentando considerablemente sus temáticas y líneas.

Diversos estudios empíricos sugieren que la inclusión de la práctica de la improvisación en la enseñanza musical permite mejorar, entre otros, la creatividad (Azzara, 1999; Koutsoupidou y Hargreaves, 2009), la audición (Dos Santos y Del Ben, 2004; Whitman, 2001), la corrección en la lectura musical (Azzara, 1993; Montano, 1983), el aprendizaje de conceptos musicales (McPherson, 1993), la presencia escénica y la motivación de los músicos (Kenny y Gellrich, 2002) o la calidad en la interpretación (Azzara, 1993). Sin embargo, a pesar del reconocimiento de estos efectos positivos de la improvisación, todavía no hay un cuerpo de conocimientos que avale sus aportaciones y beneficios, y son muy escasas las investigaciones situadas en el campo específico de la interpretación musical "clásica", fuera del ámbito del *jazz*, que permitan evidenciar las aportaciones de la práctica de la improvisación al acto interpretativo.

A pesar de esta situación, en opinión de Després y Dubé (2014), la improvisación musical parece interesar cada vez más a los músicos clásicos debido en gran medida al desarrollo de la investigación performativa. Para estos autores, los efectos beneficiosos de la improvisación musical son muy variados y pueden ser definidos desde los siguientes ámbitos: (i) sobre las habilidades auditivas, (ii) sobre la creatividad musical, (iii) sobre la lectura a vista, (iv) sobre la interpretación, (v) sobre la presencia escénica y (vi) sobre la motivación.

Dado que la improvisación es contemplada desde la perspectiva legislativa educativa como una competencia necesaria en la especialidad de Interpretación en las enseñanzas superiores de música, resulta preciso profundizar en el conocimiento de los beneficios que su práctica puede aportar en la formación de los intérpretes de música clásica.

## II. OBJETIVOS

El objetivo principal de esta investigación es conocer y analizar las creencias y el pensamiento de los intérpretes de música clásica acerca de la improvisación, con el fin de establecer y clasificar las posibles contribuciones de su práctica a la formación de los intérpretes clásicos en el ámbito de las enseñanzas superiores de música. También es un objetivo de esta investigación conocer el grado de satisfacción de los intérpretes clásicos con la formación en improvisación recibida durante los estudios superiores de la especialidad de Interpretación.

## III. METODOLOGÍA

### 3.1. MÉTODO

Esta investigación sigue un método descriptivo, por lo que su finalidad es describir y analizar el papel que la práctica de la improvisación desempeña en la formación de los intérpretes del ámbito de la música clásica.

El enfoque metodológico es mixto, es decir, cuantitativo y cualitativo, utilizando como técnicas de recogida de información la encuesta y la entrevista en profundidad. Así, la obtención de datos se ha llevado a cabo a través de la cumplimentación de un cuestionario sobre creencias y hábitos en relación con la improvisación musical y su práctica, elaborado específicamente para esta investigación. Los datos obtenidos con este cuestionario han recibido un procesamiento estadístico descriptivo básico con el programa informático *IBM SPSS Statistics*, versión 24.0. Además, se han realizado entrevistas semiestructuradas a un grupo de tres expertos altamente cualificados en el ámbito de la improvisación y con una trayectoria musical profesional reconocida. Dichas entrevistas han sido diseñadas con el objetivo de profundizar en el conocimiento de las contribuciones de la práctica de la improvisación musical al campo de la interpretación y, específicamente, a la formación de los intérpretes de música clásica. Cabe señalar aquí que los expertos solo han tenido acceso a los resultados obtenidos en la encuesta después de realizar la entrevista.

## 3.2. PARTICIPANTES

La muestra participante en esta investigación está formada por 59 sujetos, 23 hombres y 36 mujeres, con edades comprendidas entre los 21 años y los 38, siendo la franja entre los 18 y los 25 años la más abundante. La formación académica de los participantes se ha llevado a cabo en diferentes centros educativos superiores de España, sobre todo en conservatorios. Las especialidades interpretativas representadas en la muestra son quince, si bien el mayor número de participantes corresponde a las de violonchelo, violín y piano.

Además, se ha contado con la participación de 3 expertos en el campo de la improvisación. Dos de ellos imparten clases de improvisación en el ámbito de la música clásica en las enseñanzas superiores de música y el tercero desarrolla su carrera de interpretación pianística a nivel internacional y la compagina con una importante experiencia en improvisación sobre los escenarios.

Dado que queríamos estudiar las creencias y pensamiento de los intérpretes, se estableció como condición para participar en esta investigación que los sujetos hubieran finalizado sus estudios superiores de interpretación en el ámbito clásico o, al menos, estuvieran realizando el último curso de dichas enseñanzas. Asimismo, consideramos necesario que todos ellos hubieran recibido algún tipo de formación en improvisación o tuvieran alguna experiencia práctica previa.

Para la selección de los participantes se ha seguido el método de muestreo no probabilístico, aplicando la técnica de muestreo por accesibilidad para recabar información a partir de las encuestas y la de muestreo intencional para la selección de los expertos a entrevistar (Bisquerra, 2004).

## 3.3. INSTRUMENTOS

Para la realización de la encuesta se ha elaborado un cuestionario que ha sido validado por cuatro expertos en interpretación clásica, dos de ellos pertenecientes al ámbito específico de la improvisación. Dicho cuestionario está compuesto por 5 preguntas cerradas que abarcan las diferentes categorías de análisis preestablecidas a partir de la bibliografía de referencia y de los objetivos de investigación, y que presentamos a continuación:

- Pregunta 1: recoge datos personales e información específica sobre la formación en improvisación de los sujetos encuestados.

- Pregunta 2: se centra en recoger las concepciones y opiniones acerca de aspectos básicos sobre la improvisación. Las categorías objeto de análisis para este indicador son: (i) si es privativa del ámbito del *Jazz*, (ii) su naturaleza (innata o adquirida), (iii) cualidades y habilidades previas necesarias para su desarrollo, (iv) el papel del tipo de instrumento musical en la práctica improvisadora.

- Pregunta 3: recoge la valoración cualitativa (mediante escala de valoración de 1 a 5) de las contribuciones que la práctica de la improvisación puede realizar sobre los aspectos más importantes de la interpretación musical. Se valoran las siguientes categorías: (i) técnica instrumental, (ii) expresividad musical, (iii) creatividad), (iv) memoria musical, (v) sonido, (vi) adquisición de seguridad en el escenario, (vii) superación del miedo escénico, (viii) lectura musical, (ix) conocimientos de armonía (x) habilidades de audición, (xi) aprendizaje de estilo, (xii) otros.

- Pregunta 4: nivel educativo a partir del cual los sujetos encuestados creen que es apropiado recibir formación en improvisación.

- Pregunta 5: recoge el grado de satisfacción de los encuestados acerca de la formación recibida en materia de improvisación.

La entrevista semiestructurada ha sido validada también por los cuatro expertos en interpretación clásica mediante la técnica de jueces externos. Con este instrumento se busca recabar, a partir del conocimiento experto de nuestros entrevistados, información cualitativa que nos permita profundizar en aspectos importantes o detalles trascendentes relativos al tema de la investigación y que no es posible recoger con el cuestionario.

El guion base de estas entrevistas lo constituyen las preguntas recogidas en el cuestionario y se centra en los siguientes aspectos:

- Naturaleza de la improvisación y cualidades necesarias para el aprendizaje y desarrollo de la práctica de la improvisación.

- Relación entre el nivel de improvisación y el nivel técnico del intérprete.

- Aspectos de un intérprete que mejoran más con la práctica de la improvisación.

- Tipo de beneficios de la práctica de la improvisación para un intérprete clásico.

- Cuándo comenzar con la práctica de la improvisación.

## 3.4. PROCEDIMIENTO

La encuesta se ha realizado en formato digital, manteniendo siempre el anonimato de los participantes, y se ha distribuido a través de plataformas digitales, que en la mayoría de casos eran las intranets de los propios centros educativos.

Las entrevistas a los expertos se han realizado de forma presencial, cara a cara. Fueron grabadas en audio y posteriormente transcritas. A continuación, se analizó la información obtenida de los bloques temáticos y se extrajeron los fragmentos más relevantes relacionados con las categorías de análisis determinadas para el estudio.

## IV. RESULTADOS

Sobre las concepciones de los intérpretes acerca de la improvisación, recogidas en la pregunta 2 de nuestro cuestionario, cabe señalar que casi la totalidad de los intérpretes encuestados (98,4%) considera que la improvisación no es una práctica exclusiva del *jazz*, ya que se puede extender a cualquier estilo de música. Tanto es así que el 91,5% de los encuestados consideran que es una práctica necesaria en la formación de un intérprete clásico.

En relación con la naturaleza de la improvisación, encontramos que es un pensamiento asumido por la gran mayoría de los intérpretes (96,6%) que el dominio de esta no es una cuestión de talento innato, sino que se logra con el estudio y la práctica. No obstante, aseguran los expertos entrevistados que resulta necesario contar con algunas cualidades y aptitudes de base, entre las que se señalan la audacia, la autoestima, la imaginación y la inteligencia emocional.

Sobre las habilidades que desarrolla la práctica de la improvisación, existe unanimidad entre todos los encuestados (100%) en considerar que la improvisación activa la ideación musical y la imaginación, y una gran mayoría (98,4%) considera que permite desarrollar la memoria musical. También para los expertos entrevistados son evidentes las aportaciones beneficiosas de la improvisación sobre la imaginación, la ideación musical y la memoria. Así, la experta 3 nos explica lo siguiente:

> La imaginación y la fantasía son los elementos fundamentales de la improvisación. Sin la imaginación no sería posible hacer improvisaciones, nos limitaríamos a reproducir más o menos memorísticamente pasajes ya tocados o escuchados. La imaginación es el proceso de activación del cerebro en el que se realizan conexiones entre recuerdos, experiencias vividas y sentidas y el sustrato de conocimientos adquiridos con el estudio, generando imágenes y sentimientos que, en el momento de la improvisación, se traducen en notas musicales ejecutadas en el instrumento. Cuanto más se improvisa, más se activa ese proceso de integración de experiencias y conocimiento, creando nuevos pensamientos e ideas musicales, que pueden ser más o menos lógicas, más o menos típicas, más o menos originales. (Experta 3).

En lo que se refiere al papel de la técnica instrumental en el desarrollo de habilidades de improvisación, los resultados indican que el 76,3% de los encuestados cree que el nivel de improvisación alcanzado por un intérprete no está en relación directa con el nivel técnico que posee; tan solo el 23,7% opina que existe una relación y una dependencia entre ambas. Las opiniones de los expertos, sin embargo, no son coincidentes con esta creencia mayoritaria. Los tres aseguran que el nivel de improvisación está relacionado con el nivel técnico instrumental que se posee, aunque aclaran que esa relación no es tan directa:

> Cuanto más dominio se tiene de la técnica del instrumento y del lenguaje musical, más posibilidades quedan a disposición del improvisador […] De todos modos, también hay que aclarar que una improvisación puede resultar de calidad y muy expresiva, aun cuando el intérprete no esté dotado de una gran capacidad técnica. En estos casos es la inteligencia emocional del intérprete la que juega un papel crucial. (Experta 3).

Respecto al tipo de instrumento utilizado para improvisar (viento, cuerda, percusión, voz), una mayoría de los participantes (71,2%) opina que no influye en el nivel de improvisación alcanzado por el intérprete, si bien los expertos explican que las diferencias de tipo técnico existentes entre los instrumentos podrían justificar la preeminencia de unos sobre otros a la hora de improvisar. Así, por ejemplo, la cuerda precisa prever los arcos y las posiciones, y la voz requiere un control "extra" para una justa emisión y entonación.

Por otra parte, los resultados de la valoración (sobre escala puntos) realizada por los participantes en la pregunta 3 del cuestionario nos han permitido determinar y ordenar por nivel de eficacia aquellos aspectos y cualidades interpretativas que se ven más desarrolladas y a las que más beneficia la práctica de la improvisación. Desde esta perspectiva, la creatividad es considerada la característica interpretativa que más puede mejorar con la práctica de la improvisación. Y es que el desarrollo de la creatividad ha sido la contribución mayoritariamente señalada y mejor valorada por todos los participantes, recibiendo la valoración máxima (5 puntos) por parte del 71,8% de los encuestados. Algunas frases tomadas de las entrevistas realizadas a los expertos aclaran y profundizan en esta idea:

> La improvisación mejora muchas cuestiones del intérprete, pero es probable que la creatividad pueda ser la mayor aportación de la improvisación. Improvisar, sin duda, es crear en libertad, es crear sin corsés, y ese es el camino para desarrollar tu creatividad musical. (Experto 1).

> La mayor aportación es, sobre todo, a nivel personal, de sinceridad con uno mismo. Dejas de ser el transmisor de un compositor a través de su obra para ser tú y demostrar quién eres, a ti y a los demás. Te vas creando como músico y desarrollas tu creatividad. (Experto 2).

> Pienso que uno de los aspectos que más pueden mejorar con la práctica de la improvisación es la creatividad. La libertad y la fantasía presentes en la improvisación son elementos fundamentales en el desarrollo de la creatividad. En realidad, en los estudios musicales reglados, la clase de improvisación es la única oportunidad que se ofrece a los estudiantes de interpretación para desarrollar su creatividad. (Experta 3).

Muy próximos a la creatividad, en segundo lugar, estarían los puntajes obtenidos en la valoración de los conocimientos armónicos que aporta la improvisación. El 50,8% de los sujetos encuestados le han otorgado la valoración máxima a este aspecto. En opinión de uno de los expertos entrevistados, esta contribución es la más fácil de constatar por los estudiantes:

> Hay una materia que mejora mucho desde la clase de improvisación, y es la Armonía. Probablemente esta mejora es la que los estudiantes aprecian más claramente. Muchos llegan a la clase de improvisación sin saber muy bien qué es un acorde y salen manejándolos con cierta soltura. (Experta 3).

La expresividad musical es considerada el tercer aspecto interpretativo musical que mejora con la improvisación. Este aspecto ha sido valorado con la máxima puntuación en un 37,2% de los casos. Y nuestros expertos también consideran que la improvisación resulta eficaz para su desarrollo:

A nivel expresivo es donde veo muchas más posibilidades, pues la gran baza de la improvisación, es decir, que el intérprete exprese con la música su propio yo, y no lo que otros compositores han dejado entrever a través de la partitura, requiere de un alto grado de expresividad y sinceridad. (Experto 2).

La improvisación, como la interpretación, requiere de una constante expresividad, con manejo de las dinámicas, la agógica, los planos sonoros combinados, los cambios de registro que buscan mayor o menor dramatismo, la decisión de utilizar los *tempi* más o menos rápidos y los ritmos más o menos complejos o la construcción de puntos culminantes dentro del discurso musical. (Experta 3).

En cuarto y quinto lugar, y con puntajes de valoración muy cercanos entre sí, estarían el desarrollo de la memoria musical y la adquisición de seguridad en el escenario.

Otra de las capacidades que más desarrolla la improvisación también es la memoria. En realidad, todo en la improvisación está fiado a la memoria: los temas y motivos musicales ideados, los recursos compositivos y técnicos utilizados, los conocimientos adquiridos, la organización y planificación que se realiza en el momento, etc. Sin memoria, ninguno de estos procedimientos y elementos podrá ser controlado, por lo que no sería posible realizar una improvisación. [...] La mayor parte de la actividad de improvisación involucra procesos mentales de planificación, análisis y elaboración, en los que la memoria tiene un papel primordial. La organización de los sonidos en una improvisación melódica requiere la utilización de la memoria a corto y medio plazo. (Experta 3).

La improvisación, al ser una práctica que está muy unida a la espontaneidad, la creación y la imaginación, requiere agilidad y solvencia en la resolución de problemas ante situaciones inesperadas. Y eso, a la hora de subirse a un escenario puede resultar de gran utilidad y aportar confianza al intérprete para que sepa que es capaz de salir airoso de una situación imprevista. (Experto 1).

Las opiniones de los expertos entrevistados difieren un poco cuando hablan de la aportación de la improvisación a la adquisición de seguridad en el escenario. Por ejemplo, la experta 3 opina que "aprendes a convivir y, en muchos casos, a manejar en cierta medida la ansiedad que naturalmente provoca subir a un escenario". Mientras que para el experto 2 la aportación no es tan clara, ya que "normalmente, cualquier músico siente la presión del escenario, y para unos la partitura es una ayuda, mientras que para otros el no tener que seguir una partitura es una liberación. Lo dejo al 50 %".

También aspectos como la mejora de la lectura musical, el sonido y la técnica instrumental han sido valorados como contribuciones de la improvisación a la mejora de la interpretación, si bien los puntajes obtenidos están más distanciados de los cuatro principales. Por otra parte, las categorías con puntajes de valoración más bajos han sido las habilidades auditivas y el aprendizaje de estilos. En estos casos, únicamente 3 encuestados han puntuado con más de 1 punto estos ítems.

Como el cuestionario incluía opciones abiertas en esta pregunta 3, el 5% de los participantes vincularon, por iniciativa propia y con una valoración muy positiva, las aportaciones de la práctica de la improvisación al "aprendizaje de los diferentes estilos musicales", así como al "desarrollo de un estilo propio y personal de interpretación".

En nuestras entrevistas a los expertos se incluía una pregunta específica sobre los beneficios de la práctica de la improvisación para los intérpretes clásicos. El análisis pormenorizado de las respuestas obtenidas nos ha permitido determinar y clasificar dichos beneficios a tres niveles, los cuales presentamos de manera sintética a continuación.

a. A nivel cognitivo:

- Desarrollo de la memoria.

- Desarrollo de la ideación musical e imaginación y fantasía. En definitiva, desarrollo de la creatividad.

- Desarrollo de la fluidez mental, es decir, de la capacidad para generar muchas ideas.

- Desarrollo de la flexibilidad mental, lo que permite encontrar soluciones a problemas aplicando diferentes perspectivas.

- Desarrollo de la capacidad de análisis y síntesis.

- Desarrollo de la capacidad de planificación, estructuración y ordenación de los elementos musicales ("dar forma").

- Desarrollo de la capacidad de concentración.

b. A nivel interpretativo:

- Mejora la técnica instrumental.

- Mejora la expresividad.

- Mejora el sonido.

- Mejora la capacidad auditiva musical (interna y externa).

- Ayuda a comprender y a aprender la construcción del discurso musical.

- Permite aflorar el "estilo propio".

c. A nivel psicológico:

- Mejora la autoconfianza y autoestima.

- Aporta fortaleza mental para superar el "miedo al fallo" y aprender a "salir del fallo".

- Ayuda en el control de la ansiedad y eliminación de bloqueos mentales.

- Ayuda al autodescubrimiento de aptitudes y posibilidades musicales.

- Es un entrenamiento perfecto para la necesaria preparación psicológica del intérprete al enfrentarse al público.

- Desarrollo de la capacidad de trabajo colaborativo (en el caso de la improvisación grupal).

El siguiente extracto, tomado de la entrevista al experto 1, puede ilustrar algunos de los resultados obtenidos en relación con los beneficios de la práctica de la improvisación:

A nivel cognitivo los beneficios son muy claros. Con la improvisación tienes que inventar temas, desarrollarlos, dar forma a todo lo que estás imaginando para que tenga sentido. […] A nivel psicológico la improvisación tiene mucho que aportar. Es un entrenamiento perfecto para la necesaria preparación psicológica del intérprete cuando se enfrenta al público. Y se basa en un montón de procesos mentales que debes controlar constantemente, por lo que necesitas mucha concentración y seguridad en lo que haces o crees que puedes hacer. […] Muchos intérpretes fracasan por el miedo al fallo, y con la improvisación puedes practicar mucho el fallo y la salida de él. (Experto 1).

Los resultados obtenidos con la pregunta 4 de nuestro cuestionario, centrada en conocer las opiniones de los intérpretes sobre el momento formativo en que se debe comenzar a practicar la improvisación, muestran que para el 61% de los encuestados se debería introducir la práctica de la improvisación a partir del nivel de escuela de música, frente al 35,6% que cree que debería introducirse a partir de las enseñanzas profesionales. Y únicamente el 3,4% de los encuestados piensa que la práctica de la improvisación debe incorporarse en el nivel de las enseñanzas superiores. Por su parte, los 3 expertos entrevistados coinciden en destacar la necesidad de comenzar la práctica de la improvisación lo antes posible, a poder ser "desde la iniciación musical".

Respecto al grado de satisfacción con la formación recibida en materia de improvisación manifestado por los encuestados, recogido en la pregunta 5 del cuestionario, encontramos que el 91,3% considera que la formación recibida en esta materia ha resultado o puede resultar útil para el desarrollo de su carrera profesional como intérprete. No obstante, el 76,1% de los encuestados opina que son insuficientes las enseñanzas de improvisación ofertadas en la especialidad de Interpretación en nuestro país y demanda una formación más amplia y sólida en esta materia. Además, a una gran mayoría de los participantes (87%) les gustaría ampliar su formación en improvisación.

## V. DISCUSIÓN

Los resultados obtenidos indican que los intérpretes de música clásica consideran que la práctica de la improvisación es capaz de promover la mejora de diferentes aspectos fundamentales para la formación de un intérprete. Entre todos ellos destaca, por la unanimidad que despierta su consideración, la creatividad. Este hallazgo está en línea con los resultados obtenidos por Koutsoupidou y Hargreaves (2009) en sus investigaciones y viene a reforzar la tesis propuesta por Molina (2008), para quien el acto de improvisar se relaciona principalmente con la creatividad. En este sentido, considera Azzara (1999) que improvisación y creatividad deben ir de la mano como un objetivo educativo. Además, según este autor (Azzara, 2002), la incorporación de la improvisación en la clase de instrumento es imprescindible en la actividad pedagógica musical y debe realizarse en un entorno de creatividad.

Tras la creatividad, los resultados muestran como contribuciones fundamentales de la improvisación a la interpretación los siguientes: los conocimientos armónicos, las habilidades expresivas, el entrenamiento de la memoria musical y la mejora de la seguridad en el escenario. Asimismo, se considera importante, aunque menos que las anteriores, la aportación de la improvisación a la superación del miedo escénico. Además, la mejora de la lectura musical, el sonido y la técnica instrumental son conceptuadas igualmente como aportaciones, aunque bastante menos significativas que las anteriores. Como se puede apreciar, en general, estas creencias se alinean con el planteamiento de Azzara (2002), quien asegura que la improvisación pone en juego un conjunto variado y ecléctico de habilidades, relativas a aspectos tanto musicales como no musicales. El resultado es que todos estos aspectos que, según las creencias de los intérpretes, mejoran con la improvisación, son, precisamente, aquellos elementos considerados fundamentales y que, en opinión de Davidson (2008), forman la base de las habilidades necesarias para la formación de un intérprete musical.

Las creencias y el pensamiento de los intérpretes recogidos en esta investigación son coincidentes con algunas de las evidencias científicas obtenidas acerca de los múltiples beneficios de la práctica de la improvisación en el músico. Por ejemplo, específicamente, autores como McPherson (1993) o Campbell (2001) han evidenciado con sus investigaciones la capacidad de la improvisación, como actividad de exploración y experimentación que es, para favorecer el aprendizaje de conceptos musicales variados, incluida la armonía. Por su parte, las investigaciones de Azzara (1993) le llevaron a comprobar que la improvisación musical puede mejorar el ritmo, el sentido tonal y la expresividad del intérprete, por lo que podría tener un impacto positivo en la calidad de la interpretación. En lo que respecta al entrenamiento y desarrollo de la capacidad memorística, Després y Dubé (2014) aseguran que constituye un factor determinante para la improvisación. Y sobre la mejora de la seguridad en el escenario, algunos estudios refieren que la improvisación musical podría ayudar al músico a superar sus miedos y a asumir que durante un concierto pueden aparecer errores (Azzara, 2002). También encontramos sugerencias informadas sobre la posibilidad de que la improvisación pudiera ayudar al músico a utilizar de forma creativa sus errores (Kenny y Gellrich, 2002), reaccionando con eficacia a los imprevistos del directo y mejorando su presencia escénica (Després y Dubé, 2014).

Aunque existen algunas investigaciones que ponen de manifiesto que la improvisación podría mejorar la lectura a vista (Montano, 1983), en nuestro estudio no aparece entre el pensamiento de los intérpretes como un aspecto contributivo destacable de la práctica de la improvisación. Los resultados indican que la opinión de la muestra está bastante dividida para este ítem. Pensamos que este hecho puede deberse a que la mejora en la lectura a vista es un aspecto que no se produce a corto plazo y, por tanto, no se puede reconocer con facilidad como un beneficio.

Asimismo, los resultados obtenidos respecto a un posible efecto benéfico de la improvisación en el desarrollo de habilidades auditivas no son concluyentes. Por un lado, existe unanimidad entre los expertos entrevistados en considerar que la audición mejora con la improvisación, lo que estaría en consonancia con las evidencias obtenidas en los trabajos de investigación de Dos Santos y Del Ben (2004) y de Whitman (2001), pero entre los sujetos encuestados este aspecto ha sido el peor valorado, con diferencia.

En nuestra investigación parece que es un pensamiento bastante instaurado considerar que el tipo de instrumento utilizado no influye en el nivel de improvisación alcanzado por el intérprete. Sin embargo, investigaciones como la de Baily (1991) han evidenciado que la morfología del instrumento sí influiría en el resultado de la improvisación musical. Desde otra perspectiva, también es un pensamiento asumido por una gran mayoría de los intérpretes que el dominio de la improvisación no es una cuestión de talento innato, por lo que se logra con el estudio y la práctica. En este sentido, estamos de acuerdo con Kenny y Gellrich (2002) para quienes la idea del talento innato como requisito para lograr pericia en la improvisación está obsoleta y ha sido reemplazada por una visión reflexiva denominada práctica deliberada.

También es una opinión generalizada entre los participantes que la formación en improvisación debería comenzarse en el nivel de las enseñanzas elementales de música. Así, entendemos que esta investigación pone en evidencia la necesidad de incorporar lo antes posible la práctica de la improvisación a la formación de los intérpretes de música clásica, lo que estaría en cierta contradicción con los planteamientos educativos oficiales que promueven su práctica a partir de los niveles de enseñanza profesionales y superiores. Asimismo, el bajo grado de satisfacción manifestado por los sujetos participantes en relación con la formación en improvisación recibida desde las enseñanzas superiores musicales oficiales viene a reflejar que la oferta en materia de improvisación es considerada insuficiente.

## VI. CONCLUSIONES

La conclusión general de esta investigación es que los intérpretes de música clásica consideran que la improvisación musical es una práctica necesaria en su formación, ya que puede aportar muchos y muy variados beneficios. Estos beneficios pueden situarse tanto a nivel interpretativo como cognitivo y psicológico, aspectos fundamentales todos ellos para el buen desarrollo de la profesión de intérprete.

Queremos destacar aquí el hecho de que el tamaño de la muestra utilizada en esta investigación no nos permite generalizar los hallazgos, pero, desde luego, los resultados obtenidos apuntan claramente a que las contribuciones de la práctica de la improvisación pueden favorecer y facilitar el desarrollo y la mejora de habilidades interpretativas musicales esenciales. Por ello, la improvisación puede y debe ser considerada una herramienta muy útil y beneficiosa en la formación de los intérpretes de música clásica.

Otra conclusión importante a la que llegamos en esta investigación es que la práctica de la improvisación debe iniciarse cuanto antes, para acompañar al estudiante de interpretación clásica durante todo su proceso formativo y ofrecerle un espacio no solo de creatividad, sino también de desarrollo de habilidades y destrezas de expresión musical y comunicación, tan importantes para el músico intérprete.

Un aspecto que esta investigación nos ha permitido constatar es que, a pesar de que la improvisación es definida como una competencia específica del Título Superior de Música en la especialidad de Interpretación, hoy en día todavía es posible encontrar titulados en interpretación recién egresados que no han cursado nunca la asignatura de improvisación, ni se han aproximado a su práctica. Atendiendo a esta cuestión y considerando el bajo nivel de satisfacción con la formación en improvisación recibida evidenciado, creemos que se hace necesario implementar en nuestras enseñanzas superiores de Interpretación una formación más amplia y sólida en esta materia.

Este trabajo supone un acercamiento a un campo insuficientemente explorado en estos momentos. En nuestra opinión, se hace necesario profundizar en la investigación de las aportaciones de la improvisación al ámbito de la interpretación musical clásica, ya que, si atendemos a los resultados aquí presentados, su presencia en el período de formación, sin duda, puede ayudar a mejorar la enseñanza de la interpretación y llevar a los docentes a explorar nuevas metodologías didácticas que permitan la implementación de la improvisación en el aula como una práctica habitual, normalizada y generalizada en todos los niveles educativos musicales.

## VII. REFERENCIAS

Azzara, C. (1993). Audiation-based improvisation techniques and elementary instrumental students' music achievement. *Journal of Research in Music Education, 41*(4), 328-342. https://doi.org/10.2307/3345508.

Azzara, C. (1999). An aural approach to improvisation. Music educators can teach improvisation even if they have not had extensive exposure to it themselves. *Music Educators Journal, 86*(3), 21-25. https://doi.org/10.2307/3399555.

Azzara, C. (2002). Improvisation. En R. Colwell (Ed.) *The new handbook of Research on music teaching and learning* (pp. 171-187). Schimmer Books.

Baily, J. (1991). Some cognitive aspects of motor planning in musical performance. *Psychologica Belgica, 31*(2), 147-162. http://doi.org/10.5334/pb.818.

Bisquerra, R. (2004). *Metodología de la investigación educativa.* La Muralla.

Campbell, N. (2001). Creative activities for string students. *Music Educators Journal, 88*(2), 29-33.

Davidson, J. (2008). El desarrollo de la habilidad interpretativa. En J. Rink (Ed.), *La interpretación musical* (pp. 11-124). Alianza Música.

Després, J. P. y Dubé, F. (2014). Marco conceptual para ayudar al maestro de instrumento a integrar la improvisación musical en su práctica pedagógica. *Revista Internacional de Educación Musical, 2,* 24-35. https://doi.org//10.12967/RIEM-2014-2-p024-035.

Dos Santos, R. & Del Ben, L. (2004). Contextualized improvisation in solfège class. *International Journal of Music Education, 22*(3), 271-282. https://doi.org/10.1177/0255761404047407.

Kenny, B. J. & Gellrich, M. (2002). Improvisation. En R. Parncutt y G. McPherson (Eds.), *The science and psychology of music performance: creative strategies for teaching and learning* (pp. 117-134). Oxford University Press.

Koutsoupidou, T. & Hargreaves, D. J. (2009). An experimental study of the effects of improvisation on the development of children's creative thinking in music. *Psychology of Music, 37*(3), 251-278. https://doi.org/10.1177/0305735608097246.

McPherson, G. (1993). Evaluating improvisational ability of high school instrumentalists. *Bulletin of the Council for Research in Music Education,* 119, 11-20.

Molina, E. (2008). La improvisación: Definiciones y puntos de vista. *Música y Educación,* 75, 76-93.

Montano, D. R. (1983). *The effect of improvisation in given rhythms on rhythmic accuracy in sight reading achievement by college elementary group piano students*. Doctoral dissertation. University of Missouri.

Whitman, G. (2001). *The effects of vocal improvisation on attitudes, aural identification skills, knowledge of music theory, and pitch accuracy in sight-reading of high school choral singers*. Doctoral dissertation. University of Missouri.

*Capítulo 20*

# Innovación académica para una experiencia educativa acorde a las nuevas generaciones en la actual incertidumbre

Adriana Maldonado Currea
*(Universidad Ean –Colombia–)*

María de Pilar Ramírez Salazar
*(Universidad Ean –Colombia–)*

Juan Carlos Romero Rincón
*(Universidad Ean –Colombia–)*

Jennyffer Vargas Laverde
*(Universidad Ean –Colombia–)*

Jaime Andrés Reyes Páez
*(Universidad Ean –Colombia–)*

## I. INTRODUCCIÓN

En este trabajo se analizan algunos aspectos del modelo de la Universidad Ean, así como de la experiencia educativa manifestada por sus estudiantes durante su recorrido académico en el año 2019.

La Universidad Ean es una institución de educación superior de carácter privado, dedicada a la enseñanza de programas de pregrado y posgrado en el nivel profesional. Fue fundada el 11 de octubre de 1968 y desde sus inicios se ha constituido como una institución con vocación en la formación de emprendedores que coadyuven con el desarrollo social y económico de su entorno. En el año 2013 obtuvo por parte del Consejo Nacional de Acreditación (CNA) del Ministerio de Educación Nacional (MEN) la acreditación de Alta Calidad Institucional con la Resolución N°12773 de 2013 del Ministerio de Educación Nacional.

Según datos del Ministerio de Educación Nacional (SNIES, 2021) existen 696 instituciones de educación superior, y entre éstas 255 Universidades de las cuales 66 se encuentran acreditadas en Alta Calidad, 26 se encuentran ubicadas en la ciudad de Bogotá (20 privadas y 6 públicas).

Las de mayor similitud con la Universidad Ean por su tamaño y programas son la Universidad Javeriana es la que puntea en número total de estudiantes matriculados mientras que el CESA es la de menor número de estudiantes. Las universidades que tienen similar tamaño a la Ean son el Bosque, la Salle, la Central, la Católica y la Jorge Tadeo Lozano.

Hasta el año 2019, antes de la pandemia, en Colombia según datos del SNIES (2019) la mayor parte de la población estudiantil correspondía a mujeres y existía una mayor preferencia por los programas presenciales tradicionales sobre los virtuales.

No obstante, a partir de la llegada del nuevo milenio y del ingreso de la nueva generación de los *millenials*[1], la Universidad Ean comenzó a evidenciar que cada vez los jóvenes reclaman nuevos procesos de enseñanza-aprendizaje, mejor experiencia de vida y bienestar social en concordancia con lo señalado por Andueza-López (2021) y, sobre todo, notó que éstos desean, por ejemplo con acciones colaborativas, contribuir para mejorar el daño ambiental que viene sufriendo el planeta (Thunberg, 2019).

Por esta razón, en la transformación, que la Ean ha venido llevando a cabo en los últimos años, especialmente con su nuevo gobierno, y de cara a las realidades de las nuevas generaciones, ha actualizado el sentido y la forma de su operación hacia la búsqueda de formación de emprendedores con un sello de sostenibilidad. El objetivo de este cambio es dar respuesta a las nuevas necesidades manifestadas por los jóvenes, y de esta manera,

---

1. *Millenials,* (McCrindle 2009) generación nacida después del año 1980, cumplieron su mayoría de edad en el nuevo siglo. Se caracterizan por ser personas con facilidad en el uso de las tecnologías, ser sensibles al cambio climático, les gusta tener experiencias de vida, cambian con facilidad de trabajo, no se anclan fácilmente a un lugar para vivir toda la vida.

seguir aportando en construcción colectiva y colaborativa a la creación de un mundo mejor.

Bajo esta perspectiva se han propuesto en los programas de pregrado y posgrado unidades INTEGRADORAS, que como su nombre lo indica, articulan e integran diferentes saberes que buscan acercar al estudiante a vivir experiencias de aprendizaje en entornos empresariales, organizacionales y de contacto directo con el entorno de los estudiantes. Las unidades integradoras sirven tanto para la práctica y la aplicabilidad de conocimientos como de competencias adquiridas.

Es por esta razón que el presente trabajo se inicia con una aproximación a los fundamentos de las acciones adelantadas en los últimos años por la Universidad Ean, específicamente en relación con las necesidades y características de los millenials y centenials, quienes se consideran los actuales consumidores de la educación superior, así como con las tendencias y tecnologías educativas actuales y la importancia del fortalecimiento de la relación Universidad – Empresa y del aprendizaje significativo para las nuevas generaciones.

Con base en el anterior contexto y marco teórico, se presentan los resultados de la investigación llevada a cabo en el año 2019 sobre la experiencia estudiantil y docente en la modalidad presencial y virtual. Como recomendación se presenta la propuesta de cambio en los procesos de la academia con base en los hallazgos de la investigación para mejorar la experiencia del estudiante millenial en su recorrido universitario.

Se espera con este documento que las reflexiones planteadas sirvan para propiciar en las instituciones de educación superior programas y acciones que le mejoren a los estudiantes su experiencia en el paso por la universidad.

## II. MARCO TEÓRICO

### 1. GENERACIONES

Las generaciones son un tema de interés de las universidades debido a la variedad de público que se matricula en los programas. Se pueden recibir personas desde los 16 años en los programas de pregrado hasta los 70 años en programas de postdoctorado o de extensión en lo que se denomina ahora como educación para la vida. Se encuentran activos en las universidades entonces cuatro generaciones, los baby boomers, nacidos entre los años 1946 y 1964, generación x, nacidos entre los

años 1965 y 1980, generación Y, nacidos entre 1981 y 1997, denominados millenials debido a que cumplieron su mayoría de edad en el año
2000) y generación Z, nacidos después de 1997, denominados los centenials los que son de mayor interés para las universidades actualmente
(McCrindle 2009).

## 1.1.  Generación de los Centenials

En la actualidad las generaciones se definen por el comportamiento
social. Es decir, personas que nacen en un rango de tiempo similar y que
comparten una serie de situaciones, tales como tendencias de la música,
de la tecnología, del arte, de la moda, entre otras y que se caracterizan
por una personalidad colectiva, (Strauss-Howe 2017). Las principales
siete características de la generación de los centenials, personas nacidas
en los años 97 según los estudios abordados por McCrindle (2009), son:
1.–Aspecto demográfico, van a tener una vida más larga, por ende, trabajarán más, vivirán más y tendrán que financiar por más tiempo la jubila-
ción. 2.–Son una generación dotada materialmente de toda la tecnología.
3.–Son integradores digitales, se adaptan rápidamente a cualquier nuevo
desarrollo tecnológico. 4.–Son globales. 5.–Son mayormente visuales, prefieren ver videos que leer libros. 6.–Reforman los sistemas de educación
con sus expectativas de entornos más interactivos. 7.–Altamente socia-
bles, conectados todo el tiempo con sus pares. El hecho de haberse desarrollado en pleno auge de las relaciones sociales virtuales ha influenciado
el modo en el que estos jóvenes prefieren conocer e iniciar una relación
con otras personas (Calero, 2020).

Para las Universidades es relevante entender que estos jóvenes ya vienen con una manera diferente de ver la vida y por esto, los currículos
deben ser adaptados a sus nuevas necesidades. Ellos quieren que el conocimiento sea lo más rápido posible, que sea entretenido y sencillo; en este
sentido, el profesor ha de reforzar la didáctica para poder captar la atención en sus clases. Lo más indicado es proveer de metodologías de casos
y proyectos interactivos, así como comprender que el internet es ahora la
fuerza tecnológica en donde los centenials centran su atención (Cuesta,
Ibáñez, Tagliabue, & Zangaro, 2008).

En cuanto a las emociones, según De la Garza, Soria y Aguilar, (2018),
estos jóvenes deben aprender a manejarlas bien sus para tener éxito laboral a futuro, existe una fuerte relación entre la inteligencia emocional y el
autoliderazgo, siendo el uso de las emociones uno de los factores clave
para fijar los objetivos de todos sus proyectos.

Es destacable, además, que las nuevas generaciones y el contexto socio-cultural actual están haciendo un llamado a quienes realizan la función de docentes para fomentar una responsabilidad social reflexiva y con miras al bien común (Andueza-López 2021).

## 2. TECNOLOGÍAS EDUCATIVAS

De la misma forma en la que se está reclamando por parte de las nuevas generaciones mayor sentido a los contenidos que se ofertan, en la forma, gracias a la aparición de nuevas tecnologías, también están demandando el uso de herramientas que les permitan interactuar de nuevas maneras tanto con sus compañeros como con sus profesores, y que con el apoyo de plataformas les permitan mayor flexibilidad, facilidad de acceso a material de apoyo, y mejor seguimiento de su proceso, todo esto con impactos económicos y ambientales favorables.

Estudios como el de Varguillas Carmona, C.S., Bravo Mancero, P.C. (2020) han demostrado la valoración positiva por parte de las nuevas generaciones de la incorporación de la virtualidad como herramienta de apoyo a la presencialidad y de la importancia del uso de metodologías facilitadoras que le permitan a los estudiantes "aprender y convertir la información en aprendizaje" no solo con herramientas, medios, recursos y contenidos, sino, "principalmente, con entornos y ambientes que promuevan interacciones y experiencias de interconexión e innovación educativa".

En la misma línea anterior, Ortega y Romero (2019) hacen énfasis en el nivel de motivación demostrada por los estudiantes cuando se implementan diferentes herramientas tecnológicas, debido a que, en un primer acercamiento a estas tecnologías educativas, los estudiantes las utilizan en forma natural y autentica, y al mismo tiempo establecen comunidades de aprendizaje, fortalecen redes de aprendizaje, activando conocimiento previo a partir de trabajo colaborativo. Es en este momento, donde el enfoque por competencias interactúa y se retroalimentas con los diferentes recursos tecnológicos implementados en las clases, debido a su carácter flexible, abierto y motivante.

En concordancia con lo anterior, en diversos estudios se ha encontrado que la implementación de metodologías innovadoras y tecnológicas, que hacen uso de variables como la flexibilidad didáctica (Ortega y Moreno, 2014) y la electividad (Moreno, Ortega y Maldonado, 2015), no necesariamente afecta variables relacionadas con la calidad de aprendizaje, sino que están relacionadas con factores motivacionales con efectos como la disminución en la deserción (Ortega, Maldonado y Moreno, 2016) y el incremento en la probabilidad de presentar un nivel de rendimiento sobresaliente (Maldonado, Ortega y Moreno, 2016).

## 3. ACERCAMIENTO EMPRESARIAL

Otro de los principales retos que se ha manifestado para la academia en los últimos años es poder acercar el sector empresarial a los estudiantes para que puedan tener una práctica e inmersión en procesos reales de las empresas y organizaciones. Con este acercamiento se busca que los conocimientos teóricos que están asimilando los puedan aplicar en contextos reales para que realmente se observe la utilidad y se adquiera la competencia en el hacer del estudiante.

La literatura muestra diferentes tipos de relacionamiento universidad-empresa-Estado y el más utilizado es el modelo de la triple hélice desarrollado por Leydesdorff, & Etzkowitz,(1996), mejorado del modelo de Sábato y Botana, en 1968, citado por Ramirez– Salazar & Valderrama, (2010) y Castillo (2010) que muestra como la industria proporciona las necesidades y la experiencia, el gobierno propicia recursos y patrocinios a proyectos y regula las normas de propiedad intelectual y la academia por medio de su talento humano, estudiantes y docentes desarrolla las soluciones a los requerimientos de la industria. Esta práctica se viene desplegando en Colombia bajo la figura de los comités Universidad– Empresa-Estado, que están radicados en varias de las regiones del país y que de acuerdo a las necesidades de los sectores económicos de cada región plantean una serie de convocatorias a las universidades para el desarrollo de proyectos de investigación y desarrollo patrocinados por los recursos de COLCIENCIAS, MINCIT Y SENA especialmente.

La Universidad Ean por ser una institución focalizada en el emprendimiento desde su constitución, ha venido implementando un modelo educativo basado competencias hace años en el que ha buscado mejorar la experiencia estudiantil a través del contacto con el sector empresarial, que en la última década se ha fortalecido con la metodología basada en retos empresariales bajo el contexto del modelo de Innovación Abierta Colaborativa (Ramírez-Salazar 2016). Lo que se ha buscado con esta metodología es crear valor mediante procesos colaborativos y redes de innovación que se adelanten en los diferentes programas formales de los estudiantes de pregrado y postgrado. El mayor beneficio sin duda ha sido para los estudiantes el poder aplicar sus conocimientos teóricos en contextos reales y de esta manera seguir contribuyendo a la formación de emprendedores con alto sentido hacia la sostenibilidad empresarial.

## 4. INTERNACIONALIZACIÓN

La internacionalaización del currículo puede ser definida como la integración de la dimensión internacional y multicultural en los contenidos y formas de los programas de curso, con la finalidad de formar egresados para actuar profesional y socialmente en un contexto internacional y multicultural (Valdés, 2019). Para Leaks, (2019) la internacionalización se define como aquella que "compromete a los estudiantes con la investigación internacionalmente informada y la diversidad cultural y lingüística, y desarrolla deliberadamente sus perspectivas internacionales e interculturales como ciudadanos y profesionales globales" (p. 6).

Las anteriores definiciones involucran no solo la perspectiva y los proyectos que cada institución declara en sus proyectos educativos, también hace referencia a la internacionalización del currículo como un proceso que pone de manifiesto el compromiso de los estudiantes y por tanto, debe verse reflejado dentro de los planes micro curriculares y manifestarse con resultados de aprendizaje específicos por parte de los estudiantes, resultados de aprendizaje que han sido planeados y acompañados por los docentes a lo largo de todo el plan de estudios.

## 5. APRENDIZAJE SIGNIFICATIVO

El aprendizaje significativo se basa en el principio de ahorro energético del cerebro, según el cual, el almacenamiento de la totalidad de las situaciones experimentadas por el individuo llevaría a un desgaste de recursos que no permitiría al cerebro ejecutar sus demás funciones. Por lo tanto, el individuo solamente almacenaría la información relevante para su supervivencia, adaptación y desarrollo individual, de modo que, este tipo de aprendizaje se asocia con la implementación de diversas estrategias didácticas y pedagógicas con contenidos que conecte el conocimiento previo del estudiante, de modo que se desarrollen competencias actitudinales y prácticas (Torio, Peña y Fernández, 2010). De esta manera, en la medida que la información que requiere aprender cobra significado y tiene una utilidad práctica evidente para el individuo, se facilita la retención de dicha información (Autio, 2009).

Para Ortega y Romero (2019) el punto de partida para el aprendizaje significativo es un conflicto, producto de la carencia de habilidades para resolver un problema real, situación que convierte la situación en un desafío interesante, generando la motivación necesaria para iniciar. Posteriormente, el individuo inicia la etapa más importante del aprendizaje significativo: la búsqueda de una solución que no solo sea aplicable al problema en cuestión, sino que sea generalizable a múltiples contextos. El tipo de aprendizaje que se produce, depende de la solución que diseñe el estudiante, así, se generan procesos de planeación. Posteriormente, este plan debe concretarse, a través de la construcción de un modelo claro reemplazando paulatinamente la necesidad, por los instrumentos. Una vez diseñado el plan en su totalidad, es necesario iniciar su puesta en marcha para finalizar con la evaluación y control, que debe enfocarse en dos aspectos principales: la autoevaluación del aprendizaje del tema y el monitoreo del autoaprendizaje, es decir, el proceso de meta-cognición (Autio, 2009).

## III. METODOLOGÍA

La investigación llevada a cabo es de tipo descriptivo y enfoque cuantitativo (Hernández, Fernández, Baptista, 2014), es transeccional o transversal ya que se recogieron los datos en un solo momento con el objeto de analizar las diversas variables. Como instrumentos se utilizaron la encuesta y la entrevista.

De una parte, se aplicó una encuesta enfocada a estudiantes de pregrado de los programas formales de la Universidad Ean de las modalidades virtual y presencial para evidenciar cuales son aquellos aspectos más importantes que hacen a los estudiantes sentir una buena experiencia estudiantil.

La muestra se obtuvo de una población de 6562, el total de estudiantes que respondieron la encuesta fue de 229 estudiantes de los cuales 140 pertenecen a programas presenciales y 89 a programas virtuales.

Por otra parte, se llevaron a cabo entrevistas a docentes de las tres facultades de la Universidad Ean y a líderes institucionales como vicerrectores, decanos y directores de programa.

## IV. RESULTADOS

Con la intención de conocer cuáles son los aspectos más importantes para los estudiantes en su proceso de estudios universitarios, se diseñó una encuesta para indagar sobre la interacción que tienen los estudiantes con otros estudiantes cuando ingresan a la Universidad, sobre la importancia de realizar prácticas académicas en contextos empresariales, sobre la necesidad de contar con mentorías para ayudarles cuando tienen dificultades, sobre la flexibilidad en su ruta de aprendizaje para escoger de acuerdo a sus necesidades e intereses las asignaturas a cursar cada semestre, sobre el componente de internacionalización, es decir, que tanto valoran las dobles titulaciones o inmersiones en otros países, sobre el enfoque de emprendimiento sostenible que es la promesa de valor de la Universidad Ean, sobre el acompañamiento de docentes al momento de la inscripción de sus unidades de estudio en cada semestre, sobre la oferta de electivas o énfasis para darle una profundización a ciertas áreas, sobre las actividades extracurriculares como conferencistas, talleres, conversatorios, etc. preparados por sus facultades.

Los anteriores factores se convirtieron así en la ruta a seguir para explorar la importancia que los estudiantes otorgan a cada una de estas variables. A continuación, se evidencian los resultados con los respectivos análisis.

**Figura 1.** Lo que más valoran los estudiantes Presenciales en la experiencia estudiantil.

| Presencial / Etiquetas de fila | ¿Qué tan importantes han sido los siguientes aspectos en su experiencia de estudiar en la Universidad Ean? | | | | | | | | |
|---|---|---|---|---|---|---|---|---|---|
| | Interacción con otros estudiantes | Prácticas académicas e interacción con empresas | Mentorías o acompañamiento de estudiantes cuando no entiende algo | Flexibilidad en la ruta de aprendizaje? | Componente internacional como doble titulación, escuelas de verano, intercambios internacionales | Enfoque en emprendimiento sostenible | Asesorías por parte de los docentes para inscripción de unidades de estudio y plan de carrera | Oferta de electivas o énfasis | Actividades extracurriculares como charlas o conferencias con invitados externos preparadas por la universidad |
| Muy importante | 43 | 95 | 61 | 56 | 42 | 50 | 89 | 73 | 50 |
| Importante | 50 | 34 | 62 | 53 | 54 | 44 | 19 | 44 | 53 |
| Neutral | 32 | 16 | 13 | 24 | 32 | 31 | 23 | 16 | 28 |
| Poco importante | 6 | 1 | 4 | 4 | 8 | 6 | 4 | 5 | 6 |
| No es importante | 9 | 0 | 0 | 3 | 4 | 9 | 5 | 2 | 3 |
| Total general | 140 | 140 | 140 | 140 | 140 | 140 | 140 | 140 | 140 |

■ Muy importante   ■ Importante   ■ Neutral   ■ Poco importante   ■ No es importante

**Fuente:** Elaboración propia tomado de la encuesta de experiencia estudiantil. 2020.

Los resultados arrojados para los estudiantes presenciales dejan ver en primer lugar que las prácticas empresariales con un 68% es lo que más valoran por la manera de aplicar en contextos reales sus conocimientos. En un segundo lugar, con un 63% escogieron a las asesorías de los docentes y su apoyo para encontrar la mejor manera de inscribir las materias con un orden lógico de acuerdo a la conveniencia de cada estudiante, es decir esa cercanía con una persona experimentada para ellos es valiosa porque les ayuda en el fortalecimiento de la toma de decisiones acertada para mejorar la culminación de sus estudios de manera exitosa. Y en un tercer lugar con un 52% la oferta de electivas o énfasis, pues les ayuda a definir en cada programa una línea de acción mucho más enfocada a sus propios intereses y competencias.

Para los estudiantes virtuales se puede observar en la ilustración 2 los mismos aspectos a indagar, la percepción obtenida de los resultados fueron los siguientes.

**Figura 2**. Lo que más valoran los estudiantes Virtuales en la experiencia estudiantil.

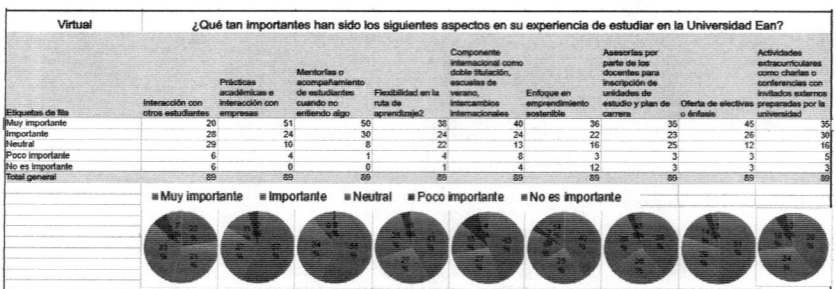

**Fuente:** Elaboración propia tomado de la encuesta de experiencia estudiantil. 2020.

Los resultados arrojados para los estudiantes virtuales dejan ver una similitud en algunos factores versus los presenciales, en primer lugar, con un 57% escogen a las prácticas académicas en interacción con empresas once puntos menos que los estudiantes presenciales, la mayoría de los estudiantes virtuales trabajan por eso el menor puntaje obtenido dado que ellos aplican lo aprendido en sus lugares de trabajo. En un segundo lugar, con un 56%, escogieron las mentorías o acompañamiento de estudiantes cuando no entienden algo, esto es muy significativo porque en la virtualidad especialmente en los primeros semestres se requiere que desarrollen rápidamente destrezas tecnológicas para el manejo de las plataformas y el apoyo para el fortalecimiento del aprendizaje autónomo y esto es más fácil si un par o estudiante le ayuda en este proceso. En un tercer lugar con un 51%, casi el mismo valor que los estudiantes presenciales, escogen a la oferta de electivas o énfasis, dado el valor agregado que reciben para su formación disciplinar enfocada a sus propios intereses y competencias.

Por último, podemos observar en la ilustración 3, el consolidado de ambas modalidades para percibir una tendencia hacia los que realmente es importante en los estudiantes de manera generalizada.

**Figura 3.** Consolidado de lo que más valoran estudiantes presenciales y virtuales en su experiencia estudiantil en la Universidad EAN.

| Consolidado Presencial y Virtual | ¿Qué tan importantes han sido los siguientes aspectos en su experiencia de estudiar en la Universidad Ean? | | | | | | | | |
|---|---|---|---|---|---|---|---|---|---|
| Etiquetas de fila | Interacción con otros estudiantes | Prácticas académicas e interacción con empresas | Mentorías o acompañamiento de estudiantes cuando no entiendo algo | Flexibilidad en la ruta de aprendizaje2 | Componente internacional como doble titulación, escuelas de verano, intercambios internacionales | Enfoque en emprendimiento sostenible | Asesorías por parte de los docentes para inscripción de unidades de estudio y plan de carrera | Oferta de electivas o énfasis | Actividades extracurriculares como charlas o conferencias con invitados externos preparadas por la universidad |
| Muy importante | 63 | 146 | 111 | 94 | 82 | 86 | 124 | 118 | 85 |
| Importante | 78 | 58 | 92 | 77 | 78 | 66 | 42 | 70 | 83 |
| Neutral | 61 | 20 | 21 | 46 | 45 | 47 | 48 | 28 | 44 |
| Poco importante | 12 | 5 | 5 | 8 | 16 | 9 | 7 | 8 | 11 |
| No es importante | 15 | 0 | 0 | 4 | 8 | 21 | 8 | 5 | 6 |
| Total general | 229 | 229 | 229 | 229 | 229 | 229 | 229 | 229 | 229 |

■ Muy importante ■ Importante ■ Neutral ■ Poco importante ■ No es importante

**Fuente**: Elaboración propia tomado de la encuesta de experiencia estudiantil. 2020.

Los resultados consolidados arrojados por ambas modalidades dejan claro que los tres aspectos más importantes son las prácticas académicas en contextos empresariales con un 64%, en un segundo lugar con un 54% las asesorías de los docentes y su apoyo para encontrar la mejor manera de inscribir las materias con un orden lógico de acuerdo a la conveniencia de cada estudiante y en tercer lugar, con un 52% la oferta de electivas o énfasis, pues les ayuda no solo a definir en cada programa una línea de acción mucho más enfocada a sus propios intereses y competencias sino a vivir experiencias enriquecedoras en su proceso de aprendizaje.

Por lo anterior, es evidente para el equipo investigador que la interacción con la empresa, el apoyo de los docentes en su recorrido universitario y la oportunidad de encontrar un énfasis o profundización en su carrera con experiencias significativas, son factores relevantes para centrar toda la atención en potenciar ahí los servicios ofrecidos por la universidad EAN con mayores recursos.

El desarrollo de las entrevistas a líderes institucionales como vicerrectores, decanos y directores de programa, mostró en primera medida, un interés por definir un perfil de egreso para los estudiantes de la Universidad Ean que de manera pertinente responda a las necesidades del mundo actual, resaltando en este punto, además, de ser coherentes con las políticas institucionales de formación integral, emprendimiento sostenible, visión global, equidad, calidad e investigación; la necesidad de potenciar en los estudiantes habilidades como el liderazgo, la creatividad, el pensamiento crítico, el aprendizaje autónomo, el pensamiento sistémico y la habilidad de comportarse éticamente.

En segunda medida, las entrevistar mostraron un interés particular por plantear un diseño curricular viable administrativamente, de tal manera, que la propuesta epistemológica y pedagógica planteada en el Modelo Educativo pudiera convertirse en realidad, que fuera escalable a todos los programas de pregrado y permitiera generar la experiencia de aprendizaje situado para todos los estudiantes en momentos previos a las prácticas profesionales.

Durante las entrevistas realizadas también se evidenció una gran preocupación por encontrar un equilibrio entre el número de asignaturas propuestas en las mallas curriculares dedicadas a realizar la formación institucional y en segunda lengua frente a las asignaturas disciplinares; esta preocupación se puso de manifiesto en especial con los líderes de la Facultad de Ingeniería quienes además manifestaron tener poco tiempo para cumplir con el ciclo de formación básica en ingeniería, la formación específica y la formación transversal.

En tercera medida, las entrevistas mostraron un interés particular en la necesidad de fortalecer las estrategias de articulación internas, en especial la articulación entre las facultades y los programas con el área de internacionalización, ya que esto, permite ofrecer a los estudiantes escenarios de formación enriquecidos y favorecer el desarrollo de habilidades asociadas a la filosofía institucional, como el pensamiento global y el respeto a la diversidad.

## V.  DISCUSIÓN

Con base en los anteriores resultados este equipo considera pertinente proponer para mejora de la experiencia estudiantil un modelo basado en tres ejes. El primero, enfocado en la propuesta de unas unidades integradoras para fortalecer la articulación de la academia y la empresa; el segundo, enfocado en las asesorías académicas, por medio de docentes y estudiantes de apoyo que responsa a las necesidades de estas nuevas generaciones; y el tercero, enfocado a la innovación educativa por medio de las buenas prácticas en donde, en el marco de la flexibilidad curricular, se crean nuevas profundizaciones o énfasis con las unidades electivas, respondiendo a las necesidades del entorno y el marco filosófico de la Institución. Todo lo anterior apoyado en un ecosistema basado en tecnologías digitales que faciliten la interacción y la mediación en los procesos de formación.

**Figura 4.** Experiencia estudiantil exitosa.

**Fuente:** Elaboración propia.

El primer eje de la articulación universidad-empresa, se fundamenta en las unidades integradoras, corresponde a una unidad de estudio (materia/curso) donde se cuenta con una estrategia didáctica en la que el estudiante debe hacer integración de conocimientos, habilidades y actitudes disciplinares, básicas y transversales alrededor de un contexto situado. Estas unidades buscan que los estudiantes apliquen sus conocimientos en contextos reales, para ello se buscará un portafolio de empresas aliadas y bajo la metodología de retos, estudios de caso o proyectos los estudiantes propondrán soluciones e intervenciones útiles a las empresas y organizaciones aliadas.

En el segundo eje de la inscripción de materias se fundamenta en el programa de academic coaching, un protocolo de acompañamiento para ofrecer en conjunto desde la gerencia de experiencia estudiantil y la academia, con mentores, profesores y los mismos estudiantes, asesorías para el apoyo cada semestre tanto en la definición de su inscripción de unidades como en el refuerzo de competencias. De esta relación cercana entre los estudiantes y profesores se obtendrá mayor conocimiento de las necesidades puntuales de los jóvenes centenials a los que se debe atender teniendo en cuenta no solo las necesidades particulares de su generación sino los desafíos que la nueva realidad de pandemia ha dejado para toda la sociedad.

En el tercer eje se proponen las profundizaciones en donde como parte de la reflexión curricular se trazan rutas de aprendizaje y proyectos de innovación educativa que desarrollen nuevos énfasis o profundizaciones con diferentes electivas que agreguen valor a los programas para que los estudiantes tengan nuevos caminos de aplicación de sus conocimientos.

A partir del enfoque sostenible de la Universidad Ean, se han creado ya con unidades de estudio electivas con énfasis específicos que responden a demandas de contexto; entre ellas la unidad de Bioética, Gastronomía Afro y Ancestral, Lengua de Señas Colombiana y Humanidades Digitales. También en el marco de su desarrollo se han promovido proyectos de innovación educativa que de acuerdo a necesidades de contexto han actualizado los contenidos curriculares y los han enriquecido con propuestas que fortalecen la filosofía institucional y han sido reconocidas por medio del programa de convocatorias de Buenas Prácticas Docentes, BPD que incentivan no solo el mejoramiento continuo de los programas de formación sino el involucramiento de toda la comunidad en él, y que vale la pena institucionalizar.

También como resultado se ha propuesto en el Modelo Educativo de la Universidad Ean una actualización al sistema de competencias que permite a los estudiantes desarrollar su potencial para ser actores de cambio, emprendedores sostenibles, resilientes, éticos, con conducta intercultural, reflexivos, empáticos e inclusivos. En figura 5 se muestran las competencias definidas en el modelo educativo.

**Figura 5**. Sistema de Competencias en la Universidad Ean.

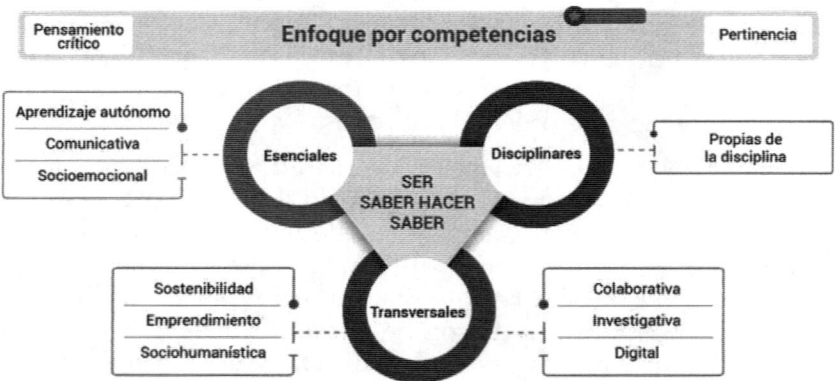

**Fuente:** Elaboración propia tomado de Modelo educativo Universidad Ean 2021.

Para un correcto desarrollo de las competencias, la estrategia de diseño curricular debe contemplar espacios de formación, experimentación, ideación y construcción en donde de forma progresiva se pueda acompañar a los estudiantes y por ende se propone que cada programa de pregrado planee su oferta pensando en tres etapas: apropiación, construcción y consolidación y las ponga de manifiesto planteando un núcleo programático que oriente la elección de unidades de estudio que se ofrecerá a los estudiantes en cada etapa.

La etapa de apropiación se centra en presentar a los estudiantes la disciplina elegida y las herramientas básicas que permiten el desarrollo de las competencias transversales propuestas en la Ean. La etapa de construcción debe ser tal, que permita a los estudiantes conocer los diferentes matices que trae su disciplina, las diferentes posibilidades que tiene en complemento con otras disciplinas y las diferentes formas de aportar al entorno desde ella, durante esta etapa, se propone que los estudiantes tengan la oportunidad de enfrentarse a una unidad de estudios integradora y a tomar decisiones sobre electivas y posibles énfasis o profundizaciones. La etapa de consolidación propone que el estudiante pueda transitar dentro de su disciplina a partir de las elecciones que toma en la construcción de su proyecto de vida con la guía de los profesores y enfrentarse a nuevos retos que se ponen de manifiesto de nuevo en las unidades de estudio integradoras.

Lo anterior exige que todos los actores del proceso de formación asuman un rol específico, en particular, los profesores de la Universidad Ean deberán comprometerse con una serie de principios que guíen las acciones de formación, por tanto, y siendo coherente con lo encontrado en este estudio, se han propuesto en el Modelo Educativo (Ean 2020) los siguientes principios:

**Tabla 1.** Principios para la formación Ean.

| Principio | Descripción |
|---|---|
| Presencialidad Activa | Por la cual, las actividades creadas no son de una sola vía, sino que involucran a los estudiantes de una manera permanente, activa, propositiva y creativa. |
| Constructivismo "andamiado" | Por el cual, se crean actividades orientadas a que el estudiante construya su propio conocimiento con el constante apoyo y realimentación de los expertos (andamiaje educativo). |
| Construccionismo | Por el cual, se usan las estrategias de acompañamiento directo para crear constructos mediante los cuales el estudiante se permite aprender, siempre con la realimentación del profesor. |
| Expresión digital | A través de la cual, los estudiantes se expresan de diversas formas digitales con documentos, videos, blogs, redes sociales, fotografías, etc. |
| Evaluación permanente | Por la cual, los profesores observan constantemente el desarrollo del proyecto educativo por parte de los estudiantes, sin caer en la evaluación para juzgar, sino más en la evaluación para identificar las falencias y propender por la mejora del estudiante. |

| Principio | Descripción |
|---|---|
| Formación por competencias | De tal manera que el estudiante se forma para desarrollarse como profesional en el mundo globalizado. La formación por competencias implica que el estudiante aprende a hacer en contexto, es decir, en formar habilidades y promover actitudes propias de un profesional. |
| Colaboración para el aprendizaje | Por la cual, los profesores preparan sesiones en las cuales se aprovecha el componente sincrónico para formar en las habilidades colaborativas, de liderazgo y trabajo en equipo. |
| Soporte en las TIC | A través de lo cual, estrategia de acompañamiento directo y aprendizaje autónomo hace un uso inteligente de las tecnologías dentro y fuera de los espacios sincrónicos. |
| Transversalidad | Por la cual, los profesores preparan actividades que requieren del aprendizaje y práctica de las competencias transversales definidas en el modelo educativo. |
| Aplicabilidad | Por la cual, los profesores no orientan contenidos sin contexto; en vez de eso, preparan actividades que permiten desarrollar habilidades para ser aplicadas en los proyectos integradores. |
| Multidisciplinariedad | A través de la cual, los proyectos integradores requieren de diversos saberes y formas de trabajo que impliquen un constante reto a los estudiantes y que promueva el trabajo con personas de distintos trasfondos. |
| Sostenibilidad | Con la cual, las actividades y proyectos desarrollados garantizan dar cumplimiento a la política de sostenibilidad de la Universidad Ean. |
| Aprendizaje basado en retos y problemas | La formación en la Universidad Ean no se limita a la creación de contenidos y la transmisión de conocimiento. Por el contrario, los procesos de aprendizaje y de evaluación están orientados a la formación de habilidades a través del reto, problemas y proyectos que incentiven las habilidades investigativas. |
| Formación para la ciudadanía global | Por la cual, se comprende la necesidad de propiciar diálogos en entornos culturales diversos dentro del salón de clases con el fin de desarrollar competencias interculturales e internacionales en los estudiantes. |

| Principio | Descripción |
|---|---|
| Formación permanente en innovaciones y creatividad | Por la cual, se comprende la necesidad de los profesores y tutores de actualizarse permanentemente para diseñar actividades creativas, pertinentes y motivadores para el estudiantado y acordes a las necesidades de los estudiantes de cada modalidad. |

**Fuente:** Ean 2020.

## VI.  CONCLUSIONES

Una vez realizado el análisis, uno de los aspectos que resulta relevante es justamente la necesidad de que en las instituciones se cuente con un equipo de expertos que apoye permanentemente al fortalecimiento del modelo educativo. Su ejercicio sirve tanto para la reflexión como para el diseño, implementación y monitoreo de nuevas estrategias para el enriquecimiento de la experiencia estudiantil exitosa.

La generación de los centenialls es sin duda una generación marcada por la época que les ha tocado vivir, son una generación ávida de cocimiento, que absorbe mucha información, y las instituciones de educación superior tienen el deber de ayudarles a desarrollar sus proyectos de vida y propiciar, por medio de estrategias como las planteadas, mayor cercanía y pertinencia en la oferta que se les brinda para así poder garantizarles mejores oportunidades.

La pandemia es la oportunidad para acercar más la educación al contexto y cerrar la brecha entre la academia y la empresa, generando conocimiento útil a la sociedad y por medio de sus estudiantes y su creatividad aportando soluciones a los problemas que las empresas y organizaciones tengan. Sin duda alguna las comunidades, entornos y sociedades en general ganan con este modelo.

Estos espacios de reflexión académica entre pares con otras universidades del país y de otros países son la mejor manera de compararse y de crecer juntos. Se debe propiciar la conformación de más redes de colaboración entre profesores y estudiantes para seguir, por medio de los diferentes espacios académicos, conociendo los avances de los diversos programas que se desarrollan en todas las instituciones y apropiarlos en los diferentes entornos en un proceso gana-gana con la sociedad.

Los espacios de aprendizaje situados propuestos para las unidades integradoras pueden contribuir de manera eficaz a la construcción del perfil profesional de los centenialls ofreciendo espacios de intervención reales que les permite asumir un rol más pertinente y activo dentro de la sociedad.

También se observa como necesario innovar en las formas de mediación del conocimiento y del proceso de enseñanza aprendizaje, a través de un adecuado uso de tecnologías digitales que faciliten el desarrollo de los principios para la formación identificados como necesarios.

A partir de los resultados de este estudio se hace imperativo incluir dentro de las políticas institucionales aspectos relacionados con el diseño curricular y principios claros que guíen el actuar de los participantes del proceso educativo, y al mismo tiempo, favorecer la implementación de las propuestas epistemológicas y pedagógicas de la Institución.

## VII.   REFERENCIAS

Autio, O. (2009). Pedagogical background for technology education – Meaningful learning in theory and practice. *I manager´s Journal of Educational Tecnology, 5(4)*, pp. 14-23.

Andueza López G. A., (2021) Qué esperan los estudiantes universitarios de sus docentes, observatorio Instituto para el futuro de la Educación, tomado de https://n9.cl/d7jaaz.

Calero, L. (2020). *Características de la Generación Z*. Retrieved from www.luiscalero.com/caracteristicas-de-la-generacion-z/.

Castillo, H. G. C. (2010). El modelo de la triple hélice como un medio para la vinculación entre la universidad y empresa. *Revista Nacional de administración*, *1*(1), 85-94. https://revistas.uned.ac.cr/index.php/rna/article/view/286.

Cuesta, E. M., Ibáñez, E., Tagliabue, R., & Zangaro, M. B. (2008). El impacto de la generación millenial en la Universidad: un estudio exploratorio. In *XV Jornadas de Investigación y Cuarto Encuentro de Investigadores en Psicología del Mercosur*. Facultad de Psicología-Universidad de Buenos Aires. www.aacademica.org/000-032/288.pdf.

De la Garza Carranza, M. T., Soria, E. G., & Aguilar, C. G. (2018). El auto-liderazgo y la inteligencia emocional: un estudio de la generación de los millennials. *Ciencia y Sociedad*, *43*(2), 51-65. www.redalyc.org/jatsRepo/870/87060120005/87060120005.pdf.

Leydesdorff, L., & Etzkowitz, H. (1996). Emergence of a Triple Helix of university–industry–government relations. *Science and public policy*, 23(5), 279-286. https://n9.cl/ml62o.

Leask, B. (2019). Internacionalización del currículo y todo el aprendizaje de los estudiantes. International Higher Education. International Issues. Disponible en: http://ceppe.uc.cl/images/stories/recursos/ihe/Numeros/78/art03.pdf.

Maldonado, A., Ortega, S. & Moreno, M.C. (2016). Efectos de la Electividad en los Bloques de Estudio del área de Matemáticas, sobre la Calidad del Aprendizaje en Entornos Virtuales. Revista Academia y Virtualidad 9(1) pp. 10-23. DOI: http://dx.doi.org/10.18359/issn.2011-0731. https://bit.ly/2Sr3wV1.

McCrindle, M. & Wolfinger, E. (2009). *The ABC of XYZ: Understanding the global generations*. The ABC of XYZ. https://n9.cl/gs3zm.

Moreno, M. C., Ortega, S. & Maldonado, A. (2015). Efectos de la Electividad en los Cursos de Estudio del Área Socio-humanística, sobre la Calidad del Aprendizaje en Entornos Virtuales. Revista EAN 79. p. 38-49. https://bit.ly/30IlzJf.

Ortega S.& Moreno, M.C. (2014). Efectos de la Flexibilidad Didáctica sobre la Calidad del Aprendizaje en Entornos Virtuales. Revista Virtual Universidad Católica Del Norte, 42, p. 38-47. https://bit.ly/32uSFy1.

Ortega, S. & Romero, J. Diseño e Implementación de Herramientas Pedagógicas Basadas en Tecnologías Emergentes para las Enseñanza de Preposiciones en Alemán. Estrategias Didácticas para la Innovación en la Sociedad del Conocimiento. En Colombia ISBN: 978-958-52097-3-2 *ed:* corporación CIMTED, *v.*, p. 191-221, 2019.

Ramirez-Salazar, MP, (2016) Modelo de Innovación Abierta Colaborativa, Caso Bancóldex, tesis Doctoral, ediciones EAN, ISSBN, 978-958-756-384-9, DOI DOI: 10.13140/RG.2.2.12496.92166 https://n9.cl/wmeg.

Ramirez-Salazar, MP., & Valderrama, M. G. (2010). La Alianza Universidad-Empresa-Estado: una estrategia para promover innovación. *Revista Escuela de Administración de Negocios*, (68), 112-133. www.redalyc.org/pdf/206/20619844010.pdf.

Sábato, J., & Botana, N. (1970). La ciencia y la tecnología en el desarrollo futuro de América Latina. http://docs.politicascti.net/documents/Teoricos/Sabato_Botana.pdf.

SNIES. (2021). perfil nacional, julio 27, 2021. Disponible en: https://n9.cl/2yye6.

Solórzano, F. & García, A. (2016). Fundamentos del Aprendizaje en Red desde el Conectivismo y la Teoría de la Actividad. Revista Cubana de Educación Superior, 3. p. 98-112.

Strauss, W. (2017). The millennials (generation Y): Segregation, integration and racism. https://n9.cl/sprq3.

Thunberg, G. (2019). *No one is too small to make a difference*. Penguin. https://images.randomhouse.com/promo_image/9780143133568_7957.pdf.

Universidad Ean. Modelo Educativo. (2020) Disponible en https://n9.cl/k9sjq.

Valdés, (2019). Internacionalización del currículo universitario virtual en el contexto de la globalización. Available from: https://n9.cl/ngq04 [accessed Sep 20 2021].

Varguillas Carmona, C.S., Bravo Mancero, P.C. (2020) *Virtualidad como herramienta de apoyo a la presencialidad: Análisis desde la mirada estudiantil*. Revista de Ciencias Sociales (Ve), vol. XXVI, núm. 1, pp. 219-232. Universidad del Zulia. Recuperado de www.redalyc.org/journal/280/28063104019/html/.

*Capítulo 21*

# Integral management model for agroecological organizations in Ecuador

Ximena Peralta Vallejo
*(University of Cuenca –Ecuador–)*

Gabriela Álava Atiencie
*(University of Cuenca –Ecuador–)*

Wilson Morquecho Vintimilla
*(University of Cuenca –Ecuador–)*

## I. ABSTRACT

Agriculture has been suffering complex difficulties owing to the green revolution. Several researchers consider that the solution for these problems is agroecology, which appeared in 1928. Different fields have developed notable contributions; even farmers have obtained political, social and technical support to confront the green revolution. Nonetheless, investigations do not consider a business approach. Hence, it is necessary to determinate a proposal to manage agroecology agriculture business. This investigation reviews the evolution of agroecology around the world, its development in regions of Latin America as Brazil, Andean Region and Centre America with the intention of defining an appropriate model. In addition, it is analyzed the agroecology path in Ecuador.

Later, it is explained the necessity of a proposal under a business management approach. The proposed model considers Process Management, Value Based Management and Balanced Scorecard criteria. It is a mixed management tool that will provide support to farmers, as well as to all stakeholders in agriculture, food sovereignty and agroecological sustainability.

Keywords: agroecology, management model, process.

## II. AGROECOLOGY: ORIGIN AND EVOLUTION

The beginning of agroecology was in 1928. A Russian agronomist named Bensin published a book describing ecological methods on commercial crop plants (Wezel & Soldat, 2009). At the beginning, agroecology was derived from two main disciplines: agronomy and ecology. Although, other fields as zoology and botany-plant physiology also contributed (Wezel *et al.*, 2009).

From 1930 to 1970, several contributions were made. In 1930, Friederichs published one book related with pest management and its economic impact. This book did not use agroecology as a definition (Friederichs, 1930). A German ecologist and zoologist called Tischler (1965) published important articles using the term agroecology between 1950 and 1961, his research addressed pest management, soil biology, insect biocoenosis and plant protection. On the other hand, Kagles (1942) who was an agronomist, published his book Ecological crop geography in 1942.

In the year 1970 (Wezel & Soldat, 2009) agroecology was defined as a scientific discipline (Plot/field approach, ecology of food system and agroecosystem ecology) in response to green revolution. By the year 1980, agroecology emerged as a set of practices (techniques) (Arguello, 2016), studying agroecosystems due to protecting natural resources. It was not until 1990 when agroecology was conceived as a movement (environmentalism, sustainable agriculture and rural development). It became a new expression to describe how agriculture relates to society (Wezel et al., 2009). Agroecology helped to improve farmers practices, who used high in-puts of chemicals into agriculture, stimulated by international corporations (Gliessman *et al.*, 1998).

From the 2000´s, some authors considered to changing agroecosystem for food systems. Agroecology was related with sustainability, sustainable agriculture and sustainable development. It increased the investigations connecting agroecology with agrobiodiversity and biodiversity conservation. Eventually, agroecology was associated with organic farming/agriculture (Wezel & Soldat, 2009). After a brief introduction about agroecology evolution through the years, it is necessary to review the changes and improvements generated in the Latin American context.

## III. EMERGENCE OF AGROECOLOGY IN LATIN AMERICA

The green revolution began in 1944 (Ameen *et al.*, 2017). As a consequence, Rockefeller Foundation created an institute to improve agricultural production in Mexico. However, in the late 1970´s and early 1980´s (Altieri, Miguel A, Nicholls, 2017) agroecology emerged against the negative impacts of the green revolution (20th century). As Toledo (2012) explains, it had important innovations in dissimilar regions.

### 3.1. BRAZIL

The innovation started in 1980 with two key authors: J. Lutzenberger (philosophic vision) and M. Primaves (agroecosystem health based on the ground). In the following decades, new agroecologist generations were created. It was a reorientation of rural families into agroecology postulates. International congresses (from 2001 to 2009) and Agroecology Meetings (it started in 2001). In 2002 was created the *"Articulação Nacional de Agroecologia-ANA"* (2020). Moreover, other important organizations had social and political impact, such as: *"Confederação Nacional dos Trabalhadores na Agricultura-CONTAG"*, and the *"Movimiento de Trabajadores Sin Tierra-MTST"*. Distinct public policies have supported familiar agriculture, communication programs, creation of organic markets and training for rural sectors.

### 3.2. ANDEAN REGION

The farmers had influence and presence in public politics. Especially in Peru, Ecuador and Bolivia. They organized protests in Ecuador, in 1990 (El Universo, 2019) and 1994 (Guerrero, 1997), against the agrarian distribution and commercialization of lands. The indigenous movement from Ecuador, Peru and Bolivia confronted neoliberal policies. These rural movements are decentralized and autonomous. Consequently, they have organized networks and influenced rural movements; their main contribution is how they combine Andean agriculture with agroecology against industrialization.

This Andean agriculture provides strategies in contradiction of scarce and irregular rains, unfavourable topography, poor soils and extreme temperatures (Altieril & Yurjevik, 1991). Afterwards, in the 2000´s, committed researchers, technicians and professionals promoted Social Economy, seeking for a sustainable society.

## 3.3. CENTRAL AMERICA

Agroecology surged towards the end of 1970 in Mexico. It had adequate management of natural resources (including forests and agrobiodiversity conservation). Forest communities learned the correct production of timber and non-timber products. Mexico also has a relevant participation in coffee production (around 70% produced by rural communities). Farmers apply polyculture and agroforestry systems in coffee production (Toledo, 2012). In 1987 emerged a network among farmers, Non-Governmental Organizations– NGO´s and researchers. Several Mayan extensionists visited farmers located in Tlaxcala. Later, Nicaraguan farmers arrived and learned how to preserve water and soil. This knowledge was introduced in the *"Unión Nacional de Agricultores y Ganaderos-ANAG"* (Altieril & Yurjevik, 1991). It was controlled by the government, medium and large landowners; it helped to diffuse the agroecological methods and principles.

In 1989, commercial relationships between Cuba and Socialist bloc were broken. It started an energetic, economic and food deficit, which was responded by the government, society and Scientifics related to agroecology. The energetic crisis generated the need for renewal energies (hydroelectric, aeolian, solar and sugarcane). The government also created artisanal manufacturing of bio-pesticides and fertilizers. They also covered undergrowth with straw (avoiding herbicide usage) and controlled soil erosion through contour planting/farming. The bagasse was reused as food for cattle, fuel for mills and fertilizer to improve the soil (Funes & Vázquez, 2018). Therefore, Cuba has contributed to organic agriculture considering agroecology as a guide. In its Capital-Habana was introduced urban gardens, in order to fight the lack of food. Finally, the *"Movimiento de campesino a campesino-ANAP"*, has been helping to transmit knowledge, practices (traditional ones), low implementation of external in-puts and ecological techniques developed by Cuban scientists among farmers (Machín, 2017).

## IV. AGROECOLOGY IN ECUADOR

In Ecuador agroecology started from the eights to mid-nineties (Heifer Ecuador, 2014a). Non-Governmental Organizations and social actors emerged, consequently, new peasant organizations created important networks. Table 1 explains how some of these organizations contributed to developing agroecology in Ecuador (Gortaire, 2017).

However, one remarkable event happened. It was the first National meeting of Agroecology, which lasted from October 27th to 29th, in 2005 (BioDiversidad, 2005). Later in 2008 (Colectivo Agroecológico, 2020) was created the *"Colectivo Agroecológico"*, it is considered the most important social reference and mean for all the agroecology NGO´s, political advocacy, awareness campaigns, moreover, politic and academic events.

On the other hand, Heifer Ecuador created the National School of Agroecology-ENA. This project is oriented to work with rural, indigenous, Afro-communities, mangrove peoples and fishers organizations (Heifer Ecuador, 2014b). In addition, its goal is to educate the mentioned groups, owning to socialize the topics of agroecology and food sovereignty.

**Table 1.** Non-Governmental Organization and social actors.

| Year | Organization | Contribution |
|------|-------------|-------------|
| 1980 | "Fundación Brethen Unida" – FBU | Promotion of Biologic agriculture |
| | *"Desarrollo Juvenil Comunitario"*, *"Cabildo Mayor de Cusubamba"* | Implementation of organic techniques in short cycle production and home gardens |
| 1982 | Swissaid | Supporting indigenous peasant agriculture with agroecological orientation |
| 1986 | Swissaid | First meeting of organic farmers from Chimborazo, Bolívar, Tungurahua, Cotopaxi and Pichincha |
| | *"Centro de Tecnología Popular –CETEP"* | Agriculture rescue and revaluation in ancient settlements |
| 1987 | *"Grupo Solidaridad"* | It created in Riobamba the first community basket |
| 1989 | *"Asociación de Productores Biológicos del Ecuador-PROBIO"* | Application of European organic agriculture |
| 1990 | *"Coordinadora Ecuatoriana Agroecológica-CEA"* | It was founded to support the articulation and expression of agroecology organizations |

| Year | Organization | Contribution |
|------|-------------|-------------|
| 1993 | *"Programa Nacional de Desarrollo Rural– PRONADER"* | Intervention to generate agroecology strategies in Cotopaxi, Carchi, Chimborazo, Bolívar, Manabí y Guayas |
|      | *"Agrovida"* | Offer free agrochemical products in Cuenca (Azuay) |
|      | *"Centro de Investigaciones Sociales de Loja-CISOL"* | Promotion of organic agriculture, in order to reduce the use of pesticides |
| 2000 | Community Basket UTOPIA | In Riobamba, agroecologist producers and consumers associate themselves |

**Source:** Roberto Gortaire (2016).

The agroecology has legal support in Ecuador. The Constitution of Ecuador, article 281, indicates that the Government will promote food sovereignty for people, communities and towns (Asamblea Nacional del Ecuador, 2019). Subsequently, it was approved the *"Ley Orgánica de Régimen de Soberanía Alimentaria"*, in 2009. The State establishes mechanisms to guarantee healthy, nutritious and culturally appropriate food to individuals, communities and towns, permanently (Asamblea Nacional del Ecuador, 2017b).

Finally in 2017 was approved *"Ley Orgánica de Agrobiodiversidad, Semillas y Fomento de Agricultura"* (Asamblea Nacional del Ecuador, 2017a), the articles 6, 14 and 48 mention agroecology as a strategy, state obligations and sustainable agriculture, respectively. Agroecology has adopted a high relevance. Thus, it needs a guide to manage its results and look for improvement. The next section explains why it is indispensable a management model for the Ecuadorian context.

## V.  WHY IS NECESSARY TO PROPOSE A MANAGEMENT MODEL?

Since agroecology was coined in 1930, it has evolved in different fields. Consequently, there are dissimilar definitions. Altieri defines it: "Agroecology is both a science and a set of practices. As a science, agroecology consists of the application of ecological science to the study, design and management of sustainable agroecosystems" (Altieri & Toledo, 2011, p. 588). On the other hand, Ecuadorian Agroecology Coordinating-CEA office stated:

Agroecology is a new concept based on an old way of relating with Nature and its products, recovering the protagonist's role of human beings, farmers, families and communities. It is an approach dynamically tapping ancestral knowledge and favouring participatory research to manage agroecosystems efficiently and sustainably and generating a philosophy for harmonious coexistence with Nature. It is the only way to achieve food sovereignty by public control over food production, distribution and consumption. Agroecology questions the market thinking of capitalist economics and its consumerist approach and destruction of Nature; and its thought and action are committed to building alternatives for the life and development of peoples and society in general. (Heifer Ecuador, 2014b, p. 28).

These definitions and others lead the investigations all over the world to focus on technical improvements, agroecosystems, knowledge transferring, political governance, farming processes, etc. Nevertheless, there are no proposals for agroecology administration under a business management approach. Hence, the next subsections explain the bases to define a flexible and easy understanding proposal for the province of Azuay in Ecuador.

## 5.1. AGROECOLOGY SUSTAINABILITY

A management model needs to have solid bases, applicability and easy understanding for peasant people because they will use it. With this in mind, the bases for the model are proposed by Gabriela Alava (2019), who defined three sub-dimensions to analyse agroecology sustainability (Figure 1) considering two indispensable aspects: Alimentary Sovereignty[1], and, Solidarity and Popular Economy[2].

Meanwhile, Altieri and Nicholls (2009) also consider that agroecology contributes to energy sovereignty, technological sovereignty and food sovereignty in a resilience context. Both authors consider agroecology the best response to social problems, such as the food crisis, peasant economy

---

1. The right of people, communities, and countries to define their own agricultural, labor, fishing, food, and land policies in ways that are ecologically, socially, economically, and culturally appropriate to their unique circumstances (Ortega-cerdà & Rivera-ferre, 2010).

2. Popular and Solidarity Economy is understood as the form of economic organization. Where its members, individually or collectively, organize and develop production and exchange processes, commercialization, financing and consumption of goods and services, to satisfy needs and generate income, based on relationships of solidarity, cooperation and reciprocity, privileging work and the human being as the subject and end of its activity, oriented to good living, in harmony with nature, above appropriation, profit and accumulation of capitals (Asamblea Nacional del Ecuador, 2018).

and global pollution. A suitable management model is the start to measure, control and evaluate all these features.

**Figure 1.** Sub-dimensions to analyse agroecology sustainability.

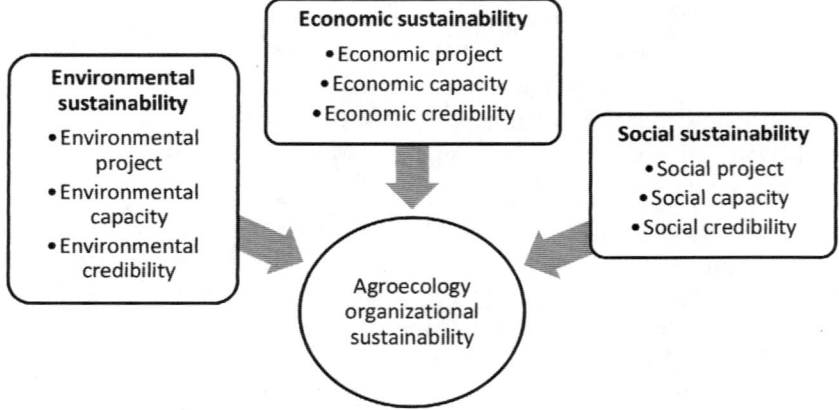

**Source:** Gabriela Álava (2019).

## 5.2. WHICH MANAGEMENT TOOLS ARE CONSIDERED?

It is presented different but compatible tools.

### 5.2.1. Process Management

A process is defined as: "set of interrelated or interacting activities that use inputs to deliver an intended result" (International Organization of Standardization, 2015, p. 1), the outputs contains an added value. It is important to remark that all the processes operate as a system and apply PDCA[3] philosophy, which seeks for continual improvement. There are three sorts of processes:

a) **Strategic:** It is in charge of the management system.

b) **Operational:** It transforms customer requirements (internal or external) into a product.

c) **Support:** It gives management support, without intervening in the product elaboration directly.

---

3.　P: Plan, D: Do, C: Check and A: Act.

Figure 2 describes the methodology to apply this tool. This implementation can provide a good start for farmers into management vision, which is indispensable to generate a positive profit margin.

**Figure 2.** Process management implementation.

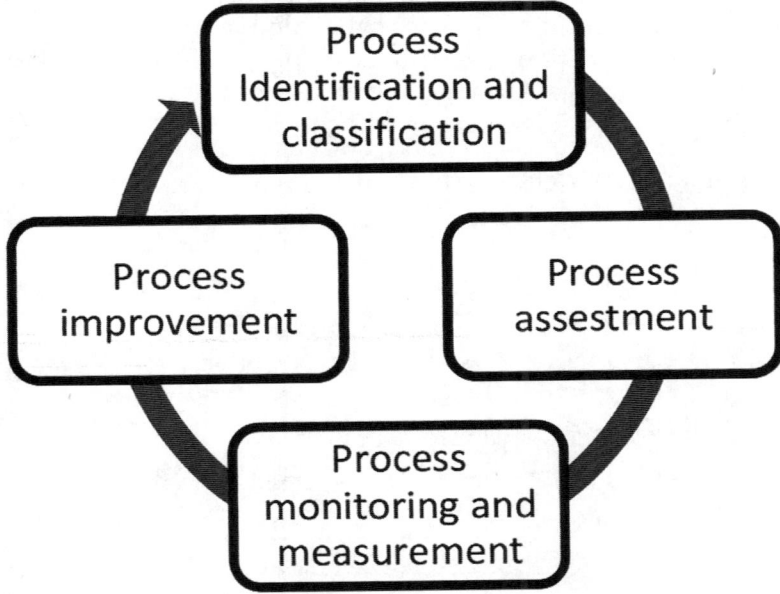

**Source:** International Organization of Standardization (2015).

### 5.2.2. Value Based Management

This concept appeared in the nineties. However, value has dissimilar interpretations and procedures to calculate it. A management approach has a financial control, strategic mentality and human talent management; it complements the process methodology and regulates the strategic, tactical and operational levels (Calvo & López, 1999). The objective is to measure how much value is added for the shareholders, clients, employees and society with the best use of available resources (capital).

Nonetheless, considering an agroecological context the families are shareholders, employees and clients (family self-consumption) at the same time, although they also have external customers and provide benefits for society. Moreover, they don´t apply accounting or financial analysis. With this in mind, it is indispensable to select a simple but accurate accounting model to select useful indicators and measure the added value for women and men peasants.

### 5.2.3. Balance Scorecard

Kaplan y Norton developed a management tool in 1992 to study "performance measurement in companies whose intangible assets played a central role in value creation" (Kaplan, 2010, p. 3). Nevertheless, this tool has been applied in private, public and non-profit organizations, obtaining great results. It considers four perspectives:

**Figure 3.** Strategic Map (Balance Scorecard perspectives).

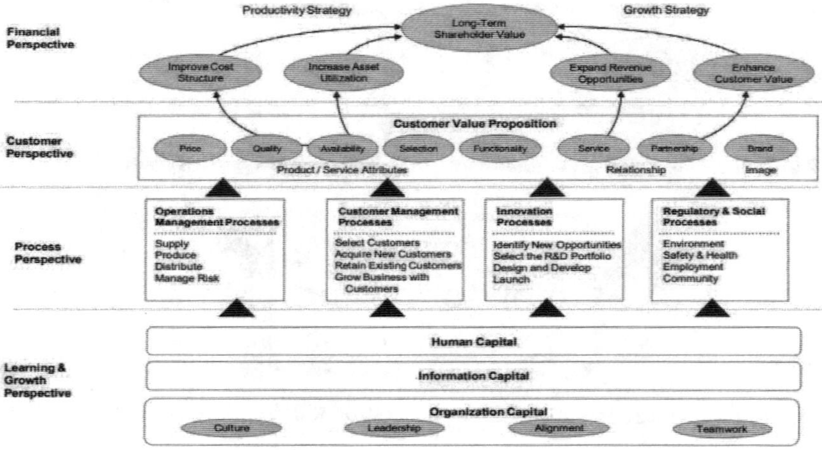

**Source:** Robert S. Kaplan (2010).

a) **Financial:** It creates value for shareholders.

b) **Client or customer:** It seeks to satisfy the client considering: quality, price, relations and value perception.

c) **Processes:** It controls the internal key processes.

d) **Learning and growth:** It measures human capital, information capital and organization capital performance.

The four perspectives are related as Figure 3 shows. These relationships describe how an organization can achieve its vision, applying strategies correctly. The last tool is compatible with Process Management and Value Based Management. However, as it was mentioned before, it is necessary to consider the farmers context, thus, the proposal model adopts flexibility and applicability.

## 5.3. AZUAY-CONTEXT

The proposal model considers the context in 2016, province of Azuay. It has 824,646 people of which 37% (305,119) live in rural areas (Instituto Nacional de Estadisticas y Censos-INEC, 2012). Azuay has 630 companies per 10,000 people (Instituto Nacional de Estadisticas y Censos-INEC, 2017), it represents 32,730 companies in urban zone and 19,222 companies in rural zone. In Azuay, the Agriculture, livestock, forestry and fishing sector accounts for 5.33% of all the companies; this sector has 150 out of 2,769 (5.42%) companies which consider themselves as agroecological (Alava, 2019).

These companies are located in 93.33% of the cantons (14 out of 15). Figure 4 shows the number of companies in each canton. The data indicates a presence of agroecology in almost all the province.

**Figure 4.** Number of agroecology companies in Azuay.

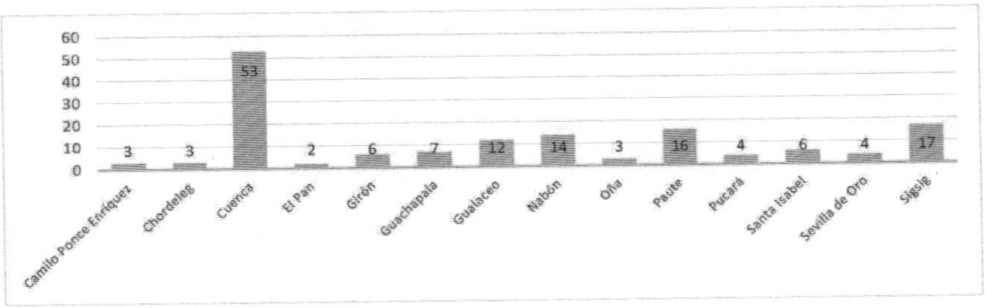

**Source:** Gabriela Alava (2019).

## VI. INTEGRAL AGROECOLOGY MANAGEMENT PROPOSAL MODEL

## 6.1. KEY PROCESSES: STRATEGIC, OPERATIONAL AND SUPPORT

Processes are the basis of the proposal model. For a correct functioning (Figure 5), there are two strategic processes: Strategic direction and continual improvement, they define mission, vision, values and strategic goals intending to achieve quality for the client.

**Figure 5.** Key processes.

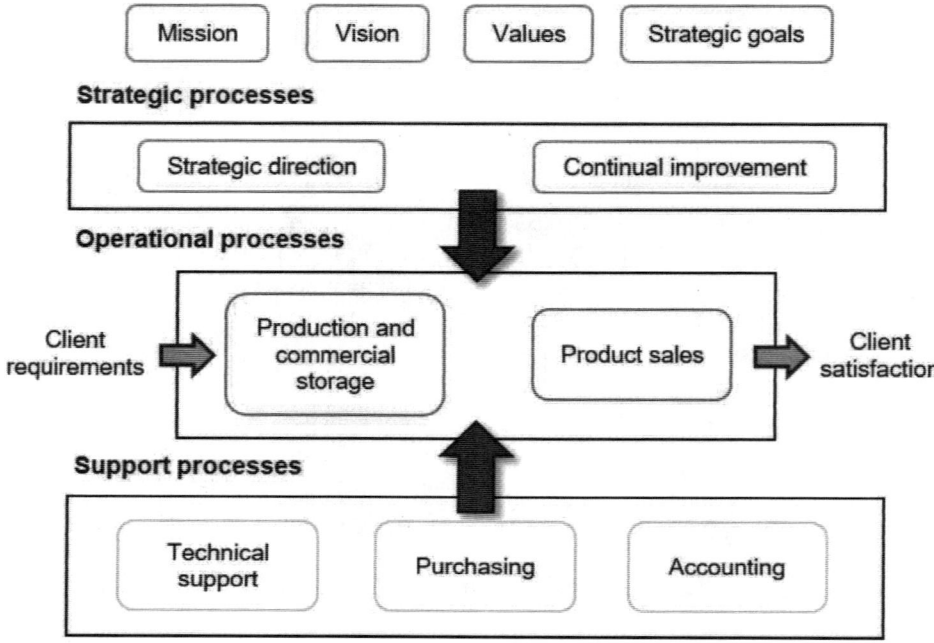

**Source:** Own elaboration.

The operational processes include production and commercial storage, and product sales. They produce agroecological food and sell it, satisfying the client needs. Whilst, support processes are three. Technical support and purchasing contribute with employee training, input supply and services contracting. Moreover, accounting keeps a financial record. The key processes are associated with Valued Based management. However, it was mentioned the need of proposing an accounting model, it is presented in the next sub-section.

## 6.2. ACCOUNTING MODEL

Accounting is a perfect tool to calculate financial indicators, with the objective of determining profitability. For this proposal management model, it is required a daybook, trial balance, balance sheet, bank reconciliation, tax reconciliation and income statement. The financial information will provide the incomes for establishing indicators (Table 2).

**Table 2.** Financial indicators.

| *Indicator* | *Formula* |
|---|---|
| Current ratio | Current Assets/Current Liabilities |
| Financial solvency | Total Assets/Total Liabilities |
| Return On Assets – ROA | Net income/Total Assets |
| Return On Equity – ROE | Net income/Shareholders´ Equity |
| Debt Ratio | Total Liability/Total Assets |

**Source:** Own elaboration.

It is important to measure and analyse the current liquidity (current ratio), long-term ability to pay (financial solvency). How effectively the company is earning a return on its investments in Assets (ROA). In addition, if the company is generating profit without shareholders´ Equity (ROE) and how much debt it can have (Debt Ratio). There are more financial indicators, however, the proposal management model looks for simplicity. The next sub-section presents a Balance Scorecard, it will provide a control over the processes, which include the presented accounting model.

## 6.3. CONTROL AND CONTINUING IMPROVEMENT: BALANCE SCORECARD

**Table 3.** Proposed Balance Scorecard.

| Perspective | Indicator | Description | Unit of measurement | Frequency | Formula | Responsible |
|---|---|---|---|---|---|---|
| Financial perspective | Current Ratio | Capacity of the company to generate cash and cover its short-term debt | Number | Monthly | Current Assets / Current Liabilities | Manager |
| | Solvency | Ability of the company to meet all its debt | Number | Monthly | Total Assets / Total Liabilities | Manager |
| | Return On Assets – ROA | It allows to determine the profit generated by each dollar invested | Number | Monthly | Net income / Total Assets | Manager |
| | Return On Equity – ROE | It allows to determine the profitability of the contributions made by shareholders | Number | Monthly | Net income / Shareholders´ Equity | Manager |
| | Debt Ratio | It measures the level of investment in assets that have been financed by third parties | Number | Monthly | Total Liability / Total Assets | Manager |
| Client perspective | Client satisfaction | It allows to analyse client satisfaction | Percentage | Weekly | Satisfied client / Total clients | Manager |
| Processes perspective | Process evaluation | It indicates if the administration is concerned in the management of the quality cycle | Percentage | Six-monthly | Processes under improvement/ Total processes | President |
| | Achievement of goals | It allows to know the contribution generated by the human talent for the achievement of goals | Percentage | Six-monthly | Achieved goals / set goals | Process owner |
| | Variation in sales | It determines the evolution of income | Percentage | Quarterly | ((Sales revenue - previous quarter sales revenue) / previous quarter sales revenue) x 100 | Manager |
| | Improvement actions | It determines the evaluation compliance to the management system and its corresponding improvement | Percentage | Monthly | No. of corrective actions implemented / No. of proposed corrective actions | President |
| Learning and growth perspective | Recruitment and hiring | It determines if the human talent of the entity met with the requirements defined for its position | Percentage | Six-monthly | No. of met requirements by the employee / Total requirements of the position | President |
| | Education and training | It indicates the percentage of updating knowledge of managers and collaborators | Percentage | Six-monthly | No. of effective training hours / No. of training hours proposed | Manager |
| | Purchase order compliance | It identifies whether suppliers comply with deliveries according to given specifications | Percentage | Quarterly | Compliant orders with quality / Total orders requested | Manager |

**Source:** Own elaboration.

## VII. CONCLUSION

This proposal mixes three models in a simple and flexible way, it connects one of the most important facts of agroecology, which is know-how with management tools. It will provide an effective management tool for peasant people. They will be able to elaborate a strategic plan (set goals), analyse their financial situation (financial perspective), improve their production and selling process, as a result, achieve quality for the customer (client perspective), seek for continual improvement knowing their strengths and weaknesses (processes perspective) and improve the human talent (learning and growth perspective).

However, the next step is the implementation of the Integral Management agroecology Model in Azuay, due to verifying its applicability. The applying process will demand a training stage for peasant people, monitoring and correction of deviations.

## VIII. REFERENCES

Alava, G. (2019). *Sostenibilidad de organizaciones agroecológicas que apoyan al fomento de la economía popular y solidaria en la provincia del Azuay.* Universidad Complutense de Madrid.

Altieri, Miguel A, Nicholls, C. I. (2017). Agroecology: a brief account of its origins and currents of thought in Latin America. *Agroecology and Sustainable Food Systems, 41*(3-4), 231-237. https://doi.org/10.1080/21683565.2017.1287147.

Altieri, M., & Nicholls, C. (2009). Agroecology Scaling Up for Food Sovereignty. *Monthly Review, 6,* 1-29. https://doi.org/10.1007/978-94-007-5449-2.

Altieri, M., & Toledo, V. (2011). The agroecological revolution in Latin America: rescuing nature, ensuring food sovereignty and empowering peasants. *Journal of Peasant Studies, 38,* 587-612. https://doi.org/10.1080/03066150.2011.582947.

Altieril, M. A., & Yurjevik, A. (1991). La agroecología y el desarrollo rural, sostenible en America Latina. In *Agroecología y Desarroollo* (Vol. 1).

Ameen, A., Raza, S., & Ameen, M. A. (2017). Green Revolution: A Review. *International Journal of Advances in Scientific Research, 03*(12), 129-137.

Arguello, H. (2016). Agroecology: Scientific and technological challenges for agriculture in the 21st century in Latin America Agroecology: scientific and technological challenges for agriculture in the 21 st century in Latin America Agroecología: retos científicos y tecno. *Agronomia Colombiana, 33*(3), 391-398. https://doi.org/10.15446/agron.colomb.v33n3.52416.

Articulação Nacional de Agroecologia. (2020). *Articulação Nacional de Agroecologia.* O Que é a ANA.

Asamblea Nacional del Ecuador. (2017a). *Ley Orgánica de Agrobiodiversidad, Semillas y Fomento de Agricultura* (pp. 1-22).

Asamblea Nacional del Ecuador. (2017b). *Ley Orgánica Régimen Soberanía Alimentaria* (p. 15).

Asamblea Nacional del Ecuador. (2018). *Ley Orgánica de la Economía Popular y Solidaria y del Sector Financiero Popular y Solidario* (p. 65).

Asamblea Nacional del Ecuador. (2019). *Constitucion de la República del Ecuador* (p. 182).

BioDiversidad. (2005). *Ecuador: Primer Encuentro Nacional de Agroecología*.

Calvo, A., & López, C. (1999). Reflexiones sobre la "gestión basada en el valor" orientadas al desarrollo de un proyecto de investigación. *La Gestión de la Diversidad: XIII Congreso Nacional, IX Congreso Hispano-Francés, Logroño (La Rioja), 16, 17 y 18 de Junio, 1999, 2*, 43-50.

Colectivo Agroecológico. (2020). *Colectivo Agroecológico*. Quienes Somos.

El Universo. (2019). *La pobreza, el tema recurrente en la protesta indígena en Ecuador desde 1990*. La Pobreza, El tema recurrente en la protesta indígena en Ecuador Desde 1990.

Friederichs, K. (1930). Die Grundfragen und Gesetzmäßigkeiten der lan-dund forstwirtschaftlichen Zoologie. *Paul Parey, 1*, 417-443.

Funes, F., & Vázquez, L. (2018). Avances de la agroecología en Cuba-Libro. *Congreso Latinoamericano de Agroecología*, 1-6.

Gliessman, S., Engles, E., & Krieger, R. (1998). *Agroecology: Ecological Processes in Sustainable Agriculture*. CRC Press.

Gortaire, R. (2017). Agroecología en el Ecuador. Proceso histórico, logros, y desafíos. *Antropología Cuadernos de Investigación, 12*, 12-38.

Guerrero, A. (1997). *El levantamiento indígena de 1994: Discurso y representación política (Ecuador). 19*, 65-90.

Heifer Ecuador. (2014a). *La agroecología está presente. Mapeo de productores agroecológicos y del estado de la agroecología en la sierra y costa ecuatoriana.*

Heifer Ecuador. (2014b). *The experiencie of the National Agroecology School Translated by*.

Instituto Nacional de Estadisticas y Censos – INEC. (2012). *Proyecciones poblacionales*. Presentación de Principales Resultados.

Instituto Nacional de Estadisticas y Censos – INEC. (2017). *Directorio de empresas y establecimientos 2016*. Presentación de Principales Resultados.

International Organization of Standardization. (2015). *The Process Approach in ISO 9001: 2015* (p. 7).

Kaplan, R. S. (2010). Conceptual Foundations of the Balanced Scorecard. In *Harvard business school*.

Klages, K. H. (1942). *Ecological crop geography* (Macmillan).

Machín, B. (2017). El movimiento agroecológico de campesino a campesino en sus 20 años de implementación en Cuba. *Agroecología, 12*(1), 99-105.

Ortega-cerdà, M., & Rivera-ferre, M. G. (2010). Indicadores internacionales de Soberanía Alimentaria. Nuevas herramientas para una nueva agricultura. *Revista Iberoamericana de Economía Ecológica, 14*, 53-77.

Tischler, W. (1965). *Agrarökologie*. Gustav Fischer Verlag.

Toledo, V. M. (2012). *La agroecologia en latinoamerica: tres revoluciones, una misma transformacion*. 37-46.

Wezel, A., Francis, C. A., & Vallod, D. (2009). *Agroecology as a Science, a Movement and a Practice Review article*. Agronomy for Sustainable Development. https://doi.org/10.1007/978-94-007-0394-0.

Wezel, A., & Soldat, V. (2009). A quantitative and qualitative historical analysis of the scientific discipline of agroecology. *International Journal of Agricultural Sustainability, 7*(1), 3-18. https://doi.org/10.3763/ijas.2009.0400.

*Capítulo 22*

# La emigración en el aula de infantil

Maider Pérez de Villarreal

*(Universidad Pública de Navarra –España–)*

## I. INTRODUCCIÓN

La migración y la emigración son dos formas de dispersión de las especies (Madrigal, 2004). La diferencia entre ambas es que la migración se caracteriza por su estacionalidad y la emigración es un viaje en el que no se prevé el retorno. Ambas buscan territorios óptimos para la supervivencia de las especies y son muy importantes para el proceso evolutivo, especialmente para la estabilidad de los ecosistemas y de las especies. Ambos fenómenos están afectados por los graves problemas ambientales generados por los seres humanos, siendo hoy en día el cambio climático el factor que más amenaza con eliminar muchos de los procesos migratorios y catalizar nuevos procesos emigratorios. Por principio básico, ningún individuo o población emigra de su lugar de origen, a no ser que se vea obligado a hacerlo (Madrigal, 2004). Es curioso que el número de especies que migran, es superior a las que emigran y a pesar de tratarse ambos, de procesos naturales, por cuestiones de adaptación y selección natural, las migraciones son más permanentes y duraderas en el tiempo. En el contexto de la educación, es la emigración la que cobra más importancia por afectar en su mayor medida a la especie humana, ya que la migración queda restringida a las poblaciones nómadas de sociedades en desarrollo o al resto de las especies animales que migran de manera estacional.

La emigración es un fenómeno natural habitual que se ha convertido en un evento socioeconómico y político que pone a prueba el nivel de democracia de los países avanzados, siendo, además, un tema que genera un fuerte impacto en la opinión pública. De acuerdo conlos arqueólogos (Consejo de Europa, 2021), casi todas las personas del planeta son emigrantes, ya que la humanidad se originó en África hace unos 200.000 años y después se diseminó por todo el mundo (Europa, Asia, Australia, América). Esto significa que la emigración ha constituido un proceso inherente a la distribución del ser humano en el planeta y forma parte de nuestra idiosincrasia como especie. Tierney *et al.* (2017) mostraron que los seres humanos emigraron desde África hacia Eurasia hace 60.000 años debido a un cambio brusco de clima. Hoy en día existen más de 200 millones de emigrantes en el mundo, y las situaciones relacionadas con este fenómeno son debatidas en los medios de comunicación cada día. De hecho, Altner (2006) denomina al siglo XXI, "la era de los inmigrantes".

En el actual mundo globalizado, las personas se mueven constantemente. La emigración constituye un proceso de desplazamiento (a través de un mismo país o de una frontera internacional) que erosiona las fronteras tradicionales entre las culturas, etnias y lenguas, agregando diversidad, riqueza cultural y económica. Sin embargo, no se puede obviar el hecho de que muchas personas también la perciben como un desafío o una amenaza. Por ello, es muy importante actuar desde la educación para formar una sociedad intercultural que acepte la diversidad y la perciba como una riqueza y una oportunidad de mejorar como sociedad, y especialmente, este enfoque adquiere más fuerza si se trata desde la educación infantil, momento en que los niños y niñas van forjando sus identidades y sus autoconceptos y establecen relaciones con sus pares. Por estas razones, los métodos de educación intercultural deben ser introducidos en las escuelas, con el fin de desarrollar en los estudiantes las competencias para el diálogo intercultural (Declaración Ragusa, 2010) que se torna imprescindible para la lucha contra la intolerancia y el fomento del entendimiento mutuo y constituye una herramienta eficaz para desarrollar competencias interculturales, aumentar la sensibilización sobre cuestiones relativas a la emigración y entender la diversidad étnica, religiosa, lingüística y cultural como una fuente de crecimiento.

## 1.1. DEFINICIÓN DEL TÉRMINO "EMIGRANTE"

A la hora de definir el término "emigrante" existen dos distinciones convencionales entre los que son voluntarios y los forzados. Los emigrantes voluntarios son personas que salen de su hogar por su propia elección, a causa de los "factores de atracción" como mejores oportunidades profesionales; mientras que los emigrantes forzados salen de su hogar al verse obligados a huir de las violaciones de sus derechos fundamentales (a causa de guerras, dictaduras, corrupción estructural…).

Según el Comité Europeo sobre las Migraciones, el término "emigrante" se refiere a las personas que se desplazan, a los migrantes que regresan, los inmigrantes, los refugiados, las personas desplazadas, las personas de origen inmigrante y a los miembros de las minorías étnicas que se han creado a través de la inmigración. La Organización Internacional para las Migraciones (OIM) alude a este término para cubrir todos los casos en que la decisión de emigrar se toma libremente por la persona interesada por razones de "conveniencia personal", sin la intervención de un factor de peso externo. Para el Alto Comisionado de las Naciones Unidas para los Refugiados (ACNUR, 2007), los refugiados y los solicitantes de asilo forman un grupo distinto de personas, porque han dejado sus casas para salvar sus vidas o conservar su libertad.

## 1.2. PORCENTAJES DE LA EMIGRACIÓN HOY EN DÍA

Habitualmente se utiliza la perspectiva del primer mundo a la hora de debatir sobre la emigración y tratar sobre los flujos entre países en desarrollo y los desarrollados. No obstante, la gran mayoría de los emigrantes se desplazan dentro de sus propios países (80% respecto al 20% que lo hace hacia otros países, aproximadamente). Otro aspecto que considerar es que del 20% que emigra y traspasa las fronteras internacionales, un 60% lo hace entre países desarrollados o en desarrollo, un 37% que pertenece a países en desarrollo lo hace a países desarrollados y sólo un 3% de individuos de países desarrollados lo hace a países en desarrollo. En cuanto a los refugiados, el desequilibrio es mayor, ya que el 80% se encuentra en países en desarrollo y, por ello, la carga para ayudar a estas personas surge de algunos de los países más pobres del mundo. Es decir, la problemática que se genera es aún mayor en el caso de los refugiados. El 44% de los refugiados y el 31% de los solicitantes de asilo eran niños menores de 18 años en 2010, lo cual da una idea de la magnitud del problema y de cómo afecta a la infancia. Esto nos puede indicar que, a lo largo de la trayectoria de un profesor/a de las etapas infantil y primaria, es muy probable que se encuentre con niños emigrantes o refugiados y que es preciso tratar este tema en el aula para fomentar una educación sociocrítica e intercultural que se dirija hacia la inclusión.

## 1.3. PROBLEMÁTICA DE LA EMIGRACIÓN EN LA UNIÓN EUROPEA (UE) Y DERECHOS HUMANOS

El artículo 13 de la Declaración Universal de Derechos Humanos establece que "toda persona tiene derecho a la libertad de circulación y de residencia dentro de las fronteras de cada estado y "toda persona tiene derecho a salir de cualquier país, incluso del propio, y a regresar a él".

Los emigrantes tienen derechos humanos, pero, muy habitualmente son violados con frecuencia, incluido el derecho a la vida, a la libertad y a la seguridad. Al tratarse de extranjeros, son considerados como extraños en la sociedad de acogida y pueden sufrir racismo, xenofobia y discriminación en su lugar de trabajo o en su vida cotidiana.

Como consecuencia de los flujos migratorios hacia Europa, se ha desarrollado una política de emigración y asilo en los Estados miembros de la UE que se rige por los acuerdos de Schengen (1985, 1990) que posee mecanismos de control de las fronteras y el Convenio de Dublín (1997), lo que hace que no sea difícil controlar y enviar de vuelta a los inmigrantes no deseados que entran en uno de los Estados Schengen. La UE transfiere la tarea de control a los países de origen o de tránsito de los emigrantes favoreciendo de este modo, las deportaciones y las oportunidades para que se den violaciones de derechos humanos. También el tener políticas muy restrictivas en muchos países europeos puede forzar a los emigrantes a métodos ilegales para entrar en Europa y muchas veces son víctimas de traficantes organizados.

## 1.4. EDUCACIÓN Y NIÑOS/AS EMIGRANTES

De acuerdo con el Informe de la PACE Comisión de Migración, Refugiados y Población (2011) "un niño es en primer lugar, ante todo, sólo un niño. Él o ella tiene derecho a todos los que puede acceder un niño, garantizados por la Convención de las Naciones Unidas sobre los Derechos del Niño y por otros instrumentos internacionales de derechos humanos". La respuesta ante los cambios demográficos a los que se enfrenta Europa con los grados de diversidad derivados de los movimientos migratorios es la "interculturalidad", que promueve los derechos de todos, sin ningún tipo de discriminación. En una sociedad intercultural, las personas tienen derecho a mantener su identidad étnica, cultural y religiosa, y esas identidades son toleradas por otros. Este enfoque garantiza la máxima tolerancia para construir los cimientos de una sociedad democrática (Libro Blanco del diálogo intercultural, 2008).

### 1.4.1. El uso de las analogías en educación infantil

En la enseñanza de las ciencias el modelo analógico o analogía es uno de los modelos más utilizados, teniendo en cuenta que una de las formas de pensamiento humano es la analógica (García-Manzano, 2011). Se asocia el origen del pensamiento analógico a la aparición del lenguaje y juega un papel muy importante en el desarrollo del conocimiento, en particular, en el aprendizaje de conocimientos científicos (Curtis y Reigeluth, 1984). Sutton (2003) considera que analogías y lenguaje juegan un papel clave como contexto de elaboración de nuevas ideas, sobre todo en los primeros estadios de desarrollo de un conocimiento dado. Las analogías son comparaciones entre fenómenos que mantienen cierta semejanza a nivel funcional o estructural y constituyen un recurso frecuente tanto en el lenguaje cotidiano como en el contexto escolar, cuando se pretende hacer más asequible a otras personas una determinada idea o noción, que se considera compleja, a través de otra que resulta más conocida y familiar (Oliva, 2004). La noción o sistema que se quiere aclarar se denomina blanco mientras que la que se utiliza como referencia, análogo o fuente. Desde el punto de vista didáctico, el uso de analogías se liga al aprendizaje en el ámbito conceptual como ayuda en la comprensión y desarrollo de nociones abstractas o como recurso que se dirige a cambiar las ideas intuitivas ya existentes (Posner et al., 1982; Duit, 1991; González-Labra, 1997). La vía más habitual para introducir las analogías es la explicación del profesor (Oliva, 2003); sin embargo, sería más efectivo conceder un papel activo al estudiante durante el aprendizaje e involucrarlo en el proceso de razonamiento analógico. En este caso concreto, se muestra el dominio análogo (fuente) y el dominio meta (blanco).

**Figura 1.** Ejemplo de analogía de la emigración y la migración mostrando las relaciones entre ellos.

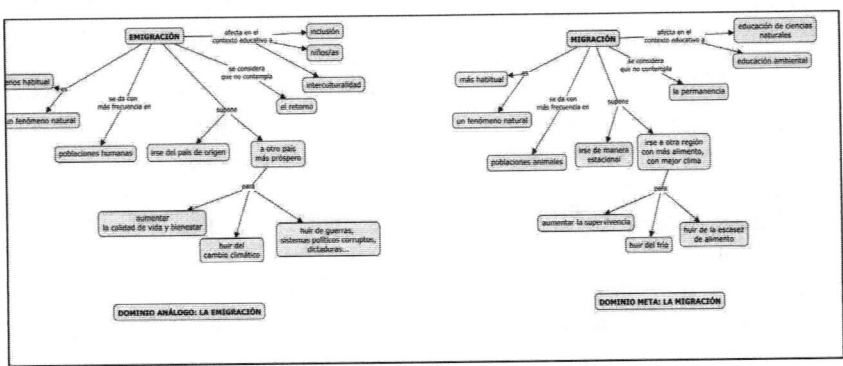

**Fuente:** Elaboración propia.

Es preciso señalar que construir una analogía no es sencillo, y resulta inevitable que cada persona elabore su propia interpretación personal acerca de la misma (Duit, 1991). El trabajo con analogías precisa que los estudiantes identifiquen el análogo con el blanco y si no se logra esta conexión el modelo carece de valor. El empleo de animales como vehiculadores de la analogía sirve para la trasposición didáctica en el alumnado de la etapa de educación infantil, en la que se identifican con los animales y sienten empatía hacia lo que les sucede. La empatía es la capacidad para ponerse en el lugar de los demás y está relacionada con la inteligencia interpersonal (Gardner, 2014), buscando actuar o pensar como lo harían o pensarían los demás. A los 2-3 años los niños/as atraviesan por una etapa de egocentrismo que impide que comprendan las emociones de los demás, pero si en esta fase se ayuda a los niños a reconocer sus emociones y manifestarlas de forma correcta, se fomenta que sean niños/as más propensos a comprender los sentimientos ajenos (Álvarez, 2019). Para favorecer esta empatía, una vez pasada la etapa de egocentrismo, los cuentos se convierten en recursos muy habituales que pueden ayudar a introducir el concepto de empatía, y especialmente los cuentos que utilizan como protagonistas a animales (recordemos Bambi, Dumbo, el Rey León, Buscando a Dory, Hermano Oso…). En esta experiencia educativa se pretende que los niños/as se identifiquen con los animales que migran, para reconocer esta situación como habitual y natural y favorecer de este modo, la inclusión del niño/a emigrante que se pueda encontrar en clase considerando la emigración un fenómeno natural y habitual que puede suceder a cualquier persona en determinadas situaciones.

## II. OBJETIVOS

En el presente capítulo, abordaremos la problemática de la emigración humana, haciendo una analogía con la migración animal para contribuir a una educación intercultural desde la etapa de infantil. De este modo se enseña un fenómeno que sucede en la naturaleza (la migración animal) y se identifica con un fenómeno social (emigración humana) con un enfoque transversal y sociocrítico. Para ello, se pretende por un lado que el alumnado, profesorado en formación del Grado de Maestro en Educación Infantil (GMEI), interprete la analogía identificando las conexiones y las diferencias entre la emigración y la migración; y por otro, que elabore una propuesta didáctica para educación infantil que contenga un cuento didáctico destinado al alumnado de educación infantil (segundo ciclo) basándose en la migración animal, para acercarlos a la realidad de los niños/as emigrantes que pueden estar en clase. El propósito de esta experiencia educativa es que el alumnado de GMEI cree un cuento didáctico que vehicule la analogía entre emigración y migración, utilizando los animales como transmisores del verdadero significado de la historia. Por otro lado, se pretende en una experiencia posterior de aprendizaje-servicio, emplear el material didáctico generado para implementarlo en un aula de educación infantil en una escuela pública de Navarra con un porcentaje elevado de alumnado emigrante.

Los objetivos específicos son los siguientes:

– Afrontar una posible situación que se pueda encontrar en el aula con un niño/a emigrante o refugiado.

– Elaborar un proyecto (modelo de conocimiento) que dé respuesta a esta situación, desarrollando un producto, que es el cuento didáctico.

– Ofrecer este material didáctico a centros escolares con un porcentaje elevado de alumnado emigrante para favorecer la sensibilidad y concienciación desde la etapa de educación infantil.

– Generar una colaboración universidad-escuela bajo el marco de aprendizaje-servicio, de modo que la universidad responda a las necesidades específicas del aula de infantil y que además forme a los futuros profesores.

## III.  MATERIAL Y METODOLOGÍA

Este proyecto se desarrolló en un aula del GMEI de la Universidad Pública de Navarra, con 39 estudiantes, 5 de género masculino y 34 femenino en el contexto de la asignatura "Didáctica del medio natural", asignatura básica que consta de 6 ECTS y que se imparte en el tercer curso del grado. El alumnado previamente se había formado en el aprendizaje significativo y los referentes propios de esta teoría englobada dentro de la filosofía constructivista (Novak, Ausubel, Gowin, Moreira y Bruner, entre otros). También había adquirido las nociones para elaborar mapas conceptuales empleando un software libre denominado Cmap Tools perteneciente al IHMC (Institute for Human and Machine Cognition, Florida). El alumnado se distribuyó en 10 grupos de prácticas, 8 de 4 personas, uno de dos personas y uno de 5 personas. La idea fue mantener los grupos que ya utilizaban en otras asignaturas para favorecer el trabajo cooperativo y la dinámica del propio grupo.

### 3.1.  APRENDIZAJE BASADO EN PROBLEMAS

El desarrollo del proyecto se apoyó en el ABP (Aprendizaje Basado en Problemas) de Dolmans (2016), que es una metodología de enseñanza que pretende activar el aprendizaje investigando y discutiendo un problema real de modo que favorece una visión integrada del currículo (Onyon Clare, 2012). A lo largo de la secuencia del ABP se desarrollan habilidades como la autonomía, el uso de tecnologías, la capacidad de cooperar y la capacidad de resolver problemas mediante el conocimiento. En el caso concreto de la propuesta didáctica que debía desarrollar el alumnado, se presentó una situación concreta que servía como punto de partida: "un niño refugiado sirio, llamado Aylan, de 5 años, había llegado a clase. El niño desconocía el idioma y la cultura vasca y el resto del alumnado de clase preguntaba por qué no sabía el idioma y de dónde venía". Entonces el profesorado decidió mostrar la realidad de la emigración haciendo una analogía con la migración animal, para así hacer comprensible este fenómeno al alumnado de 5 años y favorecer la inclusión y la educación intercultural. Para ello, debían diseñar una unidad didáctica a lo largo de 2 semanas para el alumnado del segundo ciclo de educación infantil que incluyera un cuento didáctico sobre la migración animal.

## 3.2. MODELOS DE CONOCIMIENTO PARA UN APRENDIZAJE SIGNIFICATIVO

El proyecto debían realizarlo mediante mapas conceptuales que conformaran un modelo de conocimiento que, a su vez, debía integrar toda la unidad didáctica. El modelado de conocimiento es una técnica muy utilizada pues es un agente de aprendizaje significativo y de creación de conocimiento (González *et al.*, 2013), y el alumnado asume un papel activo, aprendiendo no sólo acerca del producto, sino del propio proceso (metaconocimiento). Un modelo de conocimiento está formado por un conjunto de mapas conceptuales y recursos digitalizados que se asocian a los mismos en torno a una temática concreta. Esta estrategia de enseñanza-aprendizaje se lleva utilizando una decena de años y existe una amplia y rica experiencia y excelentes resultados en universidades de todo el mundo. En principio, el modelo de conocimiento se construye sobre un mapa básico y en relación con un tema específico. Consiste en una colección de mapas conceptuales vinculados al mapa básico o raíz y que representan niveles de diferenciación cada vez más específicos. A los conceptos de los mapas, se vinculan recursos asociados (fotos, documentos, vídeos, podcast...) que se designan con iconos gráficos, y de este modo, el usuario puede navegar a través de los mapas conceptuales subordinados que conforman el modelo de conocimiento. El sólido marco teórico-práctico de Ausubel, Novak y Gowin, junto con la utilidad que proporcionan los mapas conceptuales, y el potencial que concede el software Cmap Tools (Cañas *et al.*, 2000; Cañas, 2004) integrados en la docencia, dotan de gran calidad a lo que se enseña y aprende, formando a lo largo de toda la vida (Lifelong Learning). El alumnado de la asignatura "Didáctica del medio natural" de tercer curso del GMEI diseñó material didáctico empleando esta metodología de modelado de conocimiento donde integró los cuentos didácticos sobre la migración animal. Para ello, inicialmente tuvo que indagar sobre los animales de Navarra y del País Vasco que migraban y elegir la especie que quisieran para ser la protagonista de su cuento.

## 3.3. APRENDIZAJE-SERVICIO

Se trata de un método que une el aprendizaje con el compromiso social y en definitiva consiste en aprender haciendo un servicio a la comunidad (REDAPS, 2020). Este enfoque educativo pretende formar buenos ciudadanos capaces de mejorar la sociedad y no sólo su currículum personal; considera que los niños y niñas son ciudadanos capaces de provocar cambios en su entorno; procura que los niños y niñas encuentren sentido a lo que estudian cuando aplican sus conocimientos y habilidades en una práctica solidaria. La idea final del proyecto que se explica en este capítulo es crear material didáctico con cuentos didácticos sobre la emigración desarrollado por el alumnado de GMEI de la universidad, y que este material se introduzca en las escuelas infantiles con altos porcentajes de alumnado emigrante, de modo que sirva para ahondar en esta realidad y permita que el alumnado de infantil comprenda la situación de los niños/as emigrantes o refugiados, generando debate y favoreciendo la inclusión.

## IV. RESULTADOS

A continuación, se muestran los resultados obtenidos tanto en formato de modelo de conocimiento como un ejemplo de uno de los cuentos didácticos elaborados por los estudiantes.

**Figura 2.** Mapa conceptual sobre la introducción de la actividad traducido del euskera.

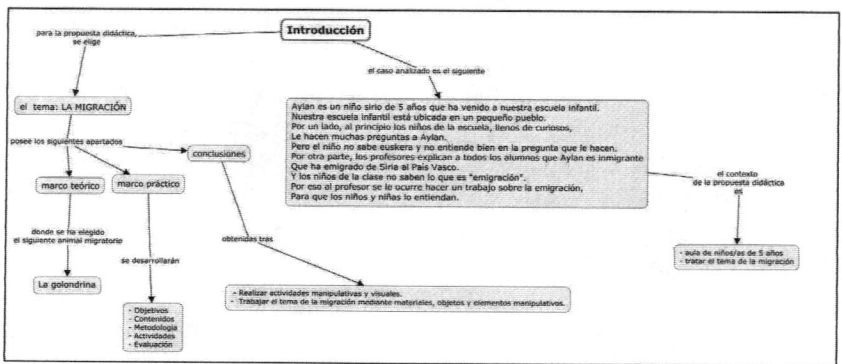

**Fuente:** Traducción propia (Elaboración del grupo 3 de la asignatura en 2020-21).

En este mapa conceptual el alumnado expone que se trabajará la migración en el aula de infantil desde un punto de vista teórico, valiéndose de la migración de la golondrina y, desde un punto de vista práctico, en que se trabajarán los objetivos de etapa, los contenidos, la metodología, las actividades y la evaluación. Se explica la situación ficticia que se emplea como punto de partida:

*"Aylan es un niño sirio de 5 años que ha venido a nuestra escuela infantil. Nuestra escuela infantil está ubicada en un pequeño pueblo. Por un lado, al principio los niños de la escuela, llenos de curiosidad, le hacen muchas preguntas a Aylan. Pero el niño no sabe euskera y no entiende bien la pregunta que le hacen. Por otra parte, los profesores explican a todos los alumnos que Aylan es inmigrante. Que ha emigrado de Siria al País Vasco. Y los niños de la clase no saben lo que es "emigración". Por eso al profesor se le ocurre hacer un trabajo sobre la emigración, para que los niños y niñas lo entiendan".*

**Figura 3.** Modelo de conocimiento que integra el proyecto completo (traducido del euskera).

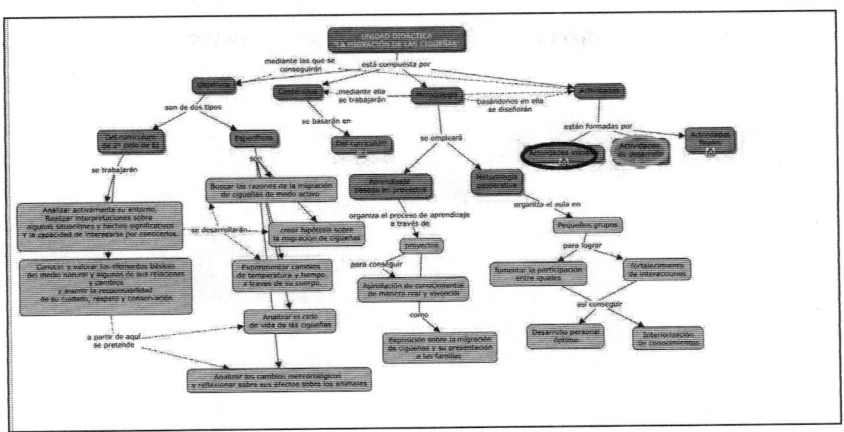

**Fuente:** Traducción propia (Elaboración del grupo 8 en la asignatura en 2020-21).

En este modelo de conocimiento se muestran los objetivos del curriculum del segundo ciclo de educación infantil del Gobierno de Navarra, lo objetivos específicos de la unidad didáctica que contempla la migración de las cigüeñas. También los contenidos del curriculum que se van a trabajar, y la metodología empleada para su desarrollo (ABP y aprendizaje cooperativo). Finalmente se muestran las actividades que se van a realizar, una de las cuales se muestra en la figura que sigue.

**Figura 4.** Mapa conceptual desplegado del icono marcado con un círculo negro en la figura 3.

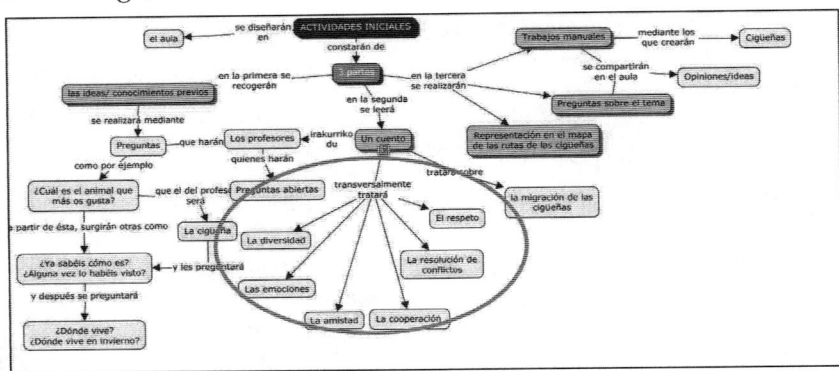

**Fuente:** Traducción propia (Elaboración del grupo 8 de la asignatura en 2020-21).

En las actividades desplegadas, que se corresponden con las actividades iniciales del proyecto, se muestran tres partes diferenciadas: en la primera se recogerán los conocimientos previos del alumnado, siguiendo uno de los principios de la teoría del aprendizaje significativo de Ausubel: "Si tuviese que reducir toda la psicología educativa a un solo principio, enunciaría ésta: el factor más importante que influye en el aprendizaje es lo que el alumno ya sabe. Averígüese esto y enséñese consecuentemente". Esto claramente indica relacionar los nuevos aprendizajes a partir de las ideas previas del alumno/a; en la segunda parte, utilizan el cuento para vehicular el aprendizaje de la migración y tratar temas transversales (en círculo gris) como la diversidad, las emociones, la solidaridad, la cooperación, el respeto, la solución de conflictos…; en la tercera parte, se centrarán en trabajos manuales y en marcar en un globo terráqueo la migración de la cigüeña.

**Figura 5.** Diagrama UVE sobre la salida a los humedales de Salburua para la observación de las cigüeñas que se obtiene tras desplegar el icono marcado con círculo gris de la figura 3.

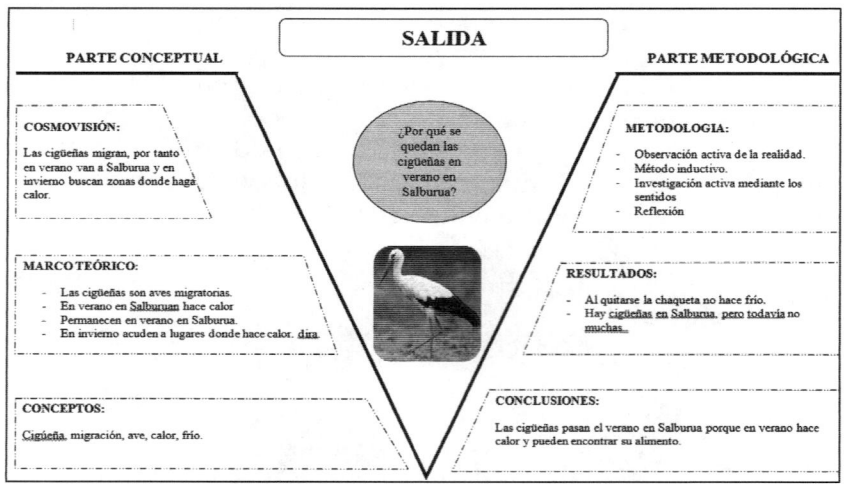

**Fuente:** Traducción propia (elaboración del grupo 8 de la asignatura en 2020-21).

Partiendo de la figura 3, las actividades que se engloban en un círculo gris corresponden a las actividades de desarrollo de la unidad didáctica en la que se han planteado la salida didáctica a los humedales de Salburua, en Álava (Polvorinos, 2021). Para ello, han utilizado una herramienta didáctica metacognitiva, como es el diagrama UVE (Novak y

Gowin, 1993) y la han modificado para hacerla más comprensible y adaptable a la etapa de educación infantil. En él parten de la pregunta: ¿Por qué se quedan las cigüeñas en Salburua en verano? Después, muestran la cosmovisión respecto a la migración de las cigüeñas que en verano están en el humedal y en invierno van en busca de tierras más templadas. El marco teórico incluiría la filosofía constructivista y los teóricos del aprendizaje significativo. Y los principios serían que las cigüeñas son animales migratorios. Posteriormente utilizan las palabras clave que definen esta actividad concreta del proyecto, y recurren a la metodología (registros y transformaciones), a los resultados (juicios de conocimiento) y a las conclusiones (juicios de valor). Es interesante que muestren la adaptabilidad de una herramienta didáctica más abstracta a una realidad concreta. Mediante este cuento, el alumnado del GMEI pretende introducir el concepto de emigración en el aula de educación infantil y utiliza a un ave como es la cigüeña para vehicular este concepto, en principio abstracto para niños y niñas de 5 años.

**Figura 6.** Cuento sobre la migración de la cigüeña, las rutas de migración y los países que visita en su viaje.

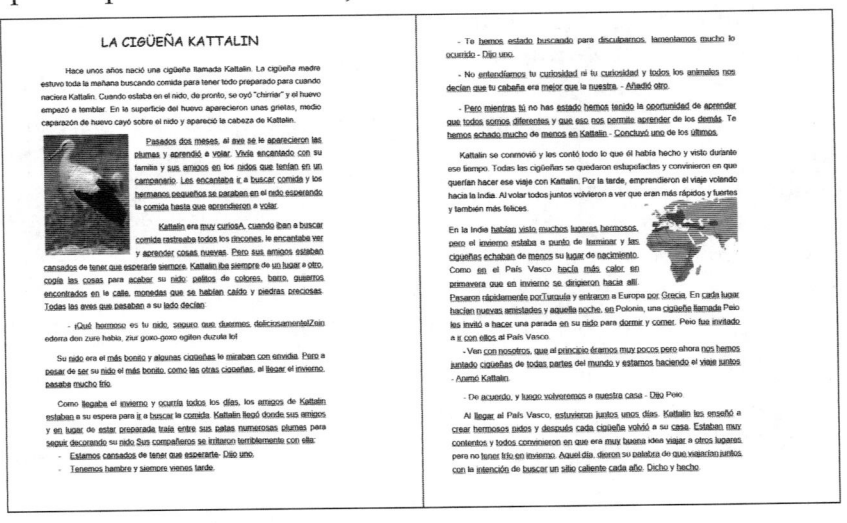

**Fuente:** Traducción propia (Elaboración del grupo 8 de la asignatura en 2020-21).

## V.  DISCUSIÓN

Inicialmente, al alumnado le costó comprender la finalidad del proyecto, a pesar de que previamente se había expuesto una situación ficticia de la que partía. Posteriormente, comprendió la utilidad de plantear dos fenómenos naturales similares en humanos y en animales para facilitar la comprensión del alumnado de la etapa de infantil como un recurso didáctico para favorecer que en estas etapas se entiendan conceptos más abstractos. Este proyecto puede suponer el comienzo de una línea de investigación basada en las analogías con animales y los cuentos didácticos para introducir conceptos abstractos en la edad infantil, especialmente conceptos con trascendencia social que favorezcan la inclusión desde las primeras etapas.

Consideramos que la fortaleza de este tipo de experiencias educativas es trabajar con distintas estrategias metodológicas. Por un lado, se comienza el proyecto empleando el ABP con una situación ficticia que permite al alumnado trabajar y desarrollar actividades con un propósito concreto, que se puede encontrar en un futuro y le sirve de anclaje a una realidad. Por otro lado, emplean herramientas metacognitivas para favorecer el aprendizaje significativo, tanto de ellos, como profesores en formación, como de su futuro alumnado de infantil (en la trasposición realizada con las actividades del proyecto). Finalmente, aunque debido a la pandemia, no se ha podido aplicar, estaría el empleo del aprendizaje-servicio, de modo que desde la universidad creáramos cuentos didácticos relacionados con fenómenos sociales y con la inclusión, y los pasáramos a maestros/as en activo de centros con elevados porcentajes de emigración, con el fin de favorecer la inclusión educativa. Este último paso es el que pretendemos poner en práctica cuando la situación pandémica lo permita, de modo que se genere una red fluida de cooperación entre universidad y centros escolares.

## VI.  CONCLUSIONES

El alumnado alcanzó las competencias de la asignatura "Didáctica del Medio Natural" y aprendió a elaborar su propio material didáctico empleando herramientas cognitivas como el diagrama UVE y el mapa conceptual Estas herramientas las integraron en un modelo de conocimiento para introducir la migración y la emigración y así ayudar a la inclusión del alumnado emigrante o refugiado que se pueden encontrar en un futuro como maestros/as de educación infantil.

## VII. REFERENCIAS

ACNUR (2007). La contribución de la ACNUR al Foro Mundial sobre Migración y Desarrollo Recuperado de: http://www.unhcr.org/468504762.pdf.

ACNUR. (2008). Directrices sobre la determinación del interés superior del niño. Recuperado de: http://www.unhcr.org/4566b16b2.html.

Altner, B. (2006). *Edad de los Migrantes* (en ruso) Recuperado de: http://www.rosbalt.ru/main/2006/06/28/258300.html.

Álvarez, Y. (10 de abril de 2019). *Recursos para fomentar la empatía en los niños.* https://www.conpsicologia.es/blog/fomentar-la-empatia-en-los-ninos/.

Cañas, A., Ford, K.M., Reichherzer, T., Carff, R., Shamma, D., Hill, G., NIranjan, S y Breedy, M. (2000). Herramientas para construir y compartir modelos de conocimiento basados en mapas conceptuales. *Revista de Informática Educativa*, 13(2), 145-158.

Comité Europeo sobre las migraciones (). Recuperado de: https://www.coe.int/t/dg3/migration/European_committee_on_Migration/default_en.asp.

Consejo de Europa (2021). Emigración. Manual de Educación en los Derechos Humanos con jóvenes. Recuperado de: https://www.coe.int/es/web/compass/migration#30.

Curtis, V., y Reigeluth, C. M. (1984). The use of analogies in written text. *Instructional Science*, 13, 99-117.

Declaración Ragusa de la Conferencia juvenil en materia de juventud, migración y desarrollo. (2010). Recuperado de: http://www.coe.int/t/dg4/youth/Source/Resources/Documents/2010_Ragusa_Declaration_en.pdf.

Dolmans D., Loyens, S. M., Marcq, H. y Gijbels, D. (2016). Deep and surface learning in problem-based learning: a review of the literatura. *Adv. Health Sci. Educ. Theory Pract*, 21(5), 1087-1112. doi: 10.1007/s10459-015-9645-6.

Duit, R. (1991). On the role of analogies and metaphors in learning science. *Science Education*, 75(6), 649-672.

García-Manzano, C. (2011). *La adaptación, cuestión de vida o muerte. Propuesta de educación ambiental basada en el uso de analogías en relación al entorno y su biodiversidad.* Trabajo Din de Máster. Universidad de Almería.

Gardner, H. (2014). *Inteligencias múltiples. La teoría en la práctica.* Paidós.

Glosario sobre Migración de la OIM (). Recuperado de: http://www.iom.int/jahia/webdav/site/myjahiasite/shared/shared/mainsite/published_docs/serial_publications/Glossary_eng.pdf.

González, F., Veloz, J., Rodríguez, I., Veloz, L. F., Guardián, B., y Ballester, A. (2013). Los modelos de conocimiento como agentes de aprendizaje significativo y de creación de conocimiento. *Teoría de la Educación, Educación y Cultura en la Sociedad de la Información*, 14(2), 107-132.

González-Labra, M.J. (1997). *Aprendizaje por analogía: análisis del proceso de inferencia analógica para la adquisición de nuevos conocimientos*. Trotta.

Libro Blanco del diálogo intercultural. (2008). http://www.coe.int/t/dg4/intercultural/source/white%20paper_final_revised_en.pdf.

Informe de la PACE, Comisión de Migración, Refugiados y Población. (2011). Niños y niñas emigrantes indocumentados en situación irregular: un verdadero motivo de preocupación. Asamblea Parlamentaria Recuperado de: http://assembly.coe.int/Documents/WorkingDocs/Doc11/EDOC12718.pdf.

Madrigal, A. (2004). Migración y emigración de especies. *Revista de ciencias ambientales (Tropical Journal of Environmental Sciences)*, 28(1), 3-12. http://dx.doi.org/10.15359/rca.28-1.1.

Novak, J. S. y Gowin, B. D. (1993). *Aprendiendo a aprender*. Martínez Roca.

Oliva, J. M. (2003). Rutinas y guiones del profesorado de ciencias ante el uso de analogías como recurso en el aula (en línea). *Revista Electrónica de Enseñanza de las Ciencias*. En: http://www.saum.uvigo.es/reec/volumenes/volumen2/Numero1/Art2.pdf.

Oliva, J. M. (2004). El pensamiento analógico desde la investigación educativa y desde la perspectiva del profesor de ciencias. Revista Electrónica de Enseñanza de las Ciencias, 3(3), 363-384. Recuperado de: http://reec.uvigo.es/volumenes/volumen3/REEC_3_3_7.pdf.

Onyon C. (2012), Problem-based learning: a review of the educational and psychological theory. *The clinical teacher*, 9, 22-26.

Polvorinos, A. (4 de abril de 2021). *Humedal de Salburua*. https://elecoturista.com/destino/humedal-de-salburua/.

Posner, G. J.; Strike, K. A.; Hewson, P. W., y Gertzog, W. A. (1982). Accomodation of scientific conception: toward a theory of conceptual change. *Science Education*, 66, 211-227.

REDAPS (Red Española de Aprendizaje-Servicio) (2020). Aprender haciendo un servicio a la comunidad. https://www.aprendizajeservicio.net/que-es-el-aps/.

Sutton, C. (2003). Los profesores de ciencias como profesores de lenguaje. *Enseñanza de las Ciencias*, 21(1), 21-25.

Tierney, J. E., deMenocal, P. B. and Zander, P. D. (2017). A climatic context for the otu-of-Africa migration. *Geology*, 45(11), 1023-1026. https://doi.org/10.1130/G39457.1.

*Capítulo 23*

# Los ciudadanos hiperconectados

Ketzalcóatl Pérez Pérez
*(Universidad Autónoma de Puebla –México–)\**

José Luis Estrada Rodríguez
*(Universidad Autónoma del Estado –México–)\*\**

Angélica Mendieta Ramírez
*(Benemérita Universidad Autónoma de Puebla –México–)\*\*\**

---

\*    Profesor investigador tiempo completo de la Facultad de Ciencias de la Comunicación de la Benemérita Universidad Autónoma de Puebla. Doctor en Educación Permanente. Maestro en Mercadotecnia. Licenciado en Ciencias de la Comunicación. Colaborador del Cuerpo Académico de Comunicación Política. Orcid ID: orcid.org/0000-0002-5534-7234 Contacto: ketzalcoatl.perez@correo.buap.mx.

\*\*   Doctor en Ciencia Sociales por la Universidad Autónoma del Estado de México, posdoctorado en Ciencias Políticas y Sociales por la UNAM. Es profesor investigador tiempo completo de la Benemérita Universidad Autónoma de Puebla, en México y miembro del Sistema Nacional de Investigadores, nivel 1. Correo: jluis.estrada@correo.buap.mx http://orcid.org/0000-0003-0088-2157.

\*\*\*  7 Doctora en Sociología (BUAP), Posdoctorado en Educación (BUAP), Maestra en Ciencias Políticas (BUAP), Abogada, Notaria y Actuaria, Licenciada en Ciencias de la Comunicación, ha realizado tres estancias: en la University of Harvard (2004), en The City University of New York (2014), y en la Universidad Complutense de Madrid (2014). Es miembro del SNI nivel I. Responsable del Cuerpo Académico Consolidado: "Comunicación Política" y de la Red Internacional (Colombia, Venezuela, España, Argentina y México) "Comunicación y Política", Conferencista Nacional e Internacional. Es autora de los conceptos: Electopartidismo y el Bucle de la Comunicación Política. Es fundadora y Directora General de la Asociación Mundial de Investigadores, A.C. Actualmente es Directora de la Facultad de Ciencias de la Comunicación de la BUAP (2021-2025). Contacto: angelicamendietaramirez@gmail.com.

## I. INTRODUCCIÓN

Los ciudadanos hiperconectados se encuentran unidos gracias al desarrollo tecnológico en comunidades virtuales de comunicación bidireccional, esto significa que son capaces de interactuar entre ellos dentro de espacios creados para la construcción de mensajes y por ende de la retroalimentación.

En la actualidad representan un reto en materia de comunicación política y sobre todo en su aplicación en el ámbito digital. Para el año 2018, el 24.6% de la población usaba redes sociales en México, según datos del Instituto Federal de Telecomunicaciones.

Las campañas políticas están frente al reto de generar mensajes menos efímeros y emocionales para dar paso a argumentos racionales solidos que respondan a las crisis de manera oportuna.

Si bien es innegable que el uso de la tecnología favorece a la comunicación de las y los candidatos con sus seguidores, representa un reto que exigirá líderes que sean capaces de colaborar y llegar a formar acuerdos con dos principales tipos de ciudadanos los hiperconectados y los análogos.

Palabras clave: Comunicación, Ciudadanos, hiperconectividad, política, redes sociales.

## II. MÉTODO

El presente trabajo de investigación es de carácter exploratorio y describe algunos hallazgos sobre el uso de internet de los ciudadanos mexicanos de 18 a 55 años o más. Que denominamos ciudadanos hiperconectados, cuáles son sus principales características y cómo se comunican a través de las redes sociales para interactuar en las campañas electorales en México.

La metodología utilizada se basa en la información obtenida del Instituto Nacional de Estadística y Geografía y del Instituto Federal de Telecomunicaciones (2020), así como en otros estudios realizados en los que se describe la importancia de la innovación tecnológica en el uso de redes sociales aplicadas a la participación ciudadana. En las aportaciones del análisis se muestran las sugerencias estratégicas básicas para la adecuada planeación de campañas electorales digitales.

## III. RESULTADOS

Estados Unidos Mexicanos está formado por 32 entidades federativas, cuenta con una población de 126,014,024 registrados en el último censo de población y vivienda 2020, realizado por el Instituto Nacional de Estadística y Geografía (INEGI). De los cuales son usuarios de Internet 84,064,765[1]. Correspondiente un 48.7% a hombres y un 51.3% a mujeres.

Los usuarios de Internet Mexicanos no todos cuentan con la edad para ejercer el voto, para efectos de esta investigación nos basamos en la población de 18 a 55 años o más. Como lo muestra la siguiente gráfica:

**Gráfica 1.** Encuesta Nacional sobre Disponibilidad y Uso de Tecnologías de la Información en los Hogares (ENDUTIH), 2020.

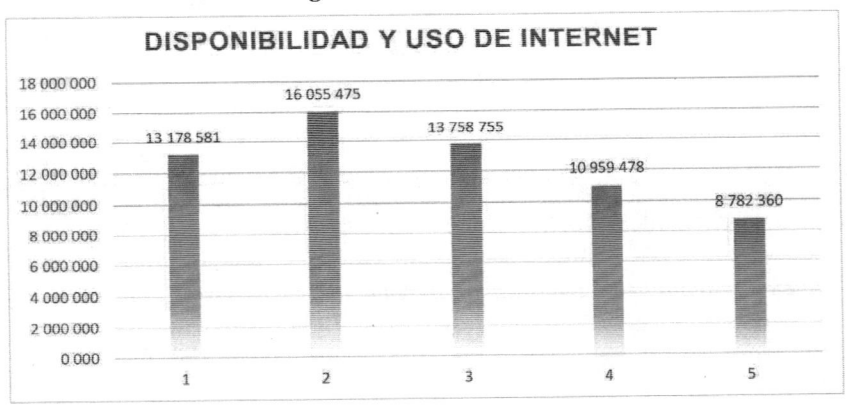

**Fuente:** Elaboración propia con datos del INEGI.

Como se observa en la gráfica para el 2020 en México existían 62,734,649 ciudadanos con disponibilidad y acceso a Internet en edad de votar. Esto representa del total de la población el 49.78%.

Para el 2020 solo 19,239,468 ciudadanos con disponibilidad y uso del internet contaban con licenciatura y 1,494,673 con estudios de posgrado[2]. Una variable para considerar para la estrategia de campaña en redes sociales en México.

Es el momento de dar los datos de los ciudadanos con disponibilidad y acceso a Internet en edad de votar correspondientes a área rural, según grupos de edad. Como se muestra a continuación en la gráfica:

---

1. FUENTE: INEGI. Encuesta Nacional sobre Disponibilidad y Uso de Tecnologías de la Información en los Hogares (ENDUTIH), 2020.
2. INEGI. Encuesta Nacional sobre Disponibilidad y Uso de Tecnologías de la Información en los Hogares (ENDUTIH), 2020.

**Grafica 2.** Encuesta Nacional sobre Disponibilidad y Uso de Tecnologías de la Información en los Hogares (ENDUTIH), 2020.

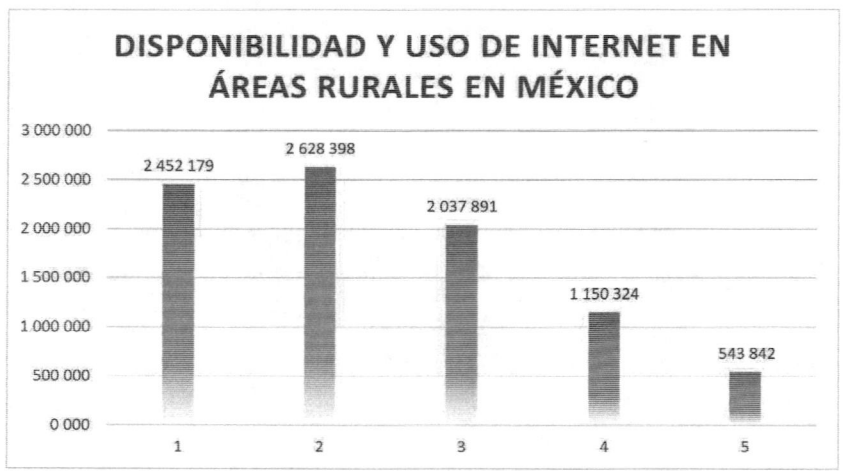

**Fuente:** Elaboración propia con datos del INEGI.

En México para el año 2020 del 49.78% de los ciudadanos con disponibilidad y acceso a Internet en edad de votar, el 14.05% se encontraba en el área rural. Cabe señalar que el acceso al Internet en México no cuenta con una cobertura en todo el territorio.

Para establecer una estrategia de campaña política digital es necesario conocer por entidad federativa el número de ciudadanos con disponibilidad y acceso a Internet en edad de votar como lo muestra la siguiente tabla:

**Tabla 1**. Encuesta Nacional sobre disponibilidad y uso de tecnologías de la Información en los Hogares (ENDUTIH), 2020.

| *Usuarios de Internet por entidad federativa* | | | | | |
|---|---|---|---|---|---|
| *Entidad Federativa* | *18 a 24 años* | *25 a 34 años* | *35 a 44 años* | *45 a 54 años* | *55 años o más* |
| Aguascalientes | 175079 | 184500 | 153194 | 116213 | 97180 |
| Baja California | 494516 | 538399 | 456264 | 430027 | 305282 |
| Baja California Sur | 98455 | 121316 | 123825 | 85938 | 68501 |

| Usuarios de Internet por entidad federativa | | | | |
|---|---|---|---|---|
| Entidad Federativa | 18 a 24 años | 25 a 34 años | 35 a 44 años | 45 a 54 años | 55 años o más |
| Campeche | 101190 | 137381 | 100967 | 80447 | 57722 |
| Coahuila de Zaragoza | 366398 | 380619 | 269918 | 299465 | 240580 |
| Colima | 101096 | 109662 | 98331 | 76293 | 69342 |
| Chiapas | 402562 | 483501 | 379727 | 181453 | 143942 |
| Chihuahua | 406660 | 591286 | 396996 | 395020 | 254969 |
| Ciudad de México | 725868 | 1285135 | 1197070 | 1172366 | 1239219 |
| Durango | 213345 | 244178 | 195266 | 140468 | 139069 |
| Guanajuato | 617773 | 662875 | 534230 | 414305 | 324298 |
| Guerrero | 376478 | 390188 | 352155 | 177769 | 131172 |
| Hidalgo | 310308 | 419001 | 294352 | 256629 | 112496 |
| Jalisco | 917404 | 1134710 | 1059669 | 664175 | 627476 |
| México | 1911457 | 2537656 | 2366299 | 1959478 | 1371083 |
| Michoacán de Ocampo | 430174 | 595562 | 425223 | 233048 | 189672 |
| Morelos | 224495 | 250216 | 200614 | 184855 | 146185 |
| Nayarit | 128508 | 157168 | 129917 | 102737 | 96366 |
| Nuevo León | 615979 | 706847 | 641751 | 644013 | 690196 |
| Oaxaca | 368420 | 399069 | 354317 | 218532 | 152576 |
| Puebla | 691889 | 713499 | 565246 | 398233 | 263975 |
| Querétaro | 248076 | 317878 | 230997 | 203207 | 144948 |
| Quintana Roo | 224745 | 261151 | 258418 | 185450 | 121283 |
| San Luis Potosí | 288009 | 336326 | 279794 | 194903 | 177686 |
| Sinaloa | 369664 | 399699 | 302883 | 300645 | 195362 |
| Sonora | 401077 | 377666 | 379999 | 319723 | 255924 |
| Tabasco | 220251 | 328397 | 260252 | 179657 | 143456 |
| Tamaulipas | 399642 | 451631 | 453837 | 392213 | 308375 |
| Tlaxcala | 147411 | 191795 | 145461 | 98478 | 70246 |
| Veracruz de Ignacio de la Llave | 752206 | 819571 | 766110 | 543089 | 428083 |

| Usuarios de Internet por entidad federativa | | | | | |
|---|---|---|---|---|---|
| Entidad Federativa | 18 a 24 años | 25 a 34 años | 35 a 44 años | 45 a 54 años | 55 años o más |
| Yucatán | 264092 | 333558 | 255949 | 208871 | 148643 |
| Zacatecas | 185354 | 195035 | 129724 | 101778 | 67053 |

**Fuente:** Elaboración propia con datos del INEGI.

Otra variable importante para considerar en el desarrollo de una estrategia de campaña política digital es el número de ciudadanos hiperconectados por medio de la telefonía celular por entidad federativa.

**Tabla 2**. Encuesta Nacional sobre disponibilidad y uso de tecnologías de la Información en los Hogares (ENDUTIH), 2020.

| Usuarios de telefonía celular por entidad federativa | | | | | |
|---|---|---|---|---|---|
| Entidad Federativa | 18 a 24 años | 25 a 34 años | 35 a 44 años | 45 a 54 años | 55 años o más |
| Aguascalientes | 169279 | 191372 | 164393 | 139731 | 41273 |
| Baja California | 480605 | 552153 | 487823 | 471141 | 478263 |
| Baja California Sur | 99185 | 126727 | 137273 | 97941 | 104503 |
| Campeche | 96516 | 137266 | 109007 | 91824 | 92704 |
| Coahuila de Zaragoza | 358974 | 384578 | 311427 | 349871 | 385577 |
| Colima | 100601 | 109075 | 104146 | 89810 | 99965 |
| Chiapas | 444714 | 597555 | 516118 | 319909 | 336338 |
| Chihuahua | 422176 | 597178 | 438938 | 458791 | 426506 |
| Ciudad de México | 712804 | 1292400 | 1237841 | 1237675 | 1571540 |
| Durango | 207789 | 240119 | 202791 | 171693 | 233574 |
| Guanajuato | 647163 | 682854 | 634700 | 547006 | 547215 |
| Guerrero | 383808 | 423635 | 413338 | 244362 | 262302 |
| Hidalgo | 320070 | 454608 | 340130 | 315369 | 259589 |
| Jalisco | 938417 | 1157276 | 1150099 | 763246 | 966332 |

| Usuarios de telefonía celular por entidad federativa | | | | |
|---|---|---|---|---|
| Entidad Federativa | 18 a 24 años | 25 a 34 años | 35 a 44 años | 45 a 54 años | 55 años o más |
| México | 1922094 | 2559581 | 2499226 | 2233538 | 1896814 |
| Michoacán de Ocampo | 474191 | 678622 | 523701 | 389568 | 423482 |
| Morelos | 221497 | 267333 | 236249 | 229043 | 243463 |
| Nayarit | 127304 | 164312 | 156197 | 137188 | 167734 |
| Nuevo León | 620097 | 716193 | 659043 | 707590 | 866079 |
| Oaxaca | 389353 | 460232 | 432517 | 324914 | 353597 |
| Puebla | 710465 | 777119 | 703694 | 555276 | 599375 |
| Querétaro | 249878 | 330404 | 263176 | 237758 | 216723 |
| Quintana Roo | 218406 | 267897 | 270349 | 208835 | 171329 |
| San Luis Potosí | 288198 | 363801 | 318315 | 253541 | 283127 |
| Sinaloa | 380952 | 413939 | 353416 | 361834 | 399768 |
| Sonora | 390936 | 383159 | 398912 | 367185 | 388943 |
| Tabasco | 218491 | 350733 | 301941 | 227294 | 251303 |
| Tamaulipas | 401871 | 446311 | 478012 | 442624 | 513950 |
| Tlaxcala | 143318 | 203558 | 161353 | 119465 | 122622 |
| Veracruz de Ignacio de la Llave | 776032 | 918842 | 914379 | 735451 | 900682 |
| Yucatán | 263322 | 337254 | 293858 | 249718 | 239690 |
| Zacatecas | 181478 | 203583 | 162277 | 145049 | 140681 |

**Fuente:** Elaboración propia con datos del INEGI.

Un fenómeno que se presenta en la población mexicana es el uso de dos o más líneas de telefonía celular, si comparamos el total de los ciudadanos con disponibilidad y acceso a Internet en edad de votar y, el total ciudadanos hiperconectados por medio de la telefonía celular por entidad federativa, existe un superávit del 16.09%. Esto significa que por lo menos existen 10,098,926 ciudadanos hiperconectados con dos o más líneas de telefonía celular en México.

En México el dispositivo móvil es el principal medio de acceso a redes sociales así señala una investigación de la Asociación de Internet MX (2021). Con un tamaño de muestra 2375 entrevistados a nivel nacional, el 70% vía telefónica y el 30% por Internet.

**Grafica 3.** 17° Estudio sobre los Hábitos de los Usuarios de Internet en México 2021.

**Fuente:** Elaboración propia con datos de la Asociación de Internet MX.

Para el 2021 los mexicanos muestran una tendencia en el uso de redes sociales como lo son: Facebook, WhatsApp, YouTube e Instagram principalmente y en menor grado Instagram y Twitter.

## IV. DISCUSIÓN

Las características de comportamiento de los ciudadanos mexicanos hiperconectados responden en parte al desarrollo de la tecnología, acceso y uso del Internet. Destacando la participación en procesos electorales principalmente, seguido de actividades en grupos digitales. Son consumidores de contenidos políticos y participan en la creación de respuestas guiadas por su interés en los diversos temas.

Tenemos un comportamiento social mediatizado por el uso de la tecnología, un consumo y creación exagerado de materiales digitales en las diferentes redes sociales, a manera de recreación de la realidad social y lo recreado en lo digital. Este fenómeno de interacción conlleva a mostrar la opinión de los ciudadanos mexicanos, pero resulta una sobrecarga informática de contenidos que representa todo un reto el distinguir la veracidad de estos.

Los mensajes políticos presentan una construcción basada principalmente en contenido emocional más que racionales con respecto a las propuestas de los candidatos, a manera de "producto" muestran como verdad el discurso político en redes sociales.

Los ciudadanos hiperconectados buscan interacción con los integrantes de la red social esto conlleva a mantener un grado de flexibilidad entre la misma comunidad digital. La generación de los contenidos compartidos debe buscar un equilibrio entre el discurso emocional y el racional para presentar objetivos de campaña realistas afines a las diversas problemáticas sociales que enfrenta el pueblo mexicano. El reto para los administradores de las redes sociales y participantes es mantener un contenido simple y actualizado, porque lo simple es amistoso para la consulta y propuesta del mensaje político.

En este punto los ciudadanos mexicanos hiperconectados presentan un comportamiento en redes sociales particularmente no positivo, como lo señala el estudio exploratorio de la Universidad del Valle de México.

## V.  CONCLUSIONES

En México a partir del año 2020 el uso de internet y el manejo de redes sociales durante las campañas políticas está acrecentando principalmente por la participación de los ciudadanos, que buscan informase sobre la candidatura del político. El acto de búsqueda despierta el interés y por ende la participación electoral.

Los espacios de dialogo se han vuelto digitales y el ciudadano muestra su interés y confianza en la medida de la interacción con el candidato político mediante su red social.

"Las redes sociales funcionan como agentes de conexión entre los anhelos, pensamientos y satisfacciones de una masa social que desea conseguir un cambio en las estructuras políticas y generar una transformación en ésta" (López y Cabrera, 2014, p. 67).

En la página oficial de Facebook del político mexicano Eduardo Rivera Pérez, actual presidente municipal electo de Puebla, para el periodo 2021-2024. Podemos señalar que en la interacción de los ciudadanos hiperconectados las principales intervenciones tienen relación con burlas, debates o polémicas, quejas, denuncias, felicitaciones, entre otros.

**Figura 1.** Publicación Facebook.

**Figura 2.** Publicación Facebook.

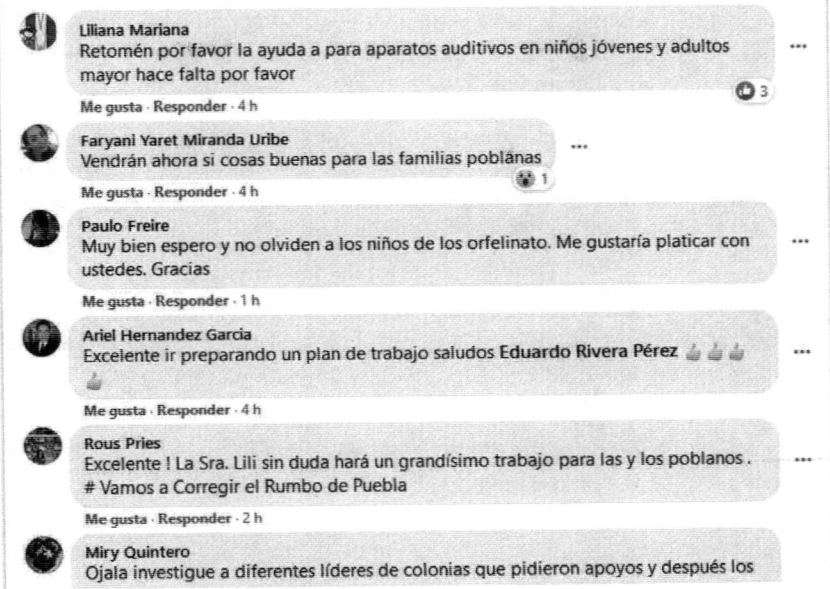

**Fuente:** Rivera, E. [@eduardoriverap01 Político] (2021, septiembre 28).

Los ciudadanos hiperconectados utilizan las redes sociales en México principalmente en temporada electoral, con su interacción promueven la campaña del candidato, gracias a la intervención en las redes sociales (positiva o negativa) se genera la participación en la difusión del contenido digital, expresando reclamos, molestias, felicitaciones o burlas hacia el actor político o del mismo partido político que representa.

Para el año 2021 las principales plataformas de redes sociales realizaron ajustes sobre sus políticas de publicidad, un ejemplo es Facebook donde señala principalmente cambios en el contenido prohibido[3]. Estos cambios que se generan en las principales redes sociales se deben de cuidar por parte de los administradores de las cuentas y es un punto principal al momento de generar una campaña política, porque el contenido digital nunca se deja al azar o al control total de los ciudadanos hiperconectados. Ya que forma parte de la narrativa del constructo de imagen del político.

Facebook Inc. regula los anuncios sobre temas sociales, elecciones o política como parte de las acciones para mejorar la transparencia

---

3. Facebook. Políticas de publicidad. Disponible en https://es-la.facebook.com/policies/ads#.

y la integridad de las elecciones tanto en Facebook como en Instagram. Cualquiera que desee promover este tipo de anuncios en ambas plataformas deberá superar un proceso de autorización, mismo que está disponible para anunciantes que residan en México (país objetivo del anuncio). Quezada (2021).

El monitoreo es fundamental, de hecho, se relaciona con la comunicación que se guarda entre los ciudadanos hiperconectados y el actor político, sin duda el no atender o responder comentarios puede generar un descontento y dar entrada a comentarios negativos.

La generación de contenido interactivo que permita opinar al ciudadano y ser participe en la construcción de las propuestas del candidato y/o político, es necesario la formulación de espacios de participación social dentro de las redes sociales que incentiven la participación de manera natural en las redes sociales.

Por último, el contenido debe ser basados en propuesta factibles, viables y creíbles, de otra forma no se logrará la construcción de una narrativa racional. Y dará entrada a la generación de burlas por parte de los ciudadanos.

## VI. REFERENCIAS

Asociación de Internet MX. 17° Estudio sobre los Hábitos de los Usuarios de Internet en México 2021. Consultado el 23 de junio de 2021. https://irp.cdn-website.com/81280eda/files/uploaded/17%C2%B0%20Estudio%20sobre%20los%20Ha%CC%81bitos%20de%20los%20Usuarios%20de%20Internet%20en%20Me%CC%81xico%202021%20v16%20Publica.pdf.

Facebook. (2021). Políticas de publicidad. Consultado el 18 de julio de 2021. https://es-la.facebook.com/policies/ads#.

Instituto Nacional de Estadística y Geografía (INEGI). Censo de Población y Vivienda 2020. Consultado el 16 de marzo de 2021. https://www.inegi.org.mx/programas/ccpv/2020/default.html.

Instituto Nacional de Estadística y Geografía (INEGI). Encuesta Nacional sobre Disponibilidad y Uso de Tecnologías de la Información en los Hogares (ENDUTIH) 2020. Consultado el 22 de marzo de 2021. https://www.inegi.org.mx/programas/dutih/2020/#Tabulados.

Instituto Federal de Telecomunicaciones. Uso de redes sociales. Consultado el 20 de abril de 2021. http://www.ift.org.mx/sites/default/files/contenidogeneral/estadisticas/usodeinternetenmexico.pdf.

López, M. y Cabrera, T. (diciembre, 2014) Campaña Política a través de Redes Sociales. Vol. 5. No. 1. Págs.: 65-72. Recuperado de https://dialnet.unirioja.es/servlet/articulo?codigo=5845775.

Quazada, I. (1 de marzo de 2021) EL ECONOMISTA. ¿Cómo funcionará la propaganda política en redes sociales durante las campañas electorales de México en 2021? Consultado el 18 de mayo de 2021. https://www.eleconomista.com.mx/politica/Como-funcionara-la-propaganda-politica-en-redes-sociales-durante-las-campanas-electorales-de-Mexico-en-2021-20210301-0082.html.

Rivera, E. [@eduardoriverap01 Político] (2021, septiembre 28). Con mi esposa Liliana Ortiz y parte del equipo de transición analizando los proyectos que se impulsarán desde el Sistema Municipal DIF para #CorregirElRumbo. [Actualización Facebook]. Recuperado de https://www.facebook.com/eduardoriverap01.

Universidad del Valle de México. (27 de abril de 2021) Centro de Opinión Pública Laureate International Universities. PERCEPCIÓN Y COMPORTAMIENTO DE LOS MEXICANOS EN REDES SOCIALES. Consultado el 18 de mayo de 2021. https://opinionpublica.uvm.mx/estudios/percepcion-y-comportamiento-de-los-mexicanos-en-redes-sociales/.

*Capítulo 24*

# Contenidos transversales en los Grados Superiores de Formación Profesional: competencias demandadas por las empresas

Sandra Rey de Viñas García
*(Universidad de Castilla-La Mancha –España–)*

Purificación Cruz Cruz
*(Universidad de Castilla-La Mancha –España–)*

Javier Rodríguez Torres
*(Universidad de Castilla-La Mancha –España–)*

## I. INTRODUCCIÓN

La Formación Profesional (en adelante FP), en España, es una formación basada en competencias y desde 2002, con la publicación de la Ley Orgánica de Cualificaciones y la FP, se tomará como referente el Catálogo Nacional de las Cualificaciones Profesionales para el diseño de los títulos y certificados de profesionalidad. Este es "elaborado a partir de un exhaustivo análisis de competencias profesionales demandadas" (Marco y Jiménez, 2016). Para su elaboración se contó con la participación de diferentes agentes u organizaciones profesionales, entre ellas, las empresas.

La competencia general que ha de adquirir el alumnado para la obtención del título está formada por cuatro tipos de subcompetencias: técnica, metodológica, social y participativa (Arbizu, 1998). Lo que significa que podemos encontrar en los títulos y currículos de los ciclos formativos diferentes tipos de competencias, también las denominadas *soft skills*[1], transversales o clave. A lo largo del texto emplearemos el término *soft skills*, competencias transversales o clave indistintamente, pues dependiendo de la fuente documental que consultemos, del país o autor que tomemos como referente emplearemos uno u otro concepto para referirnos a lo mismo. Musicco (2018) afirma que el término *soft skills*, denominado por los americanos, se está imponiendo en toda Europa, aunque en cada país europeo se denomina de distinta manera.

> También llamadas habilidades sociales, competencias transversales, competencias sociales, competencias genéricas, incluso en algunos proyectos o instituciones internacionales de investigación: habilidades del siglo XXI, mientras que la Organización para la Cooperación Económica y el Desarrollo (OCDE) utiliza los términos: competencias clave en su informe de 2003 y más recientemente, habilidades para el progreso social en su informe de 2015. (Musicco, 2018, p. 119).

Nos interesa el término que más se acerca a las enseñanzas de la FP y por ello, por tratarse del ámbito educativo, nos referiremos a las competencias transversales o personales y sociales para hacer mención a estas habilidades blandas o *soft skills*. Las habilidades transversales para Musicco (2018):

> Están relacionadas con las competencias personales que cada individuo posee y gestiona a su manera, diferenciándolo de los demás en su carácter y comportamientos. Aunque sean innatas, también se pueden desarrollar y mejorar ayudando al individuo a convertirse en una persona hábilmente competente. (p. 118)

Estas competencias, las podemos identificar en los reales decretos de los títulos de FP dentro de los elementos programáticos: resultados de aprendizaje, criterios de evaluación, contenidos básicos y orientaciones metodológicas; pero la normativa no nos obliga a programar por competencias clave como ocurre con otras enseñanzas obligatorias y no obligatorias: Educación Infantil, Educación Primaria[2], Educación Secundaria

---

1. Habilidades blandas.
2. Decreto 54/2014, de 10/07/2014, por el que se establece el currículo de la Educación Primaria en la Comunidad Autónoma de Castilla-La Mancha. Las competencias del currículo redactadas en el artículo 3, punto 2 son: competencia lingüística, competencia matemática y de ciencia y tecnología, competencia digital, competencia de aprender a aprender, competencias sociales y cívicas, sentido de iniciativa y espíritu emprendedor y, conciencia y expresiones culturales. Establece que para una adquisición eficaz y una integración efectiva de las competencias, deberán diseñarse actividades de aprendizaje integradas que permitan al alumnado

Obligatoria y Bachillerato[3], donde aparecen de manera explícita, en la normativa vigente, las competencias clave que se han de alcanzar en cada uno de los niveles. Enunciándose de la siguiente manera: competencia lingüística, competencia matemática y de ciencia y tecnología, competencia digital, competencia de aprender a aprender, competencias sociales y cívicas, sentido de iniciativa y espíritu emprendedor y, conciencia y expresiones culturales. Estableciéndose que deben diseñarse actividades de aprendizaje para la adquisición de más de una competencia y al mismo tiempo, para alcanzar los resultados de aprendizaje (Crossknowledge, 2020). Será misión del docente establecer o no, en las programaciones de los módulos profesionales donde tiene atribución docente, las competencias a alcanzar a través de los resultados de aprendizaje, las metodologías más apropiadas y el empleo o no de metodologías activas e innovadoras. Como apunta Barrientos-Báez (2016), se cuenta hoy en día con unas herramientas que permiten que los procesos de aprendizaje sean más personalizados y mucho más flexibles. En este caso concreto, la formación de los estudiantes y el entrenamiento de las competencias blandas como elemento transversal es clave para el correcto desempeño profesional futuro.

No hay obligatoriedad de programar por competencias en la FP, pues podremos diseñar las actividades para conseguir un resultado de aprendizaje concreto de un módulo profesional y no por ello, trabajar específicamente las competencias transversales. De hecho, en la normativa vigente en materia de FP, como ya hemos dicho, no se exige programar por competencias como ocurre en la Educación Primaria y Secundaria. En los decretos de los currículos de los ciclos formativos las competencias clave no se recogen como tal. Hay una serie de competencias profesionales, personales y sociales, que se han de alcanzar tras la obtención del título, pero no se establece cómo han de adquirirse. Será voluntad del docente establecer o no, en las programaciones de los módulos profesionales donde tiene atribución docente, las

---

avanzar hacia los resultados de aprendizaje de más de una competencia al mismo tiempo (p. 18501).

3.  Decreto 40/2015, de 15/06/2015, por el que se establece el currículo de Educación Secundaria Obligatoria y Bachillerato en la Comunidad Autónoma de Castilla-La Mancha. Las competencias del currículo redactadas en el artículo 2, punto 2 son: competencia lingüística, competencia matemática y de ciencia y tecnología, competencia digital, competencia de aprender a aprender, competencias sociales y cívicas, sentido de iniciativa y espíritu emprendedor y, conciencia y expresiones culturales. Establece que para una adquisición eficaz de las competencias y su integración efectiva en el currículo, deberán diseñarse actividades de aprendizaje integradas que permitan al alumnado avanzar hacia los resultados de aprendizaje de más de una competencia al mismo tiempo (p. 172).

competencias a alcanzar a través de los resultados de aprendizaje, las metodologías más apropiadas, al igual que el empleo o no de proyectos activos e innovadores. Entonces... ¿podemos exigirle al profesorado que programe las competencias transversales en sus programaciones didácticas y unidades de trabajo?

Bajo este panorama, y dando respuesta a la misma, podemos decir que la legislación vigente no establece esa obligatoriedad, pero sí existe la necesidad, puesto que las empresas las demandan, de que estén programadas y secuenciadas en los elementos prescriptivos, así como establecido su proceso de evaluación para dar riqueza, rigor, preparación y calidad a la enseñanza de estas (Frías, 2020). ¿Por qué es necesario que estas competencias se enseñen o entrenen? ¿por qué es importante que el alumnado adquiera este tipo de competencias? Si el fin último de la FP es la inserción laboral del alumnado y, como decíamos en el primer párrafo de este epígrafe, las empresas participan en el diseño de los títulos y certificados de profesionalidad para conseguir tal fin, ¿por qué no se están cubriendo las expectativas del mercado laboral? ¿Por qué no se le está proporcionando al alumnado, con estas enseñanzas, una inserción efectiva en la empresa?

En la actualidad, sabemos que el empleador no solo busca que una persona posea competencia técnica, pues se da por supuesto que todo aquel que obtiene un título profesional la posee, sino lo que buscan es que posea otro tipo de habilidades, actitudes y valores que les diferencia del resto (Arana, 2006; Gil, 2018; Mateos, 2017; Meneses, 2019; Musicco, 2018; Oliveras, 2018 y Tito y Serrano, 2016). Esta nueva exigencia nos obliga a desarrollar estas competencias en el alumnado pues de no ser así, tendrán más dificultad para insertarse en el mundo laboral. Pero ¿cuáles son las competencias más demandadas por los empresarios? Entendemos el término de empleabilidad como "el valor de la persona en el mercado laboral, en función de su preparación (técnica y transversal) y su experiencia profesional" (Musicco, 2018, p. 126). Cuando un recién titulado se convierte en demandante de empleo, entendemos que cuenta con la preparación técnica o, también llamada habilidades duras (destrezas y conocimientos específicos para desempeñar una tarea), pues para titular ha tenido que alcanzar los objetivos generales del ciclo y por tanto, haber superado todos los resultados de aprendizaje. Es la preparación transversal la competencia que nos preocupa, porque cada vez es más demandada por las empresas y en la que más se incide en las entrevistas o pruebas de trabajo. Un currículum brillante no garantiza el éxito en la empleabilidad (Musicco, 2018). "La cuestión no estriba en la mayor o menor información que un profesional posea, sino en los principios y concepciones de que disponga para comprender a la sociedad" (Arana, 2006, p. 329). Por tanto, un reciente titulado puede tener un gran dominio en competencias técnicas, específicas de cada profesión, y sin embargo, no llegar a conseguir un empleo o una vez conseguido ser despedido por no disponer de habilidades personales o sociales (Gil, 2018). "Según un estudio del BID[4] del año 2013, existe una gran brecha entre las habilidades blandas que se desarrollan en los centros educativos y lo que busca el mercado laboral" (Silva, 2013, p. 22). Para Arana (2006) "La competencia no se determina sólo por lo que las personas saben, sino por lo que pueden hacer, lo que tienen el valor de hacer y, fundamentalmente, por lo que son" (p. 336).

## II. METODOLOGÍA

Ante tal necesidad, nos planteamos el siguiente objetivo de estudio: descubrir las competencias transversales que buscan los empleadores a la hora de contratar a un trabajador. El proceso para intentar dar respuesta al objetivo planteado, fue el siguiente: delimitación de las principales fuentes especializadas en el mundo laboral (contando con una muestra no probabilística discrecional, ya que se selecionaron en base al determinado conocimiento del problema investigado). Utilizando los criterios de búsqueda de competitividad, internacionalidad, experiencia, expansión, destreza en comunicación virtual y reconocimiento social. En segundo lugar, se llevó a cabo un estudio de las características de cada uno de ellos. Estableciendo los siguientes parámetros: definición del organismo, servicios que posee, recursos con los que cuenta y búsqueda concreta del tratamiento de las competencias transversales que dicha empresa u organismo cree imprescindible para el desarrollo laboral. También hemos analizado las investigaciones que estas entidades han llevado a cabo relacionadas con nuestro objeto de estudio. Por último, se realizó una lista de los descriptores que cada organización demandaba y así poder hacer una lista de frecuencias de las competencias transversales más mencionadas.

Por tanto, estamos hablando de una investigación mixta. En primer lugar se utilizó la metodología cualitativa, ya que utilizar este tipo de métodos puede ayudarnos a describir las distintas perspectivas y significado subjetivo y social de los participantes, así como analizar las interacciones e interrelaciones que se dan entre éstos y su entorno. Interpretando los resultados a partir de la valoración y los significados de los actores consultados, respetando siempre su discurso. Y en segundo lugar, se

---

4. Banco Interamericano de desarrollo.

utilizó una metodología cuantitativa donde los descriptores, aportados por las diferentes entidades, fueron traducidos en números para ver su frecuencia de repetición. Utilizando la Prueba Q de Cochran, ya que se trata de una prueba no paramétrica, para averiguar estadísticamente la diferencia significativa entre las respuestas aportadas por las distintas fuentes utilizadas.

En el apartado de resultados están desarrollados los parámetros de estudio de cada una de las entidades evaluadas y en el apartado de conclusiones puede verse el resultado de la lista de estimación utilizada, donde se describen las habilidades, aptitudes, destrezas y actitudes, significativas en su frecuencia, y que describen las competencias clave o transversales que solicitan las empresas cuando ofertan un puesto de trabajo. El porqué incluir esa lista de competencias en el apartado de conclusiones, es porque pretende ser el inicio de la siguiente investigación que deseamos llevar a cabo: comprobar si esas competencias transversales se dan en el currículum de FP, investigar si los profesores plantean situaciones didácticas de aprendizaje para llevar a cabo esos contenidos y por último, establecer unas estrategias metodológicas que puedan servir de guía al profesorado.

## III.   ANÁLISIS DE DATOS

### 3.1.   ESCUELA EUROPEA DE *MANAGEMENT*

La investigación pone de manifiesto que el protagonismo de las habilidades blandas o *soft skills,* en el sector empresarial, es consecuencia de su gran impacto en el desempeño laboral, siendo más probable ser despedido por no contar con determinadas actitudes que por no disponer de determinados conocimientos técnicos (Oliveras, 2018). Destacamos uno de los últimos estudios realizado en 2016, que encontramos en la página web de la Escuela Europea de *Management* sobre el tema que nos ocupa, de posiciones y competencias más demandadas, relacionadas con el empleo, realizada por la Confederación Española de Organizaciones Empresariales (CEOE), la Asociación Española de Directores de Recursos Humanos (AEDRH), el *Strategic Research* y el *Human Age Institute*, se desprenden dos niveles de profesionales: junior (primer empleo entre los 18 y 30 años) y senior (cúmulo de experiencia entre los 30 y 50 años); demandando distintas habilidades y actitudes a cada uno de los perfiles. Al primero, se le demanda: compromiso, orientación a resultados, innovación, trabajo en equipo, iniciativa y proactividad; en el perfil senior, se demanda liderazgo, visión y orientación estratégica, gestión y capacidad de adaptación al cambio, orientación a resultados y gestión de equipos.

También, debemos tener en cuenta que el número de competencias demandadas por una empresa para reclutar a un candidato varía dependiendo del puesto de trabajo y de una empresa a otra (Escuela Europea de *Management*, 2017).

## 3.2. WOMENALIA

Es la primera red social mundial de *networking*[5] para mujeres profesionales, cuenta con más de 290.000 usuarias. Nuevamente, en esta fuente, volvemos a encontrarnos que se da más importancia a las habilidades, actitudes y valores personales que posee un candidato a la hora de ser seleccionado por una empresa, que a las habilidades técnicas o *hard skills*[6] (Serra, 2020). Algunas de las competencias más valoradas son: el trabajo en equipo, el compromiso e implicación, la responsabilidad, la proactividad, la toma de decisiones, la resolución de conflictos, la planificación, la organización y priorización del trabajo, la actitud positiva, la empatía, la flexibilidad, la creatividad, la resistencia al estrés, la inteligencia emocional, las ganas de aprender, la motivación, la capacidad de adaptación, la motivación, el autoaprendizaje (Womenalia, 2020).

## 3.3. LINKEDIN

Es la mayor red profesional y cuenta con más de 645 millones de usuarios en más de 200 países (Linkedln, 2020). Su misión es conectar a profesionales de todo el mundo con el fin de ayudarles a ser más productivos y alcancen las metas laborales que se propongan (News Mundo, 2019). Según LinkedIn (BBC, 2019) las habilidades que buscan los empleadores son una combinación de habilidades blandas y habilidades duras, liderando la creatividad en esta lista. Este *ranking* es coincidente con un informe del Foro Económico Mundial (el futuro del trabajo) que apunta la iniciativa, la originalidad y el pensamiento crítico como las más valoradas a consecuencia de los avances tecnológicos, ya que estos transforman de manera muy rápida el mercado laboral.

## 3.4. OFICINA EUROPEA DE SELECCIÓN DE PERSONAL (EPSO)

La oficina europea de selección de personal (EPSO) es una oficina interinstitucional de la Unión Europea, que se encarga de la selección

---

5. Red de trabajo, trabajo en red o interconexión.
6. Habilidades duras.

del personal para todas las instituciones y agencias de la Unión Europea: el Parlamento Europeo, el Consejo, la Comisión Europea, el Tribunal de Justicia, el Tribunal de Cuentas, el Servicio Europeo de Acción Exterior, el Comité Económico y Social, el Comité de las Regiones, el Supervisor Europeo de Protección de Datos y el Defensor del Pueblo Europeo. Organiza oposiciones de diferentes niveles y cada institución contrata personal a partir de la lista de aprobados que facilita la EPSO (EPSO, 2020).

Nos interesan las pruebas para evaluar las competencias generales solicitadas, siendo las siguientes: 1. Presentación oral, se trata de una prueba individual de análisis y exposición. Se pide al candidato que formule una propuesta sobre un problema hipotético ligado a una situación profesional. Tras estudiar la documentación que le es proporcionado por el tribunal evaluador, los candidatos deben exponer sus ideas a un pequeño grupo de personas. 2.Las pruebas de juicio situacional permiten evaluar el comportamiento típico del candidato en un contexto de trabajo. 3. Ejercicio en grupo, consiste en manejar individualmente una información que le es proporcionada al candidato para posteriormente reunirse con otros participantes y exponer las conclusiones a las que ha llegado, con el fin de llegar a una solución colectiva (EPSO, 2020).

En la guía de la EPSO, encontramos las competencias que son evaluadas en los procesos de selección de los candidatos que quieren optar a puestos en las instituciones o agencias de la UE.

**Tabla 1.** Competencias que las instituciones europeas  buscan en los candidatos.

| | |
|---|---|
| **Análisis y resolución de problemas** | Determinar los elementos fundamentales en asuntos complejos y elaborar soluciones creativas y claras |
| **Comunicación** | Comunicar con claridad y precisión, tanto oralmente como por escrito |
| **Calidad y resultados** | Asumir personalmente la responsabilidad y la iniciativa para producir un trabajo de gran calidad dentro de los procesos establecidos |
| **Aprendizaje y desarrollo** | Desarrollar y perfeccionar las aptitudes personales y el conocimiento de la organización y de su entorno |

| Determinación de prioridades y organización | Dar prioridad a las tareas más importantes, trabajar con flexibilidad y organizar su propia carga de trabajo con eficiencia |
|---|---|
| Resiliencia | Mantener la eficacia bajo una fuerte carga de trabajo, gestionar frustraciones organizativas de manera positiva y adaptarse a los cambios en el entorno laboral |
| Trabajo en equipo | Colaborar con los demás en el trabajo en equipo y en tareas transversales con otros servicios, y respetar las diferencias entre las personas |
| Capacidad de dirección | Gestionar, desarrollar y motivar a las personas para alcanzar los objetivos fijados |

**Fuente**: Diario Oficial de la Unión Europea del 7.9.2012 (2012/C 270 A/01).

## 3.5. PERIÓDICOS DIGITALES

Invertia, diario económico del periódico digital de El Español, afirma que aquí es donde entran en juego estas destrezas, muy vinculadas con la socialización y, por tanto, difíciles de aprender todavía por los robots y sistemas de inteligencia artificial (Invertia en el El Español, 2019). Y que las habilidades blandas más valoradas por los empresarios son: innovación, mentalidad de desarrollo, inteligencia emocional, dotes de comunicación, narrativa[7], creatividad, concentración, multiculturalismo, pensamiento crítico y liderazgo (Invertia en El Español, 2019; Universia, 2020). Según Barrientos-Báez *et al.* (2019) la inteligencia emocional radica en la capacidad de controlar y gestionar positivamente las emociones propias y ajenas, en un escenario cualquiera, donde se producen experiencias y cambios como parte del proceso de aprendizaje personal.

El Confidencial, diario digital español de información general y medio especializado en noticias económicas y financieras, comenta que ante un ERE o una reducción de plantilla, las empresas deben elegir a quién despedir y a quien no, y lo hacen no solo en función de los conocimientos y habilidades del empleado, sino también en base a otra serie de

---

7. Capacidad para contar una historia de manera atractiva y diferencial.

competencias más transversales, como es una capacidad comunicativa, de liderazgo, su *networking* o su identificación con la identidad corporativa. Las habilidades blandas que se han de desarrollar para mantenerse en un puesto de trabajo según la directora adjunta de *Aol Jobs Pylayev* son: aprender a aceptar las críticas, flexibilidad y adaptación, capacidad resolutiva, motivación y confianza, no perder de vista los valores éticos, saber trabajar bajo presión, trabajo en equipo, planificación, habilidades comunicativas y positividad (Gil, 2018).

El Espectador, periódico Nacional de Bogotá que cuenta con un gran prestigio y antigüedad, afirma que el mundo empresarial, con la actualidad laboral, enfrenta retos que exigen profesionales con capacidades tanto técnicas como emocionales. Creatividad y manejo de la tecnología son claves, y apunta como habilidades más demandadas por el mercado laboral la capacidad de resolución de problemas, la resiliencia, la capacidad de adaptación al cambio, la capacidad de consolidar y agregar valor a través de las relaciones interpersonales, así como la inteligencia emocional y la capacidad de autoaprendizaje.

Universia, red de colaboración Universitaria con Iberoamérica, también coincide en la idea de reclutar a un candidato con habilidades y competencias como: flexibilidad y adaptabilidad, habilidades comunicativas, creatividad, capacidad para resolver problemas, relaciones interpersonales, actitud positiva, confianza, honestidad e integridad, resultados, cifras y reconocimientos, experiencia en la web, potencial del crecimiento y hobbies.

Manpowergroup, empresa multinacional líder mundial en estrategia de talento, cree que una de las razones clave de la dificultad de encontrar talento es la falta de competencias personales o *soft skills*, representando el 17% de los candidatos. "La falta de habilidades *soft* más frecuentes son la falta de profesionalidad (6%) y la falta de entusiasmo, motivación y una actitud de aprendizaje (6%)" (Manpowergroup, 2015, s.f.).

## IV. CONCLUSIONES

Una vez concluido el estudio realizado sobre las habilidades más demandadas por las empresas analizadas, una de las conclusiones que extraemos es que en la actualidad las empresas e instituciones, dan un gran protagonismo a las competencias personales y sociales, y que son determinantes a la hora de ser contratado o mantener un puesto de trabajo (Mateos, 2015). A continuación, mostramos una tabla en la que se describen las habilidades blandas o competencias personales más demandadas por los empleadores, extraídas de su frecuencia y repetición de la muestra, y los beneficios que aportan a la empresa y que han sido descritas por las fuentes consultadas.

Con ello, queremos aportar una tabla que contenga aquellas habilidades necesarias que debemos poseer para mejorar nuestra empleabilidad, es decir, tener éxito en nuestra búsqueda de empleo; y que por tanto, deben ser secuencializadas y trabajadas en las programaciones didácticas de las enseñanzas de FP.

**Tabla 2:** Habilidades blandas o competencias personales demandadas por los empleadores.

| Habilidad | Beneficios para las empresas contratantes |
|---|---|
| Creatividad | Aporta un toque original y diferente a cada acción desarrollada |
| Innovación | Nuevas formas de hacer las cosas |
| Trabajo en equipo | Aumenta la productividad por unir las ideas, conocimientos, habilidades y fuerzas de los miembros del equipo. Requiere habilidades de escucha y disposición a la colaboración |
| Pensamiento Crítico | Nos ayuda a resolver problemas de una mejor manera, nos hace más analíticos y curiosos y, a identificar aquello que es éticamente justo, correcto y verdadero |
| Liderazgo | Llevar a término los proyectos o actividades encomendadas al equipo y favorece la cohesión grupal y cierta competitividad colaborativa |
| Comunicativas y empáticas | Mejora las relaciones entre los miembros del equipo, permitiendo hacer equipo y favoreciendo a un desarrollo óptimo del puesto de trabajo |
| Flexibilidad | Adaptarse a los cambios en cualquier tipo de situación |
| Positividad | Facilita el trabajo y aumenta la productividad |
| Motivación | Incrementa la productividad del trabajador. |

| | |
|---|---|
| **Iniciativa y proactividad** | Se adelanta a los demás en la toma de soluciones, haciéndose cargo de las consecuencias de sus decisiones |
| **Compromiso** | Un trabajador implicado con la empresa incrementa su rendimiento y productividad |
| **Resiliencia** | Afrontar la adversidad con paciencia y gestionarla de manera positiva |
| **Orientación a resultados** | Trabajo enfocado en la consecución de las metas marcadas |
| **Inteligencia emocional** | Identificación de emociones y su control, lo que permite comportarse hábilmente en diferentes situaciones |
| **Resolución de conflictos** | Mejora del clima de trabajo y productividad. |
| **Planificación** | Priorizar y organizar el trabajo, permitiendo obtener mejores resultados |
| **Actitud de aprendizaje** | Mejora y actualización en el puesto de trabajo |

**Fuente:** Elaboración propia.

Los alumnos que han terminado sus ciclos formativos ven el futuro con gran pesimismo, entienden que sus proyectos laborales se ven perjudicados, que en su necesidad de inserción en la vida laboral tienen que luchar contra miles de personas que están en paro o contra los contratos desequilibrados (Moreno, 2020). Como docentes debemos creer en la evaluación y retroalimentación de los errores en el aprendizaje y por tanto, creemos en la importancia, justificada, de trabajar competencias transversales en las aulas, tratándose de aspectos necesarios que ayudan a la persona a superarse y a enfrentarse a situaciones nuevas, además de mejorar su empleabilidad. "Un estado garante asume que la educación es un bien común a la sociedad y que es necesario y obligatorio para la realización de los derechos fundamentales de todas las personas"(Opertti, 2019, p. 271).

Si el objetivo de esta investigación era llevar a cabo un estudio de las competencias transversales que demandan las empresas, habiéndose cumplido éste, ahora ya disponemos de unos descriptores que deben trabajarse en el aula para que los alumnos crezcan personal y emocionalmente. Así conseguiremos formar a alumnos y alumnas competentes. Necesitamos que la FP sea un camino de salida para la inserción en el mundo laboral que tan complicado se presenta y nosotros, docentes, tenemos el deber y la obligación de dar una enseñanza de calidad, entendiendo esto último como educación integral destinada a la formación personal y profesional.

## V. REFERENCIAS

Arana, M. H. (2006). Los valores en la formación profesional. *Tabula rasa*, (4), 323-336. https://doi.org/10.25058/20112742.259.

Arbizu, F. (1998). *La Formación Profesional Específica. Claves para el desarrollo curricular*. Santillana.

Barrientos-Báez, A. (2016). GDS Amadeus. Propuesta de innovación didáctica. En *TIC actualizadas para una nueva docencia universitaria*. McGraw Hill.

Barrientos-Báez, A., Barquero-Cabrero, M. y Rodríguez-Terceño, J. (2019). La educación emocional como contenido transversal para una nueva política educativa: el caso del grado de turismo. *Revista Utopía y Praxis Latinoamericana*, 24(4), 147-165. https://produccioncientificaluz.org/index.php/utopia/article/view/29796.

Crossknowledge (2020). *Soluciones de aprendizaje de alto impacto, diseñadas para la adquisición de capacidades*. https://bit.ly/3fUCvnb.

EPSO (2020). *La puerta de acceso para trabajar en las instituciones europeas*. https://bit.ly/2X068wq.

EPSO (2020). *Todo lo que debe saber sobre las pruebas*. https://bit.ly/2XU0YCL.

Escuela Europea de Management (2017). *¿Cuáles son las mayores competencias relacionadas con el empleo?* https://n9.cl/5tbz4.

Frías Guerrero, J. A. (2020). Necesidad de un currículo integrado y articulado que contribuya al desarrollo del talento ante la realidad migratoria de nuestros pueblos. *Publicaciones*, 50(4), 49-61. https://doi.org/10.30827/publicaciones.v50i4.17780.

Gil, I. (2018). Cómo encontrar o conservar un empleo. *El confidencial*. https://bit.ly/2N0qdNS.

Guía para las oposiciones generales (2012/C 270 A/01). Oficina Europea de Selección de Personal (EPSO). *Diario oficial de la Unión Europea, 55.º año*, 2012, de 7 de septiembre.

Invertia en el Español (2019). *10 habilidades que las empresas están buscando*. https://bit.ly/37plrTp.

Linkedin (2020). *Ginevra Musicco Nombela.* https://bit.ly/2PvMvIE.

Linkedin (2020). *Acerca de Linkedin.* https://bit.ly/2CxJVz2.

Manpower (2015). *Estudio Manpowergroup sobre escasez de talento 2015.* https://bit.ly/3gDjHts.

Marco, J. M. y Jiménez, M. P. (2016). La inteligencia emocional en la formación profesional española. En J. L. Soler, L. Aparicio, O. Díaz, E. Escolano y A. Rodríguez (Eds.), *Inteligencia emocional y Bienestar II. Reflexiones, experiencias profesionales e investigaciones* (pp. 295-309). Universidad San Jorge.

Mateos, M. (2017). Qué necesita para trabajar en una gran compañía. *Expansión.* https://bit.ly/3hAxZvj.

Mateos, M. (2015). Las diez habilidades con las que encontrarás trabajo en 2020. *Expansión.* https://bit.ly/32PhQhg.

Meneses, N. (2019). Estas serán las habilidades profesionales más demandadas en 2020. *El país.* https://bit.ly/2WQE8eO.

Moreno, M. A. (2020). Las habilidades que buscan las empresas para el 2020. *El espectador.* https://bit.ly/2NfICGtç.

Musicco, G. (2018). Soft skills & coaching: motor de la Universidad en Europa. *Revista    universitaria europea,* (29), 115-132.

News Mundo (2019). *10 habilidades más demandadas por las empresas, según Linkedin.* https://bbc.in/3dVKiAL.

Oliveras, E. F. (2018). *Las soft skills: habilidades blandas para triunfar en 2018.* Grupo P&A. https://n9.cl/83p1l.

Opertti, R. (2019). Convergencia de perspectivas sobre políticas en educación inclusiva. *Publicaciones, 49*(3), 267-282. https://doi.org/10.30827/publicaciones.v49i3.11413.

Real decreto por el que se establece la ordenación general de la formación profesional del sistema educativo (Real Decreto 1147/2011, de 29 de julio). Boletín Oficial del Estado, n.º 182, 2011, 30 julio.

Serra, B. (2020). *Habilidades blandas, nuestra aliada en tiempo de crisis.* Womenalia. https://bit.ly/2OZqDF8.

Silva, M. (2013). Habilidades blandas fundamentales para el desarrollo personal. *Orientación,* 22-23. https://bit.ly/2CThqeV.

Tito, M. y Serrano, B. (2016). Desarrollo de las soft skills una alternativa a la escasez de talento humano. *Innova Research Journal, 12*(1), 59-76. https://doi.org/10.33890/innova.v1.n12.2016.81.

UNESCO (2017). *Educación para los objetivos de desarrollo sostenible: objetivos de aprendizaje.*

Universia.net (2020). *Cómo prepararte para tu búsqueda laboral: ¿cuáles son las habilidades que buscan los reclutadores?* https://bit.ly/2DGJ4Mm.

Womenalia (2020). *¿Qué cualidades buscan los seleccionadores?* https://bit.ly/2Ao5mRO.

# Factores que inciden en la configuración del habitus de los profesores de básica primaria que enseñan matemáticas

Heidy Yadiviz Rojas Palacios
*(Universidad Del Tolima –Colombia–).*

*El presente texto nace en el marco de un proyecto de investigación doctoral sobre Hábitus profesional de los profesores de básica primaria del municipio de Ibagué en torno a la enseñanza de las matemáticas.*

## I.  INTRODUCCIÓN

La formación docente y la construcción de su identidad es un tema de interés creciente de la investigación en Educación Matemática. Es así, como el propósito de esta ponencia es realizar una reflexión teórica de algunos factores que inciden en la configuración del habitus de los profesores de educación básica primaria en torno a la enseñanza de las matemáticas en Colombia. Para ello, se identifican algunas tensiones presentes en la formación inicial y continua de los docentes y el currículo de matemáticas para la enseñanza de la educación primaria y se definen unas categorías iniciales para la caracterización del habitus profesional. Por un lado: Campo-Saber; campo-Saber Hacer; Campo-Saber Ser, por otro: Habitus-Saber; Habitus-Saber-Hacer y Habitus-Saber Ser.

## II.  OBJETIVO

Realizar una reflexión teórica para analizar algunos factores que inciden en la configuración del habitus de los profesores de básica primaria y su articulación con los Lineamientos curriculares de matemáticas del Ministerio de Educación Nacional de Colombia.

## III.  MARCO TEÓRICO

De acuerdo con Guzmán (2018), la educación pasa por un período de cambio que plantea desafíos no solo a la profesión docente, sino también, a la configuración de las identidades profesionales de los profesores. Sabemos que esta identidad influye significativamente en la transformación y organización de la escuela, por ello, consideramos pertinente indagar cómo se estructuran y cambian las conceptualizaciones de los profesores sobre su propio hacer a través del tiempo y el contexto en el que se encuentran. Así, se consideran tres grandes ejes: el primero donde se resaltan planteamientos relevantes de los Lineamientos curriculares de matemáticas (MEN, 1998); el segundo relacionado con algunas de las tensiones que se generan en torno a la formación de los docentes de educación básica primaria que enseñan matemáticas; y, finalmente, un eje relacionado la noción de habitus profesional (Bourdieu y Passeron, 1998), principio que rige las prácticas sociales y que permite explicar aquellos conocimientos, habilidades y aptitudes que surgen de la práctica.

## 3.1.  LINEAMIENTOS CURRICULARES DE MATEMÁTICAS

Desde hace ya unas décadas, el currículo escolar en Colombia plantea que es necesario dar relevancia en la formación matemática de la educación básica, secundaria y media a aspectos como:

- La necesidad de una educación básica de calidad para todos los ciudadanos;

- El valor social ampliado de la formación matemática

- El papel de las matemáticas en la consolidación de valores democráticos.

Tal y como se plantea en Vanegas y Escobar (2007), el primero de estos aspectos obedece al ideal de ofrecer a toda la población del país una educación básica masiva con equidad y calidad, lo que implica buscar también la integración social y la equidad en la educación matemática, y también a través de ella. El segundo plantea nuevas finalidades sociales a los propósitos de la formación matemática, las cuales se sustentan en diferentes razones: las matemáticas aportan diversas herramientas para atender necesidades sociales, laborales y tecnológicas, lo cual alude al carácter "utilitario" del conocimiento matemático, y, por otro lado, la importancia del conocimiento matemático para posibilitar a cualquier ciudadano desempeñarse en forma activa y crítica. El tercer aspecto, pone de manifiesto la necesidad de que, desde la educación matemática, se contribuya a la formación en los valores democráticos.

Lo anterior implica, entre otros aspectos, que la matemática no puede verse como un producto terminado sino en constante evolución e invita a que las prácticas pedagógicas consideren al estudiante no solo como individuo receptor sino como generador de ideas y al profesor como un orientador que cuestiona, plantea problemas e inquietudes en los estudiantes (MEN, 1998). Por ello, se propone una enseñanza centrada en el desarrollo de competencias y se definen unos Estándares básicos de Competencias (MEN, 2003) para guiar la planificación y diseño de las propuestas pedagógicas en los diferentes centros escolares.

Este planteamiento resalta los tres aspectos de la actividad matemática: planteamiento y resolución de problemas, razonamiento matemático y comunicación matemática. Y, cinco tipos de pensamiento matemático: pensamiento numérico y sistemas numéricos; pensamiento espacial y sistemas geométricos; pensamiento métrico y sistemas de medidas; pensamiento aleatorio y sistemas de datos y pensamiento variacional y sistemas algebraicos y analíticos.

Sin embargo, se reconoce que esta noción es tecnicista y un poco instrumental. Haciéndose necesario reconocer las competencias no solo como el saber disciplinar, sino además el desarrollo de las habilidades y actitudes para expresar y comunicar este saber matemático.

Es así, como aparte de los conocimientos básicos y los procesos generales estructurados en la organización curricular se encuentran otro aspecto importante que es el contexto del aprendizaje de las matemáticas. Según el MEN (2012), este contexto:

> Es el lugar no sólo físico, sino ante todo sociocultural desde donde se construye sentido y significado para las actividades y los contenidos matemáticos, y, por lo tanto, desde donde se establecen conexiones con la vida cotidiana de los estudiantes y sus familias (p. 25).

A partir de esta situación los estudiantes piensan, formulan cuestionan, reflexionan y construyen conocimiento en forma significativa y comprensiva.

Conforme a los planteamientos expuestos anteriormente, este curriculo por competencias involucra el saber, el hacer y el ser de la matemática. En este sentido, Zambrano, 2006, plantea que el profesor también debe desarrollar en su práctica pedagógica junto con el tiempo y la experiencia laboral y de vida los tres tipos de saber que le permita desarrollar en el estudiante estas competencias.

> El saber de la disciplina, cuya característica fundamental es la reflexión que él lleva a cabo sobre el conocimiento que se produce en su campo disciplinar; el pedagógico a través del cual comunica las reflexiones sobre la disciplina, y el académico, caracterizado por el ejercicio de escritura resultado de los dos anteriores (p. 226).

Cada uno de ellos permite reflexionar sobre preguntas como "¿Qué sé?" (saber disciplinar), "¿Cómo comunico lo que sé?" (saber pedagógico) y "¿Cómo me transformo con lo que sé?" (saber académico). De este modo, estos se convierten en dispositivos de formación que le permiten al profesor saber, ser y actuar en un momento determinado frente a sus prácticas y mejorar los procesos de enseñanza-aprendizaje. Al fortalecer estos saberes, evolucionan hacia prácticas reflexivas, necesarias al momento de planear y desarrollar el currículo y la enseñanza de la matemática en la escuela.

## 3.2. TENSIONES QUE SE GENERAN EN TORNO A LA FORMACIÓN DE LOS PROFESORES DE BÁSICA PRIMARIA QUE ENSEÑAN MATEMÁTICAS EN COLOMBIA

Las nuevas tendencias en educación matemática y la norma establecida por los estándares descritos en el apartado anterior, orientan al docente sobre la importancia de la reestructuración en la forma como se enseña en esta disciplina. Sin embargo, existen algunas tensiones entre lo deseable de la enseñanza de las matemáticas en básica primaria y lo que pasa en realidad en las prácticas educativas de los profesores que orientan esta disciplina en Colombia.

### 3.2.1. Tensión 1: Prácticas neutras– ideológicamente absolutistas

Las formas tradicionales de enseñanza siguen orientando muchas de las prácticas cotidianas de los profesores, pese a que existan unos lineamientos y estándares de competencias que promuevan enfoques constructivistas, reflexivos y críticos; aspectos que la mayoría de los profesores no incorporan en sus prácticas de aula.

Jiménez y Gutiérrez (2017), consideran que para muchos profesores de educación primaria enseñar matemáticas es sinónimo de explicar los contenidos; ya que asumen que no hay espacio para confrontar interpretaciones, respuestas y soluciones, y por tanto no hay tiempo para conjeturar y argumentar. Así, los contenidos son concebidos desde una perspectiva enciclopédica y con carácter acumulativo y secuencial. Se presenta una estructura para presentar cada uno de los contenidos organizados en la introducción al tema, explicación apoyada con ejemplos y, por último, ejercicios del libro de texto.

Algunos autores, Bourdieu (2001), Hernández (2005), entre otros han mostrado el poder hegemónico que tienen los saberes disciplinares en el currículo. Al respecto, Apple (1979) señala que "el nivel de la práctica curricular, pedagógica y de evaluación dentro del aula, puede ser controlada por las formas en que la cultura es transformada en mercancía por las escuelas" (p. 25). En consecuencia, tanto el currículo formal como el oculto que se enseña en la escuela, están relacionados con el control social y cultural de una sociedad mediada por las prácticas concretas de los profesores.

Sin embargo, es necesario precisar que esto no quiere decir que el profesor no tenga posibilidades de resistirse a este tipo de tecnificación de su práctica, pues, por el contrario, como lo asegura Apple (1979), "las escuelas crean y recrean formas de conciencia que permiten el mantenimiento del control social, sin que los grupos dominantes tengan necesidad de recurrir a mecanismos de dominación" (p. 13).

La escuela es un lugar donde se exponen ideas, se debate, se cuestiona, se reflexiona y se opone resistencia, esto es, porque en la escuela participan agentes con creencias, concepciones, costumbres, producto de diferentes habitus construidos durante toda su vida. Hernández (2014).

De esta manera, es necesario conocer el habitus de los profesores, indagar si en las prácticas de enseñanza se evidencian realidades descritas anteriormente y de ser así, es necesario reflexionar y considerar el carácter social, histórico y culturalmente contextualizado del conocimiento asumiendo como prevaleciente la actividad humana.

### 3.2.2. Los conocimientos, las creencias y actitud de los profesores en torno a la enseñanza de las matemáticas

Las prácticas de enseñanza de las matemáticas orientadas por los profesores de básica primaria han estado permeadas por teorías y reformas que se han ido implementando en sus aulas de clase.

Las profesiones predominantes de los profesores de educación básica primaria en Colombia son licenciados y formados para orientar en este nivel, pero pocos cuentan con una formación específica en un área en particular y, aunque en su carrera universitaria pueden haber llevado a cabo algunas prácticas en lo concerniente a la didáctica de las disciplinas, no es suficiente para una apropiación conceptual, pedagógico y epistemológica de ellas.

Lo anterior se ve reflejado en prácticas instrumentales, estáticas y mecánicas que se observan en el aula de clase. Jiménez, (2010), se refiere a que "el docente en la mayoría de los casos enseña de la misma forma como lo hicieron los profesores con él" (p. 45). Así, la dificultad para cambiar parece radicar en la repetición de una forma de hacer la docencia que hace muy difícil el cambio; esto debido a que el profesor a lo largo de su formación académica construye conocimientos, significados, creencias e ideas con base en las experiencias vividas en su proceso de escolarización.

Siguiendo esta línea, Ernest (1989) plantea que "la práctica docente del profesor en el salón de clase está influida por sus estructuras de pensamiento, las que incluyen el conocimiento, las creencias y las actitudes" (p. 13).

En lo referente al conocimiento y siguiendo a Ernest (1989), "el profesor de matemáticas necesita el conocimiento de las matemáticas en sí" (p. 13); es decir, necesita saber enseñar matemáticas, tener el conocimiento de cómo presentar las diferentes representaciones y conceptualizaciones de los objetos matemáticos a los niños, de tal manera que sean comprendidas, así como deben tener el conocimiento sobre los referentes ministeriales, lineamientos de área y materiales propios para le enseñanza de las matemáticas, no para replicarlos ni ejecutarlos de manera aislada y descontextualizada sino por el contrario para analizar, cuestionar, reflexionar su lugar en la práctica, y tomar decisiones al momento de planear, organizar y desarrollar el diseño curricular de esta disciplina.

Por otra parte, la actitud es otro aspecto que sugiere Ernest (1989) y que hace referencia a las disposiciones que presenta el maestro en su práctica docente, el gusto, el disfrute, interés, la confianza en sus propias habilidades en la temática, así como el gusto, el disfrute y el interés por la enseñanza de la disciplina. Así, cabe considerar que las actitudes de los profesores hacia las matemáticas y su enseñanza influyen en la estructura y en el enfoque con que asumen su práctica en el aula, lo cual necesariamente tiene un impacto en el aprendizaje de sus estudiantes.

Por último, este autor define a las creencias del profesor como aquel sistema de convicciones y concepciones que presentan los docentes sobre la naturaleza de las matemáticas, así como su enseñanza y aprendizaje. Este sistema influye en las prácticas de los profesores, en las decisiones que toma frente al currículo que enseña, en las metodologías y las estrategias que utiliza en su práctica docente.

### 3.2.3. Construcción y reconstrucción del saber pedagógico, con referencia a su proceso de formación

Una tensión que involucra a los profesores de básica primaria que enseñan matemáticas con sus procesos de formación son las tradiciones mismas en las que se han formado como profesionales de la educación.

En desarrollo de la Constitución Política de 1991, se establecen algunas leyes que definen las bases de transformación en la educación de los profesores en formación y en ejercicio. Así, por ejemplo, delegan la formación académica y profesional de los profesores a las universidades e instituciones profesionales de Educación Superior, definen un Escalafón Docente empleado para jerarquizar a los profesores de acuerdo con su trayectoria académica y laboral, definen que los programas de formación de educadores deben cumplir con procesos de acreditación de su calidad, y establece las Matemáticas como una de las nueve áreas obligatorias y fundamentales para la Educación Básica y Media y se plantean los lineamientos curriculares y los estándares básicos de competencias en esta área.

La tensión se evidencia cuando los profesores que orientan matemáticas en básica primaria y que fueron formados en un curriculo basado en contenidos, deben reorganicen sus prácticas para adaptarlas a la formación de un curriculo basado en competencias. Estos choques conceptuales confunden sus procesos disciplinarios, pedagógicos y didacticos que han venido construyendo desde su trayectoria de formación académica.

Programas gubernamentales a favor de la formación continuada y avanzada de profesores, han creado programas de formación para los maestros que enseñan matemáticas, sin embargo, estos programas tienen un enfoque de capacitación, instrucción o entrenamiento, en un modelo de racionalidad técnica, entendida, desde Marcelo (1999), Echeverri (2007), Jaramillo (2008) y Martínez (2015) como prescriptiva, donde se tienen otros objetivos muy diferentes a lo social, cultural y ético de la enseñanza.

En consecuencia, se hace necesario que más allá de la apropiación por parte de los profesores de las orientaciones promulgadas desde el MEN, se analice el profesor como sujeto, como un profesional que participa activamente de la cultura metemática, en beneficio de la construcción de valores humanos, que trascienda conocimientos y disciplinas.

### 3.2.4. Corpus teórico sobre habitus desde la perspectiva sociológica de Pierre Bourdieu

La preocupación por caracterizar las prácticas docentes ha llevado a la construcción de diferentes referentes teóricos. Para Bourdieu y Passeron, (1998), es fundamental reconocer el proceso a través del cual los profesores configuran su identidad profesional, para ello define la noción de "habitus profesional".

De acuerdo con Bourdieu, (1997), hay que considerar:

El habitus como un sistema de disposiciones durables y transferibles que son socialmente estructuradas, es decir han sido formadas a lo largo de la historia de cada sujeto y supone la interiorización de la estructura social del campo en que el agente social se ha conformado como tal, y al mismo tiempo son estructurantes, actuando como un sistema de esquemas prácticos que estructuran las percepciones, las apreciaciones y las acciones de los agentes (p. 5).

Este concepto de habitus como esquema práctico permite analizar el quehacer de los profesores desde aspectos subjetivos (propios del ser), desde la dimensión simbólica (las percepciones y reconocimiento social) y desde su realización en la práctica docente desarrolladas en el campo educativo propiamente vinculado a la construcción de los saberes matemáticos, que actúan como estructuras objetivas que consolidan dicha labor docente.

Este esquema práctico es desarrollado y adquirido por el agente en el marco de las rutinas y acciones en las instituciones donde se forman, en ese proceso de reconocimiento del campo de la educación matemática, reconocen la estructura y el comportamiento que constituyen a un(a) profesor(a), que les permite desenvolverse dentro de este campo.

En la sociología de Bourdieu (1997), el concepto de campo refiere a aquel espacio social en que se manifiestan los intereses y las acciones de los diferentes agentes, y su diversidad es amplia: se puede hablar de campos como el económico, el lingüístico o el educativo, donde cada uno de ellos cuenta con sus propias instituciones y reglas específicas de funcionamiento.

Por ejemplo, en el campo de la educación matemática, existen varios agentes como las instituciones, Ministerio de Educación Nacional, profesores, estudiantes, padres de familia que juegan un papel y presentan una posición dentro de este campo. Estas posiciones son dinámicas y permiten crear relaciones de alianza entre estos agentes con el fin de obtener mayores beneficios. Un ejemplo de ello se puede evidenciar en los profesores de básica primaria que orientan matemáticas y que se apoyan de los profesores licenciados en matemáticas para mejorar su saber disciplinar.

Adicionalmente, Bourdieu (1979) plantea que:

> Un campo es un subespacio social relativamente autónomo, un microcosmos al interior de otro mayor denominado macrocosmos social, que puede ser definido como un campo de fuerzas[1] y un campo de luchas[2] para conservar o transformar la relación de fuerzas (p. 236).

Las relaciones de fuerza y de lucha que caracterizan un campo, y que la diferencia de otros campos en el espacio social es el grado de autonomía, y a partir de ahí, la fuerza y la forma de derecho de admisión impuesto a los agentes al ingresar en él.

La competencia que se genera entre los agentes del campo define las relaciones objetivas entre ellos, las que están determinadas por el volumen de capital que los participantes aportan, así como la estructura, trayectoria en el interior del campo y por su capacidad de comprender las reglas del juego y elaborar estrategias para obtener y acrecentar capitales (Bourdieu, 2001).

Analizar las trayectorias escolares y laborales de los profesores a lo largo de un periodo determinado, la construcción y el conjunto de posiciones ocupadas por ellos, le da soporte a un conjunto de atribuciones adecuadas para permitirle intervenir como agente eficiente en el campo de la educación matemática.

## IV. METODOLOGÍA

Esta ponencia, se enmarca en una metodología cualitativa, concretamente, se realiza un análisis documental. Se busca a partir de la revisión analítica de la literatura definir categorías que posibiliten caracterizar el habitus profesional de un grupo de profesores de educación básica primaria que enseñan matemáticas en Colombia. Para esto se consideran planteamientos relacionados con la noción: habitus profesional (Bourdieu, 1995) y planteamientos sobre el enfoque de competencias matemáticas, planteado en el currículo escolar colombiano para la educación primaria MEN (2003).

---

1.  *Campo de fuerza* está definido por el capital que poseen los agentes que pertenecen a él.
2.  *Campo de lucha* se refiere a los recursos de los que disponen los agentes para movilizarse en él.

En nuestro país, se ha establecido que, para hablar de competencias o de lo que se entiende por ser matemáticamente competente, es necesario desarrollar dos tipos básicos de conocimiento matemático: el conceptual y el procedimental.

El conceptual se centra en el saber qué y saber por qué; es decir de carácter declarativo y el procedimental se relaciona con técnicas y estrategias para representar conceptos y para transformar dichas representaciones con habilidades y destrezas ayudando a la construcción del conocimiento conceptual y permitiendo el uso eficaz, flexible y en contexto de conceptos, proposiciones, teorías y modelos matemáticos; por tanto, está asociado con el saber cómo.

Esta idea de competencia que vincula tanto al saber, cómo al hacer, para comprender, el saber en acción como esa acción reflexiva que permite ser y comprender qué se hace y por qué se hace.

Se identifica inicialmente relaciones/ conexiones entre dichos planteamientos con el objetivo de generar un instrumento interpretativo que permitirá realizar una primera aproximación al habitus de profesores de matemáticas. La estructura que conforma el habitus profesional del profesor de básica primaria del municipio de Ibagué, de acuerdo con los capitales adquiridos desde sus trayectorias familiares, escolares y laborales y que han sido permeadas en sus prácticas de enseñanza y en el curriculo oficial sirven de insumo para ir analizando la configuración de este hábitus profesional.

## V.  RESULTADOS

A partir de la revisión realizada, se configura un instrumento (Tabla 1) que considera el entramado de dos ejes: la propuesta de Habitus (Bourdieu, 1997) y los planteamientos sobre referentes de calidad de la práctica docente formulados por el Ministerio de Educación Nacional de Colombia. Dicho entramado da lugar a las siguientes categorías: Campo-Saber; Campo-Saber Hacer; Campo-Saber Ser, por otro: Habitus-Saber; Habitus-Saber Ser y Habitus-Saber Ser. Para cada una de las categorías se han incluido unos descriptores iniciales.

**Tabla 1.** Instrumento para la caracterización del habitus profesional.

| | | Referentes de calidad | | |
|---|---|---|---|---|
| | | **Saber** | **Saber hacer** | **Saber ser** |
| **Habitus** | **Campo** (*Funciones sociales*) | • Disciplinar<br>• Pedagógico<br>• Ético<br>• Comunicativo<br>• Estético | • Prácticas en el aula.<br>• Capacidades docentes | • Interés por la innovación |
| | **Habitus** (*Necesidades personales*) | • Capital cultural<br>• Capital objetivado<br>• Capital incorporado<br>• Capital institucionalizado | • Experiencia acumulada y transformada.<br>• Concepciones y creencias | • Disposiciones<br>• Afinidades<br>• Gustos<br>• Actitud |

**Fuente:** Elaboración propia.

Campo-Saber: La interacción de los agentes en el sistema de enseñanza es un elemento central dentro del campo de la matemática; el saber como ese conjunto de conocimientos disciplinares, pedagógicos, éticos, comunicativos y estéticos que el agente adquiere desde su formación inicial y continúa permitiéndole posicionarse dentro de dicho campo.

Campo-saber hacer: En el campo de la Educación matemática, se desarrollan unas prácticas de aula que evidencian las capacidades que tienen el profesor, así como las habilidades, destrezas y aptitudes guiándolos en las buenas prácticas. El conocimiento procedimental ayuda a la construcción del conocimiento conceptual y permite el uso eficaz, flexible y en contexto de conceptos, proposiciones, teorías y modelos matemáticos.

Campo-Saber ser: Las capacidades que, como actor social, desarrolla un interés por la innovación matemática.

Habitus-Saber: Entre estos se encuentran las aptitudes cultivadas en la primera infancia por medio de la educación en espacios sociales que se condensan en las trayectorias familiares y escolares.

Habitus-Saber hacer: A medida que va adquiriendo experiencia, el profesor construye esquemas de percepción que le permiten identificar con rapidez fallas comunes e intuir las posibles causas de sus practicas de enseñanza y la manera de transformarlas.

Habitus-Saber Ser: Visto como el propio nivel de realización que le da satisfacción a sus disposiciones y deseos particulares del profesor de básica primaria que enseña matemática. Junto con las emociones, las acciones desarrolladas en el tiempo, y la forma como éste es administrado, son indicadores de valor que se da a las personas, objetos, metas y necesidades.

## VI. CONCLUSIONES

La revisión documental realizada ha permitido profundizar en la noción de habitus profesional, y constatar su pertinencia para estudiar la configuración de la identidad docente. Además, esta revisión ha posibilitado la delimitación de unas categorías para caracterizarlo. Se espera usar dichas categorías para interpretar diferentes datos y realizar una caracterización inicial del habitus profesional de un grupo de docentes de educación básica primaria que enseñan matemáticas en Colombia.

El Campo-Saber; Campo-Saber Hacer; Campo-Saber Ser, así como el Habitus-Saber; Habitus-Saber Ser y Habitus-Saber Ser, permiten comprender la configuración del habitus del profesor de básica primaria en el campo de la educación matemática y reconocer algunos elementos teóricos que deben ser considerados y analizados en las diferentes prácticas profesionales de los docentes permitiendo de esta manera aportar información relevante para la mejora de los programas de formación inicial y permanente de docentes.

## VII. REFERENCIAS

Apple, M. (1979). *Ideología y currículo*. Akal.

Bourdieu, P. (1979). *La distincion, criterios y bases sociales del gusto*. Taurus.

Bourdieu, P. (1986). *Las formas de capital*. Greenwood: sf.

Bourdieu, P. (1997). *Razones prácticas, sobre la teoria de la acción*. Anagrama.

Bourdieu, P., y Passeron, J. C. (1998). *La reproducción*. Fontamara.

Bourdieu, P. (2001). *El oficio de científico*. Editorial Anagrama.

Constitución Política de Colombia [Const]. *Art. 27,67,69,70,71*. 7 de julio de 1992. Colombia.

Echeverri, J. (Ed). (2007). *Actualidad y pervivencia del movimiento pedagógico*. Pregón Ltda.

Ernest, P. (1989). *The Knowledge, beliefs and attitudes of the mathematics teacher*. Vol. 15, No. 1, 13-33. Obtenido de Journal of Education for Teaching: https://www.tandfonline.com/toc/cjet20/curren.

Ernest, P. (1989). The Knowledge, beliefs and attitudes of the mathematics teacher: a model. *Journal of Education for Teaching, 15* (1), 13-33.

Ministerio de Educación Nacional de Colombia (MEN). (1998). *Lineamientos curriculares de matemáticas.*

Ministerio de Educación Nacional de Colombia (MEN). (2003). *Estándares básicos de calidad en matemáticas para la educación básica y media.*

Guzmán, L. (2018). *La construcción de la identidad profesional docente: estudio cualitativo sobre la construcción de la identidad profesional de los estudiantes de pedagogía en programas de formación inicial de profesores de carácter público y privado.* (Tesis doctoral). Universidad de Girona.

Hernández, R. (2014). *El concepto de violencia simbólica de Pierre Bourdieu y su aplicación en ambiente educativo en algunas instituciones educativas bogotanas.* Tesis de Maestria no publicada, Universidad Santo Tomás, Bogotá, Colombia.

Jaramillo, D. (2008). *La reflexión y la investigación en la formación del maestro que enseña matemáticas: un camino.* Este texto corresponde a un tema parcialmente explorado en la tesis de doctorado de la autora, titulada. (Re)constituição do ideário de futuros professores de Matemática num contexto de investigação sobre a prática pedagógica (Jaramillo, 2003). Parte de este texto fue presentado por la autora, como conferencista nacional invitada, en el Tercer Encuentro de Programas de Formación Inicial en Matemáticas, en Bogotá en 2008.

Jiménez, A. (2010). La naturaleza de la matemática, las concepciones y su influencia en el salón de clase. *Revista Educación y Ciencia, 13,* 135-152. Disponible en: http://revistas.uptc.edu.co/index.php/educacion_y_ciencia/article/view/765/764.

Jiménez, A., y Gutiérrez, A. (2017). Realidades escolares en la clase de matemáticas. *Revista Educación Matemática, 29* (3), 109-129.

Marcelo, C. (1999). *Formação de Professores: para uma mudança educativa.* Porto Editora.

Martínez, A. (2015). *Verdades y mentiras sobre la escuela.* Editorial Aula.

Vanegas, Y., y Escobar, P. (2007). Hacia un currículo basado en competencias: el caso de Colombia. *UNO Revista de Didáctica de las Matemáticas, 13*(46), 73-81.

Zambrano, L. A. (2006). Tres tipos del saber del profesor y competencias: una relación compleja. *Educere, 10,* 225-232.

*Capítulo 26*

# El *podcast* narrativo de no ficción: la crónica sonora y sus posibles variables

Ángela Ruiz Martínez
*(Universidad Complutense de Madrid –España–)*

María del Carmen Salgado Santamaría
*(Universidad Complutense de Madrid –España–)*

## I. INTRODUCCIÓN

La consolidación del sector del podcasting en España ha llegado de la mano de la creación de nuevas plataformas de distribución (Podimo), la implementación de podcast en algunas ya existentes (Spotify, Amazon con Audible o Storytel) y la especialización en el sector de algunas productoras ya existentes (El Cañonazo, The Story Lab –anteriormente Animal Media–) o la creación de algunas nuevas (Osmos Global, Ekos media) han dado cabida a una gran cantidad de contenidos. Sin embargo, la diferencia entre estas plataformas reside en las temáticas de los podcast y no en el formato. En este artículo buscamos definir y justificar uno de esos formatos: el podcast narrativo de no ficción.

Comenzamos a hablar de podcast narrativo de no ficción en 2014, en Estados Unidos se publica "Serial" un proyecto de "This American Life" que movilizó a las masas hacia este tipo de contenidos. La novedad que presentaba era la publicación de una historia por capítulos conformando una gran trama. A pesar de que no podemos decir que fuera la primera expresión de este tipo de contenidos, sí que supuso un antes y un después conforme a la manera de contar historias en el audio a la carta.

En España, el primer exponente de este tipo de formato fue "Le llamaban Padre" de Podium Podcast, en 2016 seguido de "V: Las cloacas del Estado". Tras esto, numerosos títulos han podido definirse como podcast narrativos de no ficción, entre ellos XRey de "Spotify" o "El Desafío: ETA" de Audible. En este artículo vamos a definir las variables básicas para enmarcar un podcast como narrativo de no ficción.

## II. MÉTODO

El auge de este tipo de textos, narrativos de no ficción, en las dos últimas décadas y de su correspondiente formato sonoro en los últimos años nos lleva a buscar una correcta definición del término así como una exposición de sus diferentes variables. Lo haremos a través de un meta-análisis bibliográfico. De manera que revisaremos la principal literatura crítica relacionada con el tema para organizar el concepto.

Por otro lado, la escasa información sobre el sector sonoro en concreto, nos hace que completemos nuestro análisis con otros formatos, mayoritariamente los escritos, para poder extrapolar estas variables al audio.

## III. RESULTADOS

Los diferentes textos analizados muestran una clara definición de variables que son fácilmente extrapolables al formato sonoro. Esto nos permite definir el podcast narrativo de no ficción de una manera correcta y completa. Las variables son las siguientes:

a) Presencia del autor en el texto. El narrador no es un mero observador que relata desde una perspectiva lejana sino que forma parte de la historia. Por ello es importante la subjetividad del oyente, eliminando conceptos como "verdad" y "objetividad". Encontramos diferentes modelos de narradores, el más común es el periodista, que investiga la historia, en el caso de encontrar otro narrador este suele estar implicado en la historia como uno de sus protagonistas o locutar un texto escrito por un equipo que ha realizado una investigación previa.

b) Los textos suelen ser más extensos y, como decimos, cuentan con un proceso de investigación y documentación previa bastante intenso. Es por ello que suelen incluir numerosas fuentes.

c) Las temáticas son mucho más variadas que en la prensa tradicional, llegando a nichos que hasta ahora no estaban explotados.

d) La narrativa ocupa un lugar primordial. El "cómo" pasa a ser igual de importante que el "qué". La forma de narrar historias es mucho más descriptiva y literaria.

## IV. DISCUSIÓN

### 4.1. PERIODISMO Y LITERATURA

Las disciplinas de periodismo y literatura han estado unidas entre sí desde sus inicios, pero hasta finales del siglo XX y principios del XXI no comenzó a estudiarse esa relación (García-Galindo y Cuartero-Naranjo, 2014). Anteriormente la conexión de ambas se remitía a la publicación de partes de novelas en ciertos periódicos y revistas, a un posible empleo para algunos escritores que no consiguen publicar o incluso a una forma de aumentar sus ingresos de escritores consolidados. Han sido muchos los escritores que antes de definirse como tal fueron periodistas. No solo Gabriel García Márquez, sino Truman Capote, Albert Camus o Ernest Hemingway, a pesar de que este defendió que el periodismo era positivo para el escritor siempre y cuando lo abandonara a tiempo. Tal es así que: "No es por azar que, en América Latina, todos, absolutamente todos los grandes escritores fueron alguna vez periodistas: Borges, García Márquez, Fuentes, Onetti, Vargas Llosa, Asturias, Neruda, Paz, Cortázar, todos" (Eloy Martínez, 1997:5).

Con un periodismo centrado en ser multimedia, rápido y atractivo, en el que prácticamente se ha perdido el contacto con la calle, el personaje o el momento, que tan necesarios parecían hace unas décadas, renace un formato que pide todo aquello que parece estar perdiéndose.

Este tipo de periodismo vuelve a recuperar la cercanía de la que nos habíamos olvidado. Somos inmunes a una gran vorágine de noticias que deberían parecernos impactantes, soportando con pasmosa relajación atentados, desastres meteorológicos o asesinatos. Por ello, era necesario un periodismo que consiguiera reconectar con el lector, oyente o espectador, que volviera a conseguir su atención. Poniéndole rostro y alma a la noticia (Ramos, 2017). En palabras de Tomás Eloy Martínez (1997):

> Cuando leemos que hubo cien mil víctimas en un maremoto de Bangladesh, el dato nos asombra pero no nos conmueve. Si leyéramos, en cambio, la tragedia de una mujer que ha quedado sola en el mundo después del maremoto y siguiéramos paso a paso la historia de sus pérdidas, sabríamos todo lo que hay que saber sobre

ese maremoto y todo lo que hay que saber sobre el azar y sobre las desgracias involuntarias y repentinas (Martínez, 1997:2).

Desde el examen de acceso a la universidad nos enseñan a dividir los textos entre periodísticos y literarios, haciéndonos creer que realmente existen diferencias sustanciales entre ambos. Incluso relegando esta diferencia en ocasiones únicamente a un mero hecho de ficción o no ficción. Algo totalmente equivocado. Y cuando llegamos a la facultad de periodismo nos enseñan a eliminar las dobleces del lenguaje, a escribir con la mayor objetividad posible, primando la información y alejándonos de matices subjetivos. Pero aquí ya no hablamos de encorsetamientos como la regla de las 5 W (What, Who, When, What, Where) ni de la pirámide invertida. El periodismo narrativo nos permite ir más allá de la información, rompiendo con la concepción anglosajona de dividir entre esta y la opinión.

## 4.2. DEFINICIÓN DEL TÉRMINO

Antes de definir el propio término es necesario definir el concepto de género periodístico. Para ello, Martínez Alberto los denomina como:

> Aquellas modalidades de creación lingüística, destinadas a ser canalizadas a través de cualquier medio de difusión colectiva y con el ánimo de atender a los dos grandes objetivos de la información de actualidad: el relato de acontecimientos y el juicio valorativo que producen tales acontecimientos (Martínez Albertos, 1998).

### 4.2.1. Entre crónica y reportaje

Situamos al periodismo narrativo de no ficción entre la crónica y el reportaje. Siendo el primero definido por la relación del autor con el hecho, por su mirada personal llevada a impronta, lo que nos acerca más a este tipo de contenido del que venimos hablando. Sin embargo, ninguno de estos géneros se ha definido con consenso, lo que supone una dificultad para definir un subgénero o un desglose de alguno de ellos.

La diferencia que marcamos en España cuando hablamos de crónica y reportaje reside en la presencia del autor en la historia. El periodista vive la historia y la narra desde dentro, sin ninguna reticencia a mostrar subjetividades y opiniones. En el reportaje, el periodista es tan externo que puede incluso no estar presente. Sin embargo, en América Latina el concepto de crónica envuelve a reportaje. Principalmente esto ha ocurrido en España ya que las crónicas se han resumido a las taurinas, deportivas o de espectáculos (García Galindo y Naranjo, 2016).

Sin embargo, autores (Jaramillo, 2011; García Galindo y Naranjo, 2016) defienden que es necesario hacer una distinción entre una crónica "habitual" y una "narrativa" o "periodística literaria", sobre todo en su extensión, su uso de la primera persona, su uso cuidado del lenguaje y sus temáticas más de nicho (García Galindo y Naranjo, 2016).

Sobre crónica, conocemos el origen etimológico de la palabra, que viene del griego "Cronos", que significa tiempo, por lo que supone una narración de los hechos de manera cronológica (García Galindo y Naranjo, 2016) Sin embargo, las variaciones del género han hecho que esta interpretación se quede algo simplista. Entre los autores que han intentado definirla encontramos al propio Martínez Albertos quien la define como: "Narración directa e inmediata de una noticia con ciertos elementos valorativos, que siempre deben ser secundarios respecto a la narración del hecho en sí" (Martínez Albertos, 1998). O Martín Vivaldi quien defiende que "La crónica periodística es, en esencia, una información interpretativa y valorativa de hechos noticiosos, actuales o actualizados, donde se narra algo al propio tiempo que se juzga lo narrado (García Galindo y Naranjo, 2016:4).

Alex Grijelmo (1998) la define como una recopilación de elementos de la noticia, del reportaje y del análisis pero con una visión personal del autor, una variable en la que coincide con Yanes Mesa, quien defiende que la característica más importante es el punto de vista del periodista. Manuel Bernal Rodríguez (1997) añade que el cronista debe ser experto en el tema en cuestión y Vilamor (2000) destaca que no solo es una narración sino que es un juicio de los hechos, coincidiendo con Angulo Egea (2014) quien se centra en esa mirada del periodista (García Galindo y Naranjo, 2016).

Mientras que hay autores (Xavier Aldekoa, Alberto Arce, Álex Ayala Ugarte, Nacho Carretero, Ander Izagirre, Virginia Mendoza; 2018) que lo definen como periodismo narrativo, hay otros (Chillón, 2014) que prefieren llamarlo periodismo literario, periodismo artísticamente literario (Palau-Sampio y Cuartero-Naranjo, 2018) o incluso Literatura de Hechos, Literatura de no Ficción, Periodismo Personal, Paraperiodismo o el arte de narrar periodismo (Puerta, 2011).

Sin embargo, en latinoamérica ha destacado la utilización de un término generalista como es el de crónica para este tipo de textos. De la misma manera que en España cuando solemos referirnos a estos textos lo hacemos con el término de reportaje. No fue hasta la implosión del periodismo narrativo y las referencias latinoamericanas que nos han llegado recientemente en el mundo del audio, cuando hemos empezado a plantearnos el recuperar el término de crónica.

Por otro lado, hay quienes (Cuartero, 2017) aunque entienden la diferencia con la corriente de Nuevo Periodismo o *New Journalism* en inglés, continúan utilizando esta terminología. Aclarar, que decidieron el término sin pensar en la perdurabilidad en el tiempo, ya que se le atribuye el nacimiento a los textos "El coqueto aerodinámico rocanrol color caramelo de ron" y "A Sangre Fría" de Tom Wolfe y Truman Capote respectivamente, del año 1965 (Cuartero, 2017).

### 4.2.2. Periodismo narrativo de no ficción

Atendemos ahora a las diferentes definiciones que hemos encontrado de textos narrativos.

Según la definición de García-Galindo y Cuartero-Naranjo, 2014: "Entendemos por periodismo narrativo la utilización periodística de recursos retóricos y literarios, más cercanos a la descripción literaria, matizando y ampliando las posibilidades expresivas del periodismo y en particular de la información" (García-Galindo y Cuartero-Naranjo, 2014: 1). Cuartero Naranjo (2017) define a esta corriente como:

> Aquellos textos periodísticos que sin abandonar su propuesta de informar y contar una historia verídica, lo hacen utilizando herramientas literarias como pueden ser estructuras, climas, tonos diálogos o escenas) de forma que construyen una estructura narrativa tan atractiva como la de cualquier texto de ficción, pero siempre sin abandonar sus principios veraces (Cuartero, 2017:12).

Además el autor, si tuviera que utilizar un término prefiere nombrarlo narrativo a literario principalmente porque el adjetivo narrativo tiene menos carga que el literario, que quizás nos puede hacer pensar que lo que estamos leyendo es ficción. Para Chillón, 2014: "Estimo indispensable subrayar que la locución 'periodismo narrativo' deja demasiado que desear, y que resulta a todas luces preferible seguir usando la de 'periodismo literario'" (Chillón, 2014: 33).

### 4.3. VARIABLES

Partimos de la premisa de la dificultad que supone encuadrar este tipo de periodismo dentro de una categoría. En algunas ocasiones se ha definido como un género, sin embargo, ¿es así? Resulta complejo cuando dentro de él se utilizan géneros diferentes como el reportaje, la crónica o incluso algunas entrevistas. Tampoco podemos definirlo como una temática, puesto que agrupa diferentes temas cómo analizaremos posteriormente. Por lo tanto podríamos definirlo como un formato. Una norma de estilo que se puede utilizar en diferentes géneros y temáticas.

Existen tres variables principales que vemos repetidas a lo largo de los textos sobre lo que caracteriza al periodismo narrativo de no ficción. La primera señala que hablamos de un hecho informativo, noticioso. La segunda habla de la impronta del autor, de la visión subjetiva o enjuiciamiento que el autor añade al texto, normalmente asociada con la vivencia del propio autor de algunos de los hechos, la cual sería la tercera característica (García Galindo y Naranjo, 2016).

La que quizás podemos definir como variable principal es la presencia del autor en la narración. Este uso de la primera persona es una de las características que más se cuestiona. Mientras que la escuela española es seguidora de un periodista ausente, que no acapara protagonismo y que deja que la historia la cuenten sus protagonistas, en latinoamérica se opta por un periodista muy presente, que forma parte de la historia. Esta variedad defiende que el periodismo no es un mero observador, sino que la historia le rodea y le implica. La voz que vive la historia y la defiende desde su propia conciencia, haciendo así que el lector se identifique con esos sentimientos. De esta manera:

> Un periodista no es un novelista, aunque debería tener el mismo talento y la misma gracia para contar de los novelistas mejores. Un buen reportaje tampoco es una rama de la literatura, aunque debería tener la misma intensidad de lenguaje y la misma capacidad de seducción de los grandes textos literarios (Martínez, 1997:7).

Esto nos lleva a la siguiente clave que es la presencia de subjetividad del oyente. Las diferentes interpretaciones a las que puede llegar. Sin embargo es preciso y completo, sobre todo por la cantidad de fuentes que suele incluir, de hecho, la etapa de documentación suele ser la más complicada y costosa.

¿Qué ocurre entonces con la verdad tantas veces demandada? Quizás es más real la percepción de ésta a través de quien vive la realidad. Es decir, conocer la verdad del periodista, sin que sea presentada como universal. Porque, si algo nos ha enseñado el oficio, es que no podemos vender una verdad única y objetiva para todos. El periodismo narrativo es la reversión de la objetividad, la lucha contra los artículos firmados por periodistas invisibles, que bien podrían tener detrás a una agencia de noticias o incluso a un departamento de comunicación. Relativo a esto, autores como Oriana Fallaci prefieren hablar de lo "correcto" y lo "honesto" antes de hablar de objetividad o verdad. Al final, el hecho de que sea una persona la que está detrás de un determinado texto siempre le dará una impronta única (Puerta, 2011).

Sin embargo, debemos poder observar la subjetividad del emisor pero a la vez diferenciar esa opinión de la información ya que la creatividad en la forma no debe minusvalorar el contenido informativo de la noticia (García-Galindo y Cuartero-Naranjo, 2014). Algunos autores defienden que este híbrido puede confundir al lector/oyente entre aquello real y lo adornado. Pero no debemos olvidar que como cualquier otro periodismo tiene cierto compromiso con la información, puede salirse del molde añadiendo estética y adorno al escrito. Pero sin que puedan entrar las falacias o mentiras (Puerta, 2011). De esta manera el periodismo no sería una imagen que refleja la realidad sino una representación o una construcción de ella. El periodista es objeto y sujeto y está dispuesto a capturar y relatar una época (Puerta, 2011).

Sobre la longitud, recalcar que los textos son normalmente más extensos, superando los patrones más comunes. Esta característica se ha visto como un inconveniente en muchas ocasiones ya que puede provocar que el lector interrumpa su lectura antes de terminar el texto. Sin embargo, este periodismo defiende que una historia no debe tener obligaciones de espacio, ni de recortes ni de ampliaciones, sino que debe ocupar lo que necesite cada historia. Son temas que suelen llevar una larga y completa investigación detrás (Puerta, 2011) lo que hace que la historia se presente desde diferentes prismas (Barbosa y Seuma, 2018). Esto es causa o consecuencia de que en muchas ocasiones los periodistas especializados en este tipo de textos suelen trabajar de freelance, ya que prácticamente ningún medio permite la realización de extensas crónicas en las jornadas de trabajo habituales.

Siguiendo con las temáticas que comentábamos al principio, se ha encuadrado a este formato como periodismo de nicho, ya que en muchas ocasiones hablamos de un periodismo muy específico, dedicado a un pequeño sector, lo que puede verse como un riesgo, sobre todo buscando la rentabilidad. Incluso en algunas ocasiones parece que sean textos hechos por periodistas exclusivamente para periodistas.

Encontramos bastante originalidad en cuanto a las materias que se tratan. Pueden abarcar desde cuestiones antropológicas y sociales hasta investigaciones de crímenes reales (Palau-Sampio y Cuartero-Naranjo, 2018). Pero además, las historias dejan de tener que ser tan extremas, es decir, para escribir sobre un tema no necesita que haya pasado por situaciones límites o catastróficas sino que la propia narrativa da fuerza a la historia (Ramos, 2017) La clave es conseguir una realidad explicada, razonada, interpretada y reflexionada. Que antes de ser contada debe ser conocida (Tijeras, 2013). Por lo que no es necesario que la historia en sí sea espectacular, basta con presentar una buena mirada personal (Puerta, 2011) Una variable que se contradice con la mayoría de enseñanzas periodísticas de las universidades:

> Los libros de estilo de todos los medios de comunicación al uso y los manuales universitarios tratan de acotar la cuestión del estilo reduciéndola a la necesidad de respetar unos mecanismos estándar de objetivación de la realidad que apenas deja espacio para la narración periodística que reivindicamos aquí (Tijeras, 2013:3).

Entre otros detalles, este tipo de periodismo es muy descriptivo. Con atmósferas, momentos, lugares, personajes. Lo que lo hace también muy anecdótico. Suele ser lineal, aunque no necesariamente en el tiempo, sino que se basa en escenas que van siendo relatadas una detrás de otra (Puerta, 2011). Una consecuencia directa de estas variables es que hacen a los textos más perdurables en el tiempo.

## 4.4. CRONOLOGÍA DEL FORMATO

Los autores que escriben sobre este formato todavía no han sido capaces de coincidir en el nacimiento de este tipo de periodismo. Hay quienes sitúan su inicio en el *New Journalism* en los Estados Unidos y quienes reclaman textos anteriores de autores hispanoamericanos remontándose a los Cronistas de las Indias. Sea como sea, ambos periodos y algunos hechos puntuales más que analizaremos en este apartado, suponen una influencia vital para el periodismo narrativo de no ficción que encontramos en la actualidad.

### 4.4.1. New Journalism

El Nuevo Periodismo estadounidense es impulsado por diferentes movimientos sociopolíticos. Entre ellos el magnicidio del presidente Kennedy, la guerra de Vietnam, la lucha racial o los derechos de las mujeres (Cuartero, 2017). Pero anterior a esto el aumento de la circulación de los periódicos, la cobertura de la Primera Guerra Mundial, la llegada de expatriados europeos tras la guerra, la Gran depresión de 1930 (Cuartero, 2017). Los periodistas se alían con el resto de la población y luchan contra el poder establecido saliéndose de los cánones objetivistas establecidos. Autores como Tom Wolfe, Jimmy Breslin, Gay Talese, Hunter S. Thompson, Joan Didion, John Sack, Michael Herr defienden un periodismo más literario e innovador (Cuartero, 2017).

Desde el siglo XIX se renueva este tipo de periodismo con la publicación de historias por entregas, recordándonos a la tendencia formativa audiovisual en la actualidad. Esta precursión del periodismo narrativo actual comienza en 1965 cuando Truman Capote publica "A sangre fría" a través de artículos que había ido publicando en el New Yorker (Barbosa y Seuma, 2018). Pero además de Capote destacan ahora autores que comienzan a realizar lo que se conoce como novela moderna o reportajeada. Ernest Hemingway, Tom Wolfe, Norman Mailer, George Orwell, Ryszard Kapuściński, Oriana Fallaci o Svetlana Aleksiévich (Palau-Sampio y Cuartero-Naranjo, 2018).

Por otro lado, uno de los principales motivos del fin del periodo sería el auge de la televisión que terminó bajando la venta de las revistas especializadas, alrededor de 1975 (Cuartero, 2017). Hay diferentes versiones, pero autores como González de la Aleja sitúan el fin de este Nuevo Periodismo estadounidense en torno a los años 70. Weingartner es más específico y habla de entre 1962 y 1977 (Cuartero Naranjo, 2017).

Muestra una impronta clara, sobre todo si tenemos en cuenta que necesita de un arduo trabajo de campo (Bonano, 2014) pero además con el protagonismo del autor, con los textos más extensos y las narrativas más cuidadas tirando hacia la literatura.

### 4.4.2. La crónica hispanoamericana

Sin embargo, ¿fue el Nuevo Periodismo una influencia para el periodismo narrativo o literario en castellano? O por el contrario, ¿fueron movimientos independientes en diferentes partes del planeta? Cuartero Naranjo (2017) defiende que no debemos confundirlos, ya que parece anterior el periodismo narrativo español, con autores como Walsh en Argentina o Manuel Chaves Nogales en España. Así lo muestra su obra de 1935 "Juan Belmonte, matador de toros, su vida y sus hazañas", cuando utiliza la técnica del narrador protagonista. De hecho, en toda Europa, el periodismo llevaba décadas conviviendo con los recursos literarios, denominándose en ciertas ocasiones como "Periodismo Informativo de Creación" (Cuartero, 2017). Para Puerta (2011) este periodismo ya estaba latente en el Diario del año de la peste de Daniel Defoe; en la narrativa de José Martí; en el "Relato de un Náufrago" de Gabriel García Marquez o incluso en Rodolfo Walsh y Osorio Lizarazo.

La crónica latinoamericana es el género periodístico más parecido a la literatura. Desde sus inicios, hace cinco siglos con los Cronistas de las Indias pasando por El Carnero, el Modernismo, el Boom latinoamericano, hasta los denominados Nuevos Cronistas de Indias. Sin embargo, no podemos hablar de crónica sin remontarnos muchos siglos atrás al propio Génesis de la Biblia o incluso al comienzo de las civilizaciones con La Epopeya de Gilgamesh en Mesopotamia (Puerta, 2011).

Aunque si no queremos irnos al inicio de los tiempos y centrarnos en representaciones más realistas y completas, los Cronistas de Indias es un buen punto en el que comenzar. Estos eran sacerdotes que llegaron a América a catolizar a los nativos e iban narrando sus experiencias en el Nuevo Mundo. Entre los cronistas más importantes encontramos a Pedro Sarmiento de Gamboa, con "Historia de los Incas", Cristóbal de Molina con "Rito y Fábulas de los Incas" (García Galindo y Naranjo, 2016) o a "El Carnero", considerada la primera crónica americana, escrita entre 1636 y 1638 por Juan Rodriguez Freyle pero que no fue publicada hasta 1859. En ella se cuentan las costumbres de la ciudad en un determinado momento y con unas circunstancias únicas (Puerta, 2011). Posteriormente debemos destacar el costumbrismo y el modernismo (García Galindo y Naranjo, 2016).

En los años 50, el movimiento empieza a cobrar especial fuerza en latinoamérica. Esta época se conocerá como el *boom latinoamericano*. Con autores como Julio Cortázar, Mario Vargas Llosa o Carlos Fuentes y con García Márquez a la cabeza. Los medios latinoamericanos apuestan por ese género que definen como propio, la crónica, que no era más que una recopilación de otros estilos periodísticos que se habían realizado en otros momentos y en otros lugares.

Aunque es un movimiento que confluye en todo América Latina en un primer momento la crónica se identifica mucho con Colombia, ya no solo por su principal impulsor, García Marquez, sino con otros nombres como José Antonio Osorio Lizarazo. Sin embargo, más adelante, empieza a destacar sobre todo en Argentina, por ejemplo con "Operación masacre" de Rodolfo Walsh, en la que el autor narra el golpe militar fallido de 1956, allí también destaca una crónica más ensayística Luis Tejeda, o Roberto Arlt. Debemos además, recordar la importancia del programa "Los Nuevos Cronistas de Indias" idea de la Fundación Nuevo Periodismo Iberoamericano conocida como *Fundación Gabo*, que buscar relatar la realidad iberoamericana desde dentro (Puerta, 2011).

A finales del siglo XX se funda la revista Interviú, donde comienzan a incluirse reportajes de largo alcance. Este tipo de revistas comienzan a funcionar gracias a las suscripciones y no a la publicidad. Y ahora son los propios lectores nicho los que pagan por conservar este tipo de contenidos (García-Galindo y Cuartero-Naranjo, 2014). A la vez, con la fuerte entrada de internet en la información, este tipo de textos no se quedan en estas revistas y consiguen traspasar hasta las editoriales. Comienzan a realizarse ahora libros de periodismo narrativo y periodístico. En países como Francia y Bélgica, estas variedades comienzan a conocerse como Mooks, uniendo las palabras inglesas "magazine" y "books" (García-Galindo y Cuartero-Naranjo, 2014). Un ejemplo de editoriales dedicadas a este tipo de textos puede ser *eCícero* o más adelante *Libros del KO*. Las nuevas tecnologías impulsan este tipo de contenidos, ya que el libro electrónico es una manera más sencilla de publicar.

Un ejemplo es lo comentado por el periodista Iñigo Dominguez, autor de este tipo de textos y que ha publicado ya tres libros con *Libros del KO*. El periodista explicó que hasta que nació KO, el resto de editoriales: "veían un problema de clasificación, es decir, no sabían dónde colocarlo. No era ficción, no era no ficción, era una cosa híbrida y no sabían" (Palau-Sampio y Cuartero-Naranjo, 2018: 970). Aunque una de las mayores trabas de este tipo de libros es que normalmente no traspasan fronteras.

Para mantener a flote este tipo de periodismo una de las claves ha sido la Fundación García Márquez para un Nuevo Periodismo Iberoamericano. Nace en Cartagena de Indias, Colombia, en octubre de 1994, con el claro objetivo de estimular el periodismo narrativo. Y lo hace creando seminarios, encuentros o talleres para formar a periodistas (García Galindo y Cuartero-Naranjo, 2014).

### 4.4.3. La era de la información

La rapidez en la información y los nuevos medios digitales llevaron en un primer momento a la ruina a este tipo de escritos. Las características de su producción no parecen tener cabida en medios tradicionales. Ni la inversión de tiempo, ni el elevado coste, ni el espacio de publicación parecen casar con las exigencias del nuevo tipo de información.

Es en este momento cuando figuras tan importantes como Phil Bennet, exdirector adjunto de The Washington Post, se preguntaba: "¿Tiene futuro el periodismo de investigación en la era Twitter?" (Rodríguez y Aiguabella, 2012: 298). Las palabras de Borges "Yo creo que los periódicos se hacen para el olvido, mientras que los libros son para la memoria", defienden que este tipo de textos deben ser escritos para grandes publicaciones (Ramos, 2017:6) y muestran como la información de medios tradicionales iba dirigida hacia un tipo de contenido totalmente contrario a esta tendencia.

Sin embargo, esto fue a la vez una gran oportunidad, como contrapunto empiezan a destacar textos de largo recorrido. Comienzan entonces a surgir medios especializados en este periodismo narrativo. En España, dos buenos ejemplos son, en un primer momento *Jot Down* en el año 2011 y posteriormente, en 2015, *5W*. Anteriormente a esto, en Estados Unidos destacan algunos textos de este tipo en revistas como *Esquire*, *Rolling Stone*, *The New Yorker* o *Harper's Magazine* y en América Latina debemos recordar revistas que incluyen este tipo de crónicas como *Etiqueta Negra*, *Gatopardo*, *El Malpensante*, *Marcapasos* o *Anfibia*.

Para la sorpresa de muchos, las posibilidades que ofrece internet son finalmente la solución al problema y no la causa del hundimiento. Sobre todo teniendo en cuenta la baja financiación de muchas de estas publicaciones, que no se pueden permitir la impresión de sus ejemplares. Pero además, debemos destacar internet como impulsora de este tipo de textos debido a que los han hecho más accesibles a los periodistas, que, aunque deben seguir invirtiendo tiempo y esfuerzo, la red les ha facilitado mucho la creación de estos textos, sobre todo en el proceso de documentación y producción.

Comienza a verse a este nuevo periodismo como la salvación de la prensa tradicional, siendo capaz de atraer a nuevos lectores, oyentes o espectadores (Rodríguez y Aiguabella, 2012). Los consumidores interesados en este tipo de contenido seguían existiendo, solo fue la industria periodística y su macrofabricación de contenidos la que le dio la espalda (Rodríguez y Aiguabella, 2012) ya que si algo necesita este tipo de periodismo es trabajo y dedicación, lo que requiere tiempo y dinero. Dos variables que no siempre coinciden.

### 4.4.4. El podcast narrativo de no ficción

En el mundo sonoro, España comienza a beber de la tradición latinoamericana, que a la vez se deja influenciar por la estadounidense, de narrar historias en formatos sonoros. Un gran ejemplo de estas creaciones son los podcast de Radio Ambulante. Nacido en 2011 en California comenzó a emitir un año después lo que ellos definen como "crónicas latinoamericanas" y en 2016 pasó a emitirse por vías hertzianas en la NPR (National Public Radio), la radio pública estadounidense aunque siguen distribuyendo a través de las plataformas de podcast más seguidas.

En España, según las diferentes variables que hemos ido viendo a lo largo de este artículo podemos considerar como primer podcast narrativo de no ficción a "Le llamaban Padre", un documental sonoro de siete episodios guionizado por Carles Porta y José Ángel Esteban cuyo primer episodio se creó en junio de 2016 de la mano de Podium Podcast. Poco después nace "V: Las cloacas del Estado" dirigido y guionizado por Álvaro de Cózar que cuenta las tramas secretas del Comisario Villarejo y sus corruptos movimientos, emitido también en Podium Podcast. Dos formatos que se convierten en referentes para futuros creadores.

El 2020 es un año clave en la realización de este tipo de contenidos ya que podemos considerarlo como punto de inflexión con la emisión de, entre otros, de "XRey", "De eso no se habla", "24424: Lo que nos jugamos en Bankia", "El Desafío: ETA", "El móvil de Mendes" o "Buscando una luz". Posteriormente, en 2021, se han disparado los podcast que podemos considerar como narrativos de no ficción españoles, algunos ejemplos son "El Rey del Cachopo", "El triángulo", "Orgullo", "Tú no me conoces" o el recientemente publicado "Justicia Universal".

Siguiendo la correlación de las variables definidas en la literatura narrativa de no ficción, estos formatos se caracterizan por un narrador que en la mayoría de las ocasiones es parte de la historia, destacan sobre todo los periodistas que investigan la historia –"XRey", "24424: Lo que nos jugamos en Bankia–, los protagonistas de la propia historia –"Orgullo", "Buscando una luz" o incluso los narradores que, aunque no sean parte de la historia, locutan textos escritos por periodistas y guionistas que han estado tiempo detrás de la investigación –"El Desafío: ETA" o "El móvil de Mendes". Otra de las variables que observamos en precisamente ese extenso proceso de investigación que se plasma en los podcast, con numerosas fuentes documentales que se suceden en los diferentes episodios, además de sonidos de archivo. Por otro lado, la narración es cuidada, descriptiva y literaria, saliéndose del lenguaje periodístico habitual. Los formatos ocupan de media unos 10-12 episodios de entre 20 y 45 minutos, lo que se corresponde a una mayor extensión que un reportaje. Además utilizan la técnica cronista latinoamericana de hechos que se van sucediendo, aunque no necesariamente en orden cronológico. Con respecto a las temáticas encontramos, como definimos arriba, materias muy variadas, aunque los temas sociales y políticos suelen destacar.

Años más tarde, el periodismo transmedia está abriendo la posibilidad de que estos textos narrativos lleguen a otras plataformas y se creen otras maneras de contar las historias. De hecho, a partir del podcasting y gracias a él, ahora llegamos a hablar de transcasting, que consiste en ampliar las fronteras del sonido con otras plataformas, véase audiovisuales o escritas (Barbosa y Seuma, 2018).

## V. CONCLUSIONES

El podcast narrativo de no ficción, igual que el resto de textos que presentan este formato, bebe principalmente de la crónica, aunque presenta unas variables propias y originales. Sus principales influencias son el Nuevo Periodismo estadounidense y los Cronistas Hispanoamericanos.

Mientras que hace unos años la difusión del periodismo narrativo de no ficción se limitaba a revistas especializadas o a ciertas editoriales de títulos de no ficción, actualmente ha conseguido una mayor difusión gracias a nuevos formatos que ha traído el nacimiento de nuevas plataformas y formatos de distribución, entre ellos el podcasting.

De tal manera planteamos una primera aproximación a la definición del podcast narrativo de no ficción, consistiendo este en un formato sonoro alojado en la red que destaca principalmente por la presencia de un narrador que forma parte de la historia, que se involucra y que se aleja de la objetividad, cuenta con una extensión mayor a otros formatos, en gran parte de las ocasiones dividido en diferentes episodios y suele incluir fuentes documentales que se han recopilado en un primer proceso de investigación. No se limita a ciertas temáticas sino que su variedad de materias es reseñable y cuenta además con una destacable presencia de recursos narrativos, ocupando la forma de narrar la historia un lugar sustancial.

## VI. REFERENCIAS

Angulo Egea, M. (2014). Crónica y mirada. *Aproximaciones al periodismo narrativo. Madrid: Libros del KO.*

Barbosa, M. V. y Seuma, T. S. (2018). Narrativas transmedia de no-ficción: Estudio de caso del podcast Le llamaban padre, de Carles Porta. *ZER: Revista de Estudios de Comunicación= Komunikazio Ikasketen Aldizkaria,* 23(44).

Bernal Rodríguez, M. (1997). La crónica periodística. Tres aproximaciones a su estudio. *Sevilla: Padilla Libros.*

Bernal, S. y Chillón, L. A. (1985). Periodismo creativo de información.

Bonano, M. (2014). Tendencias del periodismo narrativo actual. *Question, 1.*

Cantavella, J. (2002). La novela sin ficción: cuando el periodismo y la narrativa se dan la mano. Oviedo: Septem ediciones.

Caparrós M. (2007), "El español, instrumento de integración iberoamericana y de comunicación universal: Periodismo cultural iberoamericano". Ponencia. Cartagena.

Chillón, Albert (1999). Literatura y periodismo. Una tradición de relaciones promiscuas. Zaragoza: Ministerio de Fomento –MOPU–.

CHILLÓN, Albert (2014). La Palabra Facticia. Literatura, periodismo y comunicación. Barcelona: Universitat Autònoma de Barcelona.

Cuartero Naranjo, A. (2017). El concepto de Nuevo Periodismo y su encaje en las prácticas periodísticas narrativa en España.

Eloy Martínez, T. (1997). Periodismo y Narración: desafíos para el siglo XXI.

García-Galindo, J. A. y Cuartero-Naranjo, A. (2014). El auge del periodismo narrativo en la Sociedad de la Información.

García Galindo, J. A. y Naranjo, A. C. (2016). La crónica en el periodismo narrativo en español. *Revista FAMECOS-Mídia, Cultura e Tecnología, 23.*

Grijelmo, Alex (1998). El estilo del periodista. Madrid: Taurus.

Herrscher Roberto. Periodismo narrativo. Universidad de Barcelona, 2012.

Jaramillo Aguelo, Darío (2011). Collage sobre la crónica latinoamericana del siglo veintiuno.

Jenkins, H. (2006). Convergence culture: Where old and new media collide. NYU press.

Martínez Albertos, J. L. (1998), Curso general de redacción periodística: lenguaje, estilos y géneros periodísticos en prensa, radio, televisión y cine. Paraninfo. Madrid.

Ramos, A. S. (2017). Cinco apuntes sobre periodismo narrativo. *Telar: Revista del Instituto Interdisciplinario de Estudios Latinoamericanos, 11*(18), 21-28.

Rodríguez, J. M. R. y Aiguabella, J. M. A. (2012). Nuevas ventanas del periodismo narrativo en español: del big bang del boom a los modelos editoriales emergentes. *Textual & Visual Media: revista de la Sociedad Española de Periodística,* (5), 287-310.

Tijeras, R. y Como, R. J. C. D. M. (2013). Periodismo narrativo y no ficción. *Comunicación 21. Revista Vivat Academia,* (3).

O. Dowling, David y Miller, Kyle J. (2019) Immersive Audio Storytelling: Podcasting and Serial Documentary in the Digital Publishing Industry, Journal of Radio y Audio Media, 26:1, 167-184.

Palau-Sampio D., Cuartero-Naranjo A. (2018): "El periodismo narrativo español y latinoamericano: influencias, temáticas, publicaciones y puntos de vista de una generación de autores". Revista Latina de Comunicación Social, 73, pp. 961 a 979.

Puerta, A. (2011). El periodismo narrativo o una manera de dejar huella de una sociedad en una época. *Anagramas Rumbos y Sentidos de la Comunicación*, 9(18).

Vilamor, J. R. (2000). Redacción periodística para la generación digital: Los grandes cambios técnicos, económicos y culturales exigen profundas transformaciones en el camp.

Wolfe, T. y Guarner, J. L. (2012). *El nuevo periodismo* (pp. 214-214). Barcelona: Anagrama.

*Capítulo 27*

# El logro de competencias básicas para la vida laboral

José Manuel Salum Tomé

*PhD. Doctor en Educación*
*(Universidad Católica de Temuco –Chile–)*

*"Me lo contaron y lo olvidé,*
*lo vi y lo entendí,*
*lo hice y lo aprendí"*

Confucio, pensador chino de 551 a. C. – 479 a.C.

## I. JUSTIFICACIÓN

Para Monsalve (1999), la formación profesional es un factor fundamental que permite el crecimiento de la persona como trabajador y como ciudadano, ya que con esta logra alcanzar de manera eficiente los objetivos de una organización, contribuyendo así mismo al desarrollo económico del país. De igual forma, señala, se incrementa la satisfacción de las necesidades humanas tales como la autoestima, la seguridad y la moral en el trabajador. Generar las condiciones para el aprendizaje a lo largo de la vida de las personas es un desafío de orden mayor, es lo que el país requiere asumir para avanzar en su crecimiento basado en el desarrollo sustentable, en la integración y en el progreso de las personas, Concha (2001). Dicho desafío aumenta cada día como consecuencia de los cambios que representa la ya establecida globalización, que afecta a todos los ámbitos del quehacer mundial, y particularmente al mercado laboral. En Chile dichos cambios han dado pie a una revisión de los tradicionales lazos que ligan a la educación con el trabajo, a fin de potenciar efectivamente los sistemas educativos y de responder a los nuevos paradigmas de la sociedad, en particular del mundo productivo, González (2008).

En un Informe preparado para el Simposio Inter Regional sobre *Estrategias para Combatir el Desempleo y la Marginalización de los Jóvenes* de la OIT (1999), ya se señalaba que, para solucionar el problema de la cesantía y la consecuente pobreza, era necesaria la instauración de sistemas duales de aprendizaje y educación cuidadosamente orientados, los que aportarían al crecimiento del sector estructurado de la economía desde una activa participación tripartita de los participantes de dicho sistema (Estado – Empresa – Estudiante).

Dada la situación del país, donde la tasa de desempleo juvenil ha duplicado la tasa promedio –en los estratos económicos más bajos, es cuatro veces–, la **GTZ** por primera vez en Chile, comienza a prestar sus servicios de cooperación técnica para la implementación del Programa de Educación Dual en Chile. Se trata del mismo sistema, con su ayuda, fue desarrollado con éxito en Alemania y que se presenta como ***empresa propiedad del Gobierno Federal Alemán***, para trabajar en pro de mejorar de modo duradero las condiciones de vida de la población de los países en desarrollo y en proceso de reformas y para preservar, de este modo, las bases naturales de la existencia como se espera que suceda en nuestro país.

Desde 1992 se experimentan las potencialidades y la viabilidad de este modelo en la realidad chilena, introduciendo la propuesta Dual como alternativa para la Enseñanza Media Técnica Profesional dentro de la reforma de la Educación Media, FOPROD (2002).

La idea esencial de la propuesta Dual para la Enseñanza Media Técnica Profesional, es la introducción de la empresa en forma sistematizada junto al conocimiento teórico adquirido por los alumnos de 3o y 4o. Se busca así que los aprendizajes se produzcan de manera integrada y alternada en los dos sitios. A tal efecto, es importante que la oferta educacional guarde una cierta relación con las posibilidades laborales y su dinámica en el entorno local/regional del liceo o establecimiento docente.

Esta modalidad de Educación Técnico Profesional es definida por el **FOPROD** por primera vez en Chile, como una llave para acercar el mundo laboral a los alumnos de los liceos técnicos. Sin embargo, esto no significa que sea su único objetivo. También lo es la continuidad de los estudios de los alumnos a nivel superior y la formación de personas capaces de actuar autónoma y responsablemente en los diversos ámbitos de la vida. De esto se desprende el diseño del marco curricular para la Enseñanza Media Técnica Profesional, entre cuyos principales objetivos están:

a) "...satisfacer intereses, aptitudes y disposiciones vocacionales de los alumnos, armonizando sus decisiones con los requerimientos de la cultura nacional y el desarrollo productivo y social del País" (MINEDUC 1999) y

b) "...formar una persona autónoma, capaz de actuar competentemente en situaciones de la vida real, social y laboral" (MINEDUC, s/r).

La investigación consignada se centra en estos fundamentos, con especial atención en el primero de ellos, con el fin de verificar si las competencias adquiridas por los alumnos de la especialidad de Administración Modalidad Dual del Complejo Educacional Monseñor Guillermo Carlos Hartl de la comuna de Pitrufquén, son efectivamente las que se esperan desde el sector empresarial al momento de contratar a un nuevo trabajador y si, de esta forma, satisface las necesidades de la empresa recibiendo a los estudiantes duales en sus dependencias.

Hay varios antecedentes que caracterizan la educación técnica profesional tradicional en el país. Uno de ellos es la dificultad para integrarse posteriormente al mundo laboral así como la de no contar con ciertas capacidades que son deseables de parte del empleador, Pérez y Rojas (2001). Por su parte, la trayectoria de los alumnos de la Educación Técnica Profesional con modalidad dual, indica que a través de una enseñanza con esta modalidad hay mayor nivel de colocación posterior a los estudios, alcanzando alrededor de un 50% de los egresados, Pérez P, Rojas, C. (2001).

La reflexión nos llama a pensar si esta dicotomía respecto de la efectividad de la Educación Técnica Profesional tiene o no tiene relación con la implementación del currículo integrado, para lo cual resulta indispensable conocer cuáles son las características que constituyen la educación Técnico Profesional con Modalidad Dual que hacen de esta modalidad una mejor opción para el futuro laboral de los alumnos y alumnas. La oportunidad de realizar el presente estudio en una misma Unidad Educativa implica que, una vez obteniendo los resultados, se podrá actuar positivamente y con fundamento en función de la mejorar, no de uno, sino de ambos procesos en beneficio de las comunidades que atienden el Establecimiento, apuntando a la optimización sustantiva en ambos casos. En este contexto se considera relevante acercarse a la problemática expuesta a partir de la experticia de cada uno de los profesores participantes, quienes junto con los alumnos, evalúan el proceso a través de la medición de logro de las competencias básicas consideradas al efecto.

La investigación basa su justificación desde la iniciativa de indagar en las características, incidencia y valoración de la aplicación del currículum integrado, en tanto estrategia educativa orientada al logro de capacidades básicas en la enseñanza media de carácter Técnico Profesional con modalidad dual. Sin embargo, desde los criterios para evaluar el valor potencial de dicho desafío investigativo propuestos por Ackoff (1967) y Miller (2002), es posible complementar la relevancia del estudio desde lo siguiente *¿Qué es: Perspectivas, Dimensiones, Cuestiones Críticas?*

## II. METODOLOGÍA

La evaluación del desempeño para el logro de competencias básicas a través de un curriculum integrado, cualquiera que sea el método a utilizar, es compleja y difícil por el marcado consenso a la idea de que el fracaso o logros de todo el sistema educativo está basado principalmente en él. Por tanto para lograr los objetivos propuestos en el diseño de este proyecto, no puedo limitarme a un solo método de investigación, sino conjugar entre el método deductivo y de análisis pues se inicia la investigación con la observación y preocupación de la problemática a nivel nacional y llevada a una realidad concreta en el establecimiento educacional Monseñor Guillermo Hartl, para posteriormente analizar los datos obtenidos a través de diversas fuentes de información y aplicación de instrumentos.

Este tipo de investigación se basa en los métodos deductivo y de análisis el que se realiza con grupos de alumnos cuya participación es activa durante todo el proceso investigativo; y a través de la aplicación de diversos instrumentos que tienen como meta la transformación de la realidad, es decir que el análisis de los resultados ayudaran al mejoramiento de las practicas pedagógicas y por ende el mejoramiento de la calidad de la enseñanza, lo que implica posteriormente el método de análisis que me permitirá llegar a obtener los resultados necesarios para tener una visión general de cómo incide el curriculum integrado en la calidad del desempeño para el logro de las competencias básicas y así en el mejoramiento de la enseñanza y por ende al logro del perfil de egreso.

Siguiendo la clasificación tipológicas de estudios de investigación realizada por Danhke (1989), es posible aseverar que la investigación que se lleva a cabo posee una orientación de alcance descriptivo, ya que pretende indagar en las propiedades, rasgos y características del fenómeno en estudio, en este sentido, caracterizar los procesos de enseñanza impartidos por el Establecimiento Educacional desde el Currículum Integrado y con ello la manera en que se visualiza el despliegue de capacidades básicas de parte de los alumnos de la especialidad de Administración con Modalidad

Dual. Por tanto permite reflexionar, complementando acerca de la evidencia empírica de ciertos grados de asociación entre la aplicación del currículum integrado y el desarrollo de capacidades básicas, lo cual se asume como un anexo de alcance correlacional en el mismo estudio, el cual será definido desde la misma flexibilidad y hallazgos de la investigación.

Dado el alcance principalmente descriptivo que caracteriza la investigación consignada, se considera pertinente emplear un diseño de carácter no experimental, lo cual cobra sentido al considerar las características de la población, es decir, de los alumnos, docentes, maestros guías y actores del sector empresarial regional, los que se distribuyen naturalmente; no siendo asignados por el investigador y consecuentemente, tampoco se modifica el fenómeno o situación objeto de análisis; por ende, los resultados se relevarán según la mirada y percepción de la población de acuerdo a los atributos que se manifiesten. No existe, por tanto control, manejo o manipulación directa de las variables por parte del investigador, prevaleciendo de esta manera la validez interna.

En atención a lo expuesto, es pertinente precisar respecto de distintos momentos metodológicos del proceso de investigación, uno caracterizado en base a la metodología cuantitativa, la cual se focalizará en la medición del logro de las competencias básicas en alumnos y alumnas de la especialidad de administración (modalidad Dual), para lo que se considera un tipo determinado de instrumentos con diversas escalas que permitirán indagar respecto de distintos niveles que estructurarán la operacionalización de las variables definidas.

Por otro lado, y siendo coherente con el carácter mixto y complementario del proceso investigativo, se relevará en un segundo momento, a través de la metodología de orden cualitativa, la cual en base a un ejercicio de triangulación de técnicas, permitirá complementar la tarea descriptiva mediante la utilización de "focus group", a través de los cuales se indaga en las diversas percepciones y valoraciones de los diferentes actores involucrados en el proceso educacional y de inserción laboral de los alumnos de la especialidad de Administración en la Modalidad Dual, pertenecientes a la formación Técnico Profesional del mencionado establecimiento educativo.

## III.   RESULTADOS Y CONCLUSIONES

Si bien la dinámica de la Educación Técnico Profesional Tradicional se ha implementado en el establecimiento hace ya varios años, se percibe una apropiación diferente de parte de la comunidad escolar –tanto alumnos, como docentes y padres– hacia la modalidad de formación Dual. En efecto, se muestra como una opción alternativa que genera muchas más expectativas en los usuarios y en el propio establecimiento educativo.

De acuerdo a los resultados, la evaluación de las Competencias Básicas de los alumnos de ambas especialidades consignadas en el estudio, a saber, la especialidad de Electricidad de formación Técnico Profesional tradicional y la especialidad de Administración con modalidad Dual, son disímiles, presentándose promedios de aprobación del logro de estas competencias muy superiores en alumnos/as de la modalidad Dual, aún en aquellas competencias relacionadas con el saber humanista – científico, contrariamente a lo que se postula en la bibliografía.

Esto evidencia una diferenciación importante entre ambas modalidades. Para graficar dichas diferencias, baste señalar que los alumnos de formación tradicional presentan tan sólo una competencia –de un total de ocho– con logros de aprobación por sobre los 50 puntos porcentuales. En cambio los alumnos de administración, presentan el 100% de las competencias aprobadas sobre el 50%, y en uno de los casos la aprobación sobrepasa los 80 puntos porcentuales (considerando el promedio de la totalidad de los instrumentos de medición). Estos resultados son equivalentes a los encontrados en el análisis cualitativo, donde empresarios, docentes y alumnos tienen igual apreciación.

En ambas experiencias, sin embargo, concurren características propias del entorno y de los alumnos que hacen suponer una tarea nada fácil, dada las carencias que tiene la población en cuanto a recursos económicos y nivel educativo de los padres y que sin duda inciden en el proceso educativo en su conjunto. Otra característica común es la procedencia de los alumnos, donde un 60% residen en comunas aledañas, preferentemente en sectores rurales o semi-rurales; por tanto las opciones de sus familias (en condición de pobreza) son escasas. Por tanto, el contexto socio-comunitario y las características de los alumnos y alumnas son comunes a ambas. Por otra parte el establecimiento cuenta con un equipo de docentes especializado en la Educación Media Técnica Profesional, con y sin modalidad Dual, los que comparten las experiencias de enseñar en ambas modalidades (Plan General).

Una primera conclusión es que las diferencias entre ambas modalidades no están en la procedencia ni en las características de los alumnos, ni en la capacidad del liceo, sino en la modalidad curricular que ostenta cada una de las especialidades consignadas en el estudio, a saber, la especialidad de Electricidad de formación Técnico Profesional tradicional y la especialidad de Administración con modalidad Dual.

Entre esas diferencias curriculares se inscribe, por ejemplo, el énfasis en los aspectos actitudinales y valóricos, en tanto ejes transversales de la educación Dual. Se entiende así una educación orientada a promover la transformación social, dada la cualidad de preparar a los alumnos en función del mundo laboral con mejores opciones de contratación. Aún cuando la formación Técnica Profesional tradicional también está orientada hacia el mundo laboral, no considera las características del mundo globalizado (la rápida obsolescencia de los conocimientos y la movilidad laboral, por ejemplo) que requieren de capacidades distintas para afrontar con éxito el futuro laboral; mientras que, por otra parte, se estrecha en una concepción curricular cerrada que no se abre al mundo real.

En la educación con modalidad Dual, el conocimiento, las destrezas y los conceptos se ofrecen haciendo conexiones con las ideas y tecnologías nuevas y los escenarios fuera del establecimiento. Se busca la integración de los mismos para que el estudiante utilice la información de su entorno a fin de adquirir aprendizaje genuino, donde el estudiante aprende a su propio ritmo con una atención personalizada en el contexto de la empresa.

Por otra parte y de acuerdo a lo expuesto en el marco teórico y a la propia práctica educativa como docente directivo, la especialidad con modalidad tradicional, tiene poca variabilidad en los ramos que no son de la especialidad, las metodologías no constituyen un incentivo para el estudiante.

La consideración de la situación socioeconómica de la familia de los estudiantes, actúa en dos sentidos diferentes: actúa como un agente motivador toda vez que visualizan la posibilidad de transformar positivamente sus expectativas futuras, lo que implica mayor demanda de especialidades técnico profesionales, y que en el caso de los alumnos con formación Dual se hace más atractiva a partir de la alternancia en la empresa; a diferencia de la modalidad tradicional donde las proyecciones son más abstractas e inestables, dado el desconocimiento del campo laboral. Sin embargo en otro aspecto esta incidencia de la situación económica es negativa; ya que si ésta es muy desaventajada implica un freno importante para el desarrollo de las capacidades, incluso respecto de los alumnos dual, sobre todo si la familia y el propio alumno/a coloca sus expectativas en alguna retribución económica de parte de la empresa, la que no todas ofrecen. En el mismo marco se entiende que la situación deficitaria no siempre permite a los alumnos atender a las tareas en la empresa con el mismo ánimo y autoestima que los que tienen más.

Los alumnos que participan en el programa de formación profesional Dual, en general, son jóvenes que se enfrentan de manera temprana a aprender a aprender en escenarios reales, un ambiente que requiere del alumno un despliegue de valores, expresividad y capacidad de iniciativa apoyando en las actividades de gestión y producción, actividad que sin duda están directamente relacionadas con el cómo participar en los procesos de calidad, productividad y competitividad en la empresa.

Al aprovechar al máximo las oportunidades que le ofrece el mercado laboral a través del proceso Liceo-Empresa los jóvenes aprendices reconocen el rol que juega esa empresa en el desarrollo social, económico y cultural del país, pues todos ellos son aspectos de gran trascendencia en el logro de una mejor calidad de vida en las personas.

En otro aspecto, coincidentemente tanto en la evaluación cuantitativa como en la evaluación cualitativa, la mayor debilidad de los alumnos y alumnas de formación dual se verifica respecto de la competencia digital y el tratamiento de la información, lo que es sentido también por los docentes y que puede responder a la organización del tiempo de los alumnos, o a una deficiencia en el Plan de formación. Es cierto, además, que la renovación de los equipos de informática (por ejemplo) es vital en este proceso de formación dual, condición que es difícil de cumplir debido a los recursos escasos.

Uno de los hallazgos dice relación con el hecho de que los alumnos de formación tradicional no están mejor preparados que los alumnos con dual en las competencias relacionadas con el *Saber Saber* (áreas humanista científico), aun considerando que en el currículo para la modalidad tradicional se pone mayor énfasis en dicha área que en la modalidad dual. La adquisición de conocimientos humanista-científicos no se encuentra condicionada por la modalidad, sino que es una deficiencia de todo el sistema y, especialmente, de todas las modalidades técnico profesional.

La modalidad Dual permite a los alumnos desarrollar todas sus capacidades significativamente mejor que los alumnos de formación tradicional, en todas las áreas de competencia La evaluación desde ambos modelos consigna este hecho y evidencia una mejor apropiación de todas las competencias de los alumnos/as de la modalidad dual, aún cuando un porcentaje menor cree sentirse en condiciones desaventajadas respecto de sus pares sin dual. Esta creencia se debe, posiblemente, a la falta de seguridad respecto de sus propias potencialidades, o bien, adscribiendo al punto de vista general que ve menoscabada la apropiación de estos saberes de parte del alumno dual.

Los alumnos, en general, se sienten reconocidos en el ámbito empresarial como poseedores de mejores cualidades que sus pares sin Dual, por tanto, con un mejor nivel de logro en las competencias básicas que sus pares de formación tradicional.

Respecto a las características del proceso de aprendizaje en la empresa, los alumnos con formación dual saben quién y qué se evaluará, de acuerdo a un Plan de evaluación ya establecido respecto de su formación; mientras los alumnos sin Dual son evaluados (durante la práctica en la empresa) de acuerdo al criterio del evaluador. Lo expuesto es una ventaja comparativa para los estudiantes de formación Dual, ya que se traduce en un mejor empeño por mejorar las áreas a ser evaluadas, por ende, con mejores resultados; en el mismo contexto se verifica una relación de respeto por lo que cada cual conoce y hace respecto de la relación aprendiz-empresa.

El entrenamiento en la empresa posibilita que los alumnos aprendan a adecuar sus capacidades y a flexibilizar sus posiciones frente a los "otros", como también a responder a los cambios tecnológicos a los que está sujeta la empresa, tarea no fácil pero sentida por los actores del sistema dual.

La evaluación del Saber Hacer no sólo depende de la disposición del alumno, sino también del ambiente de aprendizaje, formación y/o de la empresa, en atención a que, a veces, un trabajador (o los alumnos) no siendo apreciados en una empresa pueden rendir más en otra (y ser apreciados como tal); sin embargo, para el alumno es indispensable contar con el entrenamiento previo que le entrega el establecimiento educacional. Pero aún cuando las condiciones del medio laboral no siempre sean las más favorables y no sea apreciada en la justa medida su disposición, las capacidades del alumno pueden romper las barreras que impiden su desarrollo, lo que sirve de entrenamiento para afrontar el mundo real.

El Maestro Guía es vital en este proceso. Ciertamente es una pieza clave en la formación Dual, por tanto su elección es de suma importancia. Uno de los aspectos más relevantes es la capacidad de complementar el trabajo con la enseñanza, a la que se adscriben en representación de la empresa y no a título personal.

Los alumnos de formación Dual se desenvuelven mejor respecto de las complejidades de las relaciones humanas, tanto las del entorno educativo como las del contexto, condición dada por una madurez emocional que proviene del contacto y la experiencia en la empresa y de su propia capacidad de empatizar con los "otros".

En concordancia con lo anterior se observa un alto nivel de satisfacción de los actores educativos (directivos, docentes formación general, docentes técnicos, estudiantes y actores de empresas) con el proceso de implementación y desarrollo de la Modalidad Dual. La valoración de la modalidad

Dual por parte de la comunidad educativa, se remite principalmente al logro de aprendizajes prácticos en los estudiantes y la adquisición de una cultura del trabajo que en el espacio del Liceo es muy difícil de alcanzar y que se refiere al aprender haciendo. Lo que se verifica, además, en función de la alta demanda de alumnos por estudiar especialidades con Formación Dual y la cantidad de empresas que han adscrito a esta Modalidad en el contexto del establecimiento y que se han mantenido en el tiempo.

## IV. ALGUNOS FACTORES DE ÉXITO DEL MODELO DUAL DETECTADO EN LA INVESTIGACIÓN

La mayoría coinciden en destacar que, para alcanzar el éxito de la modalidad Dual durante su ejecución, se necesita al menos:

- Alcanzar una red consolidada de empresas como contraparte. Los liceos con menos contactos o redes, son los que evidencian los mayores problemas o dificultades para sostener el modelo.

- Tener implementado un sistema de inducción y aseguramiento de la vocación (Plan de trabajo en Orientación Vocacional) a los estudiantes previo, al inicio de su período de formación Dual a partir de Tercer año de enseñanza media.

- Tener implementado y consolidado un sistema de verificación del cumplimiento del Plan de Rotación que deben ejecutar los estudiantes en el espacio laboral. La mayor dificultad informada respecto de la implementación de la Modalidad Dual.

## V. ALGUNAS LIMITACIONES DETECTADAS EN LA INVESTIGACIÓN

La presente investigación se ha visto limitada por diferentes factores anexos a la del investigador, como han podido ser:

- Inicio del año escolar atrasado por la catástrofe del mes de febrero.

- El retraso de las firmas de los convenios de aprendizaje con las empresas que son centros duales.

- La inserción tarde de los alumnos al proceso de aprendizaje alternado con la empresa, por el inicio tardío del año escolar.

- La falta de tiempo de empresarios y maestros guías para responder las encuestas.

- Falta de material Bibliográfico en relación al Modelo Dual en Chile.

- Poca capacidad de los docentes de trabajar en equipo para lograr conclusiones en el *focus group*.

- La difícil coordinación de los actores (Alumnos, Profesor Tutor y Maestros Guías) para evaluar el Modelo Dual.

- La diversa ubicación de los centros Duales (Empresas) para aplicar instrumentos.

- La renovación de puestos de colocación de alumnos en las empresas es también una tarea difícil, ya que se requiere contar con una capacidad suficiente como para asegurar la alternancia entre empresas. Cabe señalar que la formación Dual, presente en un significativo porcentaje de establecimientos de enseñanza media en la región, se sigue extendiendo, mientras que las colocaciones no satisfacen la demanda del sistema, lo que potencialmente puede constituir un nudo crítico En razón a los antecedentes recabados, los coordinadores Dual creen que se está alcanzando la máxima capacidad de las empresas para incorporar alumnos, como es el caso de algunas comunas, y también este límite está dado por la estacionalidad en algunas especialidades, tal es el caso de agropecuaria y servicios hoteleros, que presentan un mayor incremento en períodos no escolares.

Sin embargo la especialidad de administración mantiene sus redes para la matrícula actual, lo que no significa que cubra la demanda porque el liceo se ha visto obligado a seleccionar a los alumnos/as para su inserción al Proyecto y por ende a las empresas.

Finalmente, se puede indicar, que las falencias que pueda presentar el FOPROD, sólo pueden ser corregidas en la medida que se comprendan sus causas, lo que se puede lograr mediante una evaluación de la perspectiva de los liceos y alumnos duales. Por tanto es preciso y necesario contar con futuras investigaciones que permitan obtener en conjunto una visión global del tema.

## VI. CONCLUSIONES

En suma, la contextualización de la práctica curricular se asume como altamente valorada de acuerdo a los resultados del Focus Grup, y de acuerdo a la evaluación de logro de las competencias básicas de alumnos de formación Dual y de formación tradicional, en que las diferencias son favorables a los alumnos de formación Dual.

Desde el punto de vista de las exigencias de la convivencia social (y no solamente de las exigencias del mercado laboral), se supone que en el currículo se forman, además de los conocimientos, un conjunto de competencias, saberes, destrezas, habilidades y capacidades de orden teórico-práctico que definen al ser humano como un ser formado para desempeñarse integralmente en una profesión o desempeño dentro de la sociedad que le ha tocado vivir. Entendiendo el currículo como *el espacio sociocultural teórico-práctico en el que se ejerce los procesos de mediación pedagógica para la formación integral del educando dentro de una propuesta educativa determinada,* es posible inferir que, en el marco de la formación Dual, el currículo se configura como un nuevo nivel en el que concurren la teoría y la práctica producto de la interacción entre formas abstractas de conocimiento y su concreción en la práctica laboral, al mismo tiempo. Las competencias y saberes que se logran del proceso de enseñanza aprendizaje de los alumnos con formación Dual, refieren a la formación integral de los alumnos, los que se asumen preparados para desempeñarse integralmente.

De este modo los saberes y conocimientos que se logran en la formación Dual tienen estrecha relación con la forma en que se relaciona teoría y práctica, donde ambas se potencian mutuamente para beneficio de alumnos. En cierta forma se aprecia cierta autonomía de los alumnos para conducir ellos mismos su capacitación teórica y práctica en relación a su formación personal. Es decir, la capacidad de decidir, previa reflexión crítica y autocrítica, sobre los saberes que debe adquirir para su formación, basados en la concurrencia de la teoría y la práctica, implica una forma de autonomía que le permite conocer lo que necesita para actuar sobre la realidad en la que le toca desempeñarse.

Respecto de la formación Técnica profesional es posible señalar que, de acuerdo a las características, experiencia y visión del contexto que se estudia, la formación Dual representa la opción preferencial, no sólo porque la oferta se hace más atractiva para los alumnos, sino porque se obtienen mejores resultados en todos los aspectos. Así queda demostrado en las mediciones de logro de las competencias de alumnos de formación Dual, que son comparadas al logro de competencias de los alumnos de formación tradicional. Del mismo modo, es refrendado por los participantes del *Focus Grup* y por los maestros guía que evalúan las áreas de desempeño de los alumnos. En general hay una alta satisfacción de los actores involucrados en el proceso de formación Dual, donde cada uno siente que aprende y aporta en un espacio donde la sociedad y el mundo privado reconocen un encuentro eficaz y altamente efectivo.

## VII. REFERENCIAS

Abarca, N., Hidalgo, C. *Comunicación interpersonal, Programa de entrenamiento en habilidades sociales*: Chile Universidad Católica de Chile, 1992.

Acko f f, R. (1967). The de sign of social re sea rch. Chicago, IL, EE. UU.: Universi ty o f Chicago.

Alles, M., *Desempeño por Competencia, Evaluación 360o*. Chile: Editorial Granica, 2002.

Arias, M. *La triangulación metodológica, sus principios, alcances y limitaciones*. 2009. Extraído el 19 de noviembre, del sitio web: http://members.fortunecity.es/robertexto/archivo9/triangul.htm.

Arnaz, J., *La planeación escolar*. México, Trillas, 1991.

Astroza, E., Chiguay, S., Pérez, Y. & Rey, P. (2005). *Caracterización descriptiva de las habilidades sociales presentes en niños que se encuentran en situación de vulnerabilidad, específicamente en situación de calle*. Temuco, Chile: Universidad Católica de Temuco, Escuela de Educación.

Ávila, H. (1996). Lo urbano-rural en el estudio de procesos territoriales. Extraído el 13 de noviembre de 2009 en E. Babbie, *Manual para la práctica de la investigación social*. Bilbao: Ediciones Desclée de Brouwer.

Baquero, R. (1996). *Vigotsky y el aprendizaje escolar*. Barcelona: Paidós.

Berger, P, Luckmann, T. (1989). *La construcción Social de la Realidad*. Buenos Aires: Amorrortu.

Bruner, J. (1997). *La educación, puerta de la cultura*. Madrid: Ediciones Visor.

Caballo, V. (1993). *Manual de evaluación y entrenamiento de las habilidades sociales*. Madrid: Ediciones Siglo Veintiuno.

Carretero, M. (1999). *Constructivismo y Educación*. Buenos Aires. Ediciones Aique. Complejo Educacional Monseñor Guillermo Hartl (2008). *Proyecto Educativo Institucional*. Pitrufquén, Chile.

Chiroque Chunga, S. (2004). *Currículo: una herramienta del maestro y del educando*. Buenos Aires: Aique.

Coll, C. Martin, E. Mauri, T., Miras, M., Onrubia, J., Solé, I. y Zabala, A. (1999). *El constructivismo en el aula*. Barcelona. Graó.

De Zubiría, J. (1994). *Tratado de Pedagogía Conceptual*. Colombia, Santafé de Bogotá.

Durston, J. (2002). *El capital social campesino en la gestión del desarrollo rural.* Diadas, equipos, puentes y escaleras. CEPAL. Santiago de Chile.

Elliott, J. (1994). *La investigación-acción en educación.* Madrid, Editorial Morata (2a.ed.) Florenciano, R. (2002). *Adolescentes y sus Conductas de Riesgo.* Santiago, Chile: Ediciones Universidad Católica de Chile.

Foucault, M. (1969). *L'archéologie du savoir.* Paris: Editorial Maspero.

FOPROD (2002), Formación Profesional DUAL, Chile.

Gimeneo, J. y Pérez Gómez, Á. (1997, 1999). *Comprender y transformar la enseñanza* (Capítulo VI Págs. 136-170). Madrid: Editorial Morata.

Gimeno Sacristán, José. (1995). *El curriculum, una reflexión sobre la práctica.* Madrid: Morata.

Gonzáles, F., Gutmann, L., Mundana, T & Muñoz, H. (2005). *Significado de las habilidades sociales para los diversos actores de instituciones educativas en la ciudad de Temuco.* Temuco (Chile): Ediciones Universidad Católica de Temuco, Escuela de Educación.

González, J. (2008). Reflexiones iniciales sobre la concepción del diseño y desarrollo curricular en un mundo contemporáneo y complejo. *Revista Integra Educativa, 1* (2). La Paz: Plural.

Grundy, S. (1994). *Producto o praxis del currículum.* Madrid, Ediciones Morata. Hammersley, Marín y Atkinson, P. (1983). *Etnografía, Métodos de la Investigación.* Barcelona: Editorial Paidós.

Hernández Sampieri, R. (2006). *Metodología de la Investigación* (Capítulos 3, 5 y 6). Mexico: Editorial Mc Graw Hill.

Herrán, A. de la (2012). Currículo y Pedagogías Renovadoras en la Edad Antigua. *REICE. Revista Iberoamericana sobre Calidad, Eficacia y Cambio en Educación, 10* (4), 286-334.

Ibarra, A. (1998). El desarrollo de los sistemas normalizado y de certificación de competencia laboral y la transformación de la formación y la capacitación en México. Ponencia presentada en el *Encuentro Andino de Formación Basada en Competencia Laboral.* Bogotá.

Innovación curricular en las instituciones de Educación Superior. (1995). México: Editorial Anuis.

Junta Nacional de Auxilio Escolar y Becas. Extraído el 13 de noviembre, 2009 del sitio web: http://www.junaeb.cl.

Kemmis, S. (1998). *El Currículo: más allá de la teoría de la reproducción*. Madrid, Editorial Morata, 175 pp.

Leuca, Y., (2005). *La Evaluación de aprendizaje en un curriculum por competencias*. Lima, Ediciones IPP.

Lluch, E. (2006). "Introducción a la educación basada en competencias". Biblioteca digital de la OEI. *Cuaderno de trabajo* N o 2. www.campus-oei.org.

Maldonado, M. (2006). *Las competencias, una opción de vida. Metodología para el diseño curricular*. Colombia: Eco Ediciones.

Mella, O. (2003). *Metodología Cualitativa en Ciencias Sociales y Educación*. Santiago: Editorial Primus Ediciones.

Mendo, J. (2006). "El Currículum como Construcción Social". *Rev. Aristas* Agosto (1), Lima.

Mendo, J. (2007). "Mediación y Pedagogía". *Rev. Aristas* agosto (1), Lima.

Mertens, L. (1997). *Competencia Laboral: Sistemas, surgimiento y modelos*. Montevideo: Ediciones Cinterfor.

Miller,D.C.yN. J.Salkind (2002).Handbookofresearchdesignand social mea su remen t. Thousand Oaks, CA, EE. UU.: Sage.

Ministerio de Educación (1997). *Manual de apoyo del Programa de Residencia Familiar Estudiantil*. Pitrufquén. Chile.

Ministerio de Educación (1998). *Reforma Educacional Chilena, Decreto 220 de 1998*. Santiago de Chile: Ministerio de Educación.

Ministerio de Educación (2003). *Estudios básicos Ministerio de Educación*. Santiago de Chile: MINEDUC– INIDE – Comisión Técnica de Currículo (COTEC).

Ministerio de Educación. Extraído el día 25 de noviembres, 2009 del sitio web: http://www.mineduc.cl.

Monjas, M. (2000). *Programa de Enseñanza de Habilidades de Interacción Social, PEHIS para niños y niñas en edad escolar*. Madrid: Ciencias de la Educación Preescolar y Especial CEPE.

Monsalve G. Sergio (1999). Universidad Nacional de Colombia Facultad de Ciencias, Santafé de Bogotá.

Morín, E. (2000). *Los siete saberes necesarios para la educación del futuro*. Colombia. Ministerio de Educación Nacional. Pp. 1-75, Ediciones Morata, (3a edición).

Muñoz, J. (1998). *Implantación de un sistema de selección por competencias.* Traning and Development Digest. Ediciones Universidad de Deusto.

Musitu, G. (2000). *Socialización familiar y valores en el adolescente: un análisis intercultural,* vol.31, no 2, 15-32.

OIT. (1993). *Formación profesional. Glosario de términos escogidos.* Ginebra: Ediciones Cintefor.

Olivares, L. (2005). *¿Rurales o Urbanos? Aproximación al tipo de identidad existente entre los habitantes del sector rural-urbano de Pérez Ossa, Comuna de San Bernardo.* Tesis para optar al Título de Antropóloga social. Universidad de Chile, Santiago, Chile.

Ornelas, C. (1995). *El sistema educativo mexicano. La transición de fin de siglo.* Centro de Investigación y Docencia Económicas – Nafinsa – Fondo de Cultura Económica. México. pp. 1-55.

Ortiz Cabanillas, P. (2003). *La formación de la personalidad.* Lima, Editorial Orión.

Palacios, J. (1989). *Las ideas de los padres sobre la educación de sus hijos.* Sevilla: Instituto de Desarrollo Regional.

Papalia, D. (2001). *Psicología del desarrollo, Vol II.* Bogotá: Ediciones McGraw– hill Interamericana.

Pedró y Puig. (1999). *Las reformas educativas: Una perspectiva política y comparada.* Barcelona: Ediciones Paidós.

Peñaloza Ramella, W. (2000). *El currículum integral.* Lima, Ediciones Optimice.

Pérez M. Paulina, Rojas A Claudia (2001). Propuestas de mejoramiento para el sistema de formación profesional dual. Tesis. Universidad de Santiago de Chile, Departamento de ingeniería industrial.

Pérez Serrano, G. (2000). *Metodología de la Investigación Cualitativa, tomo II Técnicas y Análisis de datos.* Madrid: Editorial La muralla, 3a edición.

Perrenoud, P. (1999). *Construir competencias desde la escuela.* Santiago de Chile. Editorial Dolmen.

Ponce, E. (2012). *Educación y lucha de clases.* La Habana, Ed. Pueblo y Educación. Roca, Enrique. (2000). *El abandono temprano de la educación y la formación en España.* Revista de educación, ISSN 0034-8082.

Sacristán, J. (1999). *El currículum: ¿Los contenidos de la enseñanza o un análisis de la práctica?* Madrid: Editorial Morata.

Salgado, H. (2004). *Teoría y doctrina curricular*. Perú: Editorial San Marcos.

Sandoval, C. (2002). *Investigación Cualitativa*. Colombia: Arfo Ediciones.

Santrock, J. (2004). *Psicología del desarrollo en la adolescencia*. Madrid: Mc Graw-Hill Ediciones.

Stenhouse, L. (1993). *Investigación y desarrollo del curriculum*. Madrid: Editorial Morata.

Taba, H. (1976). *Elaboración del Currículo. Teoría y Práctica*. Argentina: Editorial Troquel.

Taylor, M. (1998). *Educación y capacitación basadas en competencias: un panorama de la experiencia del Reino Unido*. En: Formación basada en competencia laboral. Cinterfor/OIT, POLFORM/OIT, CONOCER. Serie Herramientas para la transformación. Cinterfor/OIT.

Taylor, S. J., Bogdan, R. (1998). *Introducción a los métodos cualitativos de investigación*. Barcelona: Editorial Paidós.

Tobón, S. (2005). *Formación Basada en Competencias. Pensamiento complejo, diseño curricular y didáctica*. Colombia: Ediciones Eco.

Torres, J. (1998). *Globalización e interdisciplinariedad: el currículum integrado*. Madrid: Ediciones Morata.

Vygotski, Lev S. (1998). *El desarrollo de los procesos psicológicos superiores*. México. Crítica.

Vygotski, Lev S. (1995). *Obras Escogidas*. Madrid: Ediciones Visor, T.III.

Wolfgang, K. (1993). *Currículo y Didáctica general*. Quito: Ediciones Abya-Yala.

## Capítulo 28

# *"Rostros del Rastro"*: Proyecto de educación patrimonial ante su urgente situación

Jesús Ángel Sánchez Rivera

*(Universidad Complutense de Madrid –España–)*

*Trabajo desarrollado en el marco del Proyecto de Innovación Docente de la Universidad Complutense de Madrid denominado "CiTiEs (Ciudades: Tiempo + Espacio). Implementación de itinerarios didácticos para la enseñanza virtual y presencial del Patrimonio cultural de Madrid a través del aprendizaje cooperativo" [Artes y Humanidades, n.º proyecto: 385].*

"En el Rastro se confirma que la memoria es la facultad que desafía la irreversibilidad del tiempo: nada está clausurado, el pasado está por hacerse, por suceder del todo.
El Rastro quita, y da memoria" (Trapiello, 2018, p. 118).

## I. INTRODUCCIÓN

En los últimos años, la concepción del Patrimonio cultural ha ido cambiando rápidamente, contemplando e integrando diversas formas de expresión que anteriormente no se consideraban como tales. Entre las aportaciones más recientes a ese conjunto institucionalizado que definimos como *Patrimonio cultural* se encuentran los bienes de carácter inmaterial. La importancia y la esencia del Patrimonio cultural inmaterial reside en el valor social y en la transmisión intergeneracional e intercultural de conocimientos, y no tanto en el valor material. Éste es un bien cultural muy frágil, al estar sujeto al grupo de personas que participan en él, lo que conlleva que, con el paso del tiempo, puede ir sufriendo modificaciones e, incluso, desaparecer.

Según la Convención para la Salvaguardia del Patrimonio Cultural Inmaterial (París, 17 de octubre de 2003), acordada por la Asamblea General de la UNESCO:

> se entiende por Patrimonio cultural inmaterial los usos, representaciones, expresiones, conocimientos y técnicas junto con los instrumentos, objetos, artefactos y espacios culturales que les son inherentes, que las comunidades, los grupos y en algunos casos los individuos reconozcan como parte integrante del Patrimonio cultural. (UNESCO, 2003, art. 2.1).

El Patrimonio cultural inmaterial tiene un componente tradicional y contemporáneo al mismo tiempo, puesto que hace referencia a un conjunto de bienes "vivos", aún en uso, y que incluye tanto las tradiciones que se han heredado del pasado como elementos contemporáneos. Asimismo, el documento redactado por la referida Convención menciona que este tipo de patrimonio cultural es integrador a nivel social y territorial, ya que diferentes emplazamientos pueden tener en común rasgos de una misma manifestación fomentando así un vínculo entre las personas de estos lugares. Del mismo modo, otro de los aspectos que caracteriza a este tipo de bienes es su *representatividad*, es decir, que además de distinguirse por su exclusividad, lo que se valora es que su durabilidad depende del grupo de personas o comunidades que participan en éste, por lo que para que la manifestación o celebración perdure en el tiempo debe ser reconocido, mantenido y difundido de generación en generación y tener una gran cantidad de representantes.

El Rastro de Madrid cumple con estos parámetros mencionados anteriormente ya que, por un lado, es un mercado que está compuesto por valores y elementos tangibles e intangibles tradicionales y por otros contemporáneos. Por ejemplo, en él podemos encontrar puestos de muebles, objetos diversos y alimentos del Madrid más castizo con otros de productos artesanales, industriales y culinarios propios de nuestro tiempo. Por otro lado, el Rastro es un espacio integrador, dado que presenta una larga continuidad a nivel comercial, pero también social; en él no sólo se compran o venden productos propios y ajenos de primera o segunda mano, sino también es un espacio donde conviven diferentes culturas y personas de ámbitos socioeconómicos diversos. Además, estos elementos son reconocibles e identificativos para la sociedad madrileña y extranjera, para vecinos y turistas. De acuerdo con la referida Convención de París (UNESCO, 2003, art. 2.2), el Rastro se manifiesta fundamentalmente en el ámbito de "los usos sociales, rituales y actos festivos" y, cada vez en menor medida, en ciertas "técnicas artesanales tradicionales". Todo ello ha convertido al Rastro en un lugar singular de la ciudad, con límites espaciales y cronológicos más o menos definidos.

## II. JUSTIFICACIÓN

El proyecto *"Rostros del Rastro"* nació en 2018 en el seno de la asignatura "Educación y participación ciudadana e investigación de públicos en la gestión del Patrimonio cultural" del Máster "El Patrimonio Cultural en el siglo XXI: Gestión e investigación" impartido por la Universidad Complutense y la Universidad Politécnica de Madrid (curso 2017-2018). Bajo la iniciativa y la dirección del profesor, un grupo de 16 alumnos desarrollaron, mediante el trabajo cooperativo y el Aprendizaje Basado en Problemas (ABP), una propuesta para dinamizar la vida de este lugar singular del barrio madrileño de Lavapiés, siempre desde el enfoque proporcionado por la educación patrimonial. Aunque la actividad del Rastro está regulada por el Ayuntamiento de Madrid (2000), este espacio no ha logrado reconocimiento institucional como bien patrimonial, aunque posee indudables valores (históricos, identitarios) que singularizan la vida cultural del barrio (Figura 1).

Nuestra propuesta vino a coincidir, prácticamente, con la publicación de un libro monográfico sobre el Rastro por parte de Trapiello (2018), escritor asiduo a este lugar desde hace décadas. Las valiosas informaciones y las lúcidas reflexiones que ofrece bien servirían, a nuestro juicio, como sustento teórico y práctico en nuestra búsqueda de huellas por esta célebre porción de Madrid.

Por otro lado, la aparición del libro de Andrés Trapiello es, a nuestro juicio, un síntoma inequívoco de la frágil existencia que se percibe para un espacio, unas gentes y un *modus vivendi* como el que constituye el Rastro. Este ecosistema gestado y desarrollado a lo largo de varios siglos ha sufrido su última herida tras la coyuntura sobrevenida con la pandemia de la COVID-19, en marzo de 2020. En el mes de julio, el Ayuntamiento de Madrid propuso reducir el número de puestos en una cuarta parte y controlar el aforo a los puestos de venta ambulante, encontrando la oposición de la mayoría de los comerciantes (Domingo, 5 de julio de 2020). Después de más de ocho meses cerrado, el Rastro recuperó su actividad en noviembre (Morales, 22 de noviembre de 2020).

Otras iniciativas recientes ponen de manifiesto el enorme interés que despierta este espacio en relación con la memoria anónima de muchas gentes, quizá por la misma urgencia ante su precaria situación. Desde la Universidad Complutense de Madrid, por ejemplo, en enero de 2019 se inauguró la exposición *Archivo Rastro: Un ejercicio de apropiación y memoria*, en la sala C Arte C (Centro de Arte Complutense), comisariado por Louis-Charles Tiar, Cati Bestard y Marta Sesé. La muestra viajó por varias localidades de la Comunidad de Madrid, entre febrero y diciembre de

2020, y más tarde se volvió a montar en Barcelona, entre mayo y junio de 2021. Explicaban sus comisarios que se trata de:

> "un proyecto expositivo inédito que surge del material fotográfico generado a partir de la compra, digitalización y catalogación de negativos y diapositivas encontrados en el Rastro de Madrid desde septiembre de 2016 hasta la actualidad. El archivo, formado por más de 3.000 imágenes que condensan la historia de la fotografía, de lugares y épocas determinadas, es la huella de una multiplicidad de vidas pasadas". (Centro Arte Complutense, 23 de enero de 2019).

Dentro de la misma corriente, que presta particular interés al espacio urbano y humano que conforma el Rastro, hemos querido contribuir desde las aulas a su conocimiento y valoración de sus valores culturales. Desde este punto de vista, la educación patrimonial con una metodología de trabajo cooperativo y crítico nos parece un acercamiento oportuno y atractivo.

**Figura 1.** Monumento al soldado Eloy Gonzalo en la Plaza de Cascorro, uno de los espacios más emblemáticos del Rastro.

**Fuente:** J. Á. Sánchez Rivera.

## III. OBJETIVOS

El principal objetivo de nuestro proyecto es diseñar e implementar un proyecto para la inclusión y la cohesión social a través de la educación patrimonial. De él se derivan otros objetivos subsidiarios, a saber:

- Conectar a personas de diversas generaciones por medio de un espacio común de convivencia: el Rastro.

- Recuperar un Patrimonio cultural inmaterial cada vez más desconocido y en progresiva desaparición o mutación.

- Reflexionar sobre las señas identitarias del Rastro y su transformación a lo largo del tiempo.

## IV. UN PUNTO DE PARTIDA: LOS ROSTROS DEL RASTRO

De acuerdo con la concepción del patrimonio sostenida por diversos autores, que ya son una corriente asentada en el ámbito de la Educación patrimonial, ideamos una propuesta de trabajo centrada desde y para las personas. Según Fontal (2008, p. 79), el patrimonio "hace referencia no a bienes concretos, sino a las relaciones de pertenencia, propiedad e identidad que se generan entre determinados bienes y personas"; como esta investigadora, defendemos la perspectiva humanista y el enfoque relacional en la educación patrimonial (Fontal, 2013). De este modo, ofrecimos una denominación inicial para el proyecto, "Rostros del Rastro", que fue bien acogida por los estudiantes, manteniéndola para el trabajo. El título evoca conceptualmente el enfoque propuesto, centrado en las personas protagonistas de ese patrimonio, a la vez que resulta atractivo por la fuerza expresiva de su enunciado.

Entre los primeros planteamientos que afloraron en el aula, nacidos del diálogo entre docente y los discentes, planeó la idea de que el Rastro de Madrid no ha permanecido inmutable hasta la actualidad, entendiendo su naturaleza híbrida, tangible e intangible, está "vivo" y depende de las personas que hacen posible que se lleve a efecto de forma periódica. En este sentido, los alumnos pudieron aplicar a un caso concreto las reflexiones teóricas de los especialistas que venían estudiando en otras asignaturas del citado Máster de Patrimonio cultural (p. ej., Capel, 2014, pp. 100-105; Querol, 2017, pp. 247-263; González-Varas, 2018, pp. 463-466). La sociedad madrileña ha ido evolucionando, y con ella sus costumbres, pautas sociales, comerciales, gustos, etc. Los adultos de mediana edad y de edad avanzada que hoy en día habitan o trabajan en este lugar han sido partícipes y espectadores de la propia evolución que el Rastro ha experimentado; parte de los productos y los oficios que en su juventud conocieron han permanecido, pero otra parte se ha transformado o han aparecido otros nuevos. Es por ello por lo que puede que este colectivo sienta ajeno o distante el Rastro que hoy en día conocemos, o al menos ciertos aspectos. Por otro lado, se hallan los jóvenes, que solamente han conocido el actual Rastro, para quienes todo lo anterior –en caso de tener conocimiento de ello– les suele resultar antiguo o muy lejano. Por todo esto es necesario tratar de conectar las visiones de estas diferentes generaciones, en aras de generar un sentimiento de identidad y pertenencia uniendo memoria y experiencias actuales. Tales fueron los planteamientos iniciales de los estudiantes, que no se sustrajeron a cierta crítica de la *expansión patrimonializadora* y la *obsesión memorialista* que caracteriza nuestras sociedades, marcadas por el signo de la *hipermodernidad*, como bien explica con un carácter general el profesor González-Varas (2015, pp. 34-41).

De acuerdo con la propuesta de los alumnos, el público objetivo al que se aspira llegar con el proyecto es intergeneracional, es decir, un amplio rango de edad que comprende desde niños o jóvenes hasta personas de edad avanzada. Este espectro tan extenso se debe a que habitualmente en los proyectos se focaliza en un público determinado obteniendo una percepción parcial de la realidad en la que se trabaja. Es por esta razón que *"Rostros del Rastro"* pretende mantener diálogo entre las distintas generaciones que han experimentado esta evolución. Del mismo modo, esto debe hacerse con las diferentes identidades culturales que conviven en el barrio de Lavapiés-Embajadores, un barrio que en los últimos años ha experimentado una serie de cambios fruto de los procesos migratorios, la *turistificación* y la *gentrificación*. Es necesario integrar a todos estos colectivos que caracterizan la vida del barrio, en un diálogo intercultural que sirva para cohesión social. En este sentido, los rostros de aquellas personas que habitan o trabajan en el Rastro deberían de cobrar el mismo protagonismo y sus voces deberían de ser escuchadas.

## V. DESARROLLO: OBJETIVO, PROCESO, ACTIVIDADES Y RECURSOS

Inicialmente, se planteó el objetivo general, enunciado de la siguiente manera: Diseñar, elaborar y presentar una propuesta didáctica para el Patrimonio cultural inmaterial del Rastro de Madrid.

Como ya se ha indicado, la metodología empleada combinó dos estrategias didácticas: el trabajo cooperativo y el Aprendizaje Basado en

Problemas (ABP). El proyecto que se había planteado al principio, sobre el papel, hubo de reducirse a una propuesta didáctica menos ambiciosa, en función del escaso tiempo disponible para llevarlo a efecto. Con todo, los resultados fueron muy satisfactorios, con numerosas ideas y recursos elaborados que se podrían ampliar e implementar en proyectos futuros de mayor envergadura.

Se dieron las pautas para la elaboración de la propuesta. El trabajo se realizó por todo el grupo de clase (16 estudiantes). En primer lugar, todos acordaron el tipo de bien patrimonial que se trabajaría y el público al que estaría dirigida la intervención o propuesta educativa referida. A continuación, se dividió el grupo en 4 equipos (de 4 personas cada uno), con tareas específicas (Figura 2):

1.º. Diseño: detectar los problemas o lagunas en la educación dirigida a determinado bien patrimonial y plantear mejoras; definir ideas y conceptos; establecer los objetivos; plantear un discurso. Todo ello había de ponerse por escrito (8-10 páginas) y entregarse al final al profesor.

2.º. Documentación: búsqueda y selección de fuentes de información (fuentes primarias y secundarias, escritas, gráficas, orales, etc.); redacción de contenidos escritos (adaptación al público y coherencia con los objetivos y el discurso).

3.º. Elaboración e implementación (parcial) del proyecto: creación de un recurso digital *off line/on line* que formase parte de la propuesta educativa.

4.º. Comunicación: exposición del trabajo en el aula, destacando ciertos aspectos, como la puesta en valor y la defensa del proyecto, la detección de limitaciones y posibles mejoras, etc. (30-40 minutos, con apoyo visual/audiovisual).

**Figura 2.** Esquema explicativo del proyecto para el trabajo de todo el grupo, dividido por equipos.

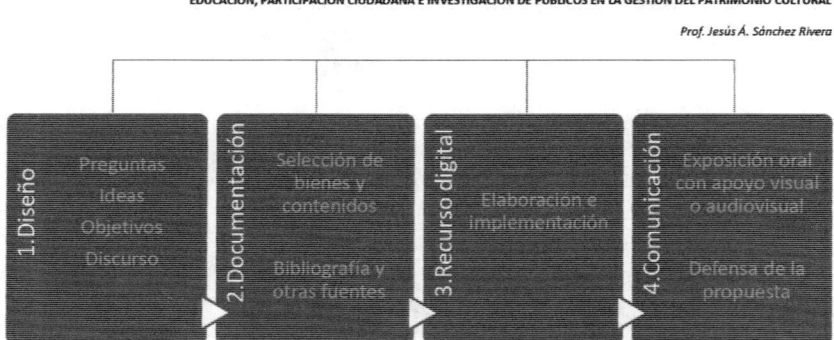

**Fuente:** Elaboración propia.

Se estableció la temporalización y secuenciación del trabajo. Se desarrollaría entre el 22 marzo y el 5 abril (aprox. 60 minutos en el aula, aparte de las reuniones necesarias fuera del horario de clase). Cada equipo se reunió para pensar y desarrollar su tarea específica, coordinándose con los otros equipos, siempre con el apoyo del profesor. La presentación quedó fijada el 12 abril (30-40 minutos). Se presentó la intervención o propuesta didáctica en el aula mediante una exposición oral con apoyo visual (o audiovisual). Después, se comentó entre todo el grupo, contestando a las cuestiones planteadas por el docente.

Del mismo modo, los criterios y medios de evaluación quedaron explicitados al comienzo. Este trabajo supuso el 70% de la calificación del profesor en su parte de la asignatura (compartida con otras dos compañeras de la Facultad de Educación-Centro de Formación del Profesorado). El 30 % restante se dividiría entre las tareas individuales, consistentes en la lectura y de comentario crítico por escrito de varios textos (20 %), y la asistencia y la participación en el aula (10%). Dicha calificación correspondió a la parte proporcional de la nota final de la asignatura, impartida por 6 profesores del Máster. Los criterios de evaluación del trabajo fueron los siguientes: originalidad, reflexión crítica, viabilidad, corrección formal y coherencia. Para este fin se elaboró una rúbrica de evaluación.

Tras explicar el objetivo principal y concretar el método de trabajo y las pautas establecidas, se determinó el espacio objeto de estudio sobre el que se iba a trabajar: el Rastro de Madrid. Las razones que primaron fueron su importancia histórica, la riqueza de su patrimonio inmaterial y por ser un referente clave para el tejido social y comercial del barrio. Una vez concretado el tema, se procedió a dividir las tareas a desarrollar a partir de cuatro grupos de cuatro integrantes cada uno, según se ha explicado. El primero de los grupos debía hacer una labor de análisis del recurso patrimonial y su contexto socioeconómico para poder conocer la situación actual en la que se encuentra, como también los problemas o vacíos, y proceder a plantear mejoras. Así, este grupo se encargó de establecer la idea clave y los conceptos fundamentales a partir de los cuales se vertebraría el proyecto, procediendo a pautar una serie de objetivos y encauzar el discurso. El segundo grupo tenía como cometido la documentación fundamentada a través de una selección de referencias bibliográficas, testimonios, material gráfico y/o audiovisual, etc. Se trataba de un procedimiento simultáneo al del primer grupo para dar coherencia y cohesión a los planteamientos. A continuación, el tercer grupo diseñó una serie de actividades y recursos, tanto *online* como físicos, para llevar a cabo la labor de puesta en valor y difusión del Rastro siguiendo las pautas fijadas anteriormente por los dos primeros grupos. Estas propuestas de actuación debían ir enfocadas a la inclusión, la accesibilidad al Patrimonio cultural y al fomento del diálogo entre las distintas edades y colectivos. Algunos ejemplos de posibles actividades diseñadas fueron: una exposición fotográfica, un foto-libro, una página web, diseño de carteles y trípticos, actividades gastronómicas, etc. Algunos de estos recursos pudieron llevarse a cabo, en concreto los recursos *online* (foto-libro, carteles y trípticos), sin embargo, las actividades presenciales no, al tratarse de una propuesta desde el aula con posible aplicación práctica en un futuro de implementación del proyecto. En último lugar, el cuarto grupo debía reunir el trabajo del resto de grupos y defenderlo a través de una presentación oral. Decidieron valorarlo, además, a través de un análisis DAFO (Debilidades, Amenazas, Fortalezas y Oportunidades) de las conclusiones que se podían extraer del trabajo común, para proponer mejoras o soluciones.

## VI.  EVALUACIÓN Y MEJORAS

Se diseñó una rúbrica analítica para evaluar cada una de las cuatro partes acometidas por los equipos: diseño (trabajo escrito), documentación (por escrito), implementación (recursos gráficos y audiovisuales) y comunicación (exposición y defensa final). El trabajo, que suponía el 70% de la calificación del profesor en su parte de la asignatura, tuvo los criterios de evaluación ya mencionados (originalidad de la propuesta, reflexión crítica, viabilidad, corrección formal y coherencia interna), con cuatro niveles de valoración en la rúbrica por cada criterio.

Las calificaciones finales de la parte desarrollada por este docente se concretaron en 4 sobresalientes y 12 notables, de distintas puntuaciones, con una nota media ponderada de 8,2 para el total del grupo en el proyecto glosado. El componente motivador que en sí mismo tuvo el trabajo, a través de esta combinación metodológica del trabajo cooperativo y el ABP, sin duda influyó en las calificaciones. Se presentaba en estrecha conexión con la realidad a la que se enfrentarían los estudiantes una vez obtuvieran su titulación y se enfrentaran a la realidad laboral como gestores e investigadores del Patrimonio cultural.

No obstante, durante la autoevaluación realizada del proyecto, los alumnos manifestaron algunas propuestas de mejora para futuros proyectos en el aula. La más significativa se relacionó con la escasez de tiempo para desarrollar su propuesta, dado que esta parte de la asignatura, compartida, como se ha explicado, con otros docentes; dicha parte sólo abarcó tres sesiones en el aula, de tres horas cada una, entre el 22 de marzo y el 12 de abril (además del trabajo dirigido fuera de ella).

En general, los resultados fueron muy positivos, alcanzando la implicación de la mayoría de los estudiantes, que trabajaron en equipo de manera coordinada y consensuada. De hecho, dos de los alumnos participaron junto al docente de la asignatura para exponer su experiencia en el IV Congreso Internacional de Educación Patrimonial (Madrid, 14-16 de noviembre de 2018), evento que de referencia que se celebra bianualmente desde el año 2012. Se elaboró un póster explicativo que fue presentado durante este evento científico (Figura 3), permitiendo trasladar la propuesta de los alumnos a un ámbito especializado, en una de sus primeras incursiones en él.

**Figura 3.** Póster diseñado para el IV Congreso Internacional de Educación y Patrimonio (Madrid, 14-16 de noviembre de 2018), según el trabajo de todo el grupo.

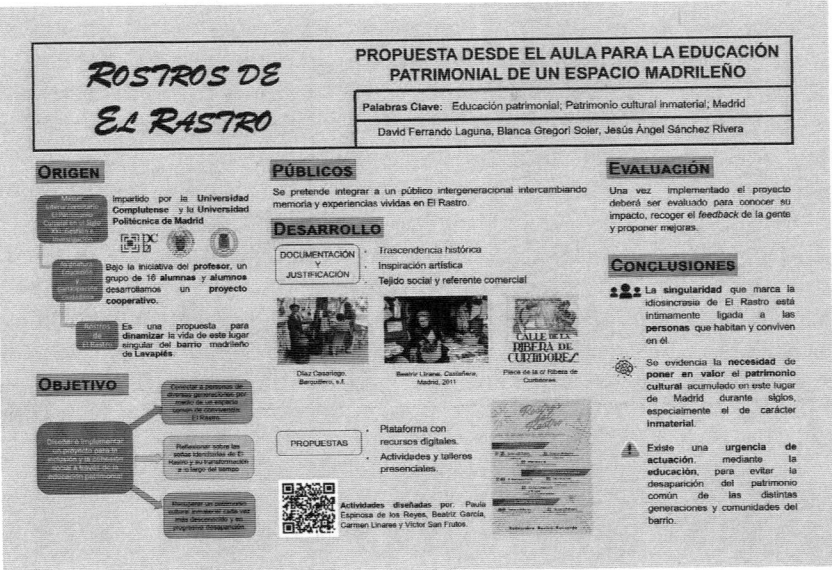

**Fuente:** D. Ferrando Laguna, B. Gregori Soler y J. Á. Sánchez Rivera.

## VII. A MODO DE CONCLUSIÓN

Finalmente, tras el trabajo desarrollado constatamos la necesidad de poner en valor el Patrimonio cultural acumulado en este lugar de Madrid durante siglos, especialmente el de carácter inmaterial, pese –o gracias– a su escaso reconocimiento institucional. La idiosincrasia del Rastro, su singularidad, está íntimamente ligada a las personas que habitan y conviven en él. Son los *"Rostros del Rastro"*. Por ello, creemos que es fundamental –y urgente– conectar diversas generaciones de este lugar, con sus experiencias, perspectivas y aspiraciones diversas, a través de un patrimonio común que, si no se transmite por medio de la educación, estará irremisiblemente condenado a desaparecer.

La desaparición o la radical mutación del reino del Rastro es algo que, por otra parte, parece formar parte de la naturaleza de este espacio urbano y humano, de su recurrente destino. "El Rastro es el vasto reino de lo inactual", sentencia Trapiello (2018, p. 243); y, en este sentido, el "imperio de la actualidad" (Esquirol, 2015, p. 120), el *presentismo* que caracteriza a las sociedades de nuestro tiempo presagia un choque contra el "reino de lo inactual" que despliega el Rastro ante nuestra mirada. En la colisión, las personas que habitan y conviven en el lugar parece que serán las más vulnerables, pues fenómenos como la *gentrificación* o la *turistificación* a la que está siendo sometido el centro histórico de Madrid en los últimos años terminan por fagocitar o expulsar a quienes tradicionalmente han residido o trabajado en él. Puede que el reconocimiento del Rastro como un ecosistema de nuestro Patrimonio cultural a proteger y a estudiar lleve implícita la constatación de su declive, la certificación para su desaparición, como ha sucedido con otros muchos bienes patrimoniales etiquetados, liofilizados para el consumo turístico (Choay, 2018, pp. 202-205; D'Eramo, 2020, pp. 115-136). Y, con todo, nos aferramos a la utópica idea de su salvación –aunque sea por medio de la memoria– a través de la educación patrimonial. Quizá porque aún podemos observar esperanzados a nuestro alumnado y revelarles: "cuando veáis que algo acaba, decid que algo comienza", como muy bien describiera Galdós al hablar de los objetos del Rastro, a los que era asiduo en su etapa estudiantil (Pérez Galdós, 1915, p. 8).

## VIII.   REFERENCIAS

Ayuntamiento de Madrid, Ordenanza Reguladora de la Venta en el Rastro de Madrid, disposición del 26 de octubre de 2000, publicado en el Boletín Oficial de la Comunidad de Madrid, 13 de noviembre de 2000, núm. 270, pp. 56-59. https://cppm.es/ordenanza-reguladora-la-venta-rastro-madrid/.

Capel, H. (2014). *El patrimonio: la construcción del pasado y del futuro.* Ediciones del Serbal.

Centro Arte Complutense (23 de enero de 2019). *Archivo Rastro.* Universidad Complutense de Madrid. https://eventos.ucm.es/29211/detail/archivo-rastro.html.

Choay, F. (2018). *Alegoría del patrimonio.* Gustavo Gili.

D'Eramo, M. (2020). *El selfie del mundo. Una investigación sobre la edad del turismo.* Anagrama.

Domingo, M. R. (5 de julio de 2020). *Los comerciantes del Rastro protestan contra el plan del Ayuntamiento: "Es la ruina y nos llevará a la desaparición".* ABC Madrid. https://www.abc.es/espana/madrid/abci-losc-comerciantes-rastro-protestan-contra-plan-ayuntamiento-ruina-y-llevara-desaparicion-202007051703_noticia.html.

Esquirol, J. M. (2015). *La resistencia íntima. Ensayo de una filosofía de la proximidad*. Acantilado.

Fontal, O. (2008). La importancia de la dimensión humana en la didáctica del patrimonio. En S. Mateos (Coord.). *La comunicación global del patrimonio cultural* (pp. 53-109). Trea.

Fontal, O. (2013). *La educación patrimonial. Del patrimonio a las personas*. Gijón: Trea.

González-Varas, I. (2015). *Patrimonio cultural. Conceptos, debates y problemas*. Cátedra.

González-Varas, I. (2018). *Conservación del patrimonio cultural. Teoría, historia, principios y normas*. Cátedra.

Morales, F. (22 de noviembre de 2020). *Vuelve el Rastro, el único mercado patrimonio cultural de Madrid*. Madrid Diario. Vuelve el Rastro, el único mercado patrimonio cultural de Madrid | Madridiario.

Pérez Galdós, B. (1915). *Guía espiritual de España* (conferencia pronunciada en el Ateneo de Madrid).

Querol, M.ª Á. (2017). *Manual de Gestión del Patrimonio cultural*. Akal.

Trapiello, A. (2018). *El Rastro. Historia, teoría y práctica*. Destino.

Tudela Sancho, A. (2017). La ciudad en la memoria: desafíos para la educación patrimonial y cultural. En M.ª. E. Cambil Hernández y A. Tudela Sancho (Coords.). *Educación y patrimonio cultural. Fundamentos, contextos y estrategias didácticas* (pp. 177-199). Pirámide.

UNESCO, Convención para la Salvaguardia del Patrimonio Cultural Inmaterial, adoptada en la 32.ª reunión, celebrada en París, del 29 de septiembre al 17 de octubre de 2003. https://ich.unesco.org/es/legislacin-00034.

Verdú, V. (2012). *El estilo del mundo. La vida en el capitalismo de ficción*. Anagrama.

## Capítulo 29

# El alumnado universitario aprecia la formación en Economía Social

Isadora Sánchez-Torné[1]

*(Universidad de Sevilla –España–)*

Macarena Pérez-Suárez[2]

*(Universidad de Sevilla –España–)*

## I. INTRODUCCIÓN

La Economía Social (ES) es una disciplina académica reconocida que genera un impacto social. Las investigaciones comprueban los intereses universitarios en materia de Economía Social (Pérez, Edilma, Hernández y García, 2019; Juliá, Meliá y Miranda, 2020), y la importancia de esta educación en la sociedad (Schlemer, Cioce y Uriarte, 2018). Este reconocimiento origina plantear como el objetivo de la investigación, lograr crear conocimiento y, especialmente, sumar valor en el limitado binomio científico, Formación Superior y Economía Social.

## II. OBJETIVO

El objetivo de la investigación fue comprobar el impacto de un modelo metodológico de innovación docente instaurado en una asignatura universitaria, versada en Economía Social, desde la valoración del alumnado.

1.  ORCID: 0000-0003-2749-2896. Personal Docente e Investigador del Departamento de Economía Aplicada III de la Universidad de Sevilla. Mail: isanchez6@us.es.
2.  ORCID: 0000-0003-4682-3873. Personal Docente e Investigador del Departamento de Economía Aplicada III de la Universidad de Sevilla. Mail: mperez32@us.es.

## III. METODOLOGÍA

La intervención objeto se enmarcó en la asignatura optativa de «Economía Social y de la Cooperación Internacional» del Grado en Relaciones Laborales y Recursos Humanos de la Universidad de Sevilla, durante tres cursos académicos (2018-2019, 2019-2020 y 2020-2021). Al tratarse de una asignatura optativa, el número de personas asistentes fue reducido permitiendo una atención tipificada (G1: 6; G2: 10; G3: 8 personas). El perfil del alumnado atiende a una edad comprendida entre 20-25 años, con dedicación plena a la formación superior, asistencia regular y disciplinariedad. Hay que enfatizar la presencia de varias personas estudiantes del programa Erasmus+ (Argentina, Brasil, Francia e Italia), cuyo aporte a la diversidad es enriquecedor.

El proceso de enseñanza-aprendizaje se desarrolló durante el segundo cuatrimestre. La docencia ha tenido lugar lunes y miércoles en horario de mañana o tarde dependiendo del año académico. Particularmente, la intervención queda estimada en cuarenta y cinco horas lectivas. No obstante, el último propósito es compendiar el conjunto de reflexiones veladas sobre una intervención ejecutada y la práctica docente.

Este apartado distingue dos partes, la metodología docente y la metodología de la investigación. En primer lugar, la metodología docente consistió en una combinación del aprendizaje cooperativo e individual ante varios escenarios en el proceso de enseñanza-aprendizaje. En cada proyecto realizado de manera conjunta, el alumnado asumió una serie de roles según la función a desempeñar y según cada actividad: coordinar el equipo, buscar información, editar la presentación, redactar los contenidos y defender oralmente los conocimientos. No obstante, a partir de las competencias formativas marcadas en el proyecto docente de la asignatura, se plantea un Modelo Metodológico (3*3): = 1 mapa de contenidos de 3 conceptos clave con el desarrollo de 3 acciones y la consecución de 3 resultados tangibles como sistema de evaluación. En otras palabras, el modelo metodológico diseñado responde a tres objetivos formativos con el desarrollo de tres acciones y la consecución de tres resultados como sistema de evaluación. El patrón es de macro a micro, es decir, la secuencia es trabajo en equipo–trabajo individual–trabajo en equipo.

**Figura 1.** El Modelo Metodológico diseñado (3*3).

| | | Curso 2018-2019 | |
| --- | --- | --- | --- |
| | *Intervención I* | *Intervención II* | *Intervención III* |
| **Concepto** | Empresa Social | ES Territorial | ES Internacional |
| **Modo** | Investigación académica grupal en el aula[3] | Investigación académica individual fuera del aula[4] | Investigación académica grupal en el aula[5] |
| **Resultado** | Comunicación defendida en un encuentro académico. | Serie de exposiciones interactuadas. | Trabajo final presentado por escrito y defendido. |
| | | Curso 2019-2020 | |
| | *Intervención I* | *Intervención II* | *Intervención III* |
| **Concepto** | ES Regional | ES Territorial | Empresa Social |
| **Modo** | Investigación académica grupal[6] | Investigación académica individual fuera del aula[7] | Investigación académica grupal en el aula[8] |
| **Resultado** | Seminario de un organismo oficial andaluz. Un Perfil de Instagram de la asignatura. | Serie de exposiciones interactuadas. | Trabajo final dirigido presentado por escrito y defendido. |

3. Intervención I: presentar un trabajo en el WG4 REJIES-COST International PhD Seminar, celebrado entre el 4 y 5 de abril de 2019 en la Universidad de Sevilla. Esta investigación consistió en un rastreo por Websites para identificar y caracterizar empresas con objeto social en España. Un Seminario celebrado con el objetivo de conectar diferentes redes de personas investigadoras.

4. Intervención II: cada persona alumna realizó una caracterización de la Economía Social en su territorio de origen derivando en el estudio de diferentes países.

5. Intervención III: elaborar un informe comparativo versado en los trabajos individuales.

6. Intervención I: Asistencia y elaboración de un documento resumen de la I Semana Universitaria de la Economía Social 2020 celebrada el lunes 24 de febrero, donde intervinieron trabajadoras especialistas del Centro Andaluz de Emprendimiento (CADE) y la Federación Andaluza de Empresas Cooperativas de Trabajo (FAECTA) de Sevilla. Se une, la creación de una cuenta de Instagram de la asignatura en fomento de la participación y el seguimiento de la materia donde las partes implicadas compartían información y eventos de actualidad relativos a la Economía Social.

7. Intervención II: cada persona alumna realizó una caracterización de la Economía Social en su territorio de origen derivando en el estudio de diferentes países.

8. Intervención III: elaborar un trabajo de investigación propio bajo guía docente versado en las Empresas Sociales de España.

| Curso 2018-2019 | | |
|---|---|---|
| *Intervención I* | *Intervención II* | *Intervención III* |
| Curso 2020-2021 | | |
| *Intervención I* | *Intervención II* | *Intervención III* |
| **Concepto** ES Regional | ES Territorial | Empresa Social |
| **Modo** Investigación académica grupal[9] | Investigación académica individual fuera del aula[10] | Investigación académica grupal en el aula[11] |
| **Resultado** Seminario en organismo oficial andaluz. Ciclo de Conferencias Virtuales. | Serie de exposiciones interactuadas. | Trabajo final dirigido presentado por escrito y defendido. |

**Fuente:** Elaboración propia.

Es preciso comentar que, con el fin de aprovechar la actualidad anual de la ES de Sevilla, la intervención I es diferente en cada curso.

La metodología de la investigación responde al análisis de la valoración formativa del alumnado que asistió a citada asignatura. Bajo un método científico inductivo, los datos recabados fueron tratados en estadística descriptiva a través de la media y desviación típica (DV) para observar a la población durante la formación. Posteriormente, se procedió a contrastar las cifras de los tres cursos. Ello parte de diseñar un cuestionario por cada intervención establecida, un total de doce, con relación a verificar el compromiso con las competencias genéricas y específicas de la asignatura. Las competencias genéricas fueron (4): Capacidad de análisis y síntesis, Capacidad para aplicar la teoría a la práctica, Trabajo en equipo, Comunicación oral en la lengua nativa. Y las competencias específicas fueron (4): Identificar y anticipar problemas económicos relevantes en relación con las empresas y específicamente de las de Economía Social, Evaluar las consecuencias de distintas alternativas de acción y seleccionar las mejores

---

9. Intervención I: Asistencia y elaboración de un documento resumen del Seminario "Rompiendo los falsos mitos de la Economía Social" celebrado el 8 de marzo donde intervinieron tres directivas de la Junta de Andalucía. II Semana Universitaria de la Economía Social 2021.

10. Intervención II: cada persona alumna realizó una caracterización de la Economía Social por comunidad autónoma.

11. Intervención III: elaborar un trabajo de investigación propio bajo guía docente versado en las Empresas Sociales de España.

soluciones según los objetivos, Identificar el papel de los colectivos relegados y Determinar el valor de la cooperación en un mundo globalizado. El cuestionario establece una Escala Likert de 1 a 5 de menor a mayor medida en que se adquieren estas competencias por cada actividad para una media de 17 ítems observados divididos en cuatro bloques: competencias, apreciación propia, trabajo en equipo y el rol del docente. El listado de ítems fue adecuado a cada una de las siete intervenciones, por lo que se generaron siete cuestionarios. Por tanto, la valoración formativa del alumnado versa sobre en qué medida cada actividad logra su objetivo. Después de cada resultado, según indica el Figura 1, se realizó una consulta anónima para determinar el alcance de los conocimientos, el grado de satisfacción con la actividad y con el profesorado.

## IV. DISCUSIÓN

Las vías de investigación de la Economía Social son: la Economía Pública, Economía Cooperativa, Organizaciones sin fines de lucro y Formas alternativas de participación ciudadana (Marini y Thiry, 2018). Dentro de ellas, hay evidencias sobre el valor de la formación para la promoción de esta alternativa económica (Bretos et al., 2018; García et al., 2018; Ramírez, 2021), los intereses universitarios en materia de Economía Social (Juliá, Meliá y Lajara, 2015; Pastore, 2015; Pastore y Altschuler, 2015; Flores-Ruiz, Guzmán-Alfonso y Barroso-González, 2016; Hernández-Arteaga, Pérez-Muñoz y Rua-Castañeda, 2018; Pérez, Edilma, Hernández y García, 2019; Juliá, Meliá y Miranda, 2020) y la contribución social (Inglada, Sastre y Villarroya, 2015; Martínez, 2015; López, Moreno y Pozo, 2018; Meira, Bandeira y Ávida, 2018; Schlemer, Cioce y Uriarte, 2018).

En particular, y como referencia de partida del presente trabajo, Hernández-Arteaga et al. (2018) alude al conocimiento por parte de las personas estudiantes universitarias sobre la Economía Social a través de analizar la demanda de información y formación. El estudio empírico realizado sella que las personas estudiantes demandan aprendizajes significativos y una intervención activa en la construcción de conocimiento igualmente, se identifica la necesidad del desarrollo de enfoques educativos con reflexión y capacidad crítica. A nivel empresarial, para Schlemer, Cioce y Uriarte (2018, p. 192) "el reto es cómo trabajar la educación y cooperación como un proceso de enseñanza-aprendizaje sociopolítico y ambiental dentro de las cooperativas". Mientras que, Martínez (2015, p. 47) acopia sobre el cooperativismo que "debe ser un ejemplo de que otro modelo de organización social es posible".

## V.  CONCLUSIONES

### 5.1.  INTERVENCIONES SIMULTÁNEAS

#### 5.1.1.  Trabajo Individual

Los cursos académicos 2018-19 y 2020-21 expresaron una valoración superior en la adquisición de las capacidades y habilidades. Para ambos cursos, el trabajo individual fue especialmente útil para identificar el valor de cooperación en un mundo globalizado. Los tres años coinciden en 2 capacidades (Tabla 1): Capacidad de análisis y síntesis, y Capacidad para aplicar la teoría a la práctica. Por su parte en los dos últimos cursos, 3 ítems obtuvieron una valoración baja: Comunicación oral en la lengua nativa, Evaluar las consecuencias de distintas alternativas de acción y seleccionar las mejores soluciones según los objetivos e Identificar el papel de los colectivos relegados.

**Tabla 1.** Valoración media (*escala Likert 1 a 5*) del alumnado sobre las capacidades y habilidades adquiridas del TI.

| | 2018-19 | | 2019-20 | | 2020-21 | |
|---|---|---|---|---|---|---|
| | Media | DV | Media | DV | Media | DV |
| Identificar y anticipar problemas económicos relevantes en relación con las empresas ES. | 3,83 | 1,47 | 3,40 | 1,17 | 4,25 | 0,46 |
| Evaluar las consecuencias de distintas alternativas de acción. | 4,00 | 0,63 | 3,10 | 1,29 | 4,00 | 0,53 |
| Identificar el papel de los colectivos relegados. | 4,83 | 0,41 | 3,10 | 0,99 | 3,88 | 0,64 |
| Identificar el valor de cooperación en un mundo globalizado. | 4,83 | 0,41 | 3,70 | 0,95 | 4,50 | 0,76 |
| Capacidad de análisis y síntesis. | 4,33 | 0,82 | 4,20 | 0,42 | 4,38 | 0,74 |
| Capacidad para aplicar la teoría a la práctica. | 4,33 | 0,52 | 3,90 | 0,88 | 4,38 | 0,52 |
| Comunicación oral en la lengua nativa. | 4,33 | 0,82 | 2,80 | 1,14 | 3,63 | 1,30 |

**Fuente:** Elaboración propia.

El curso 2021-20 manifiesta una opinión superior a los dos años precedentes, pero todos coinciden en otorgar una valoración elevada y cercana a 5 sobre la calidad de su trabajo individual (Tabla 2). La actuación docente en los trabajos individuales (TI) obtuvo unos valores elevados en todos los cursos (Tabla 3), especialmente en dos, 2018-19 y 2020-21.

**Tabla 2.** Valoración del alumnado sobre la calidad del TI.

| | 2018-19 | | 2019-20 | | 2020-21 | |
|---|---|---|---|---|---|---|
| | Media | DV | Media | DV | Media | DV |
| La calidad del trabajo realizado se ajusta a las posibilidades de los recursos de la Universidad. | 4,50 | 0,55 | 4,10 | 0,32 | 4,63 | 0,52 |
| La calidad del trabajo realizado se ajusta a lo que demanda la asignatura. | 4,67 | 0,52 | 4,00 | 0,94 | 4,75 | 0,46 |

**Fuente:** Elaboración propia.

**Tabla 3.** Valoración del alumnado sobre la intervención docente en el TI.

| | 2018-19 | | 2019-20 | | 2020-21 | |
|---|---|---|---|---|---|---|
| | Media | DV | Media | DV | Media | DV |
| La experiencia con el aprendizaje fue satisfactoria. | 4,83 | 0,41 | 4,00 | 0,67 | 4,88 | 0,35 |
| La profesora definió adecuadamente el trabajo académico desde inicio. | 5,00 | 0,00 | 4,10 | 0,57 | 4,50 | 0,76 |
| La profesora elaboró un plan de forma correcta. | 4,67 | 0,82 | 4,40 | 0,84 | 4,50 | 0,76 |

**Fuente:** Elaboración propia.

## 5.1.2. Trabajo en Grupo

Las capacidades y habilidades alcanzadas mediante el trabajo grupal (TG) en los tres cursos (Tabla 4) con mayor valoración son 3: Identificar el valor de la cooperación en un mundo globalizado (4,17; 3,50; 4,22), Trabajo en equipo (3,83; 4,70; 4,11), y la Capacidad de análisis y síntesis (3,83; 3,60; 4,11). En contraposición, las capacidades y habilidades que fueron menos cómodas son 2: Evaluar las consecuencias de distintas alternativas de acción y seleccionar las mejores soluciones según los objetivos e Identificar el papel de los colectivos relegados (esta última solo para los dos primeros cursos). En particular, la capacidad de Identificar y anticipar problemas económicos relevantes en relación con las empresas y, específicamente, de las de Economía Social fue superior en los cursos 2018-19 (3,83) y 2020-21 (3,89) que en 2019-20.

**Tabla 4.** Valoración del alumnado sobre las capacidades y habilidades adquiridas en el TG.

| | 2018-19 | | 2019-20 | | 2020-21 | |
|---|---|---|---|---|---|---|
| | Media | DV | Media | DV | Media | DV |
| Identificar y anticipar problemas económicos relevantes en relación con las empresas ES. | 3,83 | 0,98 | 2,40 | 0,52 | 3,89 | 0,60 |
| Evaluar las consecuencias de distintas alternativas de acción. | 3,33 | 1,21 | 2,60 | 0,52 | 3,89 | 0,78 |
| Identificar el papel de los colectivos relegados. | 3,33 | 1,21 | 2,80 | 0,92 | 4,22 | 0,67 |
| Identificar el valor de la cooperación en un mundo globalizado. | 4,17 | 0,98 | 3,50 | 0,71 | 4,22 | 0,67 |
| Capacidad de análisis y síntesis. | 3,83 | 0,75 | 3,60 | 0,70 | 4,11 | 0,33 |
| Capacidad para aplicar la teoría a la práctica. | 3,50 | 1,05 | 3,30 | 0,48 | 4,11 | 0,33 |
| Trabajo en equipo. | 3,83 | 1,17 | 4,70 | 0,48 | 4,11 | 0,93 |
| Comunicación oral. | 3,67 | 1,51 | 4,00 | 0,67 | 4,33 | 0,71 |

**Fuente:** Elaboración propia.

El alumnado del curso académico 2020-21 manifestó una valoración ligeramente superior sobre su grado de satisfacción en la dinámica de trabajo en grupo. Los tres grupos coinciden en (Tabla 5): La organización del equipo fue clave para conseguir un trabajo con buena calidad (4,33, 4,40; 4,11); La calidad del trabajo realizado se ajusta a las posibilidades de los recursos de la Universidad (3,83; 4,10; 4,44); Consideras que las relaciones entre los miembros del equipo podrían haber sido mejor (3,17; 3; 3,67).

**Tabla 5.** Valoración media (*escala Likert 1 a 5*) del alumnado sobre la dinámica de trabajo llevada a cabo en el TG.

| | 2018-19 | | 2019-20 | | 2020-21 | |
|---|---|---|---|---|---|---|
| | Media | DV | Media | DV | Media | DV |
| Satisfacción con el trabajo realizado en clase. | 3,50 | 1,38 | 3,80 | 0,42 | 4,44 | 0,53 |
| La calidad del trabajo realizado se ajusta a las posibilidades de la Universidad. | 3,83 | 1,17 | 4,10 | 0,32 | 4,22 | 0,44 |
| La calidad del trabajo realizado se ajusta a lo que demanda. | 4,17 | 1,17 | 3,80 | 0,42 | 4,44 | 0,53 |
| La organización del equipo fue clave para conseguir un trabajo con buena calidad. | 4,33 | 0,82 | 4,40 | 0,52 | 4,11 | 0,60 |
| La gestión de las tareas de cada miembro fue eficaz. | 3,83 | 1,17 | 4,30 | 0,48 | 3,78 | 0,97 |
| El funcionamiento del equipo fue correcto. | 3,50 | 1,05 | 4,10 | 0,74 | 4,00 | 1,00 |
| Consideras que las relaciones entre los miembros del equipo podrían haber sido mejor. | 3,17 | 1,47 | 3,00 | 1,25 | 3,67 | 1,80 |
| El equipo estaba bien preparado para realizar el trabajo en cooperación. | 3,50 | 1,22 | 3,90 | 0,99 | 3,89 | 0,78 |

**Fuente:** Elaboración propia.

Las valoraciones, sobre si la actuación docente (Tabla 6) fue adecuada para alcanzar los objetivos del trabajo grupal, fueron apacibles, especialmente a la hora de definir adecuadamente el trabajo académico desde el inicio (4,50; 4,10; 4,44). Además, en el curso 2020-21 la colaboración de la profesora se adecua a las necesidades del equipo (4,67).

**Tabla 6.** Valoración media (*escala Likert 1 a 5*) del alumnado sobre la intervención de la docente.

|  | 2018-19 | | 2019-20 | | 2020-21 | |
|---|---|---|---|---|---|---|
|  | Media | DV | Media | DV | Media | DV |
| La colaboración de la profesora se adecuada las necesidades del equipo. | 3,33 | 1,03 | 4,30 | 0,82 | 4,67 | 0,50 |
| La experiencia con el aprendizaje basado en proyecto fue satisfactoria. | 3,67 | 1,03 | 3,70 | 0,48 | 4,56 | 0,53 |
| La profesora definió adecuadamente el trabajo académico desde el inicio. | 4,50 | 0,84 | 4,10 | 0,74 | 4,44 | 0,73 |
| La profesora elaboró un plan de organización para el equipo de forma correcta. | 3,67 | 1,03 | 3,80 | 0,63 | 4,56 | 0,53 |

**Fuente:** Elaboración propia.

## 5.2. INTERVENCIONES DISÍMILES

### 5.2.1. Semana Universitaria de la Economía Social

La adhesión y participación a la Semana Universitaria de la Economía Social 2020 y 2021 supuso una forma nueva de adquirir las capacidades y habilidades requeridas por la asignatura de una forma altamente exitosa (Tabla 7). Así, para ambos cursos el alumnado indicó una valoración elevada en todas las cuestiones y con especial énfasis en 3: Identificar el valor de la cooperación en un mundo globalizado (4,50; 4,60), Identificar el papel de los colectivos relegados (4,20; 4), y el Trabajo en equipo (4,20; 4,20).

**Tabla 7.** Valoración media (*escala Likert 1 a 5*) del alumnado sobre las capacidades y habilidades adquiridas en la asistencia y participación en la I y II Semana Universitaria de ES.

| | 2019-20 | | 2020-21 | |
|---|---|---|---|---|
| | Media | DV | Media | DV |
| Identificar y anticipar problemas económicos relevantes en relación con las empresas de ES. | 3,80 | 0,79 | 3,60 | 1,14 |
| Evaluar consecuencias de distintas alternativas de acción. | 4,00 | 0,00 | 3,80 | 0,84 |
| Identificar el papel de los colectivos relegados. | 4,20 | 0,92 | 4,00 | 0,71 |
| Identificar el valor de cooperación en mundo globalizado. | 4,50 | 0,53 | 4,60 | 0,55 |
| Capacidad de análisis y síntesis. | 3,80 | 0,92 | 3,60 | 1,34 |
| Capacidad para aplicar la teoría a la práctica. | 3,90 | 0,32 | 3,80 | 1,30 |
| Trabajo en equipo. | 4,20 | 0,42 | 4,20 | 1,30 |
| Comunicación oral en la lengua nativa. | 4,60 | 0,52 | 3,80 | 1,30 |

**Fuente:** Elaboración propia.

### 5.2.2. Ciclo de Conferencias Virtuales

Este apartado abarca tres conferencias virtuales sobre aspectos presentes de la Economía Social. La actividad que generó una mayor valoración por parte del alumnado (20/21) fue el «webinar El Consumo crítico: Una palanca de transformación social». A continuación, se enuncian aquellas capacidades o habilidades con una mayor valoración por cada actividad (Tabla 8):

– Sesión Internacional de la Universidad de Cartagena de Indias (C.I.): Valoración de 4 en Evaluar las consecuencias de distintas alternativas de acción y seleccionar las mejores soluciones según los objetivos, Identificar el papel de los colectivos relegados, Identificar el valor de la cooperación en un mundo globalizado, Comunicación oral en la lengua nativa.

– Sesión "La Economía Social ante los Paradigmas Económicos Emergentes" (C.II.): Valoración de 4 en la Comunicación oral en la lengua nativa.

– Webinar "El Consumo crítico – Una palanca de transformación social" (C.III.): Identificar y anticipar problemas económicos relevantes en relación con las empresas y específicamente de las de Economía Social (4,60), Evaluar las consecuencias de distintas alternativas de acción y seleccionar las mejores soluciones según los objetivos (4,40), Identificar el papel de los colectivos relegados (4,40), Identificar el valor de la cooperación en un mundo globalizado (4,40), Comunicación oral en la lengua nativa (4,40).

**Tabla 8.** Valoración del alumnado sobre las capacidades y habilidades adquiridas en el Ciclo de Conferencias 2020/2021.

| | 2020-21 | | | | | |
|---|---|---|---|---|---|---|
| | C.I | | C.II | | C. III | |
| | Media | DV | Media | DV | Media | DV |
| Identificar y anticipar problemas económicos relevantes en relación con las empresas y específicamente de las de Economía Social. | 3,67 | 0,58 | 3,75 | 0,50 | 4,60 | 0,55 |
| Evaluar las consecuencias de distintas alternativas de acción y seleccionar las mejores soluciones según los objetivos. | 4,00 | 0,00 | 3,75 | 0,50 | 4,40 | 0,55 |
| Identificar el papel de los colectivos relegados. | 4,00 | 0,00 | 3,00 | 0,82 | 4,40 | 0,89 |
| Identificar el valor de la cooperación en un mundo globalizado. | 4,00 | 0,00 | 3,75 | 0,50 | 4,40 | 0,89 |
| Capacidad de análisis y síntesis. | 3,33 | 0,58 | 3,75 | 0,50 | 4,00 | 1,00 |
| Capacidad para aplicar la teoría a la práctica. | 3,00 | 1,00 | 3,00 | 0,82 | 4,00 | 1,22 |
| Trabajo en equipo. | 3,33 | 0,58 | 2,75 | 1,26 | 3,80 | 1,30 |
| Comunicación oral en la lengua nativa. | 4,00 | 0,00 | 4,00 | 0,82 | 4,40 | 0,89 |

**Fuente:** Elaboración propia.

La irregularidad de las valoraciones conduce a reflexionar sobre los contenidos y la metodología de la asignatura desde la idoneidad de los contenidos asignados a la tipología de operar. Las valoraciones

Recuperado a partir de https://sobremexico-revista.ibero.mx/index.php/Revista_Sobre_Mexico/article/view/54.

Schlemer, L. C., Cioce, C. A., y Uriarte, L. (2018). Experiencia Cooperativa de Mondragón: la educación cooperativa como un proceso de transformación Social. *CIRIEC-España, Revista de Economía Pública, Social y Cooperativa, 93*, 181-209. DOI: https://doi.org/10.7203/CIRIEC-E.93.9217.

*Capítulo 30*

# La ludificación en la enseñanza del árabe como lengua extranjera

Inmaculada Santos-de-la-Rosa
*(Universidad de Sevilla –España–)*

## I. INTRODUCCIÓN

En las últimas décadas, se ha puesto de manifiesto la importancia que el aspecto lúdico tiene como herramienta en el proceso de enseñanza/ aprendizaje en el ámbito educativo. La gamificación o mejor conocida como ludificación, es una herramienta que logra motivar y ayuda en la adquisición de aprendizajes significativos, a través de recursos lúdicos y audiovisuales.

Partiendo de una reflexión histórica y analizando las diferentes corrientes metodológicas aplicadas a la enseñanza de la lengua árabe en el ámbito universitario, podemos comprobar que las actividades lúdicas llevadas al aula generan un ambiente propicio para que el proceso de adquisición sea ameno y al mismo tiempo efectivo. En el momento en que la educación más tradicional aplicada a la enseñanza de la lengua árabe da un paso más allá, pasando de la formalidad en sus explicaciones y aplicaciones prácticas a la idea de introducir actividades dinámicas en las que el discente pasa a formar parte directa del proceso de enseñanza, descubrimos que el componente lúdico cobra un papel fundamental en la programación.

La ludificación en el campo del árabe como lengua extranjera proporciona grandes ventajas. Se puede comprobar que son muchos los juegos que se pueden utilizar o adaptar para practicar las diferentes destrezas. El docente se puede beneficiar de todo aquello que genera el juego en el aula potenciando la integración y la cohesión grupal. Partiendo de estas reflexiones, los profesores deben aprovechar las grandes ventajas que conllevan la utilización de todos estos recursos en el aula para incluirlo dentro de la programación como una estrategia más de aprendizaje ya que se puede aplicar como actividad de introducción, repaso o refuerzo de los diferentes temas y contenidos a explicar.

De esta manera, por un lado, el docente no se basará exclusivamente en actividades tradicionales (memorización, repetición, listas de vocabulario, etc.) y por el otro, el estudiante trabajará con actividades empleadas en el resto de lenguas extranjeras que ya conoce.

Este trabajo, se centrará en algunos aspectos teóricos y se presentarán una serie de actividades que puede usar el profesor para conseguir que las prácticas de lengua árabe evolucionen hacia un ambiente más creativo, ameno y productivo, al igual que se procedería en cualquier otra lengua extranjera.

## II.  QUÉ ES LUDIFICACIÓN

El juego es un elemento inherente al ser humano, presente en todas las culturas y que se pone en práctica de innumerables maneras dependiendo de la edad en la que se practique. Lo cierto es que, a lo largo de la historia, su papel ha estado unido no sólo al entretenimiento, sino también al aprendizaje, a explorar y descubrir el entorno, ejerciendo un papel fundamental en el desarrollo psicológico e intelectual de las personas desde su niñez (Sánchez Iglesias, 2016: 7).

Una de las primeras cuestiones que se van a tratar en este trabajo es justificar la denominación técnica que se va a emplear a lo largo de estas páginas: ¿gamificación o ludificación? A pesar de ser términos muy empleados, resulta destacable comprobar que al consultar el *Diccionario de la Lengua Española* en su versión digital ninguno de los dos conceptos se encuentra todavía lematizado, debido a que se trata de una voz de uso técnico restringido y reciente. Como señaló Jiménez Palmero (2019) en diversas consultas para aclarar esta circunstancia, se le indicó que lo recomendable sería emplear en español el término ludificación (Jiménez Palmero, 2019: 40):

- 1.º tuit @RAEinforma: "Se trata de un calco del inglés 'gamificación', de uso técnico restringido y reciente".

- 2.º tuit @RAEinforma: "Resulta preferible en español el uso de 'ludificación', voz formada con la raíz latina 'ludus' 'juego', …".

A pesar de las recomendaciones indicadas por la Real Academia Española (RAE) para la utilización de ludificación, es bien cierto que, al ser una palabra precedente del inglés, y cuya bibliografía y estudios sobre este ámbito son muy numerosos, no es de extrañar que, en ocasiones, gamificación sea el término elegido para denominar a esta práctica. Por este motivo, nos encontramos con diferentes definiciones siempre bajo esta expresión (Seaborn y Felds, 2015; Burke, 2014; Deterding, Dixon, Khaled y Nacke, 2011; Zichermann y Cunningham, 2011).

La mayoría de estas descripciones poseen un punto en común donde coinciden en indicar que esta tendencia didáctica se encarga de aplicar dinámicas de juego en contextos no lúdicos: "the term is used to describe those features of an interactive system that aim to motivate and engage end-users through the use of game elements and mechanics" (Seaborn y Felds, 2015: 14). Por este motivo, debido a la facilidad con la que se puede aplicar en diversos campos, se ha extendido rápidamente como herramienta para emplear en diversos ámbitos de aprendizaje y entre ellos, en la enseñanza de idiomas (Figueroa Flores, 2015; Martínez Moreno, Leiva Olivencia y Matas Terrón, 2016).

Al ser un elemento que se incorpora a la tarea educativa de la enseñanza de lenguas extranjeras, habitualmente no solo se encuentra en las dinámicas de aula sino también, como material incluido en los propios manuales de lengua extranjera ya sea como actividad aislada o como repaso de diferentes bloques temáticos. Esto le permite al estudiante hacer la misma tarea que antes podría realizar a través de ejercicios tradicionales como rellenar huecos, respuesta múltiple, exámenes de autoevaluación, etc.

Con el aprendizaje basado en el juego, o *Game Based Learning*, se pretende que el alumnado adquiera un conocimiento específico. En estos casos, se recurre continuamente a juegos clásicos y pasatiempos lúdicos adaptados a las necesidades de aprendizaje que se quiera trabajar o reforzar. La dinámica consistirá en plantear un contenido concreto siguiendo las reglas propuestas por el juego. Estas deben seguir unas normas muy estrictas adaptadas del juego original para que de este modo se consiga de manera óptima el objetivo perseguido con esta actividad.

De manos de la ludificación, se permite de forma más relajada trabajar contenidos didácticos sin quitar importancia a la adquisición de materia simplemente por utilizarlos. Con este método es posible cumplir con los tres pilares básicos del ocio identificados por Cuenca (2014), ya que:

- el sujeto puede disponer de libertad y autonomía a la hora de escoger y practicar,

– la acción puede estar impulsada por una motivación intrínseca,

– y su práctica tiene la capacidad de satisfacer a quienes la practican.

Además, la utilización de este tipo de dinámicas presenta sus correspondientes ventajas y la asociación de la dinámica con un juego reconocido por el alumnado generalmente estimula la motivación y les ofrece la sensación de estar jugando durante el estudio. Las ventajas aportadas por Cuenca (2014) se les puede incluir las siguientes (Aula Planeta, 2015):

– Motiva al alumnado. El juego dinamiza la clase, despierta el interés y lo mantiene durante todo el desarrollo, no solo por la victoria final sino también por la propia práctica lúdica.

– Ayuda a razonar y a ser autónomo. El juego plantea al alumno situaciones en las que debe reflexionar y tomar las decisiones adecuadas, solventar fallos y reponerse de las derrotas.

– Permite el aprendizaje activo. Mediante el juego se logra una retroalimentación instantánea respecto a sus conocimientos previos sobre un tema o asignatura. Esto le permite ser consciente de sus deficiencias y le ayuda a descubrir en qué debe incidir y profundizar.

– Potencia la creatividad y la imaginación. El juego implica también libertad de improvisación y capacidad de imaginar soluciones a cada reto, lo que contribuye a abrir la mente del alumno respecto a la percepción que tiene del mundo.

Entre las numerosas ventajas que presenta la ludificación educativa, Bíró (2014) destaca un sistema de evaluación que depende de la comunidad, el refuerzo y la existencia de rutas de aprendizaje diversificadas. Además, las ventajas de la docencia gamificada no solo las percibe el alumno, sino que también las disfruta el profesor, ya que se fomenta el trabajo de aula y se facilita la labor de premiar permitiendo un mayor control del aprendizaje (Cortizo Pérez *et al.*, 2011).

Sin embargo, pese a todas las cuestiones presentadas anteriormente hay que reseñar que, pese a que los educadores reconocen la importancia del juego como herramienta de aprendizaje, en el día a día de la organización académica, el juego queda relegado, por cuestión de tiempo y por seguir los contenidos marcados, a un segundo plano como una forma de pasar el rato, sin concederle la importancia didáctica que posee o incluso a prescindir de él directamente (Moyles, 1999).

## III. LA LUDIFICACIÓN Y LA LENGUA ÁRABE

La ludificación es un método ajeno a la enseñanza de la lengua árabe como lengua extranjera, ya sea por la propia peculiaridad de la lengua como por los manuales empleados en su enseñanza. Una de las principales cuestiones que hacen abordar a la lengua árabe de manera diferente a como lo haríamos actualmente con otras lenguas modernas es su origen semítico. La interferencia con otras lenguas indoeuropeas ya no se limita al aspecto fonético, sino que alcanza también, como es lógico, estructuras y reglas gramaticales.

Tengamos en cuenta que solo al proceso de alfabetización (lectura y escritura) se le debe dedicar un periodo considerable ya que el estudiante tiene que asimilar nada más empezar la diferente grafía de las 28 letras en sus formas iniciales, medias, finales y aisladas, así como acostumbrarse al orden inverso de escritura, es decir, de derecha a izquierda. Por esta circunstancia, el árabe es una lengua en la que al aprendizaje inicial se le debe invertir más tiempo, reivindicándose como necesario abordar el comienzo de estudio desde un nivel 0.

El *Marco de Referencia Europeo para las Lenguas* (Consejo de Europa, 2001) propone seis niveles distintos de dominio del idioma (A1, A2, B1, B2, C1, C2). No obstante, y con el fin de adaptarlos al trabajo desarrollado por el profesorado en las aulas de lengua árabe se podría plantear lo expuesto por ORDEN de 15 de enero de 2007[1], donde estos seis niveles pudieran ser reducidos a cuatro; niveles 0, 1, 2 y 3, como ejemplo orientativo:

– Decimos actualmente que una persona está en un Nivel 0 de uso de la lengua castellana cuando muestra "ausencia de conocimientos de español". De acuerdo con las orientaciones del Marco de Referencia Europeo, podríamos traducirlo como el grado anterior al nivel A1.

– Decimos actualmente que una persona está en un Nivel 1 de uso de la lengua castellana cuando muestra "ciertas nociones de español, a nivel oral, claramente insuficientes para seguir las clases". De acuerdo con las orientaciones del Marco de Referencia Europeo podríamos traducirlo por el nivel A1.

Las realidades geográficas, culturales, religiosas y, sobre todo, lingüísticas del mundo árabe son tales que una educación, por completa que sea, siempre estará incompleta. Como se cuestiona Imbert (2009: 47):

---

1. ORDEN de 15 de enero de 2007, por la que se regulan las medidas y actuaciones a desarrollar para la atención del alumnado inmigrante y, especialmente, las Aulas Temporales de Adaptación Lingüística. BOJA núm. 33 de 14 de febrero de 2007.

- De qué manera enseñar hechos del lenguaje que se extienden en dos continentes y abarca aproximadamente 22 países separados por más de 5000 kilómetros.

- Cómo enseñar un idioma que lleva nada menos que diez denominaciones (árabe clásico, coránico, literario, medio, literal, moderno, prensa, dialecto, estándar, global, etc.), algunos de los cuales se entienden en sincronía, otros en diacronía, todos mezclándose sin ninguna armonía en la mente de aquellos que desean aprender árabe.

Por motivos culturales, religiosos y políticos se ha considerado una sola lengua, aunque en realidad existen varios registros diferenciados o lenguas que conviven en un tipo de bilingüismo denominado diglosia:

- La lengua culta o normalizada.

- La lengua materna (lengua dialectal).

La primera representa la lengua de prestigio siendo el único sistema unificado reconocido oficialmente en contextos formales. Es considerada la lengua de alfabetización, utilizada en el ámbito de la literatura y de la religión y en ella se realizan la mayoría de los escritos publicados. La segunda es el registro dialectal que no está "estandarizado", y al que no se le reconoce el rango de lengua. Tiene múltiples variantes dependiendo de la zona geográfica e incluso varias dentro de un mismo país.

A pesar de estas circunstancias, los estudios árabes han tenido gran tradición en España, corroborada por una extensa producción científica. Sin embargo, esta ha estado orientada, sobre todo, a temas históricos, en detrimento de la investigación y adaptaciones metodológicas en el ámbito lingüístico y dialectal. Prueba de ello sería la utilización durante mucho tiempo en la universidad española del mismo manual de texto, la *Crestomatía* de Miguel Asín Palacios (1959). En la década de los noventa, aparecieron nuevos materiales como la gramática y diccionarios de Federico Corriente (1998), así como otros manuales que se sumaron a las posibilidades con las que docentes y alumnado podían contar como, por ejemplo:

- *Grammaire de l'arabe classique. Morphologie et syntaxe* (Blachère y Gaudefroy-Demombynes, 1975).

- *Nueva Gramática árabe* (Haywood y Nahmad, 1992).

- *Gramática de la lengua árabe moderna* (Cowan, 1998).

– *Elementary Modern Standard Arabic* (Abboud y McCarus, 1999).

– *Standard Arabic. An elementary-intermediate course* (Schulz, Krahl y Reuschel, 2000).

Sin embargo, en la actualidad, a pesar de las modificaciones que ha sufrido los métodos de enseñanza cada vez inclinados hacia una enseñanza plenamente comunicativa, en las diferentes universidades se sigue empleando métodos tradicionales centrados en el binomio gramática-traducción para enseñar la segunda lengua. Si bien es cierto que en España ya no se enseña la lengua árabe mediante infinitas listas de vocabulario (método gramática-traducción) o mediante repeticiones de estructuras (método estructuralista) pero la docencia todavía se aleja mucho a los diferentes métodos que se emplean con otras lenguas modernas. En ocasiones, este tipo de enseñanza no genera aprendizajes significativos y, por otro lado, su descontextualización con la actualidad conlleva el desinterés del alumnado.

Hay que reconocer el esfuerzo invertido en intentar modificar la enseñanza de la lengua árabe buscando, por lo menos, ese punto intermedio entre lo arcaico y lo moderno. Por lo que muchos autores han intentado adaptar y elaborar nuevos textos que se acercan, dentro de las posibilidades que nos permite la lengua, a los manuales de otras lenguas extranjeras. Así lo podemos comprobar en libros llenos de color, ejercicios amenos y audios adaptados como, por ejemplo:

– *Mastering Arabic 1* (Wightwick y Gaafar, 2015).

– *Mabruk* (Aguilar, Rubio y Domingo, 2014).

– *Sabily ila l' Arabiyah* (Sheikh Durra y Ismail Bacha, 2011).

– *¡Alatul!* (Aguilar, Manzano, y Zanón, 2010).

– *An-nafura* (Aguilar Cobos, García Castillo, Jódar Jódar, Peña Agüeros y Pérez Miñano, 2008).

Aunque los libros citados han dado un paso más hacia la normalización de una enseñanza más comunicativa, el papel que juega en ellos la ludificación es casi inexistente salvo a excepción de una actividad de tablero planteada en el manual *Mabruk* (Aguilar, Rubio y Domingo, 2014: 70).

Ante esta perspectiva donde los métodos no faltan, sin embargo, se necesitan unos manuales más adaptados a las circunstancias donde se integren todos los recursos útiles empleados habitualmente por diferentes lenguas para poder alcanzar ese nivel de actualización que poseen otros idiomas. Como indicaba Cinca (1990: 158) hace unas décadas:

> Los profesores de árabe siempre coincidimos en que el problema más grave es la falta de material pedagógico adecuado; y que, por consiguiente, la única solución para preparar las clases es ir "picoteando" de los distintos libros y métodos (también métodos diseñados para otras lenguas que el profesor "re-diseña" para el árabe.

Palabras que siguen estando de actualidad ya que la situación de la enseñanza de la lengua árabe y la adaptabilidad que debe seguir tanto docentes como alumnado sigue estando en vigor.

## IV. DISCUSIÓN

Como se ha indicado, la enseñanza de la lengua árabe es un campo que todavía necesita mucha innovación e investigación. A los retos que plantea la adquisición de cualquier lengua extranjera en el siglo XXI, el árabe tiene que añadir la distancia que lo separa del español, en aspectos como el léxico, fonética, morfología, etc. A todo ello se suma, además, la existencia de un cambio de registro entre los propios arabófonos (diglosia), que es imprescindible abordar.

Los métodos de enseñanza de lenguas extranjeras pueden seguir uno de dos procedimientos: el primero tiene como fin el estudio de la gramática, el vocabulario y en menor medida la fonética. Y el segundo pone el acento en las habilidades comunicativas sin marginar el estudio de la gramática. Hasta el momento, la enseñanza de la lengua árabe como idioma extranjero pertenece al primer apartado. Ante esta circunstancia por qué plantearse utilizar la ludificación como herramienta de trabajo en las clases de árabe como lengua extranjera.

Si bien es cierto que el árabe no es una lengua indoeuropea y contiene muchas características que los hablantes de otras lenguas encuentran extrañas y muy complejas, no es tan impenetrable como a menudo se cree. La gramática árabe es regular, el vocabulario tiene una lógica inherente y un orden que a menudo permite adivinar el significado de una palabra por el esquema que presenta. Este hecho se convierte en un gran aliado a la hora de desarrollar juegos didácticos para acercarlos al aula. En efecto, esta es una oportunidad que el profesorado debe aprovechar fomentando la importancia de la motivación y la asimilación de los conceptos de una manera más amena. Como sucede con la mayoría de las segundas lenguas, para practicar la conjunción verbal no es necesario contar únicamente con actividades de corte tradicionalista como rellenar huecos o la mera repetición.

El aprendizaje basado en el juego donde la dinámica de trabajo consiste en plantear pasatiempos lúdicos para transmitir contenidos hace que tanto en niveles iniciales como en intermedios ayuden en el ámbito gramatical a fijar los contenidos a trabajar. Actividades tradicionalmente empleadas como el parchís, la oca o los diferentes juegos de memoria permiten un acercamiento a un aprendizaje y memorización más receptiva.

Sin embargo, lamentablemente, a pesar de que el papel lúdico en el aprendizaje de un idioma extranjero ya forma parte del propio proceso de enseñanza y se ha convertido, de hecho, en unas de las herramientas más empleadas en las aulas, como se ha mencionado anteriormente en el estudio de la lengua árabe hay una ausencia casi total de este tipo de recursos. Cabe mencionar la obra centrada en el aprendizaje de vocabulario de Wightwick y Gaafar (2006), titulado *The 100 word Exercise Book Arabic donde* a través de diferentes fichas el alumno puede trabajar de manera lúdica la adquisición de léxico. También es destacable el manual *¡Tu turno!* (Santos-de-la-Rosa, 2022) donde tanto docentes como estudiantes de manera individual pueden practicar a través de la utilización de diferentes juegos clásicos de tablero y dados adaptados a las necesidades de aprendizaje para trabajar los verbos regulares trilíteros.

## V.   CONCLUSIONES

En esta investigación se puede concluir que, el papel lúdico en el aprendizaje de un idioma extranjero ya forma parte del propio proceso de enseñanza y se ha convertido, de hecho, en unas de las herramientas más empleadas en las aulas. Sin embargo, en el estudio de la lengua árabe hay una ausencia total de este tipo de recursos. A ello se suma que apenas existe bibliografía actualizada con la que se puedan ayudar los docentes y los manuales empleados con un perfil más comunicativo no los contienen (a diferencia de lo que sucede con otras lenguas extranjeras).

Como indicó Stuart Brown (2009), si jugar no fuera necesario, la selección natural habría eliminado esta actividad de nuestro código genético. Al introducir esta dinámica como una herramienta más de aprendizaje y poder ofrecer al estudiante la oportunidad de poner en uso el lenguaje, alejándonos de ejercicios repetitivos y descontextualizados permite abrir una puerta a la necesidad de una actualización de la metodología en lengua árabe. Con esta herramienta lúdica, el docente se beneficiará de múltiples ventajas, ya que el juego fomentará la cohesión dentro del grupo, la creatividad, la expresividad y el carácter desafiante que toda competición trae consigo que avivará el interés del alumnado por practicarlo y, por ende, por interiorizarlo. Tal y como afirma Hogle, los juegos tienen unas características básicas que habitualmente incluyen "un conjunto de fortalezas físicas o mentales, requiriendo de los participantes el seguimiento de un grupo de reglas en orden a la consecución de un objetivo. Los juegos pueden incluir un elemento de azar o fantasía. Un juego implica la competición con otros, con una computadora o con uno mismo" (Hogle, 1996: 11).

Una de las mayores dificultades a las que se enfrenta el docente, es precisamente el papel que debe tomar ante las actividades lúdicas. Se sabe que el aprendizaje desciende en aquellas actividades que no están lideradas por el docente (Moyles, 1999), por este motivo, hay que ser muy riguroso en la programación de este tipo de actividades sin quitarle la importancia que tendrá dentro del proceso de aprendizaje. Es muy importante que el docente tenga claro qué quiere trabajar, cómo lo va a hacer, durante cuánto tiempo y dejar las instrucciones de la manera más clara posible.

Lo verdaderamente reseñable es que, para realizar una actividad lúdica completa dentro del aula, es necesario modificar los hábitos del proceso tradicional de enseñanza/aprendizaje fomentando la motivación que favorezca el aprendizaje mediante una actitud adecuada (Kapp, 2007; 2012). Uno de los retos a los que se enfrenta cualquier docente que quiera impulsar una metodología innovadora, alejada de esos postulados típicos de la escuela tradicional, es precisamente aprovechar todos los beneficios que puede ofrecer una metodología lúdica e intentar integrarla en la propia programación de la asignatura ya que, siguiendo a De Borja (1998) debemos acabar con la extendida idea de que las actividades lúdicas solo deben usar para "rellenar tiempos muertos", puesto que sus beneficios para el desarrollo de las capacidades del alumnado es más que notable.

Estas directrices se nos antojan fundamentales para reforzar el convencimiento de que la utilización de la ludificación puede ofrecer resultados académicos positivos en entornos de aprendizaje, corroborando así la tesis del estudio de Caponetto, Earp y Ott (2014) en el que se analizan numerosas investigaciones que fusionan educación y gamificación así como su rápido crecimiento desde que se puso en marcha. En concreto y respecto a sus efectos positivos sobre la gestión del aula, se debe recordar que "la gamificación presenta una forma basada en los juegos, en su estética y en el pensamiento de juego para involucrar a la gente, motivar la acción, promover el aprendizaje y resolver problemas" (Kapp, 2012: 10).

Es cierto, que como indica Saleh (2011: 308), el alumno por su parte tiene que hacer un gran esfuerzo y adoptar una actitud positiva ante el proceso de la enseñanza/aprendizaje del árabe y tiene que saber que "no existen recetas mágicas que introduzcan en su cabeza una lengua cualquiera en un mes o en un año". Para alcanzar un nivel básico el alumno necesita, entre otras cosas, trabajar de forma constante y practicar la lengua donde y como le sea posible. Pero la actualización de materiales y de docencia, ayudaría más a este proceso.

Queda patente la necesidad de una adaptación y acercamiento paulatino entre los dos métodos más empleados actualmente en la enseñanza de idiomas en la universidad para poder conseguir ese término medio que permita el enriquecimiento del proceso de enseñanza/aprendizaje del idioma, dándose la posibilidad de aproximar la práctica lingüística alejando las soluciones más arcaicas y así poder tener la posibilidad de emplear la ludificación como una herramienta más de la enseñanza que nos permita disfrutar de la lengua árabe.

## VI. REFERENCIAS

Abboud, P. F. y McCarus, E. N. (1999). *Elementary Modern Standar Arabic*. Cambridge University Press.

Aguilar, V. (2011). Enseñanza del árabe en España. *AFKAR/IDEAS*, 82-84.

Aguilar, V., Manzano, M. A. y Zanón, J. (2010). *¡Alatul! Iniciación a la lengua árabe, A.1.1*. Herder.

Aguilar V.; Rubio, A. y Domingo, L. C. (2014). *Mabruk (A2.1)*. DM.

Aguilar Cobos, J. D.; García Castillo, A.; Jódar Jódar, A.; Peña Agüeros, M. A. y Pérez Miñano, M. (2008). *An-nafura A1, Lengua Árabe*. Albujayra.

Asín Palacios, M. (1954). *Crestomatía de árabe literal con glosorario y elementos de gramática*. Imprenta y Editorial Maestre.

Aula Planeta (2015). Ventajas del aprendizaje basado en juegos. www.aulaplaneta.com/2015/07/21/recursos-tic/ventajas-del-aprendizaje-basado-en-juegos-ogame-based-learning-gbl/.

Blachère, R. y Gaudefroy-Demombynes, M. (1975). *Grammaire de l'arabe classique. Morphologie et syntaxe*. Maisonneuve et Larose.

Bíró, G. I. (2014). Didactics 2.0: A Pedagogical Analysis of Gamification Theory from a Comparative Perspective with a Special View to the Components of Learning. *Procedia-Social and Behavioral Sciences*. 14, 148-151.

Brown, S. (2009). *¡A jugar!: La forma más efectiva de desarrollar el cerebro, enriquecer la imaginación y alegrar el alma*. Urano.

Burke, B. (2014). *Gamify: How Gamification Motivates People to do Extraordinary Things*. Bibliomotion.

Caponetto, L.; Earp, J. y Ott, M. (2014). Gamification and Education: A Literature Review. *Proceedings of the 8th European Conference on Games-Based Learning*, 50-57.

Cinca, M. L. (1990). Peculiaridades de la enseñanza del árabe en España: algunos datos para la reflexión. *Comunicación, Lenguaje y Educación*, 7-8, 157-161.

Consejo de Europa (2001). *Marco Común Europeo de Referencia para las Lenguas: Aprendizaje, Enseñanza y Evaluación*. Ministerio de Educación. Instituto Cervantes http://cvc.cervantes.es/ensenanza/biblioteca_ele/marco/cvc_mer.pdf.

Corriente, F. (1998). *Gramática árabe*. Herder.

Cortizo Pérez, J. C.; Carrero García, F. M.; Monsalve Piqueras, B.; Velasco Collado, A.; Díaz del Dedo, L. I. y Pérez Martín, J. (2011). Gamificación y Docencia: Lo que la Universidad tiene que aprender de los Videojuegos. *Actas de las VIII Jornadas internacionales de innovación universitaria*. http://abacus.universidadeuropea.es/bitstream/handle/11268/1750/46_Gamificacio n.pdf?sequence=2&isAllowed=y/.

Cowan, D. (1998). *Gramática de la lengua árabe moderna*. Ediciones Cátedra.

Cuenca, M. (2014). *Ocio valioso*. Universidad de Deusto.

Deterding, S.; Dixon, D.; Khaled, R. y Nacke, N. (2011). From Game Design Elements to Gamefulness: Defining –Gamification–. *En Proceedings of the 15th International Academic MindTrek Conference: Envisioning Future Media Environments*, ACM, 9-15.

Figueroa Flores, J. (2015). Using Gamification to Enhance Second Language Learning. *Digital Education Review, 27*. http://revistes.ub.edu/index.php/der/article/view/11912.

Haywood, J. A. y Nahmad, H. M. (1992). *Nueva Gramática árabe*. Editorial Coloquio.

Hogle, Jan G. (1996). Considering Games as Cognitive Tools: In Search of Effective "Edutainment". ERIC Clearinghouse.

Imbert, F. (2009). Enseigner la grammaire arabe à l'université: réforme et devoir de réalisme linguistique. En *Enseñanza y aprendizaje de la lengua árabe. 47-62.* Arabele 09.

Jiménez, S. (2015). Gamification Model Canvas. Obtenido de: www.gameonlab.es/canvas.

Jiménez Palmero, D. (2019). *La Gamificación en la enseñanza de Español como Lengua Extranjera. Análisis y propuestas de aplicaciones con estrategias ludificadas.* (Tesis Doctoral). Universidad de Sevilla.

Jiménez Palmero, D. (2017). ¿Qué es la gamificación? *Boletín de la Asociación Española de español como lengua extranjera,* 56, 73-82.

Kapp, K. (2007). *Gadgets, Games and Gizmos for Learning: Tools and Techniques for Transferring Know-How from Boomers to Gamers.* Pfeiffer.

Kapp, K. (2012). *The Gamification of Learning and Instruction: Game-Based Methods and Strategies for Training and Education.* Pfeiffer.

Labrador, M. y Morote, P. (2008). El juego en la enseñanza de ELE. www.um.es/glosasdidacticas/numeros/GD17/07.pdf.

Martínez Moreno, N. M.; Leiva Olivencia, J. J. y Matas Terrón, A. (2016). Mobile learning, Gamificación y Realidad Aumentada para la enseñanza-aprendizaje de idiomas. *IJERI: International Journal of Educational Research and Innovation,* 6, 16-34.

Moyles, J. R. (1998). *El juego en la educación infantil y primaria.* Morata.

Saleh, W. (2002). El árabe como lengua extranjera en la enseñanza universitaria. (La lengua árabe: instrumento de comunicación). *MEAH, SECCIÓN ÁRABE-ISLAM,* 51, 301-314.

Sánchez Iglesias, S. (2016). *La importancia del juego en el proceso de enseñanza-aprendizaje de una lengua extranjera.* Trabajo fin de grado. Universidad de Valladolid.

Santos-de-la-Rosa, I. (2022). *¡Tu turno! Juegos para aprender los verbos regulares árabes.* UPO/Enredars.

Schulz, E., Krahl, G. y Reuschel, W. (2000). *Standard Arabic. An elementary-intermediate course.* Cambridge University Press.

Seaborn, K. y Fels, D. (2015). Gamification in theory and action: A survey. *International Journal of Human Computer Studies,* 74, 14-31.

Sheikh Durra, A. M. y Ismail Bacha, F. M. (2011). *Sabily ila l' Arabiyah.* IQRA Languages.

Valdemoros, M. A.; Sanz, E. y Ponce de León, A. (2017). Ocio digital y ambiente familiar en estudiantes de Postobligatoria. *Comunicar*, 50 (XXV), 99-108.

Werbach, K. y Hunter, D. (2012). *For the win. How game thinking can revolutionize your business*. Wharton Digital Press.

Wightwick, J. y Gaafar, M. (2015). *Mastering Arabic 1*. HIPPOCRENE BOOKS.

Wightwick, J. y Gaafar, M. (2006). *The 100 word Exercise Book Arabic*. GW Publishing.

Zichermann, G. y Cunningham, C. (2011). *Gamification by design*. O'Reilly Publishing Bibliomotion.

*Capítulo 31*

# Política exterior, narrativas y roles nacionales: el caso de Julian Assange

Wolf-Robin Steudt

*(Universitat Autònoma de Barcelona —España—)*

*Este estudio se fundamenta parcialmente en el Trabajo de Fin de Máster del autor para la obtención del Máster Universitario en Relaciones Internacionales, Seguridad y Desarrollo de la Universitat Autònoma de Barcelona en el curso académico 2020-2021. El tutor de este trabajo fue el Dr. Juan Pablo Soriano.*

## I. INTRODUCCIÓN

### 1.1. EL CASO DE JULIAN ASSANGE Y ECUADOR

En julio de 2012, el periodista, programador y activista australiano Julian Assange solicitó asilo en la embajada de Ecuador en Londres, con el fin de evitar su extradición desde Inglaterra a Suecia por acusaciones de violación y acoso sexual en el territorio del segundo país (Ambos, 2013). Adicionalmente, el fundador de la organización internacional Wiki-Leaks alegó "temores de persecución política y la posibilidad de la pena de muerte si fuera extraditado a los Estados Unidos" (Arredondo, 2017, p. 132), especialmente por la publicación de materiales clasificados como confidenciales (Arredondo, 2017).

Todo ello llevó en agosto de 2012 a la decisión del Gobierno ecuatoriano bajo la presidencia de Rafael Correa de conceder a Assange la figura controvertida de "asilado diplomático", una decisión criticada por Suecia y Reino Unido por tratarse de una institución no reconocida en el derecho internacional (Ambos, 2013) y por suponer una "injerencia en los asuntos internos del Estado territorial" (Ambos, 2013, p. 125).

Cuando Lenín Moreno llegó a la presidencia ecuatoriana en 2017, se esperó la general continuación de la línea política, económica e ideológica del Gobierno de Correa, también porque ya había sido su vicepresidente entre 2007 y 2013. Estas expectativas se limitaron no solamente a aspectos internos como la afinidad con el partido político Movimiento Alianza País y su proyecto socioeconómico y político, la Revolución Ciudadana, sino también externos, como el apoyo del Socialismo del Siglo XXI, es decir, de la propuesta contrahegemónica que busca "la superación de la globalización neoliberal [...], a través de alternativas históricas deseables, posibles y viables" (Biardeau R., 2007, p. 146).

No obstante, el Gobierno de Moreno evidenció un progresivo alejamiento político y discursivo del expresidente Correa y sus decisiones (Andino, 2020), incluyendo, por ejemplo, una renovada actitud hacia los medios de comunicación[1], un alegado giro al neoliberalismo (Frieiro y Sánchez, 2021) y la renovación de las relaciones bilaterales con países como Estados Unidos (EE. UU.)[2].

Adicionalmente, hubo cambios tangibles con respecto a las relaciones entre Ecuador y el asilado Assange, llevando a varios llamamientos de atención por sus opiniones abiertas sobre los sucesos en otros países, como España y Rusia, un corte temporal de su conexión a Internet en marzo de 2018 para impedir dichas opiniones, y el final levantamiento de su asilo y consecuente detención en el verano de 2019 por la policía británica.

En consecuencia, el análisis de las narrativas creadas por el presidente Moreno durante el inicio de su Gobierno sobre un caso de relevancia internacional como el de Assange permite analizar los roles nacionales concebidos para su país, y, con ello, evidenciar no solamente el alejamiento del Gobierno anterior mediante un proceso de transformación interna y externa, sino también la conexión entre las decisiones de política exterior y las narrativas como manera de ubicarse en el mundo y establecer relaciones con otros actores.

---

1.  Para Correa, los diarios nacionales eran su enemigo (de la Torre, 2013). Al contrario, Moreno se reunió con los medios, reestableció la pauta publicitaria y llevó a encuadres favorables (Andino, 2020).

2.  El Gobierno de Correa se alejó de EE. UU. en varias dimensiones, lo cual se revirtió parcialmente por el Gobierno de Moreno. Por ejemplo, mientras Correa impidió en 2009 la presencia militar estadounidense en Ecuador con la no renovación del contrato sobre la base militar en Manta (de la Torre, 2013), Moreno entró en nuevas relaciones de seguridad, comercio y cooperación con este país en 2018 (El Comercio, 2019).

## 1.2. EL ANÁLISIS DE POLÍTICA EXTERIOR Y LA CENTRALIDAD DEL SER HUMANO

El Análisis de Política Exterior (APE) es un subcampo de la disciplina de las Relaciones Internacionales (RR.II.) que surgió en los años 1950, pero que cobró fuerza durante la postguerra fría (Hudson, 2014). Según Hudson (2014), las mayores contribuciones del APE para las RR.II. –una disciplina tradicionalmente centrada en los Estados y la influencia de los factores materiales y sistémicos– son la integración de diferentes niveles de análisis, la superación de la descripción para mayor capacidad explicativa, la creación de puentes con otras disciplinas y la introducción de un concepto más robusto de agencia. Este último aspecto alude al ser humano como tomador de decisiones y fuente de ideas y, por ello, como "punto de intersección teórica entre los determinantes más importantes del comportamiento estatal: factores materiales e ideacionales" (Hudson, 2014, p. 8).

La definición de las políticas exteriores se fundamenta en el presente estudio en su factor relacional. Al respecto, Calduch (1993) afirmó lo siguiente:

> La política exterior es aquella parte de la política general formada por el conjunto de decisiones y actuaciones mediante las cuales se definen los objetivos y se utilizan los medios de un Estado para generar, modificar o suspender sus relaciones con otros actores de la sociedad internacional. (p. 3)

A pesar de su estatocentrismo, esta definición relacional de las políticas exteriores se conecta con el ser humano como fuente de ideas y con la relevancia de las narrativas: según Patterson y Monroe (1998), las narrativas necesitan de agencia humana, resaltan lo inusual, son cronológicas, pero no necesariamente reales y requieren la perspectiva de un narrador, con el fin de "interpretar y comprender las realidades políticas que nos rodean" (p. 316) y ubicarnos en ellas en relación con otros actores (Patterson y Monroe, 1998).

Esta agencia humana se vincula en América Latina con el factor idiosincrático, el cual alude a "la influencia que pueden desempeñar en los procesos de formulación e implementación de la política exterior las actitudes, las ideologías, los valores, las habilidades, los perfiles y las biografías de los líderes" (Rosenau, 1994, pp. 207-208, citado por Pastrana Buelvas y Vera Piñeros, 2021, pp. 38-39). Dichos líderes son también centrales por el "rol preponderante que desempeña el presidente –en el marco de la institución *del presidencialismo*– en el diseño y la puesta en marcha de la política exterior en los países latinoamericanos" (Pastrana Buelvas y Vera Piñeros, 2021, p. 39, cursivas en el original).

Además, el peso del factor idiosincrático es aún mayor en el caso ecuatoriano, ya que es uno de los "países con rasgos más intensos de presidencialismo imperialista" (Basabe-Serrano, 2017, p. 11), en el cual la Constitución de 2008 otorga un rol central al presidente en los asuntos exteriores (Muyulema-Allaica *et al.*, 2019; Villabella Armengol, 2018).

Por ello, la evaluación de la posible influencia de factores como la concepción de los roles nacionales en relación con otros Estados en la política exterior de un país presidencialista como Ecuador debe partir necesariamente del nivel individual de su presidente, por lo cual el análisis del presente estudio se fundamentará en las narrativas generadas y expresadas por el presidente Moreno con respecto al caso de Assange en la embajada ecuatoriana en Londres durante el primer año de su periodo legislativo.

## 1.3. EL ANÁLISIS DE LOS ROLES NACIONALES

El rol es un concepto aplicable a individuos y colectivos (Thies, 2017) que se introdujo al APE en los años 1970 por K. J. Holsti con su tipología de 17 roles nacionales (Morin y Paquin, 2018). Se definen, por un lado, como "patrones de comportamiento esperado o apropiado" (Velosa Porras, 2021, p. 84) y, por otro, como posiciones en el sistema internacional (Morin y Paquin, 2018; Thies, 2017; Velosa Porras, 2021) que resultan de las interacciones entre actores y que pueden ser políticas, geográficas o sociales, situando al país en una escala de poder, en el espacio o en un grupo (Morin y Paquin, 2018).

Existen tres conceptos fundamentales del rol nacional: su expectativa, su desempeño y su concepción. Mientras las expectativas del rol nacional "consisten en normas, creencias y preferencias relativas al desempeño de un individuo en un rol relativo a los individuos que ocupan otros roles" (Thies, 2013, pp. 666-667), el desempeño del rol nacional alude al comportamiento concreto de un Estado en relación con otros (Velosa Porras, 2021), llevando a la creación de "relaciones de rol (entre Ego y Alter) y, además, posiciones sociales" (Baker y Faulkner, 1991, p. 281, citado por Velosa Porras, 2021, p. 89).

Al contrario, la concepción del rol nacional (CRN) alude a la perspectiva que un Estado tiene de sí mismo, de cómo debería actuar a nivel internacional y con qué funciones, fundamentándose, según Holsti (1970), en "las propias definiciones de los responsables de las políticas de los tipos generales de decisiones, compromisos, reglas y acciones adecuadas para su Estado" (pp. 245-246). Por ello, se basan en factores como el trasfondo cultural de los líderes y su percepción del entorno (Morin y Paquin, 2018), lo cual se conecta con la mencionada importancia de la agencia humana en el sistema presidencial.

Aunque el respectivo análisis podrá ser ampliado en investigaciones futuras con el desempeño y la expectativa del rol nacional, el presente estudio se limitará por cuestiones de espacio y tiempo a su concepción. Para ello, se usará la tipología de Thies (2017), basada en Holsti (1970) y otros estudios anteriores, la cual propuso una categorización de las CRN según sus dimensiones tanto pro- y anti-centro como autónomo y dependiente. Tal como se puede observar en su estudio sobre las CRN de Venezuela, esta tipología consiste en 11 CRN pro-centro y autónomo; ocho CRN pro-centro y dependiente; 12 CRN anti-centro y autónomo; y nueve anti-centro y dependiente (ver Thies, 2017, p. 668).

## II. OBJETIVOS

El objetivo general de la presente investigación es analizar la relación entre factores no materiales y la política exterior de Ecuador, en este caso, las narrativas presidenciales y la concepción de los roles nacionales en cuanto al caso de Assange en la embajada ecuatoriana en Londres. Para ello, los objetivos específicos son: examinar las entrevistas realizadas con el presidente durante su primer año de Gobierno según las temáticas abordadas; deducir de las exclamaciones hechas en estas entrevistas sobre Assange, Ecuador y otros países las concepciones de los roles nacionales del país; y considerar la influencia de estas CRN en las decisiones de política exterior, incluyendo la relación con el Gobierno anterior.

## III. METODOLOGÍA

Con el fin de analizar las CRN de Ecuador con respecto a la situación de Assange en la embajada en Londres, la metodología del presente estudio se fundamenta en un análisis cualitativo tanto de la bibliografía existente sobre el caso de Assange como de diez entrevistas realizadas con el presidente ecuatoriano Lenín Moreno durante el primer año de su periodo legislativo, es decir, entre mayo de 2017 y mayo de 2018. Las primeras nueve entrevistas constituyen la totalidad de las que se subieron en este período al canal oficial de YouTube de la Presidencia de Ecuador y se complementó con una entrevista adicional del servicio de radiodifusión internacional público de Alemania, Deutsche Welle, con el fin de contar con cinco entrevistas de 2017 y cinco de 2018.

Dicho material se transcribió con el software automatizado Trint, cuyos textos se revisaron para corregir los errores del programa. Para su análisis, se aplicaron las pautas de Fernández-Núñez (2015) para la realización de un análisis temático de las narrativas sobre la situación de Assange, Ecuador y las relaciones con otros países: seleccionar el objeto de análisis; revisar y preparar el material a examinar; identificar las temáticas abordadas y categorizarlas; analizar lo relevante para el estudio y reconstruir las narrativas; identificar posibles metanarrativas que subyacen las exclamaciones (Fernández-Núñez, 2015). Así, se analizaron el posicionamiento sobre el caso del asilado y las CRN expresadas según la mencionada tipología de Thies (2017), visible en los resultados en la tabla 1[3].

## IV.  RESULTADOS

En la Agenda de Política Exterior 2017-2021, Ecuador fue caracterizado como uno de los promotores de "la conformación de un orden global multipolar con la participación activa de bloques económicos y políticos regionales, y el fortalecimiento de las relaciones horizontales para la construcción de un mundo justo, democrático, solidario, diverso e intercultural" (Ministerio de Relaciones Exteriores y Movilidad Humana, 2018a, p. 28), presentándose adicionalmente como un protagonista regional en temáticas como la libre movilidad o la participación en diferentes organismos multilaterales, como la Alianza Bolivariana para los Pueblos de Nuestra América – Tratado de Comercio de los Pueblos (ALBA-TCP) y la Unión de Naciones Suramericanas (UNASUR) (Ministerio de Relaciones Exteriores y Movilidad Humana, 2018a).

Este posicionamiento estatal de buscar una mayor inserción en un mundo multipolar se refleja también en la caracterización de Ecuador por su presidente como "amigo de todo el mundo" (entrevista 2, septiembre 2017, 00:08:25) y sus opiniones sobre aspectos como el respeto del derecho de autodeterminación de Venezuela; el rol de los organismos multilaterales para el diálogo internacional; la coordinación con Colombia de las actuaciones en contra del narcotráfico; y la situación de Assange en la embajada ecuatoriana en Londres.

La aplicación de la tipología de Thies (2017) de las CRN a Ecuador, cuyos resultados se pueden observar en la tabla 1, se fundamentará en las narrativas creadas sobre la situación de Assange, ya que, por un lado,

---

3.    Las transcripciones y la categorización de las entrevistas según temáticas no se incluyeron en este trabajo por sus respectivas extensiones, pero se pueden solicitar al autor del presente estudio.

permite analizar la percepción presidencial de Ecuador y del rol que debería ocupar, y, por otro, revela el progresivo distanciamiento del Gobierno anterior con base en un caso internacionalmente relevante y al cual el presidente hizo referencia en siete de las diez entrevistas analizadas (entrevistas 1, 2, 3, 4, 5, 6 y 10).

**Tabla 1.** Las principales CRN pro-centro de Ecuador con respecto al caso de Assange.

| Nombre | Descripción | Clasificación | |
|---|---|---|---|
| | | Dependiente | Autónomo |
| Defensor de la fe | Defender sistemas de valores de ataques para asegurar una ideología. | | X |
| Aliado fiel | El compromiso de un Gobierno con el apoyo recíproco de las políticas de otro Gobierno. | X | X |
| Socio/Cliente | Enfoque en las relaciones comerciales con otros Estados y regiones de forma horizontal-complementaria o vertical-dependiente. | X | X |
| Desarrollo interno | Pocos deberes o funciones internacionales. No se involucra en asuntos externos, pero busca cooperación económica y técnica. | X | |
| Independiente activo | No tener compromisos militares o ideológicos con las potencias, pero buscar activamente relaciones con tantos Estados como sea posible e interponerse en conflictos de bloques. | | X |
| Colaborador del subsistema regional | Compromisos profundos y de largo alcance con la cooperación con otros Estados o subsistemas transversales. | | X |

**Fuente:** La tabla, las CRN y sus clasificaciones se basan en Thies (2017), las descripciones en Holsti (1970). La CRN de cliente aparece en Thies (2017), pero su ampliación como socio y la respectiva descripción se realizaron por el autor del presente estudio.

A diferencia del Gobierno anterior y su oposición al orden mundial mediante la asociación al Socialismo del Siglo XXI, Ecuador se concibe bajo Moreno como un país pro-centro que depende en unas situaciones de otros actores, pero que busca un mayor protagonismo en otras, llevando a CRN tanto dependientes como autónomas.

En cuanto al caso de Assange, el presidente Moreno creó una narrativa cronológica que se relaciona con las CRN deseadas y desempeñadas por su país: durante su campaña electoral, enfatizó su rechazo personal tanto de las actividades de "hacker" del asilado como de sus declaraciones sobre la política ecuatoriana y de otros países (The New York Times, 2017). Aun así, en septiembre de 2017 (entrevistas 1, 2 y 3), Moreno resaltó la protección de la vida del activista como una simultánea cuestión de valores y responsabilidad legal:

> Independientemente de que no estemos de acuerdo con la actividad que el señor Assange representa, hay un [...] valor mayor que es el de la protección de su vida. En el Ecuador no hay la pena de muerte y... y nosotros tememos que la persona a la cual hemos acogido en nuestra embajada pueda correr peligro de muerte (entrevista 1, septiembre 2017, 00:21:01).

A pesar de expresar con esto la CRN autónoma de defensor de la fe por la protección de valores contra los ataques de otros (Holsti, 1970), las advertencias a Assange sobre su condición de asilado y la consecuente prohibición de opinar acerca de los asuntos internos de Ecuador y de otros países se puede interpretar como la CRN dependiente de un aliado fiel que tiene compromisos con las políticas de otros Gobiernos (Holsti, 1970), una postura que el presidente ecuatoriano definió así: "su condición no le permite opinar acerca de asuntos políticos de Ecuador o de países amigos"[4] (entrevista 1, septiembre 2017, 00:21:32).

En diciembre de 2017 (entrevistas 4 y 5), debido al segundo llamamiento a Assange por sus declaraciones sobre la independencia de Cataluña, el presidente ecuatoriano enfatizó más la responsabilidad legal que la protección de valores: "la ley ecuatoriana no reconoce la pena de muerte. Por lo tanto, si es que se da la oportunidad de proteger a una persona contra la pena de muerte, hay que hacerlo" (entrevista 4, diciembre 2017, 00:42:08), con lo cual se alejó de la CRN de defensor de la fe para ser un aliado fiel. No obstante, cabe resaltar que también la concesión del

---

4. En cinco entrevistas (entrevistas 1, 2, 3, 5 y 10), Moreno llamó los países afectados por las opiniones de Assange –especialmente España y Rusia– "amigos", mientras los países andinos, incluyendo sus Gobiernos y ciudadanos, denominó en seis entrevistas (entrevistas 1, 5, 7, 8, 9 y 10) "hermanos".

rango de diplomático para la protección de perseguidos se considera una injerencia en los asuntos internos de otro Estado (Arredondo, 2017), por lo cual la postura de Moreno sobre las opiniones de Assange y su simultánea protección en Londres son clasificables como aspectos contradictorios.

Como intento de resolver esta contradicción, el presidente se distanció claramente de la decisión de otorgarle la nacionalidad ecuatoriana a Assange en enero de 2018 (entrevista 6), resaltando que fue responsabilidad de la canciller María Fernanda Espinosa. Al mismo tiempo, definió la situación por primera vez en las entrevistas analizadas como un problema heredado del Gobierno anterior que "nos causa más de una molestia" (entrevista 6, enero 2018, 01:10:39), distanciándose así aun más de la CRN de defensor de la fe, sin dejar de resaltar la responsabilidad legal con respecto a la protección de la vida humana.

Este cambio de CRN se reforzó a finales de marzo de 2018 cuando se suspendió temporalmente la conexión a Internet de Assange debido a sus enfrentamientos con Gran Bretaña en cuanto a las acusaciones contra Rusia sobre el envenenamiento del exespía ruso Serguéi Skripal y de su hija (Henley, 2018). La Secretaría General de Comunicación de la Presidencia (SGCP) legitimó esta decisión diciendo que "el comportamiento de Assange [...] pone en riesgo las buenas relaciones que el país mantiene con Reino Unido, con el resto de la Unión Europea y otras naciones" (Comunicación Ecuador, 2018, párr. 3).

En este sentido, Ecuador expresa CRN dependientes en relación con países específicos. Por un lado, en cuanto a la búsqueda del desarrollo gracias a naciones como EE. UU. y Rusia (entrevista 2), lo cual el presidente afirmó de la siguiente manera: "nosotros admiramos mucho a esas potencias que en base a trabajo, a esfuerzo de sus ciudadanos, están saliendo adelante y llevan prácticamente la batuta del desarrollo tecnológico y científico" (entrevista 2, septiembre 2017, 00:20:50). Por otro, Ecuador persigue relaciones de cooperación con estos y otros países, como España y Alemania (entrevistas 5 y 10), lo cual el presidente explicitó al hablar de su viaje a Europa: "vamos a hablar de la cooperación que España siempre ha brindado al Ecuador y las inversiones que interesan para el desarrollo del país" (entrevista 5, diciembre 2017, 00:38:29). Estas posturas generales expresaron CRN dependientes de cliente (Thies, 2017) y de desarrollo interno (Holsti, 1970).

Sin embargo, a pesar de la concepción de estos roles dependientes, Ecuador explora también CRN autónomas: en primer lugar, Moreno destacó la complementariedad comercial con países desarrollados, visible, por ejemplo, en su caracterización de Ecuador en diciembre de 2017 como "un país de oportunidades para invertir en varios rubros" (SGCP, s.f., párr. 5) y su Gobierno como uno "que quiere favorecer la inversión, que sabe perfectamente que la gran generadora del empleo es la empresa" (SGCP, s.f., párr. 1).

En segundo lugar, debido a mayores niveles de confianza internacional en el país, Ecuador busca espacios aparte del FMI para obtener créditos con mejores condiciones "que nos permitirán reemplazar la deuda cara por una deuda más barata" (entrevista 4, diciembre 2017, 00:07:23), resultando en la búsqueda de sustituir la CRN de cliente por la de socio, por ejemplo, con China y sus actividades comerciales en América Latina.

En tercer lugar, el anhelo de menor dependencia se observó también con respecto a la CRN autónoma de colaborador del subsistema regional (Thies, 2017), una colaboración que va más allá de factores relevantes durante el Gobierno de Correa, como las coincidencias ideológicas:

> Nosotros tenemos intereses comunes, principalmente con los países latinoamericanos. Tenemos una historia en común, [...] un idioma en común, problemas en común y, por supuesto, un futuro en común. Ojalá pudiésemos algún momento lograr una gran patria latinoamericana que pueda en conjunto negociar con el mundo. Pero, como eso no se ha logrado todavía, lo que nosotros queremos es una buena relación con todos los países. (entrevista 7, marzo 2018, 00:16:09).

Por ello, a pesar de calificar UNASUR en septiembre de 2017 como "el espacio más adecuado, más idóneo para que se solucione [sic] los conflictos" (entrevista 2, septiembre 2017, 00:08:45) mediante diálogos, dijo en diciembre del mismo año que los países involucrados "han permitido que las diferencias ideológicas primen sobre todos los elementos positivos que puede tener la integración" (entrevista 4, diciembre 2017, 00:32:02), lo cual denota un parcial rol autónomo de independiente activo con respecto a la búsqueda de relaciones multilaterales sin la necesidad de tener afinidades ideológicas, aunque se sigue usando un vocabulario bolivariano al referirse a la "gran patria".

Por ello, Moreno calificó el proyecto de integración pro-núcleo que busca la apertura comercial hacia otras regiones (Aranda y Salinas, 2015), la Alianza del Pacífico (AP), y el principal destino de las exportaciones ecuatorianas, EE. UU. (Asociación Latinoamericana de Integración, 2020), como posibilidades que responden a las necesidades actuales del país:

> Nosotros debemos revisar nuestras relaciones internacionales y apuntar a aquellos países con los cuales [...] le conviene más al

Ecuador tener una buena relación. La Alianza del Pacífico es una opción. […] Un acuerdo… un tratado con Estados Unidos también es una opción que hay que revisarla. (entrevista 6, enero 2018, 01:07:41).

De esta manera, las CRN pro-centro de Ecuador se relacionan con las expectativas de ser un país confiable, activo y abierto que respeta valores como la democracia y el derecho internacional. La creación de dichas expectativas está afectada especialmente por la orientación ideológica y las presiones sistémicas (Thies, 2017), como, por ejemplo, el progresivo distanciamiento del Socialismo del Siglo XXI como proyecto ideológico (Andino, 2020) y las tensiones internacionales en cuanto al caso de Assange, por lo cual se vinculan con la creciente percepción del asilado en Londres como problema heredado del Gobierno anterior y obstáculo para la renovación pragmática de las relaciones con Estados Unidos o la Alianza del Pacífico más allá de las anteriores limitaciones por razones ideológicas.

Todo esto llevó a un desempeño del rol nacional específico que se reflejó, por ejemplo, en las decisiones sobre la pertenencia de Ecuador a dos organismos multilaterales: por un lado, en junio de 2018, se anunció la solicitud de adhesión a la AP, cuyos postulados de libre comercio se habían rechazado anteriormente por el expresidente Correa a favor del Socialismo del Siglo XXI (RT, 2013). Por otro lado, se comunicó en agosto de 2018 la salida oficial de ALBA-TCP, un proyecto político-ideológico que persigue la emancipación de los poderes hegemónicos para mayor solidaridad regional (Aranda y Salinas, 2015), manifestando así el alejamiento tangible entre el Gobierno de Moreno y el de su antecesor Correa, algo que se reflejó en las mencionadas CRN con respecto al caso de Assange.

## V. DISCUSIÓN

Los resultados sobre las CRN de Ecuador en cuanto al caso de Assange y su influencia en las decisiones de política exterior se insertan en la actual tendencia del APE de analizar la influencia de factores no solamente materiales y sistémicos, sino también ideacionales de origen doméstico e individual. En este sentido, las narrativas del presidente Moreno sobre el caso evidencian la progresiva ruptura con su antecesor Correa, tal como diferentes autores ya lo habían detectado en relación con otros temas (Andino, 2020; Frieiro y Sánchez, 2021).

Adicionalmente, los resultados obtenidos son de relevancia exploratoria, ya que se analizaron aspectos relativamente poco estudiados: los roles nacionales de un país latinoamericano, ya que la cantidad de los estudios sobre esta temática en relación con los países del Sur Global es todavía reducida (Thies, 2017); el caso de Assange como fenómeno no solamente legal, sino también como posible influencia en las decisiones de política exterior de Ecuador; y las decisiones tomadas por el Gobierno de Lenín Moreno, siendo su período legislativo aún menos estudiado que el de su antecesor Correa.

## VI. CONCLUSIONES

A modo de conclusión, la mencionada ruptura con el Gobierno de Correa se evidenció en las narrativas del presidente Moreno sobre el caso de Assange, siendo los roles nacionales concebidos ya no contrarios al centro global y en búsqueda de una supuesta autonomía absoluta, tal como se lo había propuesto anteriormente en el marco del Socialismo del Siglo XXI, sino pro-centro de naturaleza tanto dependiente como autónoma. Esto resultó en la creciente percepción de la situación del activista australiano en la embajada en Londres como una obligación legal más que una responsabilidad moral y como un problema heredado del Gobierno anterior que limita la renovación de las relaciones internacionales de forma pragmática, llevando al distanciamiento discursivo de Assange y al final levantamiento de su protección controvertida en 2019.

No obstante, por sus limitaciones a las narrativas como factor ideacional y las CRN expresadas por el presidente ecuatoriano en cuanto a un caso concreto durante su primer año de Gobierno, los resultados del presente estudio deberían ampliarse en investigaciones futuras a través de la integración de otras variables ideacionales y materiales de distintos niveles de análisis, como, por ejemplo, la orientación ideológica o la distribución del poder.

En este sentido, sería oportuno realizar nuevos estudios que, por un lado, incluyan análisis más profundos de otros conceptos relacionados con el rol nacional, como su desempeño o expectativa y, por otro, tematicen las CRN tanto de Ecuador durante un periodo más extendido como de otros países, con el fin de crear un cuerpo de conocimientos inclusivo y diverso que permita comparaciones temporales y geográficas.

## VII. REFERENCIAS

Ambos, K. (2013). El caso de Julian Assange: Orden de detención europea versus asilo diplomático. *Nuevo Foro Penal, 9*(81), 116-138. http://dx.doi.org/10.17230/nfp. 9.81.4.

Andino, B. (2020). El nosotros y los otros en los discursos del presidente Lenín Moreno durante 2018. *Comunicación y Medios, N°41*, 29-41. http://dx.doi.org/10.5354/0719-1529.2020.55926.

Aranda, G. y Salinas, S. (2015). ALBA y Alianza del Pacífico: ¿Choque de integraciones? *Universum Vol. 30(1)*, 17-38. http://dx.doi.org/10.4067/S0718-23762015000100002.

Arredondo, R. (2017). "WikiLeaks", Assange y el futuro del asilo diplomático. *Revista española de derecho internacional, 69*(2), 119-144. http://dx.doi.org/10.17103/redi.69.2.2017.1.05.

Asociación Latinoamericana de Integración. (2020). *Informe de comercio de bienes del Ecuador: 2012 – 2018. ALADI/SEC/Estudio 235.* ALADI. https://bit.ly/3BVgIrB.

Basabe-Serrano, S. (2017). Las distintas caras del presidencialismo: debate conceptual y evidencia empírica en dieciocho países de América Latina. *Revista Española de Investigaciones*, 157, 3-22. http://dx.doi.org/10.5477/cis/reis.157.3.

Biardeau R., J. (2007). ¿El proceso de transición hacia el nuevo socialismo del siglo XXI?: Un debate que apenas comienza. *Revista Venezolana de Economía y Ciencias Sociales, 13*(2), 145-179. https://bit.ly/3yPi0Ce.

Calduch, R. (1993). Capítulo 1.– La política exterior de los Estados. En R. Calduch, *Dinámica de la sociedad internacional* (pp. 1-33). Centro de Estudios Ramón Areces.

Comunicación Ecuador [@ComunicacionEc]. (2018, 28 de marzo). COMUNICADO OFICIAL | *El Gobierno de Ecuador suspende las comunicaciones de @JulianAssange.* [imagen]. Twitter https://bit.ly/3yb1Bro.

De la Torre, C. (2013). El tecnopopulismo de Rafael Correa. ¿Es compatible el carisma con la tecnocracia? *Latin American Research Review, 48*(1), 24-43. https://bit.ly/3658EWn.

El Comercio. (20 julio de 2019). *Cinco claves del reacercamiento entre Ecuador y Estados Unidos.* El Comercio. https://bit.ly/3jwSMUI.

Fernández-Núñez, L. (2015). Cómo aplicar el análisis narrativo temático a narrativas en entornos online. *REIRE: revista d'innovació i recerca en educació, 8*(1), 92-106. http://dx.doi.org/10.1344/reire2015.8.1816.

Frieiro, L. y Sánchez, B. (2021). Ecuador: el neoliberalismo por sorpresa. *Revista Argentina de Ciencia Política, 26*(1), 125-164. https://bit.ly/3ldwl7X.

Henley, J. (28 de marzo de 2018). *Ecuador cuts off Julian Assange's internet access at London embassy*. The Guardian. https://bit.ly/3h4ghCN.

Holsti, K. J. (1970). National Role Conceptions in the Study of Foreign Policy. *International Studies Quarterly, 14*(3), 233-309. https://doi.org/10.2307/3013584.

Hudson, V. M. (2014). *Foreign Policy Analysis: Classic and Contemporary Theory* (Segunda ed.). Plymouth: Rowman y Littlefield.

Morin, J.-F. y Paquin, J. (2018). *Foreign Policy Analysis. A Toolbox*. Cham: Palgrave Macmillan. https://doi.org/10.1007/978-3-319-61003-0.

Muyulema-Allaica, J. C., Pucha Medina, P. M., Espinosa Ruiz, C. G., y Urquizo Tenesaca, B. (2019). Reflexiones sobre la política exterior ecuatoriana en el marco de la globalización. *Revista Publicando, 6*(21), 8-22. https://bit.ly/37PiLQg.

Pastrana Buelvas, E., y Vera Piñeros, D. (2021). Ideología y política exterior. En E. Pastrana Buelvas, y S. Reith (Eds.), *La política exterior de Iván Duque: una mirada de sus primeros años* (pp. 23-78). Fundación Konrad Adenauer, KAS. https://bit.ly/3k4fmCS.

Patterson, M. y Monroe, R. K. (1998). Narrative in Political Science. *Annual Review of Political Science, 1*(1), 315-331. https://doi.org/10.1146/annurev.polisci.1.1.315.

RT. (24 de 07 de 2013). *"Ecuador no integrará la Alianza del Pacífico" mientras Correa sea presidente*. RT. https://bit.ly/3r2YbVb.

Secretaría General de Comunicación de la Presidencia. (s.f.). *"Ecuador es un país de oportunidades para las empresas españolas": Presidente Lenín Moreno en Madrid*. Secretaría General de Comunicación de la Presidencia. https://bit.ly/3APy5th.

The New York Times. (30 de mayo de 2017). *Assange podrá permanecer en la embajada de Ecuador, pero Lenín Moreno lo considera un 'hacker'*. The New York Times. https://nyti.ms/3Ag1pIZ.

Thies, C. G. (2017). Role Theory and Foreign Policy Analysis in Latin America. *Foreign Policy Analysis, 2017, 13*(3), 662-681. https://doi.org/10.1111/fpa.12072.

Velosa Porras, E. (2021). Teoría del rol y política exterior. En E. Pastrana Buelvas, y S. Reith (Eds.), *La política exterior de Iván Duque: una mirada de sus primeros años* (pp. 79-108). Fundación Konrad Adenauer, KAS. https://bit.ly/3k4fmCS.

Villabella Armengol, C. M. (2018). El dilema presidencialismo vs. parlamentarismo en América Latina. Apuntes sobre la realidad en el siglo XXI. *Estudios Constitucionales, 16*(1), 15-38. http://dx.doi.org/10.4067/S0718-52002018000100015.

## LISTA DE LAS ENTREVISTAS ANALIZADAS

**Entrevista 1:** Presidencia de la República del Ecuador ©SECOM (25 de 09 de 2017a). *Entrevista del Presidente Lenín Moreno con la BBC* [Archivo de Video]. (G. Lissardy, Entrevistador de BBC Mundo). YouTube. https://bit.ly/3kr2HvA.

**Entrevista 2:** Presidencia de la República del Ecuador ©SECOM (25 de 09 de 2017b). *Entrevista de RT al Presidente Lenín Moreno* [Archivo de Video]. (E. Golinger, Entrevistadora de RT en Español). YouTube. https://bit.ly/2UmaS1g.

**Entrevista 3:** Presidencia de la República del Ecuador ©SECOM (28 de 09 de 2017c). *Entrevista al Presidente Lenín Moreno por parte de la cadena CNN en Español* [Archivo de Video]. (C. Egaña, Entrevistador de CNN en Español). YouTube. https://bit.ly/3z3z3Ah.

**Entrevista 4:** Presidencia de la República del Ecuador ©SECOM (19 de 12 de 2017d). *Entrevista con Thalia Flores, del Diario ABC de España* [Archivo de Video]. (T. Flores, Entrevistadora de ABC). YouTube. https://bit.ly/3ildrss.

**Entrevista 5:** Presidencia de la República del Ecuador ©SECOM (19 de 12 de 2017e). *Entrevista con Francesco Manetto del Diario El País de España* [Archivo de Video]. (F. Manetto, Entrevistador de El País). YouTube. https://bit.ly/3if671H.

**Entrevista 6:** Presidencia de la República del Ecuador ©SECOM (22 de 01 de 2018a). *Entrevista con el Presidente de la República, Lenín Moreno* [Archivo de Video]. (E. Khalifé, J. Hinostroza y E. Espín, Entrevistadores de medios públicos, Teleamazonas y Ecuavisa). YouTube. https://bit.ly/3ijcX65.

**Entrevista 7:** Presidencia de la República del Ecuador ©SECOM (14 de 03 de 2018b). *Entrevista del Presidente Lenín Moreno con CNN de Chile* [Archivo de Video]. (M. Rincón, Entrevistadora de CNN Chile). YouTube. https://bit.ly/3koA166.

**Entrevista 8:** Presidencia de la República del Ecuador ©SECOM (19 de 04 de 2018c). *Entrevista del Presidente Lenín Moreno con CNN 18/04/2018*

[Archivo de Video]. (F. del Rincón, Entrevistador de CNN en Español). YouTube. https://bit.ly/3esiJkR.

**Entrevista 9:** Presidencia de la República del Ecuador ©SECOM (19 de 04 de 2018d). *Entrevista del Presidente Lenín Moreno con NTN24 18/04/2018* [Archivo de Video]. (A. Bernal, Entrevistadora de NTN24). YouTube. https://bit.ly/3B9ZJBp.

**Entrevista 10:** Deutsche Welle (31 de 05 de 2018e). *La entrevista – Lenín Moreno: "Assange tendrá asilo, mientras cumpla los requisitos"* [Archivo de Video]. (J. Pérez, Entrevistadora de Deutsche Welle). Deutsche Welle. https://bit.ly/3hLFVwG.

*Capítulo 32*

# Análisis de recursos web para el fomento de hábitos saludables en Educación Primaria

Asunción Torquemada Vidal
*(Universidad Villanueva –España–)*

M.ª del Claustro Zambrana Tévar
*(Universidad Villanueva –España–)*

## I. INTRODUCCIÓN

La etapa de Educación Primaria en España tiene por finalidad facilitar a los niños de 6-12 años la adquisición de aprendizajes básicos que sustenten los conocimientos que adquirirán en la siguiente etapa educativa, así como garantizar una formación integral que les permita desarrollarse tanto física como personalmente (BOE-A-2014-2222). Y es en esa parte de formación de la persona en la que se centra esta investigación, pues para asegurar el crecimiento físico y mental de los niños de esta etapa es imprescindible una educación en hábitos que aseguren la propia higiene y salud. Asimismo, es importante que todo niño desarrolle un autoconocimiento y autoaceptación personal que garanticen una salud física y mental sobre la que desarrollar la propia personalidad. Enraíza aquí la importancia de los temas y valores transversales que vienen trabajándose curricularmente desde que fueron introducidos de manera reglada con la LOGSE en 1990.

Vázquez y Porto (2020) urgen a concretar los valores que los ciudadanos deben desarrollar para alcanzar la plenitud personal en un momento de cambios legislativos que crean intensa inquietud social. Y dentro de todos los que la legislación educativa nos indica como necesarios, la educación para la salud es la que garantiza el objetivo k) del Real Decreto anteriormente citado: "Valorar la higiene y la salud, aceptar el propio cuerpo y el de los otros, respetar las diferencias y utilizar la educación física y el deporte como medios para favorecer el desarrollo personal y social" (RD 126/2014, página 17). Para Sevillano (2009) "la educación debe facilitar a todos, lo antes posible, el pasaporte para la vida, lo que le permitirá comprenderse mejor a sí mismo, entender a los demás y participar así en la obra colectiva y la vida en sociedad" (pp. 85).

Como toda acción docente, es necesaria una planificación metodológica y técnica que se adapte a las características del alumnado en cada momento. Dicha planificación debe ser, según Rosales López (2015), individualizada, socializada, contextualizada e interdisciplinar, de modo que se adecúe a las características de cada alumno sin perder de vista la necesidad de inculcar valores de respeto y convivencia y aplicadas al conjunto de aprendizajes de cada etapa educativa. El mismo autor propone cuatro pilares técnicos que deben orientar la planificación metodológica: el juego, la experiencia personal, el trabajo en equipo y proyección al exterior de los conocimientos adquiridos en el aula, para que el alumnado sea consciente de la trascendencia de sus acciones.

Estos cuatro pilares se cumplen cuando la herramienta de trabajo que se usa la proporcionan las Tecnologías de la Información y la Comunicación (TIC en adelante). Echeverría (2013) afirma que el escenario que proponen las TIC, y más concretamente Internet, es una oportunidad para el intercambio, la memorización, el ocio y la expresión de emociones y sentimientos. Internet como recurso de aula permite acceder a recursos lúdicos y en sí mismo constituye un efecto motivador, permite compartir información y crear grupos de trabajo con alumnos del mismo entorno escolar, de otros puntos de la geografía española e incluso con alumnos de otros países.

Además, no debemos olvidar que debemos partir de la realidad y las vivencias de los educandos, y esta para el alumnado de Educación Primaria, según evidencian Área, Cepeda y Feliciano-García (2018), es profundamente tecnológica y tiene un impacto muy positivo en los aprendizajes mediados por estas metodologías. Además, el uso de TIC en las aulas ayuda a eliminar la brecha digital que surge entre alumnos con pocos recursos económicos y por tanto no tienen acceso a tecnologías en sus hogares, y aquellos con una situación más favorable, compensándose así las desigualdades sociales.

A la vista de las ventajas que nos da el uso de las TIC a nivel educativo y concretamente los recursos que Internet nos proporcionan, nuestro estudio trata de dar un paso más. Adell (2013) asegura que gracias a las TIC el alumno se torna en verdadero protagonista de su aprendizaje poniendo en práctica todas sus capacidades cognitivas. En este papel mediador, el docente debe formarse adecuadamente y disponer de recursos de calidad para guiar a los alumnos por el entorno tecnológico en el que se desarrollarán las competencias tanto tecnológicas como actitudinales. En 2005 Siemens propuso el término conectivismo para definir un proceso de aprendizaje más adecuado a la realidad que nos han traído las innovaciones tecnológicas, un aprendizaje basado en la diversidad de opiniones, las conexiones entre distintas fuentes y áreas de información y la actualización constante del conocimiento conducente a un aprendizaje continuo. Así, el papel del profesor también debe dar un giro para que las acciones de aula que proponga creen el entorno necesario para que los alumnos puedan cumplir ese papel protagonista.

Mucho hay escrito sobre la necesidad de formación del docente en el campo tecnológico (Sigalés, Mominó y Meneses, 2013; Area, Santana y Sanabria, 2020 y Porlan, 2020), pero no pretendemos en estas líneas ahondar en esa reflexión. Sin embargo, en el ámbito de la educación de la salud no hay aún consenso sobre qué herramientas utilizar. La Red es un universo inabarcable de recursos multimedia: webgrafías, enciclopedias virtuales, bases de datos online, repositorios de texto, audio y video, infografías... un mundo de recursos en el que el profesorado debe escoger lo mejor para su alumnado. Los criterios a los que acudir para esa selección son la base de esta investigación, en la que se aporta una base teórica y práctica al análisis de recursos. Por ello, los objetivos que nos dirigen son dos:

a. Proponer los criterios que orienten al profesorado en la selección de material en red para alumnos de últimos cursos de Educación Primaria.

b. Analizar los recursos web de uso educativo más adecuados en base a dichos criterios, como ejemplo de buena práctica docente y a modo de catálogo muestra con el que el profesorado puede empezar a trabajar y crear su propia biblioteca de aula virtual.

## II. LOS RECURSOS DE INTERNET PARA EL AULA: LA DIFÍCIL TAREA DE ESCOGER

Recursos tecnológicos de información, de colaboración o de aprendizaje (Cacheiro, 2011), síncronos, asíncronos y de acceso a recursos (Belloch, 2012)... Las posibilidades que aporta internet son tantas como estrategias de enseñanza-aprendizaje pueda idear un docente frente a su grupo de alumnos. La pregunta clave es ¿cuál escoger? O planteando la pregunta de otro modo: ¿en base a qué criterio?

La Real Academia de la Lengua Española afirma que evaluar es estimar el valor de algo. En términos educativos lo podemos traducir como discernir en qué medida lo evaluado presenta unas características que se estiman pertinentes y que han sido especificadas, partiendo de unos criterios diseñados con formato de ítem, para tratar de exponer los datos de mayor relevancia para nuestra tarea, todo ello siguiendo distintas tablas de clasificación de herramientas, en este caso de Internet.

Hay extensa bibliografía sobre evaluación de aspectos técnicos como accesibilidad, usabilidad... En 1998 Richmond, Everhart y Auer plantearon una evaluación de recursos de internet siguiendo la regla de las 10 Cs: *Content* (contenido); *Credibility* (confianza en la autoría); Critical Thinking (pensamiento crítico que permite desarrollar); *Copyright* (que se citen las fuentes de donde se han tomado imágenes y videos); *Citation* (la información que se presenta está citada); *Continuity* (actualización de los datos); *Censorship* (moderación y respeto en el discurso); *Connectivity* (conexión que requiere el recurso); *Comparability* (la información del sitio Web es completa y comparable con otras fuentes impresas o digitales); *Context* (adecuación de la información al contexto del usuario). Años más tarde, Harris (2010) propuso la evaluación de cuatro aspectos fundamentales: *Credibility* (credibilidad), *Accuracy* (precisión en la información), *Reasonableness* (racionalidad, entendida como imparcialidad y consistencia) y Support (qué o a quién apoya la información del sitio).

Si nos adentramos en la evaluación de recursos web de interés educativo debemos destacar las cinco dimensiones de análisis que proponen Wieczorek y Legnani (2010): tecnología, calidad de la comunicación, contenidos, diseño y aspecto didáctico pedagógico. Más recientemente García-Barrera (2016) propone la elaboración de e-rubricas específicamente elaboradas por el docente en las que se tengan en cuenta tanto las cuestiones técnicas como las características de los alumnos a los que va dirigida la acción docente del propio profesor-evaluador.

Queda claro que al realizar la evaluación siempre debemos tener presente la intencionalidad y los destinatarios. Si nos centramos en la evaluación didáctica, al evaluar una serie de materiales podemos hacerlo, por ejemplo, para conocer cuáles tienen más información en torno a un tema, o cuáles pueden resultar más motivadores para los alumnos, o bien cuáles pueden tener mayor repercusión en su puesta en práctica... y por supuesto la eficacia didáctica entendida como la funcionalidad que cumple al ser medio facilitador del aprendizaje (Cuevas, calzada y Colmenero, 2003).

## III.  METODOLOGÍA

Como afirma Marqués (2002), cualquier web puede ser utilizado en un momento determinado como medio para llevar a cabo ciertos aprendizajes (por ejemplo, se pueden aprender cosas a partir de la información que proporciona); no obstante, distinguiremos con el nombre de webs de interés educativo solamente aquellas que tengan una clara utilidad en algún ámbito del mundo educativo. De estos denominaremos webs educativos a los que hayan sido diseñados con el propósito específico de facilitar aprendizajes o recursos didácticos a las personas. Así, en la búsqueda y análisis de distintos recursos es importante analizar el origen, pues muchos recursos existentes en la web figuran en bloques de educación, pero no cumplen los requisitos necesarios para poder afirmar que se trata de recursos educativos útiles para el aula.

Para llevar a cabo esta búsqueda se ha hecho mediante las siguientes palabras clave: Didáctica de la Alimentación, Educación Primaria y Recursos de Alimentación. El motor de búsqueda utilizado fue Google por ser el más ampliamente distribuido entre la población española en general (Statista, 2012).

De esta manera basándonos en la bibliografía consultada en el apartado II y después de hacer una preselección en la que solo pasaron el filtro de corte los recursos educativos, se analizaron 20 recursos siguiendo el siguiente criterio:

Bloque I: Datos generales: Nombre y autor del recurso, portada, dirección URL

Bloque II: Edad a la que se dirige

Bloque III: Breve descripción

Bloque IV: Formato de presentación

Bloque V: Capacidades que desarrolla

Bloque VI: Aspectos positivos y negativos

Bloque VII: Influencia en la salud

Bloque VIII: Objetivos didácticos

A continuación, pasamos a analizar los bloques V, VI, VII y VIII por tratarse del punto de interés para esta investigación.

A la hora de hablar de competencias es importante señalar que solo la capacidad de llevar a cabo unas instrucciones supone ya la adquisición de unas competencias, por lo que es necesario hablar de actuación, una implicación, un cambio, un plan de acción y, por tanto, es imprescindible hablar no solo de unas competencias intelectuales en las que se evalúa el saber, sino si ese saber de manera encadenada con una actuación social y ética, llevará al fomento y a la puesta en práctica de una serie de hábitos de vida saludable y de alimentación.

Así nos referimos con competencias intelectuales a la capacidad de aplicar conocimientos fundamentales de los sujetos (Galvis, 2007), y a las competencias sociales como la capacidad de asociarse y negociar, emprender y completar proyectos colectivos. Lógicamente estas competencias se culminan con unas competencias éticas, a veces relacionadas con las competencias interpersonales, donde se evalúa la capacidad de estar abierto e inmerso a los cambios y ser capaz de tener un criterio de actuación. Las competencias corporales hacen referencia a los aspectos relacionados con la salud, es decir, el desarrollo físico correcto, aspecto de gran importancia en estos cursos donde se dan los grandes cambios situados en la preadolescencia y adolescencia temprana. Esta competencia no debe confundirse con la motriz, propia y particular de la materia de Educación Física, sino que debe entenderse como aquella motricidad que toda persona, independientemente de que haga actividad física o no, requiere para su desarrollo integral (COLEF, 2018). Por tanto, se deben trabajar aspectos como imagen corporal y alimentación saludable.

En el bloque VI referente a los aspectos positivos y negativos del recurso, se evalúan tanto los aspectos estéticos relacionados con sonido, galería de imágenes, si tiene o no publicidad, tamaño color y tipo de fuente; aspectos técnicos como si necesita de un navegador especial y la navegabilidad por el sitio web.

La influencia en la salud indica si las competencias evaluadas en el apartado llevan al logro de una influencia en la salud. Se trata de analizar si desde el punto de vista educativo dicho recurso aporta no solo un contenido, sino una acción, un plan de acción, una propuesta para llevar a cabo en el día a día del alumno.

Y por último, los objetivos didácticos donde se evalúa tanto su relación con el currículo de la etapa y del área, como si presenta o no recursos, no solo para el alumno sino también para el profesor y si tiene mecanismos de autoevaluación del aprendizaje.

## IV.  RESULTADOS

Tras el análisis de 33 recursos, se seleccionaron 20 que cumplían los requisitos de material educativo útil para el aula; el resto o bien eran meramente divulgativos, o bien no se mostraron idóneos para la edad de los escolares a los que se dirige la investigación. Se trata pues de analizar si estos recursos cumplen los criterios necesarios para poder ser apoyo para el libro de texto.

En cuanto al análisis del primer bloque se observa que, según la Figura 1, el 100% de los recursos analizados trabajan contenido relacionado con la alimentación, pero solo un 25% trabajan competencias sociales y corporales.

**Figura 1.** Evaluación de competencias en recursos analizados.

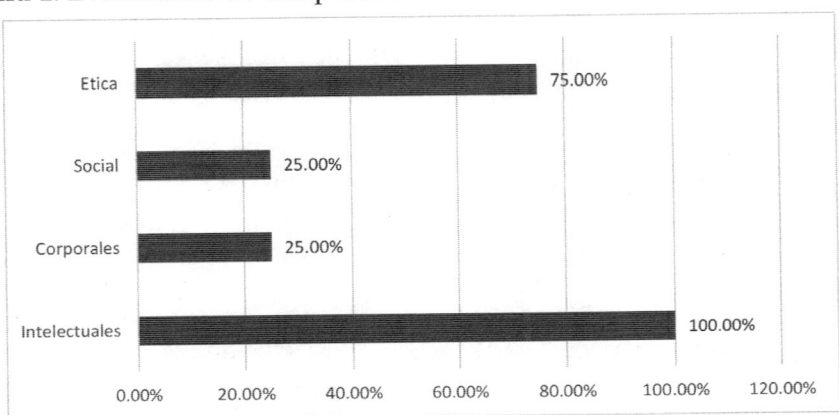

**Fuente:** Elaboración propia.

En todos los recursos se trabajan contenidos de alimentación, pero solo desde el punto de vista teórico. En estos casos sería un libro digital pero no un elemento de motivación en el que, como decíamos anteriormente, se pueda hablar del fomento y puesta en marcha de actitudes o hábitos.

De esta manera consideramos que son idóneos aquellos recursos que cumplen tres o cuatro de las competencias a trabajar, siendo el resultado el expuesto en la Figura 2.

**Figura 2.** Evaluación de competencias.

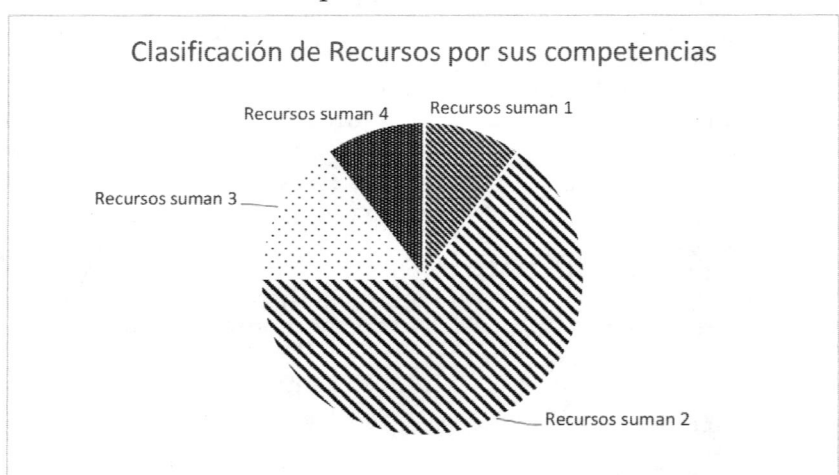

**Fuente:** Elaboración propia.

Solo un 15 % de los recursos trabajan al menos tres competencias, siendo un 10% para los recursos las cuatro competencias evaluadas.

En el bloque de los aspectos didácticos (Figura 3) se analizan aquellos aspectos que según diversos estudios (Salvador, 2001) debe cumplir un recurso educativo.

**Figura 3.** Evaluación aspectos didácticos en recursos analizados.

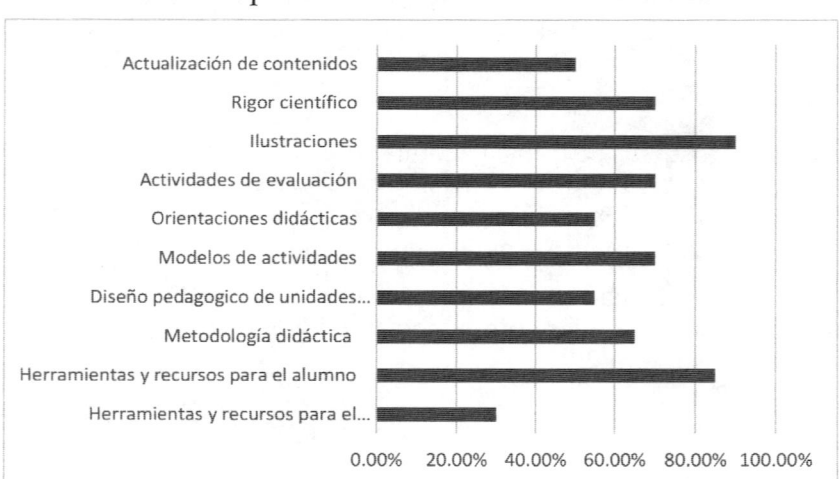

**Fuente:** Elaboración propia.

Un 70% de los recursos evaluados ofrecen herramientas de evaluación para el alumno, pero en muchos casos se trata solo de un correcto versus incorrecto, sin *feedback* sobre la corrección o sin posibilidad de hacerlo de nuevo, de manera que al alumno no le aporta la información correcta y por tanto no ayudará al logro de los objetivos propuestos.

Son muy pocos los que ofrecen herramientas para el profesor, lo cual es indicativo de que no se trata de recursos diseñados para el aula, sino como mero entretenimiento o con una visión más divulgativa que didáctica. Solo un 30% ofrecen herramientas para el profesorado. Al igual que en la evaluación de las competencias, se observa cómo un 70% de los recursos analizados sí cumple con los criterios en cuanto a contenidos se refiere y el diseño podríamos decir digital en cuanto a ilustraciones es idóneo, aun sabiendo que la mayoría no ofrece la posibilidad de cambiar el idioma, lo cual sería un impedimento para aquellos colegios donde la asignatura es Natural Science.

A continuación nos fijamos en cuántos de los ítems didácticos cumplen los recursos analizados (Figura 4). Consideramos idóneos aquellos que cumplen al menos ocho de los ítems considerados.

**Figura 4**. Evaluación de aspectos didácticos en los recursos analizados.

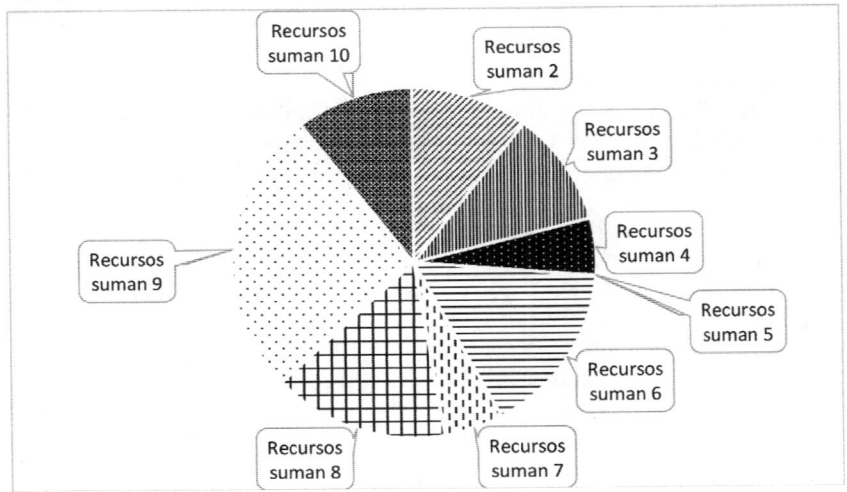

**Fuente:** Elaboración propia.

Un 16 % tendrían al menos ocho de los ítems didácticos considerados, mientras que sólo un 11% cumpliría con todos los ítems.

Pasando a analizar los aspectos estéticos como muestra la Figura 5, llama la atención que el 90 %de los recursos cumplen con el requisito de que no tengan publicidad, lo cual es muy positivo ya que esta puede ser fuente de distracción difícil de controlar por parte del profesorado.

**Figura 5.** Evaluación aspecto estéticos recursos analizados.

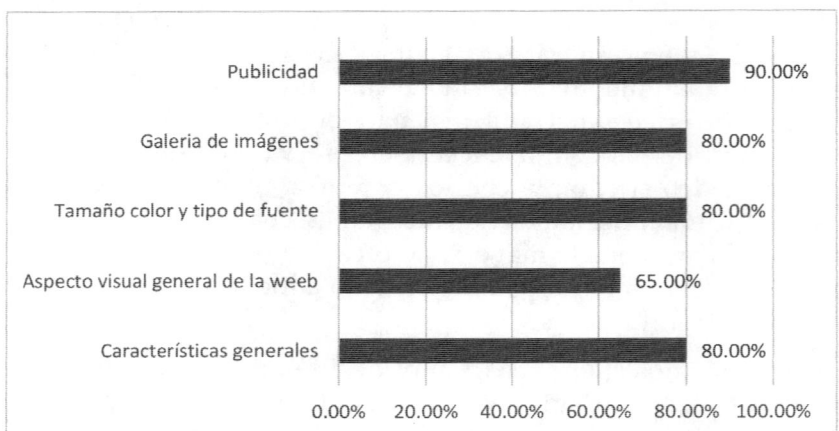

**Fuente:** Elaboración propia.

En general en este aspecto podemos afirmar que los recursos cumplen las condiciones para ser utilizados en el aula.

Como vemos en la Figura 6 sobre el número de ítems estéticos, de los recursos evaluados se observa que más de un 50 % cumplen con cuatro o cinco de las condiciones evaluadas, por lo que podemos afirmar que los recursos en cuanto al aspecto estético son idóneos para el aula.

**Figura 6.** Evaluación de aspectos estéticos en recursos evaluados.

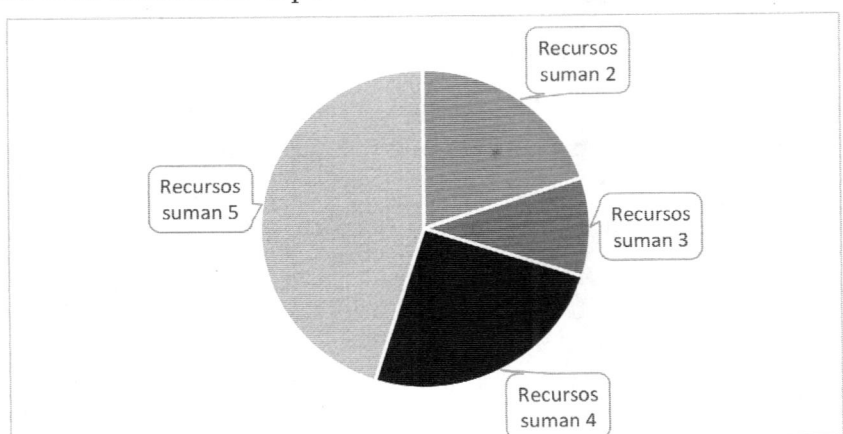

**Fuente:** Elaboración propia.

Una vez analizados los recursos que presentan o no los ítems estipulados y discutido el porcentaje de recursos que se pueden considerar idóneos según los criterios establecidos para evaluar las competencias, los aspectos didácticos y los estéticos, pasamos a observar que sólo un 35 % de los recursos analizados podrían tener una influencia en la salud, lo cual cuadra con los datos obtenidos en el resto de los ítems, ya que no se trabajan las competencias éticas y sociales.

**Figura 7.** Porcentaje de recursos y su influencia en la salud.

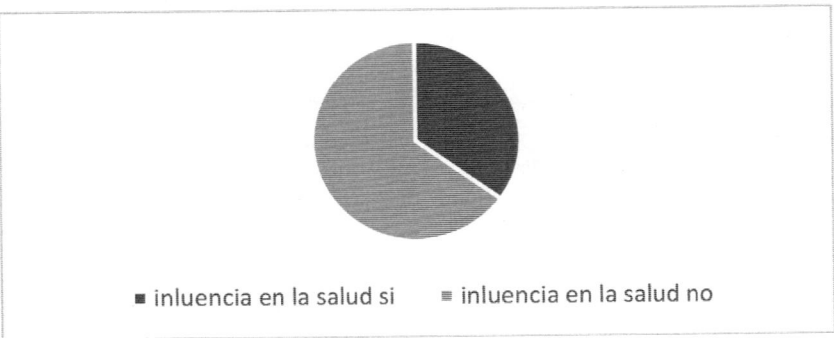

**Fuente:** Elaboración propia.

Pasamos por último a analizar qué recursos reúnen la máxima puntuación para ser utilizados en el aula del último ciclo de Educación Primaria para el estudio y desarrollo de la unidad de Alimentación en la asignatura de *Natural Science* o Conocimiento del Medio Natural, como herramientas complementarias al libro de texto.

Así pues, como se muestra en la Figura 8, los recursos mejor valorados son:

1. Recurso n.º 1:" nutriplato "https://www.nutriplatonestle.es

2. Recurso n.º 7: El enigma de la nutrición http://ntic.educacion. es/w3/eos/MaterialesEducativos/mem2007/enigma_nutricion/ enigma/index.html.

3. Recurso n.ª 9: Amazing food detective. https://www.vitonica.com/ dietas/amazing-food-detective-videojuego-online-contra-la-obesidad.

**Figura 8.** Evaluación global de los recursos.

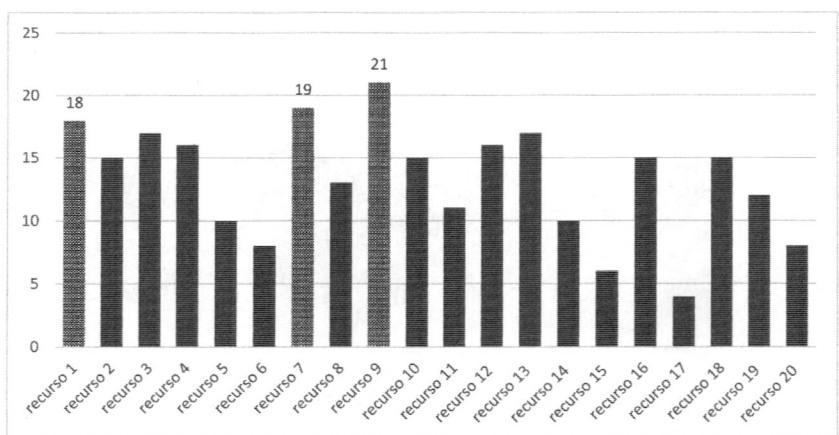

**Fuente:** Elaboración propia.

## V. CONCLUSIONES

Tras el estudio de los recursos que podemos encontrar en Internet para abordar los hábitos alimentarios en el aula de Educación Primaria, podemos concluir en primer lugar que hay multitud de ellos que tratan los contenidos necesarios para comprender la importancia de los mismos, pero son pocos los que cumplen con los requisitos que permiten considerarlos recursos educativos, pues para que un recurso pueda ser utilizado en el aula y fomentar realmente hábitos saludables debe cumplir unos parámetros no solo digitales y conceptuales, sino también didácticos y competenciales.

Por ello, concluimos que a la hora de seleccionar un recurso web el profesor debe tener en cuenta los criterios expuestos en esta investigación haciendo hincapié en las capacidades que desarrolla, su posible influencia en la salud y sus objetivos didácticos.

De los recursos analizados en este estudio para trabajar Didáctica de la Alimentación en últimos cursos de Primaria, solo tres de ellos se consideran óptimos para su uso docente según los criterios anteriormente expuestos. El resto pueden ser utilizados para fomentar hábitos alimentarios sólo como complemento a las sesiones docentes, bien sea como apoyo en el hogar o bien como juego o motivación para el aprendizaje de dichos contenidos.

Esta información puede ser de utilidad para los desarrolladores de contenidos en el área de didáctica de la Alimentación y para los profesores que deseen crear sus propios contenidos y conseguir con ello no solo impartir contenidos, sino promover hábitos saludables, que es uno de los fines últimos de la educación Primaria.

## VI. REFERENCIAS

Adell, J. (2013) Pedagogía 2.0. En J. Hernández, M. Pennesi, D. Sobrino y A. Vázquez (coord.) *Experiencias educativas en las aulas del siglo XXI. Innovación con TIC* (pp. 11-14). Barcelona: Ariel.

Area, M., Cepeda, O. y Feliciano, L. (2018). El uso escolar de las TIC desde la visión del alumnado de Educación Primaria, ESO y Bachillerato. *Educatio Siglo XXI*, 36 (2), 229-276.

Area, M., Santana, P. J. y Sanabria, N.L. (2020). La transformación digital de los centros escolares. Obstáculos y resistencias. *Digital Education Review*, 37.

Belloch, C. (2012). Las Tecnologías de la Información y la Comunicación en el aprendizaje. Valencia: Unidad de Tecnología Educativa, Universidad de Valencia. EVA1.pdf (uv.es).

Cacheiro, M.L. (2011). Recursos educativos TIC de información, colaboración y aprendizaje. Pixel-Bit Revista de Medios y Educación, 39, 69-81.

Consejo general de la educación física y del deporte (2018). La competencia corporal para la salud y calidad de vida como clave en el sistema educativo. https://www.consejo-colef.es/post/efc-competencia-corporal.

Cuevas, A., Calzada, F. J. y Colmenero, M. J. (2003). Recursos educativos en Internet: los portales educativos. III Congreso Internacional Virtual de Educación.

Echeverría, J. (2013). Educación y tecnologías telemáticas. En Martín, M. (coord.). *Educación, Ciencia, Tecnología y Sociedad* (pp. 41-53). Madrid: Centro de Altos Estudios Universitarios de la OEI.

Galvis, R. (2007) De un perfil docente tradicional a un perfil docente basado en competencias. Acción Pedagógica n.º 16 pp. 48-57.

García-Barrera, A. (2016). Evaluación de recursos didácticos tecnológicos mediante e rúbricas. RED. Revista de Educación a Distancia. 49(13). http://www.um.es/ead/red/49.

Harris, R. (2010). Evaluating Internet Research Sources. http://www.virtualsalt.com/evalu8it.htm.

Marquès Graells, P. (2002). Evaluación de los portales educativos en internet. *Pixel-Bit. Revista De Medios Y Educación*, (18), 5-12. Recuperado a partir de https://recyt.fecyt.es/index.php/pixel/article/view/61182.

Porlan, R. (2020). El cambio de la enseñanza y el aprendizaje en tiempos de pandemia. *Revista de Educación Ambiental y Sostenibilidad*, 2 (1), 1502. Doi: 10.25267/Rev_educ_ambient_sostenibilidad.2020.v2.i1.1502

Real Decreto 126/2014, de 28 de febrero, por el que se establece el currículo básico de la Educación Primaria. https://www.boe.es/buscar/pdf/2014/BOE-A-2014-2222-consolidado.pdf.

Richmond, B., Everhart, N. y Auer, N. J. (1998). CCCCCCC.CCC (ten Cs) for evaluating Internet resources. Emergency Librarian, 25 (5), 20-23.

Rosales López, C. (2015). Evolución y desarrollo actual de los Temas Transversales: posibilidades y límites. *Foro de Educación*, 13(18), pp. 143-160. doi: http://dx.doi.org/10.14516/fde.2015.013.018.008.

Salvador, JA. (2001). Evaluación de recursos de información en Internet: evaluación formal y de contenidos. Bibliotecas y Centros de Documentación: Internet para Bibliotecarios y Documentalistas.

Sigalés, C., Mominó, J. M. y Meneses, J. (2013). TIC e innovación en la educación escolar española. Estado y perspectivas. En A. Sacristán, (Comp.) *Sociedad del conocimiento, tecnología y educación* (pp. 305-318). Madrid: Morata.

Sevillano, M. L. (2009). Competencias para el uso de herramientas virtuales en la vida, trabajo y formación permanentes. Madrid. Ed Pearson.

Siemens, G. (2005). Connectivism: a learning theory for a digital age. *International Journal of Instructional Technology and Distance Learning*, 2(1). http://www.itdl.org/Journal/Jan_05/article01.htm.

Statista. (2012). https://es.statista.com/estadisticas/670092/cuota-de-mercado-de-los-motores-de-busqueda-por-buscador-espana/.

Vázquez, R y Porto, A. S. (2020). Temas transversales, ciudadanía y educación en valores: de la LOGSE (1990) a la LOMLOE (2020). *Innovación Educativa*, 30, 113-125. Santiago, M. (2000). Reglas de acentuación. En E. Montolío, C. Figueras, M. Garachana, y M. Santiago (Eds.). *Manual práctico de escritura académica* (pp. 15-43). Ariel.

Wieczorek, C. V. y Legnani, W. E. (2010). Pautas de calidad para la evaluación de sitios Web educativos. Comunicación Oral presentada en Congreso Iberoamericano de Educación. METAS 2021. http://www.chubut.edu.ar/descargas/secundaria/congreso/TICECUCACI ON/R1129_Wieczorek.pdf.

*Capítulo 33*

# Determinantes de la intención de emprender en estudiantes secundarios: El caso de Chile

Jorge Torres-Ortega

*(Universidad de Santiago de Chile)*

*El autor agradece la participación del Centre for Experimental Social Sciences (CESS) de la Universidad de Oxford (Inglaterra) en la realización del proyecto "Sistema integrado para la formación de competencias de emprendimiento en comunidades educativas de enseñanza media técnico-profesional en Chile", del cual nace el presente trabajo.*

## I. INTRODUCCIÓN

La actividad emprendedora ha sido considerada como uno de los factores clave para estimular el desarrollo y crecimiento de los diferentes territorios y países, entre otras cosas por su vínculo con la creación de puestos de trabajo y por su potencial innovador (Global Entrepreneurship Monitor [GEM], 2021; Ranjan, 2019; Tarapuez *et al.*, 2018). Esta reconocida importancia económica y social del emprendimiento –en su vertiente tanto comercial o tradicional como social, esta última referida a la actividad emprendedora que persigue fines sociales o de beneficio a la comunidad (Caballero *et al.*, 2014; Thompson, 2008)– ha estimulado una gran cantidad de investigaciones y estudios sobre los distintos factores que influirían sobre los comportamientos emprendedores (Obschonka *et al.*, 2013; Sánchez, 2010).

Los emprendedores son los actores clave relacionados con la identificación y explotación de oportunidades que llevan a la creación y al crecimiento de empresas, vale decir, son los protagonistas del "proceso emprendedor" (Shane y Venkataraman, 2000). En la investigación sobre emprendimiento se ha señalado que la mejor comprensión de este proceso requiere profundizar en las intenciones de las personas de participar en actividades de este tipo (Bird y Jelinek, 1988; Krueger, 2003). En esta perspectiva, los individuos decidirían desarrollar conductas emprendedoras cuando previamente han formado fuertes intenciones de emprender, entendidas como la "convicción auto-reconocida por una persona que pretende establecer una nueva empresa y conscientemente planea hacerlo en algún momento en el futuro" (Thompson, 2009, p. 676). De este modo, el emprendimiento puede ser comprendido como un proceso en donde las intenciones de los individuos constituyen el predictor clave de la decisión de emprender (Ajzen, 1991; Armitage y Conner, 2001; Krueger, 2007; Tran, 2018). La intención emprendedora remite entonces a la primera etapa del proceso emprendedor (Lee y Wong, 2004), vale decir, la instancia en la cual la acción de emprender emerge en el conjunto de alternativas que las personas consideran y evalúan para planificar su desarrollo laboral y económico-social futuro (Programa de las Naciones Unidas para el Desarrollo [PNUD] y Organización Internacional del Trabajo [OIT], 2016).

La literatura ha identificado numerosos factores que inciden sobre la formación de intenciones emprendedoras, particularmente en el ámbito del emprendimiento comercial. Una reconocida línea de investigación ha destacado, por ejemplo, la relevancia de los factores individuales o personales (Veciana, 2005). Dentro de esta perspectiva cabe el llamado punto de vista demográfico, el cual utiliza información de esta clase para dar con el "perfil tipo" del emprendedor. Se presupone que es posible predecir la intención emprendedora en un conjunto de individuos si estos comparten ciertos rasgos. Algunas de las variables demográficas a las que se les ha prestado mayor atención en la investigación sobre emprendimiento han sido, entre otras, la edad, el género, la educación, la experiencia laboral previa y los modelos de referencia emprendedores (Garzón, 2008).

Asimismo, al interior de la perspectiva individual se han desarrollado varios modelos teóricos centrados en las características de personalidad en tanto determinantes de la intención emprendedora (Brandstatter, 2011; Zhao *et al.*, 2010). Estas distintas aproximaciones caben dentro de lo que se ha denominado "teoría de la personalidad" o "teoría de los rasgos", enfoque teórico de gran importancia en el campo de estudio de los emprendedores (Rauch y Frese, 2007). Este punto de vista parte de la base de que las personas que deciden crear una empresa tienen un perfil psicológico distinto del resto de la población; en este sentido, los emprendedores son visualizados como una población única (Baron y Henry, 2010; Il Sung Park y Duarte, 2015; Orellana y De Lejarza y Esparducer, 2013; Rauch y Frese, 2007). Diversos estudios han evidenciado cómo ciertos rasgos de personalidad se asocian en alto grado con intenciones de emprender (Demirtas *et al.*, 2017; Rauch y Frese, 2007). Dentro de las características de la personalidad que inciden sobre las intenciones emprendedoras se han destacado, entre otras, la necesidad de logro, la propensión a tomar riesgos, la autonomía, la autoeficacia, la tolerancia al estrés y a la ambigüedad, la capacidad de innovar, el locus de control interno, el optimismo y la autoconfianza (Cools y Van den Broeck, 2008; Ferreira *et al.*, 2012; Laguna, 2013; Muñiz *et al.*, 2014; Zinga *et al.*, 2013).

No obstante la importancia de los antecedentes personales y las características psicológicas en la formación de intenciones emprendedoras (Baron, 2004; García et al., 2010), una serie de autores ha hecho notar que el emprendimiento se encuentra condicionado no solo por este tipo de factores, sino que también por variables contextuales (Selmi y Haddad, 2013). Desde este punto de vista, las percepciones sobre el entorno jugarían un rol central a la hora de dar inicio a una aventura empresarial (Orellana y De Lejarza y Esparducer, 2013). Para referirse a la importancia del contexto, varios autores han tomado prestado un término ampliamente utilizado en el campo de la biología y así poner de manifiesto las limitaciones de estudiar a los emprendedores y a las organizaciones empresariales como entes aislados: el concepto de "ecosistema". Esta idea de un "ecosistema de emprendimiento" ha mostrado ser de utilidad a la hora de relevar los factores críticos del entorno de los cuales depende la creación y éxito de las iniciativas emprendedoras, sean estas comerciales o sociales (Stam y Van de Ven, 2019; Torres, 2017; Vernis y Navarro, 2011).

Este interés académico por los determinantes de las intenciones de emprender ha corrido paralelo a la generación de un consenso acerca de la necesidad de estimular el surgimiento y consolidación de iniciativas emprendedoras tanto comerciales como sociales, dado los beneficios que estas traen consigo (Crissién, 2006; Wennekers *et al.*, 2005). Es así como se han buscado diversas formas de promover y potenciar el emprendimiento y a los emprendedores a través, por ejemplo, de la formación en esta materia (Duval-Couetil, 2013; Kolstad y Wiig, 2013). Tras esto está la idea de que mayores niveles de emprendimiento pueden lograrse mediante la educación (Johansen y Schanke, 2013; Oosterbeek *et al.*, 2010). En este proceso, entonces, los centros educativos están llamados a desempeñar un rol fundamental tanto en la creación de programas formativos que promuevan el desarrollo efectivo de los conocimientos, habilidades y competencias necesarias para emprender, así como en la generación de condiciones favorables –un ecosistema de emprendimiento propicio– para que este tipo de iniciativas puedan florecer (Deveci y Seikkula-Leino, 2018; Entrialgo e Iglesias, 2016; Pedrosa, 2015). Si se visualiza a los jóvenes como la fuente más prometedora de iniciativas emprendedoras con que un país puede contar (Unger *et al.*, 2011), la educación en emprendimiento debiera entonces desarrollarse desde las instancias más básicas, es decir, desde la escuela (Bel Durán *et al.*, 2016). Ahora bien, hasta ahora la formación de emprendedores ha estado vinculada en mucho mayor medida con las universidades, por lo que existe una deuda pendiente con la educación emprendedora en el nivel escolar (GEM, 2021; Salinas y Osorio, 2012).

Si se quiere promover efectivamente el emprendimiento comercial y social en estudiantes escolares –en otras palabras, contribuir a la formación de intenciones emprendedoras en estos adolescentes– es preciso conocer primero los factores que lo impulsan. Aquí se entiende que la formación de intenciones de emprender está dada por una serie de antecedentes personales, rasgos de personalidad, habilidades, conocimientos y competencias que poseen cierta clase de individuos, las cuales configurarían el "perfil tipo" de un emprendedor. Asimismo, existirían ciertos factores del entorno favorecedores de dichas intenciones, los que conformarían un ecosistema propicio para el emprendimiento. De esta manera, ambos tipos de variables –individuales y contextuales– interactuarían de tal modo que aumentarían la probabilidad de desarrollar intenciones de emprender en los estudiantes. En este contexto, la presente investigación busca generar construir un perfil del potencial emprendedor adolescente en relación con estos factores en una realidad específica (Chile), esperando que estos resultados puedan contribuir al desarrollo de programas formativos en emprendimiento pertinentes –o a la mejora de los ya existentes– en el nivel escolar.

## II. OBJETIVOS

El objetivo central de este estudio es caracterizar a los estudiantes de enseñanza secundaria participantes de un proceso formativo en emprendimiento impartido en cuatro escuelas técnico-profesionales ubicadas en Chile. Específicamente, se identifican sus principales antecedentes y atributos personales, así como su percepción de los factores que componen su entorno formativo o ecosistema, determinando cuáles de estas características son las que poseen mayor poder predictivo sobre las intenciones de emprender de estos adolescentes, sean ellas en el ámbito del emprendimiento comercial o social.

## III. METODOLOGÍA

### 3.1. PARTICIPANTES

Corresponden a estudiantes de ciclo secundario –cuatro niveles– pertenecientes a cuatro escuelas técnico-profesionales administradas por la Universidad de Santiago de Chile (USACH) y ubicadas en tres regiones diferentes de este país, todos ellos partícipes de un programa de formación en emprendimiento implementado y desarrollado por esta institución. Una encuesta de elaboración propia fue enviada vía correo electrónico durante el año 2018 a la totalidad de los estudiantes de este programa en los cuatro establecimientos educacionales (2919), la cual fue contestada por el 81.6% de los recipientes (2382).

## 3.2. INSTRUMENTO

### 3.2.1. Escalas

El cuestionario elaborado para los efectos de este estudio incluyó dos escalas: una escala de autopercepción de personalidad y competencias emprendedoras, y una escala de percepción del entorno o ecosistema emprendedor escolar. Para el diseño de la primera se extrajeron un conjunto de rasgos y competencias identificados en la literatura como determinantes de la intención de emprender tanto comercial como social (34 en total). En el caso de la escala de ecosistema emprendedor, si bien existe controversia en cuanto al significado exacto de esta expresión (Torres, 2017), aquí se entiende, de manera amplia, como el conjunto de condiciones y circunstancias que rodean un lugar específico –a saber, la escuela– y que afectan directa o indirectamente las intenciones emprendedoras de las personas vinculadas a ese espacio (Cabana *et al.*, 2013). En cuanto a las características particulares que debiese tener un ecosistema, la revisión de distintos modelos reveló como pertinente para el ámbito escolar el desarrollado por Vernis y Navarro (2011), quienes distinguen seis elementos clave de los cuales dependería el surgimiento y perduración de los emprendimientos: 1) Formación e investigación; 2) Asesoramiento; 3) Financiación; 4) Innovación; 5) Redes; y 6) Difusión.

Tras la identificación de las dimensiones se procedió a la elaboración de los ítems. Las escalas de personalidad y competencias emprendedoras y de ecosistema emprendedor quedaron constituidas por 255 y 40 reactivos, respectivamente. El resultado fue entonces un extenso cuestionario compuesto por 295 ítems, pensado para que los estudiantes reporten en qué medida están capacitados para afrontar distintas situaciones, y en qué grado su escuela cumple con ciertas condiciones necesarias para el florecimiento de actividades emprendedoras. Ambas escalas se construyeron según el modelo Likert con cinco opciones de respuesta; en el caso de la escala de personalidad y competencias emprendedoras las categorías de respuesta fueron "nada capaz", "poco capaz", "más o menos capaz", "capaz" y "muy capaz", mientras que para la escala de ecosistema emprendedor fueron "muy en desacuerdo", "en desacuerdo", "ni de acuerdo ni en desacuerdo", "de acuerdo" y "muy de acuerdo".

La validación del contenido de los ítems por parte de un panel de especialistas permitió reducir la cantidad de ítems de 295 a 166. La escala de ecosistema mantuvo las mismas dimensiones iniciales (6), mientras que en el caso de la escala de personalidad y competencias emprendedoras las 34 dimensiones identificadas en un primer momento fueron reducidas a 20, siendo algunas eliminadas y otras subsumidas en una dimensión única producto de sus semejanzas. Las dimensiones finales incluidas en esta escala fueron las siguientes: 1) Autoconfianza; 2) Locus de control interno; 3) Disposición a correr riesgos; 4) Capacidad innovadora; 5) Tolerancia el estrés; 6) Optimismo; 7) Autonomía; 8) Necesidad de logro; 9) Perseverancia; 10) Capacidad de identificar oportunidades; 11) Tolerancia a la ambigüedad; 12) Capacidad de comunicar; 13) Proactividad; 14) Capacidad de administrar recursos; 15) Capacidad de trabajar en equipo; 16) Capacidad de aprendizaje; 17) Capacidad de gestionar información; 18) Liderazgo; 19) Sensibilidad social; y 20) Ética.

La estructura interna de cada una de las 26 sub-escalas del instrumento –correspondientes a las diferentes dimensiones levantadas– se realizó mediante el procedimiento de análisis factorial confirmatorio. Producto de este análisis se eliminaron un total de 47 ítems, reduciéndose así los reactivos de 166 a 119. La escala final de personalidad y competencias emprendedoras quedó de este modo conformada por 97 ítems distribuidos en las 20 sub-escalas, en tanto que la escala final de ecosistema de emprendimiento quedó conformada por 22 ítems distribuidos en las 6 sub-escalas. En lo que respecta a la confiabilidad de cada sub-escala, la mayor parte de ellas mostró alphas ordinales aceptables (>.8), siendo la sub-escala con confiabilidad más baja el locus de control interno (.838), y la más alta la sub-escala de capacidad de aprendizaje (.949), ambas correspondientes a la escala de personalidad y competencias emprendedoras.

### 3.2.2. Antecedentes personales

Junto con estas escalas, el cuestionario también contempló una serie de variables de caracterización potencialmente relevantes para la configuración de intenciones emprendedoras en los adolescentes, a saber: sexo, experiencia laboral previa y presencia de emprendedores en el círculo cercano.

### 3.2.3. Intención emprendedora

Las intenciones emprendedoras fueron medidas en el cuestionario a través de dos tipos de variables. Por una parte, se consideró una acción concreta que denota el interés por emprender de parte de los estudiantes. Así, dentro del contexto del programa de formación en emprendimiento del que forman parte, los estudiantes del último nivel del ciclo secundario (cuarto año) tuvieron la posibilidad de participar en un concurso de emprendimiento con una idea de negocio. Por otro lado, el cuestionario incorporó preguntas directas acerca de la intención futura de estos adolescentes (de todos los niveles) por emprender, y sobre si les resulta atractivo poseer y dirigir una empresa. Estas dos variables son indicativas de un "interés" de parte de los estudiantes por emprender en el futuro.

Asimismo, para diferenciar entre intenciones de emprender en el ámbito del emprendimiento comercial o social, se incluyeron preguntas relativas al objetivo central, estilo de dirección y forma de reparto de los beneficios de una eventual empresa futura.

### 3.2.4. Procedimiento de análisis

La evaluación de qué variables inciden en mayor medida sobre las intenciones de emprender de los estudiantes se realizó por medio de un modelo *probit*. Las ventajas de este modelo para los efectos de esta investigación es que puede relacionar todas las variables conjuntamente y que se ajusta adecuadamente –en términos estadísticos– a variables dependientes de carácter binario.

## IV. RESULTADOS

### 4.1. RASGOS Y COMPETENCIAS PERSONALES Y ECOSISTEMA DE EMPRENDIMIENTO

La Tabla 1 muestra los resultados del modelo *probit* con las variables independientes correspondientes a los rasgos y competencias personales y a los componentes del ecosistema, y las variables independientes dicotómicas participó/no participó del concurso de emprendimiento, tiene/no tiene intenciones de emprender en el futuro y le resulta/no le resulta motivante poseer y dirigir una empresa.

En cuanto al concurso de emprendimiento, se observa que solo las sub-escalas de optimismo y ética tienen un efecto significativo sobre la probabilidad de participación en este. Por otra parte, la intención de emprender en el futuro se ve influida positivamente por la autoconfianza, la capacidad de administrar recursos y la sensibilidad social, y negativamente por la capacidad de trabajar en equipo. Del lado del ecosistema, el componente innovación se relaciona positivamente con esta intencionalidad, mientras que la formación e investigación incide de forma negativa. Finalmente, las tres sub-escalas que se vinculan significativamente con la motivación por emprender son la autoconfianza, el locus de control interno, la sensibilidad social y la tolerancia a la ambigüedad. Las tres primeras se relacionan positivamente, mientras que la última lo hace de manera negativa.

**Tabla 1.** Modelo *probit* sobre intención de emprender con sub-escalas de rasgos y competencias personales y componentes del ecosistema de emprendimiento.

| | Participación en el concurso | Intención de emprender | Motivación por emprender |
|---|---|---|---|
| Autoconfianza | -0.00431 | 0.0121*** | 0.0110*** |
| Locus de control interno | -0.00469 | 0.00000826 | 0.00941** |
| Disposición a correr riesgos | -0.00615 | 0.00688 | -0.00154 |
| Capacidad innovadora | 0.0124 | 0.00201 | 0.000828 |
| Tolerancia al estrés | -0.00613 | -0.000507 | -0.00275 |
| Optimismo | 0.0153** | 0.00235 | 0.000856 |
| Autonomía | 0.00634 | 0.00662 | 0.00354 |
| Necesidad de logro | 0.00769 | 0.00385 | 0.00745 |
| Perseverancia | -0.0125 | -0.0000239 | 0.00495 |
| Capacidad de identificar oportun. | 0.00318 | -0.00153 | 0.00458 |
| Tolerancia a la ambigüedad | -0.00239 | -0.00654 | -0.0120** |
| Capacidad de comunicar | 0.00292 | -0.00225 | 0.00146 |
| Proactividad | 0.000276 | 0.00185 | -0.00181 |
| Capacidad de administrar recursos | -0.00587 | 0.00916** | -0.000578 |
| Capacidad de trabajar en equipo | 0.0112 | -0.0119** | -0.000478 |

| | Participación en el concurso | Intención de emprender | Motivación por emprender |
|---|---|---|---|
| Capacidad de aprendizaje | -0.00768 | 0.00124 | 0.00570 |
| Capacidad de gestionar información | 0.00245 | 0.00309 | -0.00410 |
| Liderazgo | -0.000337 | -0.00403 | -0.000642 |
| Sensibilidad social | -0.00445 | 0.0104*** | 0.00661* |
| Ética | 0.0154* | -0.00631 | -0.000531 |
| Formación e investigación | 0.00411 | -0.00680* | -0.00200 |
| Asesoramiento | -0.00210 | -0.00541 | -0.00428 |
| Financiación | -0.0125 | -0.00589 | -0.00317 |
| Innovación | 0.0140 | 0.0118** | 0.00684 |
| Redes | -0.0124 | 0.000564 | -0.00879 |
| Difusión | 0.00466 | 0.00347 | 0.00959 |
| $^*p < 0.1, ^{**} p < 0.05, ^{***} p < 0.01$ | | | |

## 4.2.  ANTECEDENTES PERSONALES

La Tabla 2 muestra los resultados del modelo *probit* con las variables independientes relativas a los antecedentes personales y las mismas variables dicotómicas mencionadas anteriormente.

Se observa que únicamente la variable sexo tiene un efecto estadísticamente significativo sobre la probabilidad de participar en el concurso de emprendimiento, en el sentido de que las mujeres participan más en este que los hombres. Asimismo, la intención emprendedora y la motivación por emprender se ven favorecidas por las mismas variables, a saber: la experiencia laboral previa –tanto esporádica como habitual– y la exposición a modelos de referencia emprendedores –familiares y amigos o conocidos–.

**Tabla 2.** Modelo *probit* sobre intención de emprender con antecedentes personales.

| | Participación en el concurso | Intención de emprender | Motivación por emprender |
|---|---|---|---|
| Sexo (mujer=1) | 0.626*** | -0.0231 | -0.00444 |
| Experiencia laboral (habitual) | 0.121 | 0.369*** | 0.258** |
| Experiencia laboral (esporádica) | 0.240 | 0.391*** | 0.273*** |
| Familiares emprendedores | -0.114 | 0.303*** | 0.347*** |
| Amigos o conocidos emprendedores | -0.106 | 0.306*** | 0.307*** |
| * p < 0.1, ** p < 0.05, *** p < 0.01 | | | |

## 4.3. INTENCIÓN EMPRENDEDORA SOCIAL

La Tabla 3 muestra los resultados del modelo *probit* con las variables independientes correspondientes a los rasgos y competencias personales y a los componentes del ecosistema, y las variables independientes dicotómicas relativas al objetivo principal de una eventual empresa (resolver o no un problema social que beneficie a la comunidad junto con solucionar la propia estabilidad económica), estilo de dirección (existencia o no de un mecanismo de toma de decisiones democrático) y forma de reparto de beneficios (reparto colectivo o no de los beneficios). Este modelo busca determinar qué rasgos y competencias personales y componentes del ecosistema diferencian a aquellos que muestran una mayor preocupación por los aspectos sociales de la empresa.

Respecto al objetivo de una eventual empresa, las variables que se relacionan positivamente con poseer una empresa con el objetivo conjunto de beneficiar a la comunidad y solucionar la propia estabilidad económica son la autoconfianza, el liderazgo, la sensibilidad social y la ética, junto con el aspecto relativo al ecosistema correspondiente a la innovación. Por otra parte, las variables que inciden negativamente sobre esta probabilidad son la capacidad de comunicar y la capacidad de gestionar información. En cuanto a la dirección de la empresa, la probabilidad de que la organización empresarial sea dirigida democráticamente aumenta con el locus de control interno, la capacidad de identificar oportunidades, la sensibilidad social y la ética, y disminuye con la capacidad de comunicar y la capacidad de aprendizaje. Por último, quienes en mayor medida se inclinan por una forma de reparto de beneficios colectiva y equitativa son los estudiantes que reportan una mayor sensibilidad social. Al contrario, la sub-escala capacidad de administrar recursos registra un efecto negativo sobre esta variable.

**Tabla 3.** Modelo *probit* sobre intención emprendedora social con sub-escalas de rasgos y competencias personales y componentes del ecosistema de emprendimiento.

| | Objetivo | Estilo de dirección | Reparto de beneficios |
|---|---|---|---|
| Autoconfianza | 0.00836** | -0.000960 | 0.00204 |
| Locus de control interno | 0.000108 | 0.0151*** | 0.00495 |
| Disposición a correr riesgos | -0.00254 | -0.00491 | -0.00538 |
| Capacidad innovadora | -0.000635 | -0.00417 | 0.00404 |
| Tolerancia al estrés | -0.00446 | 0.000487 | -0.00390 |
| Optimismo | 0.00139 | 0.00299 | 0.00219 |
| Autonomía | 0.000129 | -0.00704 | -0.00125 |
| Necesidad de logro | 0.000706 | 0.00000542 | -0.00255 |
| Perseverancia | 0.00562 | -0.000343 | 0.00644 |
| Capacidad de identificar oportun. | -0.000632 | 0.00889** | 0.00271 |
| Tolerancia a la ambigüedad | -0.00746 | -0.00167 | 0.00356 |
| Capacidad de comunicar | -0.00987** | -0.0128*** | -0.00554 |
| Proactividad | -0.000221 | 0.00282 | -0.000567 |
| Capacidad de administrar recursos | -0.000523 | -0.000652 | -0.00898** |
| Capacidad de trabajar en equipo | 0.00399 | 0.00119 | 0.00514 |
| Capacidad de aprendizaje | -0.00133 | -0.00792* | -0.00559 |
| Capacidad de gestionar información | -0.0139*** | 0.00230 | -0.00449 |
| Liderazgo | 0.0152*** | 0.000626 | 0.00291 |
| Sensibilidad social | 0.00537* | 0.00644** | 0.0139*** |
| Ética | 0.0104** | 0.0124*** | -0.00335 |
| Formación e investigación | -0.00114 | 0.00540 | 0.00331 |

|  | *Objetivo* | *Estilo de dirección* | *Reparto de beneficios* |
|---|---|---|---|
| Asesoramiento | -0.00148 | -0.00405 | -0.000269 |
| Financiación | 0.000493 | 0.00286 | -0.00224 |
| Innovación | 0.00927* | 0.00436 | 0.00326 |
| Redes | -0.000196 | -0.00496 | 0.00449 |
| Difusión | 0.00191 | -0.00338 | -0.000301 |
| $^{*} p < 0.1,\ ^{**} p < 0.05,\ ^{***} p < 0.01$ | | | |

## V. DISCUSIÓN

Dentro de los resultados obtenidos, destaca el que la sensibilidad social se asocie positivamente con las acciones de emprendimiento concretas y el interés por emprender en el futuro y por emprender socialmente. Lo mismo ocurre con la sub-escala ética, la cual se encuentra estrechamente relacionada con la sensibilidad social. Esto sugiere que aquellos estudiantes preocupados por las necesidades de su comunidad son más propensos a involucrarse en ella, crear soluciones emprendedoras y proyectar futuros emprendimientos que atiendan las problemáticas de su entorno cercano (emprendimientos sociales).

Otro atributo personal que se relaciona consistentemente con un mayor interés por emprender es la autoconfianza, la que también se vincula con una mayor tendencia hacia poseer una empresa con objetivos sociales. Estos resultados son indicativos de que los estudiantes están al tanto de las dificultades implicadas en poner en marcha una empresa, y que aquellos adolescentes que creen más en sí mismos son quienes están mayormente dispuestos a concretar estas actividades. La autoconfianza está muy ligada al optimismo, variable que también muestra una incidencia positiva sobre la posibilidad de participar del concurso de emprendimiento.

Así, la asociación entre las variables autoconfianza, optimismo, sensibilidad social y ética con una mayor inclinación a emprender sugiere que promover una identidad emprendedora positiva, así como un compromiso moral de los estudiantes con sus pares y la sociedad, puede ayudar a potenciar la intencionalidad emprendedora futura.

Del lado de las variables ecosistémicas, la única variable que se relaciona positivamente con el interés por emprender —en este caso con la intención de emprender futura— es la innovación. Esta sub-escala también se vincula de manera positiva con poseer una empresa con objetivos sociales. La medición de la percepción de los estudiantes frente a la innovación se centra en la generación de soluciones nuevas y creativas. De este modo, aquellos estudiantes que se sienten parte de un ecosistema escolar donde se buscan soluciones innovadoras a los problemas son los más propensos a emprender.

Por su parte, en cuanto a las variables referidas a los antecedentes personales, los estudiantes más interesados en emprender son quienes han trabajado con anterioridad o se encuentran trabajando actualmente, y los que poseen familiares o conocidos que son emprendedores. Asimismo, los resultados indican que las mujeres son más propensas a concretar actividades de emprendimiento (concurso), pero no se proyectan más que los hombres en emprendimientos futuros. Preliminarmente esto se podría explicar por una mayor tendencia de parte de las mujeres a ser más responsables respecto de sus actividades escolares, al mismo tiempo que no se proyectarían como emprendedoras tanto como sus pares hombres debido a los estereotipos de género aun dominantes.

## VI.  CONCLUSIONES

El presente trabajo refleja un esfuerzo por guiar la construcción o mejora de los programas escolares de formación en emprendimiento en base a evidencia científica respecto de las características y percepciones de los estudiantes y su relación con intenciones de emprender comerciales o sociales. Los resultados aquí obtenidos sugieren que un currículo efectivo en la promoción del emprendimiento debiese centrarse en la autoconfianza de los estudiantes. Emprender es una actividad compleja que requiere altas dosis de motivación; la creencia en que se pueden levantar proyectos personales y que no se fracasará en el intento es, por tanto, fundamental para lograr una diferencia.

Los resultados también apuntan en el sentido de que se deben formar estudiantes realmente involucrados con su comunidad. Actividades que comprometan a los estudiantes con los problemas de su entorno tendrán un efecto en su sensibilidad social, lo que asimismo los motivará a poner en marcha emprendimientos centrados en buscar soluciones a dichas problemáticas.

Dados los hallazgos sobre cuáles son los rasgos con mayor poder predictivo sobre las intenciones de emprender en estudiantes escolares, un paso muy importante en la dirección del diseño de programas de formación en emprendimiento efectivos en el nivel escolar es determinar cómo incentivar y explotar tales características a través de actividades curriculares y extracurriculares en las escuelas. Se recomienda exponer a los estudiantes a modelos emprendedores, vale decir, personas con las que los estudiantes se puedan identificar o relacionar. Distintas investigaciones de la economía conductual y la psicología social han demostrado que promover referentes sociales –modelos a seguir– influye sobre la conducta de los estudiantes (Bosma *et al.*, 2012). Estas prácticas, además de ser ampliamente efectivas, suelen ser simples de implementar y razonablemente económicas.

Ciertamente se requiere de más investigaciones sobre los factores determinantes de las intenciones de emprender en los adolescentes, por la importancia que reviste contar con información que alimente las iniciativas de formación de emprendedores desde edades tempranas. Si bien el presente estudio se limita a un contexto específico, se espera arroje algunas luces sobre qué puede hacerse para estimular el surgimiento de emprendedores desde las escuelas.

## VII. REFERENCIAS

Ajzen, I. (1991). The theory of planned behavior. *Organizational Behavior and Human Decision Processes*, *50*(2), 179-211. https://doi.org/10.1016/0749-5978(91)90020-T.

Armitage, C. J. y Conner, M. (2001). Efficacy of the theory of planned behaviour: A meta-analytic review. *British Journal of Social Psychology*, *40*(4), 471-499. https://doi.org/10.1348/014466601164939.

Baron, R. (2004). The cognitive perspective: A valuable tool of answering entrepreneurship's basic 'why' questions. *Journal of Business Venturing*, 19, 221-240. https://doi.org/10.1016/S0883-9026(03)00008-9.

Baron, R. y Henry, R. A. (2010). Entrepreneurship: The genesis of organizations. En S. Zedeck (Ed.). *APA handbook of industrial and organizational psychology* (pp. 241-273). American Psychological Association.

Bel Durán, P., Fernández, J., García, C., Lejarriaga, G. y Martin, S. (2016). *Las sociedades cooperativas de enseñanza como impulsoras de iniciativas de creación de empresas*. UCETAM.

Bird, B. y Jelinek, M. (1988). The Operation of entrepreneurial intentions. *Entrepreneurship Theory and Practice*, *13*(2), 21-29. https://doi.org/10.1177/104225878801300205.

Bosma, N., Hessels, J., Schutjens, V., Van Praag, M. y Verheul, I. (2012). Entrepreneurship and role models. *Journal of Economic Psychology*, *33*(2), 410-424. https://doi.org/10.1016/j.joep.2011.03.004.

Brandstatter, H. (2011). Personality aspects of entrepreneurship: A look at five meta-analyses. *Personality and Individual Differences*, *51*(3), 222-230. https://doi.org/10.1016/j.paid.2010.07.007.

Caballero, S., Fuchs, R. M. y Prialé, M. A. (2014). The influence of the Big 5 personality traits on the social enterprise start-up intentions: A Peruvian case. *Taylor's Business Review*, *4*(1), 1-18.

Cabana, R., Cortés, I., Plaza, D. y Álvarez, A. (2013). Análisis de las capacidades emprendedoras potenciales y efectivas en alumnos de centros de educación superior. *Journal of Technology Management and Innovation*, *8*(1), 65-75. https://doi.org/10.4067/S0718-27242013000100007.

Cools, E. y Van den Broeck, H. (2008). The hunt for the heffalump continues: Can trait and cognitive characteristics predict entrepreneurial orientation? *Journal of Small Business Strategy*, *18*(2), 23-41.

Crissién, J. (2006). Espíritu empresarial como estrategia de competitividad y desarrollo económico. *Revista EAN*, *57*, 103-108. https://doi.org/10.21158/01208160.n57.2006.376.

Demirtas, O., Karaca, M. y Ozdemir, H. (2017). The influence of personality traits on entrepreneurial intention. *International Journal of Management and Sustainability*, *6*(2), 33-46. http://dx.doi.org/10.18488/journal.11.2017.62.33.46.

Deveci, I. y Seikkula-Leino, J. (2018). A review of entrepreneurship education in teacher education. *Malaysian Journal of Learning and Instruction*, *15*(1), 105-148. http://dx.doi.org/10.32890/mjli2018.15.1.5.

Duval-Couetil, N. (2013). Assessing the impact of entrepreneurship education programs: Challenges and approaches. *Journal of Small Business Management*, *51*(3), 394-409. https://doi.org/10.1111/jsbm.12024.

Entrialgo, M. e Iglesias, V. (2016). The moderating role of entrepreneurship education on the antecedents of entrepreneurial intention. *International Entrepreneurship and Management Journal*, *12*(4), 1209-1232. https://doi.org/10.1007/s11365-016-0389-4.

Ferreira, J., Raposo, M., Gouveira, R., Dinis, A. y Do Paco, A. (2012). A model of entrepreneurial and behavioral approaches. *Journal of*

*Small Business and Enterprise Development*, *19*(3), 424-440. https://doi.org/10.1108/14626001211250144.

García, C., Martínez, A. y Fernández, R. (2010). Características del emprendedor influyentes en el proceso de creación empresarial y en el éxito esperado. *Revista Europea de Dirección y Economía de la Empres*a, *19*(2), 31-48.

Garzón, J. A. (2008). *El potencial emprendedor en la formación profesional: Un análisis intencional desde la teoría de la conducta planificada* (Tesis doctoral). Universidad de Sevilla, Sevilla.

Global Entrepreneurship Monitor (GEM) (2021). *2020/2021 Global Report*. GEM.

Il Sung Park, S. y Duarte, S. (2015). El perfil del emprendedor y los estudios relacionados a los emprendedores Iberoamericanos. *Revista Internacional de Investigación en Ciencias Sociales*, *11*(2), 291-314. http://dx.doi.org/10.18004/riics.2015.diciembre.291-314.

Johansen, V. y Schanke, T. (2013). Entrepreneurship education in secondary education and training. *Scandinavian Journal of Educational Research*, *57*(4), 357-368. http://dx.doi.org/10.1080/00313831.2012.656280.

Kolstad, I. y Wiig, A. (2013). Is it both what you know and who you know? Human capital, social capital and entrepreneurial success. *Journal of International Development*, *25*(5), 626-639. https://doi.org/10.1002/jid.2904.

Krueger, N. F. (2003). The cognitive psychology of entrepreneurship. En Z. Acs y D. Audretsch (Eds.). *Handbook of entrepreneurial research* (pp. 105-140). Kluwer Academic Publishers.

Krueger, N. F. (2007). What lies beneath? The experiential essence of entrepreneurial thinking. *Entrepreneurship Theory and Practice*, *31*(1), 123-138. https://doi.org/10.1111/j.1540-6520.2007.00166.x.

Laguna, M. (2013). Self-efficacy, self-esteem, and entrepreneurship among the unemployed. *Journal of Applied Social Psychology*, *43*(2), 253-262. https://doi.org/10.1111/j.1559-1816.2012.00994.x.

Lee, S. H. y Wong, P. K. (2004). An exploratory study of technopreneurial intentions: A career anchor perspective. *Journal of Business Venturing*, *19*(1), 7-28. https://doi.org/10.1016/S0883-9026(02)00112-X.

Muñiz, J., Suarez-Álvarez, J., Pedrosa, I., Fonseca, E. y García, E. (2014). Enterprising personality profile in youth: Components and assessment. *Psicothema*, *26*(4), 545-553. http://dx.doi.org/10.7334/psicothema2014.182.

Obschonka, M., Schmitt-Rodermund, E., Silbereisen, R.K., Gosling, S.D. y Potter, J. (2013). The regional distribution and correlates of an entrepreneurship-prone personality profile in the United States, Germany, and the United Kingdom: A socioecological perspective. *Journal of Personality and Social Psychology*, *105*(1), 104-122. https://doi.org/10.1037/a0032275.

Oosterbeek, H., Van Praag, M. e Ijsselstein, A. (2010). The impact of entrepreneurship education on entrepreneurship skills and motivation. *European Economic Review*, *54*(3), 442-454. https://doi.org/10.1016/j.euroecorev.2009.08.002.

Orellana, W. y De Lejarza y Esparducer, J. (2013). Teorías de entrepreneurship y cooperativismo de trabajo asociado. Fundamentos teóricos y evidencias empíricas en la creación de CTA. *CIRIEC-España, Revista de Economía Pública, Social y Cooperativa*, 78, 11-33.

Pedrosa, I. (2015). *Evaluación de la personalidad emprendedora mediante un Test Adaptativo Informatizado* (Tesis doctoral). Universidad de Oviedo, Oviedo.

Programa de las Naciones Unidas para el Desarrollo (PNUD) y Organización Internacional del Trabajo (OIT) (2016). *Promoción del emprendimiento y la innovación social en América Latina*. PNUD/OIT.

Ranjan, A. (2019). The role of entrepreneurship in economic development. *American Journal of Management Science and Engineering*, *4*(6), 87-90. http://dx.doi.org/10.11648/j.ajmse.20190406.11.

Rauch, A. y Frese, M. (2007). Let's put the person back into entrepreneurship research: A meta-analysis on the relationship between business owners' personality traits, business creation, and success. *European Journal of Work and Organizational Psychology*, *16*(4), 353-385. https://doi.org/10.1080/13594320701595438.

Salinas F. y Osorio, L. (2012). Emprendimiento y Economía Social, oportunidades y efectos en una sociedad en transformación. *CIRIEC-España, Revista de Economía Pública, Social y Cooperativa*, 75, 128-151.

Sánchez, J. C. (2010). Evaluación de la personalidad emprendedora: Validez factorial del cuestionario de orientación emprendedora (COE). *Revista Latinoamericana de Psicología*, *42*(1), pp. 41-52.

Selmi, I. y Haddad, S. (2013). Environmental determinants of entrepreneurship. En E. Carayannis (Ed.). *Enclyclopedia of creativity, invention, innovation and entrepreneurship* (pp. 682-686). Springer.

Shane, S. y Venkataraman, S. (2000). The promise of entrepreneurship as a field of research. *Academy of Management Review*, 25, 217-226. https://doi.org/10.2307/259271.

Stam, E. y Van de Ven, A. (2019). Entrepreneurial ecosystem elements. *Small Business Economics*, 56, 809-832. https://doi.org/10.1007/s11187-019-00270-6.

Tarapuez, E., Guzmán, B. y Parra, R. (2018). Factores que determinan la intención emprendedora en América Latina. *Suma de Negocios*, 9(19), 56-67. https://doi.org/10.14349/sumneg/2018.v9.n19.a7.

Thompson, J. L. (2008). Social enterprise and social entrepreneurship: Where have we reached? A summary of issues and discussion points. *Social Enterprise Journal*, 4(2), 149-161. https://doi.org/10.1108/17508610810902039.

Thompson, N. (2009). *Understanding social work: Preparing for practice.* Palgrave Macmillan.

Torres, J. (2017). Ecosistemas para el emprendimiento: Características del concepto y su aplicación a la empresa social. *Revista Vasca de Economía Social*, 14, 61-76. http://dx.doi.org/10.1387/reves.18004.

Tran, T. P. A. (2018). *Social entrepreneurial intention: An empirical study in Vietnam* (Tesis doctoral). Universität Koblenz-Landau, Koblenz.

Unger, J. M., Rauch, A., Frese, M. y Rosenbusch, N. (2011). Human capital and entrepreneurial success: A meta-analytical review. *Journal of Business Venturing*, 26(3), 341-358. https://doi.org/10.1016/j.jbusvent.2009.09.004.

Veciana, J. M. (2005): *La creación de empresas. Un enfoque gerencial.* Caja de Ahorros y Pensiones de Barcelona "La Caixa".

Vernis, A. y Navarro, C. (2011). El concepto de ecosistema para el emprendimiento social. *Revista Española del Tercer Sector*, 17, 67-84.

Wennekers, S. y Thurik, R. (1999). Linking entrepreneurship and economic growth. *Small Business Economics*, 13, 27-55. https://doi.org/10.1023/A:1008063200484.

Zhao, H., Seibert, S. E. y Lumpkin, G. T. (2010). The relationship of personality to entrepreneurial intentions and performance:

A meta-analytic review. *Journal of Management, 36*(2), 381-404. https://doi.org/10.1177/0149206309335187.

Zinga, A. C., Coelho, A. F. y Carvalho, F. (2013). Clustering of Angolan entrepreneurs: An analysis of their entrepreneurial posture. *International Entrepreneurship and Management Journal, 9*(4), 483-500. https://doi.org/10.1007/s11365-011-0182-3.

*Capítulo 34*

# Proyecto interdisciplinar de aprendizaje experiencial: gafas de bioplástico. Desde el proceso de fabricación hasta la comercialización

Saskia van Liempt Serré
*(Universidad Europea de Madrid –España–)*

María Rodríguez Gómez
*(Universidad Europea de Madrid –España–)*

Sara Gómez Quevedo
*(Universidad Europea de Madrid –España–)*

*Agradecimientos: Nos gustaría mostrar nuestro agradecimiento a los profesores Ken Gómez, José Antonio Caballero y Alberto González por su generosidad y a todos los estudiantes que participaron en este proyecto.*

## I. INTRODUCCIÓN

La manera en la que hoy los estudiantes son capaces de adquirir conocimientos ha cambiado radicalmente en los últimos años a través del uso generalizado de las tecnologías y, sobre todo, de las redes sociales, siendo la mayor parte de la información de carácter informal, y pasando los estudiantes del anterior rol de elementos consumidores al actual papel de elementos productores (Yuste, 2015). Además, la incorporación del llamado modelo de Bolonia en la Enseñanza universitaria ha supuesto la urgente necesidad de adaptación de los métodos de enseñanza tradicionales, poco motivadores para el alumnado contemporáneo, con la continua incorporación de procesos de enseñanza basados en aprendizajes activos (Palés-Argullós *et al.*, 2010). De toda esta situación expuesta se ha derivado un claro reto para los docentes en la enseñanza universitaria, destinados a preparar en última instancia a los profesionales demandados por el mercado laboral presente, que no solo reclama de ellos el conocimiento teórico tradicional, si no cada vez más el desarrollo de habilidades y competencias como la creatividad, la capacidad de trabajo en equipo, habilidad para resolver problemas, iniciativa o curiosidad entre otras (New Vision for Education, 2015). Además, no debemos perder de vista que el mundo se enfrenta en estos momentos a problemas que requieren de la participación de profesionales de múltiples sectores para llegar a soluciones globales que puedan resultar satisfactorias en todos los ámbitos.

En busca de este nuevo enfoque, surge el concepto del aprendizaje basado en retos (ABR), que, según la Teoría del Aprendizaje Experiencial de David Kolb y del concepto de *"learning by doing"* descrito por Roger Schank (Kolb, 1984; Schank *et al.*, 1999), busca fomentar dentro del alumnado la colaboración entre estudiantes de diferentes disciplinas para, a través de la integración del conocimiento de diversas asignaturas, proponer soluciones conjuntas a problemas reales a través de estrategias que se asemejen al mundo laboral actual.

Fundamentado en este marco teórico, en el presente proyecto se desarrolla la metodología de ABR con alumnos de los grados de Administración y Dirección de Empresas (ADE), Diseño, Ingeniería de Materiales y Biotecnología, pertenecientes todos ellos a la Universidad Europea de Madrid (UEM).

El proyecto, englobado dentro de los retos surgidos a partir de los objetivos de desarrollo sostenible de las Naciones Unidas (ODS), propone a los estudiantes la obtención y comercialización de una montura de gafas a partir del aprovechamiento de residuos de industrias agroalimentarias. Los alumnos, dentro de las diferentes asignaturas implicadas en el proyecto, de manera secuencial, abordan múltiples dimensiones del proyecto tales como: el desarrollo de una propuesta industrial para la obtención de un bioplástico biodegradable por los alumnos de Biotecnología; pruebas de ensayo del bioplástico en el laboratorio de ensayos destructivos, el análisis del mercado y la elaboración de un estudio completo de Marketing por los alumnos de ADE; el diseño final de monturas para su posterior impresión en impresoras 3D con el bioplástico por parte de los alumnos de Diseño e Ingeniería de Materiales. Durante todo el proceso, los alumnos trabajan de manera coordinada, recibiendo retroalimentación de las otras disciplinas y participando de la toma de decisiones conjunta. Complementariamente, los alumnos de los diversos grados participan del aprendizaje real mediante prácticas de laboratorio de ensayos y visitas a las instalaciones de los laboratorios de prototipado enfatizando en la participación interprofesional. El trabajo en grupos en el aula culmina con la elaboración de informes por parte de cada asignatura, con las recomendaciones que son enviadas al resto de estudiantes para garantizar la secuencia transversal del proyecto. La evaluación de este proyecto ha puesto de manifiesto la importancia de la interdisciplinariedad y de afrontar retos de la vida real en el proceso formativo de los estudiantes, formando con ello profesionales más adecuados al actual mercado laboral.

## II. OBJETIVOS

En el trabajo aquí presentado, nos propusimos como objetivo fundamental incorporar la metodología de ABR para fomentar que los alumnos puedan aprender a trabajar en equipos multidisciplinares con alumnos de diferentes enseñanzas, buscando reflejar el proceso real de trabajo de una compañía ficticia. Complementariamente, nos propusimos dos objetivos específicos para mejorar la adquisición de nuevas competencias en el alumnado:

a. Analizar si esta metodología provocaba en el alumnado el desarrollo de un pensamiento crítico, con capacidad para comprender procesos complejos y llevarlos a la práctica mediante la conexión de ideas.

b. Valorar si el alumnado era capaz de desarrollar capacidad de innovación y creatividad mediante la búsqueda de soluciones innovadores a los retos planteados.

## III. METODOLOGÍA

### 3.1. DESCRIPCIÓN GENERAL

El proyecto de ABR descrito en el presente trabajo ha sido llevado a cabo durante el curso académico 2020-2021 en la UEM, dentro del marco formativo de cuatro grados: Administración y Dirección de Empresas (ADE), Diseño, Ingeniería de Materiales y Biotecnología, con alumnos de últimos cursos (4.º) de múltiples asignaturas. Junto con los alumnos participaron los profesores responsables de las asignaturas implicadas, denominados en este trabajo como "expertos". Dada la naturaleza y envergadura del reto presentado, este se considera un Proyecto Transversal y para el correcto desarrollo se precisó de una figura de coordinación, liderado por la Facultad de Ciencias Sociales y de la Comunicación (Área de empresa). La coordinación de los expertos se presenta como un elemento de estabilidad para los estudiantes, facilitando la flexibilidad en los horarios, así como la necesidad de complementar el conocimiento mediante la integración conjunta.

En este proyecto, el primer paso es realizar el diseño de la secuencia de trabajo global mediante la elaboración de un esquema o *canva* (Fig. 1) realizado por el equipo de coordinación, así como la identificación de los expertos externos participantes (profesores titulares de las asignaturas involucradas y los responsables de los laboratorios participantes) (Alba Ruiz-Morales *et al.*, 2017).

**Figura 1.** Esquema secuencial del proyecto.

**Fuente:** Elaboración propia.

A continuación, a través de la figura de coordinación se realiza la elaboración de un diagrama de Gantt (Lester, 2017) de manera conjunta, que favorezca la organización global del proyecto, así como la integración dentro del calendario de cada asignatura por parte de cada profesor. Para la correcta ejecución global, se proponen reuniones de manera periódica, fundamentalmente virtuales mediante el uso de recursos tecnológicos como la aplicación Teams (Fig. 2) (Corporación Microsoft, 2020).

**Figura 2.** Cuadro de planificación.

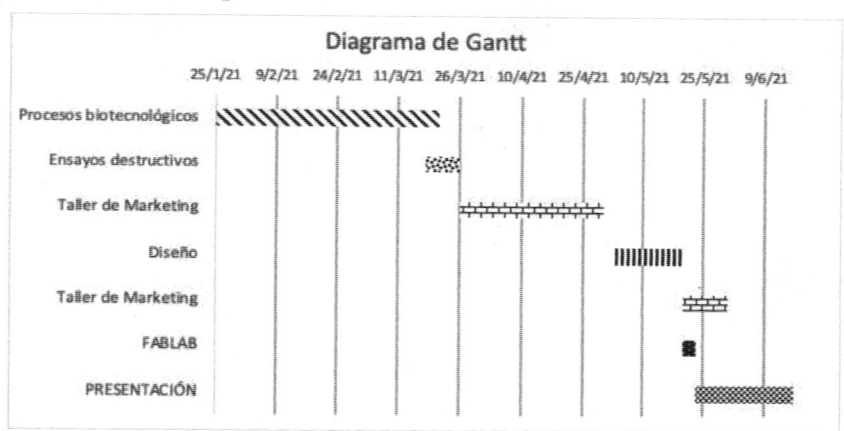

**Fuente:** Elaboración propia.

## 3.2. DE LA ORGANIZACIÓN EN EL AULA Y LOS RECURSOS NECESARIOS

Una vez diseñado el proceso secuencial, se convoca mediante una sesión en el aula a todos los alumnos y expertos involucrados en la actividad, realizada de manera virtual a través de la plataforma Blackboard. El número de alumnos fue de 60, repartidos en 3 asignaturas, 3 grados y 3 facultades, y ubicados en 2 campus diferentes, que por su propia naturaleza hacen de este proyecto una singularidad en cuanto a la sincronización de la organización, resaltando la importancia de la figura de coordinación (Fig. 3).

**Figura 3.** Correlación de Facultades, Escuelas, asignaturas y profesores, en orden de participación. Se muestran también los objetivos de cada etapa.

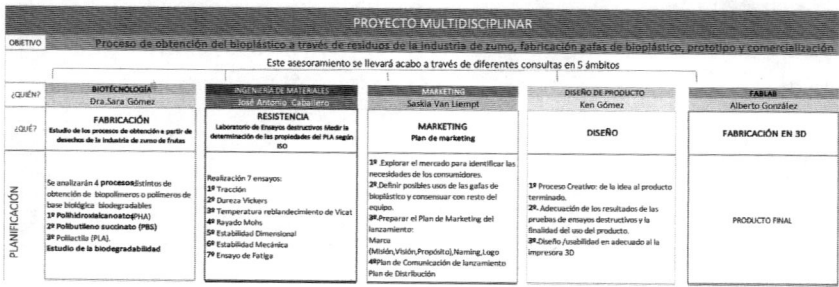

**Fuente:** Elaboración propia.

Una vez realizada la presentación de una manera holística, a los estudiantes se les plantea un reto por asignatura, una situación del mundo real que deben resolver en pequeños grupos y que tienen como referencia los mismos documentos que llevarían a cabo si fuesen profesionales en activo en su puesto de trabajo. Cada profesor desarrolla su propio diagrama de Gantt y constituye grupos de trabajo. La dinámica del trabajo secuencial exige la realización de una única recomendación por asignatura que se debe presentar a los estudiantes de la temática siguiente del proceso para poder trabajar a partir de hipótesis.

Desde un punto de vista académico, los estudiantes desarrollan las mismas competencias transversales que aparecen recogidas en las correspondientes guías de aprendizaje de cada asignatura, donde destacamos las siguientes: Planificación, Innovación y Creatividad, Aprendizaje autónomo, Análisis y Resolución de problemas, Adaptación al cambio y Mentalidad global.

En cuanto a los recursos, debido a las propias características del proyecto, son necesarios laboratorios específicos altamente equipados donde llevar a cabo la teórica obtención del bioplástico (microorganismos, biorreactores), los análisis de laboratorios de ensayos destructivos y el prototipado del producto mínimo viable a través de las impresoras de 3D dentro de las instalaciones del laboratorio FabLab de la UEM (Fig. 4).

**Figura 4.** Distribución de los recursos por asignaturas.

| Recursos por asignatura | Procesos y Productos Biotecnológicos | Laboratorio de Ensayos Destructivos | Marketing | Diseño de Producto | Fab Lab |
|---|---|---|---|---|---|
| Laboratorio Biotecnología: Biorreactores | ✓ | | | | |
| Laboratorio ensayos destructivos. | | ✓ | ✓ | ✓ | ✓ |
| Fichas oficiales bioplásticos (de pago) | ✓ | ✓ | | | |
| FabLab | | | | ✓ | ✓ |
| Plataformas digitales investigación de mercado | | | ✓ | | |
| Excel | ✓ | ✓ | ✓ | ✓ | ✓ |
| Laboratorio Diseño de Producto | | | | ✓ | |
| Impresora 3D | | ✓ | | ✓ | ✓ |
| Blackboard | ✓ | ✓ | ✓ | ✓ | ✓ |
| Whatsapp | ✓ | ✓ | ✓ | ✓ | ✓ |
| Power Point | ✓ | ✓ | | ✓ | ✓ |
| Laboratorio Fotográfico | | ✓ | | ✓ | ✓ |
| Plataforma Be Challenge | | | ✓ | | |
| Teams Microsoft | ✓ | ✓ | ✓ | ✓ | ✓ |
| e-mail | ✓ | ✓ | ✓ | | ✓ |
| Adobe Creative | | | | ✓ | |
| Transporte Público | | | ✓ | | |

**Fuente:** Elaboración propia.

Como se puede observar (Fig. 4), la dimensión de los recursos, la naturaleza y la variación de estos, son una muestra del realismo de la actividad con el mundo profesional. Al analizar la misma, se pone de manifiesto la ventaja de estar involucrados todos los estudiantes en las diferentes etapas, independientemente de su disciplina, facilitando la comprensión de la complejidad y las distintas particularidades de la cadena.

## 3.3. DESCRIPCIÓN POR ASIGNATURA

En la Figura 3 se puede observar de manera panorámica los objetivos de cada asignatura para el total del proyecto. La descripción metodológica detallada se desarrolla a continuación en los próximos apartados.

### 3.3.1. Desarrollo del ABR en la asignatura de Procesos y Productos Biotecnológicos (PPB) (Grado en Biotecnología)

En esta asignatura, el hito que ha sido encomendado es la determinación de la idoneidad del bioplástico para la elaboración de monturas de gafas, proponiendo un proceso de obtención industrial sostenible basado en biotecnología y economía circular. En una primera sesión se comunica a los estudiantes el plan de trabajo, la metodología de evaluación y los criterios correspondientes, enfatizando el concepto del trabajo en equipo, coordinado entre los diferentes grados y la responsabilidad compartida entre todos los estudiantes implicados para garantizar el éxito del proyecto global. Para la ejecución, se divide a los estudiantes en grupos de trabajo (entre 5-6 estudiantes máximo, que se mantienen juntos durante todas las etapas) buscando la complementariedad de funciones entre los distintos miembros y se reparten los diferentes temas de trabajo (en este caso particular, se asigna un tipo de bioplástico diferente a cada grupo, pudiendo ser ácido poliláctico (PLA), succinato de polibutileno (PBS) o polihidroalcanoato (PHA)).

A continuación, se describe el trabajo, que se divide en dos etapas:

a. Análisis del estado actual de la industria de los bioplásticos y elaboración de informe preliminar. En 3 sesiones de trabajo en aula (2 horas cada una) los alumnos realizan una revisión bibliográfica para elaborar un estudio/informe de la situación actual de un bioplástico concreto asignado. Se facilitan preguntas guía por el docente y se evalúa el informe grupal.

b. Elaboración de un proyecto industrial innovador aplicado para obtener el bioplástico a nivel industrial. Estos trabajos se presentan en formato póster delante de todos los compañeros, y se realiza un debate posterior para determinar la opción más viable. El tiempo empleado fue de tres sesiones (6 horas en total).

Al finalizar ambas etapas, se elabora un informe preliminar que se transmite a los estudiantes de los otros grados, indicando las recomendaciones referidas al material elegido, sus propiedades y el proceso de obtención. Con el objetivo de mejorar la implicación de los alumnos, se implementa una metodología de evaluación entre pares, donde cada grupo participaba evaluando al resto, contribuyendo con ello a la nota global obtenida en la actividad, y que forma parte de las actividades evaluables en la asignatura.

### 3.3.2. Desarrollo del ABR en los laboratorios de Ensayos Destructivos

Para poder realizar una recomendación basada en datos obtenidos de mediciones reales en los bioplásticos, se llevan a cabo ensayos de resistencia y durabilidad conforme a lo descrito en la normativa UNE-EN ISO 12870:2018. Con ello, se definieron los ensayos que garantizaban la idoneidad del bioplástico para su posterior comercialización. En este proyecto se seleccionaron los siguientes: 1) Ensayos de tracción UNE EN ISO 572– 1 y 572-2:02; 2) Ensayos de dureza Vickers UNE EN ISO 572– 1; 3) Ensayos temperatura reblandecimiento de Vicat UNE EN ISO 306-15; 4) Ensayos rayado Mohs UNE EN ISO 306-15; 5) Ensayos de estabilidad dimensional; 6) Estabilidad mecánica; 7) Ensayo de fatiga. En todos los casos, se emplearon muestras probetas de PLA, diseñadas conforme al ensayo concreto y como plástico control se tomaron probetas de iguales dimensiones fabricadas con metacrilato. Los ensayos fueron realizados bajo la supervisión del técnico experto.

### 3.3.3. Desarrollo del ABR en la asignatura de Taller de Marketing (Grado ADE)

Para su desarrollo se implementan dos fases de trabajo delimitadas en el tiempo, respondiendo a dos hitos diferentes del proyecto:

a) Definición del posible uso de las gafas de Bioplástico. En esta primera etapa el objetivo principal es definir el uso más adecuado desde la perspectiva del mercado actual analizando las diferentes opciones posibles. Se realiza un análisis del mercado en España en el que se identifican las tendencias del mercado y las necesidades específicas de los diferentes públicos objetivos (segmentando tanto en función a las variables sociodemográficas, como en función a las variables de hábitos y comportamientos de los distintos grupos de población). Cada alumno explora el mercado y define un posible uso en función de: a) la situación del submercado al que se dirige; b) las necesidades del público objetivo específico; c) y de la relevancia del bioplástico en ese subsegmento. De esta manera se logran identificar aquellos nichos de mercado de mayor interés, pudiendo así realizar una estimación de su potencial de mercado y la posible demanda. Las diferentes propuestas individuales, se debaten y mejoran en diferentes sesiones de trabajo en clase, tratando de replicar fielmente el proceso en un departamento de Marketing real. Posteriormente, se comparten las diferentes opciones con los alumnos de Biotecnología, con el objetivo de detectar posibles dificultades que pudieran invalidar la fabricación del producto final. Esta fase concluye con una investigación online en la que participan tanto alumnos como profesores de todas las asignaturas y se establece el uso definitivo de las gafas de bioplástico.

b) Desarrollo del Plan de Marketing para la comercialización de las gafas de Bioplástico en base al *Consumer Insight* más relevante para el consumidor. En esta fase del trabajo, se agrupan a los alumnos en función a las distintas tareas. Cada grupo presenta y debate con el resto de la clase las decisiones tomadas, para llegar a una propuesta consensuada, replicando el proceso de decisión profesional.

### 3.3.4. Desarrollo del ABR en la asignatura de Diseño de producto (Grado en Diseño)

Una vez recibido la recomendación de marketing, los estudiantes del grado de diseño inician el proceso de esbozar diferentes diseños potenciales. Este proceso consta de 2 fases:

a. Proceso Creativo: los estudiantes elaboran bocetos y *sketches* de gafas mediante una sucesión de pensamientos con el objetivo de diseñar algo novedoso.

b. Diseño de bocetos y *render* para impresoras 3D. Una vez seleccionado el diseño, se adaptan para su posterior impresión en el laboratorio de prototipado.

Al término de esta etapa, se realiza una presentación virtual de los diseños a todos los alumnos, con el propósito de comprobar y medir la aceptación en el mercado.

### 3.3.5. Desarrollo del ABR en el laboratorio de prototipado FabLab

Como fase final, el laboratorio de prototipado lleva a cabo la producción de un modelo mínimo viable. Para ello, el técnico experto realiza el ajuste del diseño entregado por los estudiantes para su impresión en las impresoras 3D. A continuación, se lleva a cabo la impresión del modelo final mediante tecnología de filamento de plástico PLA.

## IV. RESULTADOS

### 4.1. RESULTADOS GENERALES DEL PROYECTO

Al término del proyecto, los diferentes profesores y expertos involucrados en el mismo pudieron realizar una valoración cualitativa de los resultados de aprendizaje competencial derivados del mismo. Si bien no se llevaron a cabo encuestas para medir la percepción del alumnado, se tomaron otros parámetros para analizar el proceso pedagógico. En este caso, se coincidió en la implicación del alumnado, extendida fuera del horario establecido para las asignaturas, el alto grado motivacional observado en las sesiones, la creatividad en sus propuestas, la conciencia de responsabilidad personal en el trabajo grupal, así como en la capacidad de los estudiantes para planificarse en sus propias tareas de manera autónoma. Por tanto, se consideraron alcanzadas de manera altamente satisfactoria las competencias transversales inicialmente propuestas.

Como resultado del proyecto, los alumnos realizaron una presentación conjunta abierta al público externo, donde se recogieron los resultados de cada etapa de trabajo (Fig. 5). Al término de esta, se realizó un debate-coloquio.

**Figura 5.** Resumen del proyecto multidisciplinar, reflejando los resultados obtenidos en cada una de las etapas realizadas. A través del código QR se puede acceder a un vídeo resumen del proyecto.

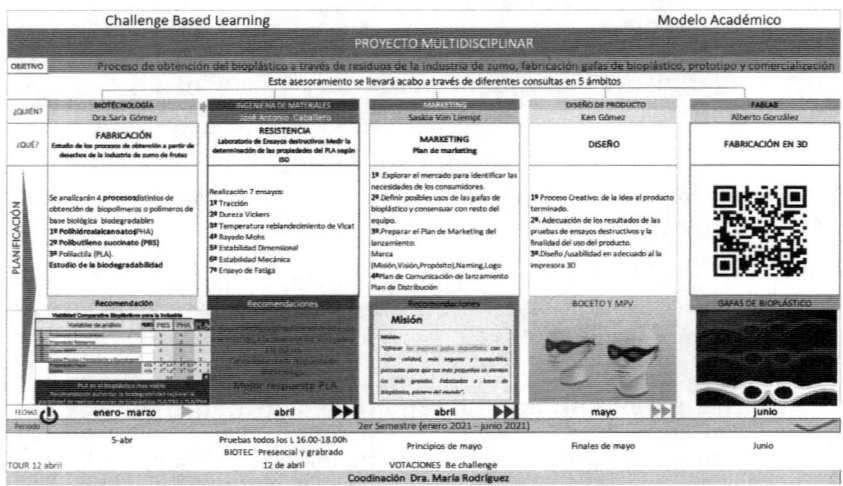

**Fuente:** Elaboración propia.

**Figura 6.** Imágenes de la jornada de comunicación.

**Fuente:** Elaboración propia.

### 4.1.1. Resultados específicos del área de Biotecnología

Los estudiantes del Grado de Biotecnología presentaron tres propuestas industriales, que proporcionaban soluciones creativas a la pregunta planteada en el reto-problema (Fig.) 7). La presentación de estos trabajos en una sesión de clase con posterior debate llevó a la solución consensuada del hito específico del módulo, proponiendo como mejor alternativa la elaboración de monturas de gafas empleando PLA como biomaterial. Estos resultados fueron remitidos al resto de participantes en forma de recomendaciones, y se incluyeron en el informe final del proyecto conjunto.

**Figura 7.** Ejemplos de proyectos de aplicación industrial.

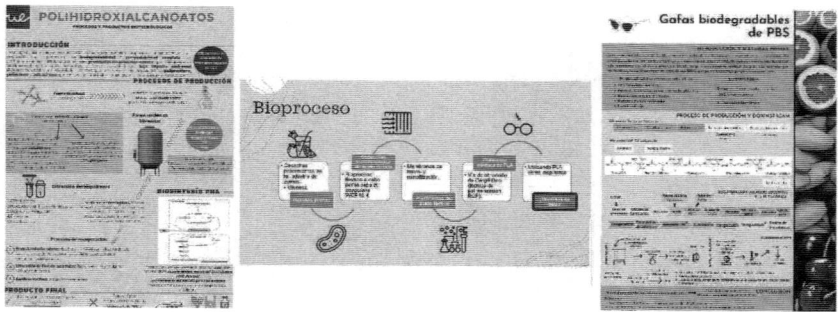

**Fuente:** Elaboración propia.

Así mismo, fueron responsables de asistir (junto a los alumnos de ADE), realizar y analizar los resultados obtenidos en los ensayos destructivos. Dado que este laboratorio no se encuentra adscrito directamente a ninguna asignatura del proyecto, se exigió que todos los estudiantes participaran en esta actividad para comprender la importancia de la verificación de idoneidad del bioplástico. Los estudios se completaron con los datos obtenidos en un estudio previo (Calvo, *et al.*, 2021). Resultado de estas sesiones, se elabora un informe de resistencia del PLA, confirmando y corroborando la recomendación de Biotecnología para poder continuar con la siguiente fase.

### 4.1.2. Resultados específicos del área de Marketing

Como resultado del trabajo realizado se presenta un Plan de Marketing definiendo el lanzamiento del nuevo producto al mercado. Se recomienda posicionar las gafas como una adecuada solución para el público infantil y la realización del deporte. Se identifica que muchos infantes, a medida que van creciendo abandonan la práctica del deporte cuando necesitan gafas al considerarlas poco atractivas.

En el Plan de Marketing se define: nombre para el lanzamiento del producto (*naming*), logotipo, *packaging*, plan de comunicación en medios y Redes Sociales, promociones, patrocinios, Responsabilidad Social Corporativa y Plan de Distribución.

**Figura 8.** Ejemplo elementos Plan de Marketing.

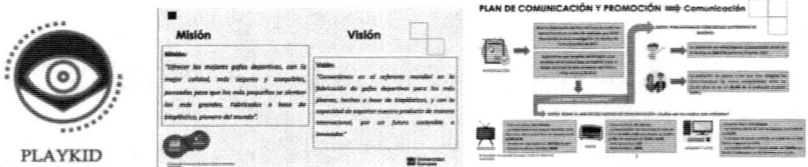

**Fuente:** Elaboración propia.

### 4.1.3. Resultados específicos del área de diseño y prototipado

Como resultado del proceso creativo y diseño de *render* por los estudiantes del grado de Diseño, se obtuvieron una serie de bocetos (Fig. 9) que requirieron un posterior ajuste para su impresión, llevada a cabo por el personal experto del laboratorio de prototipado.

**Figura 9.** Ejemplos de bocetos.

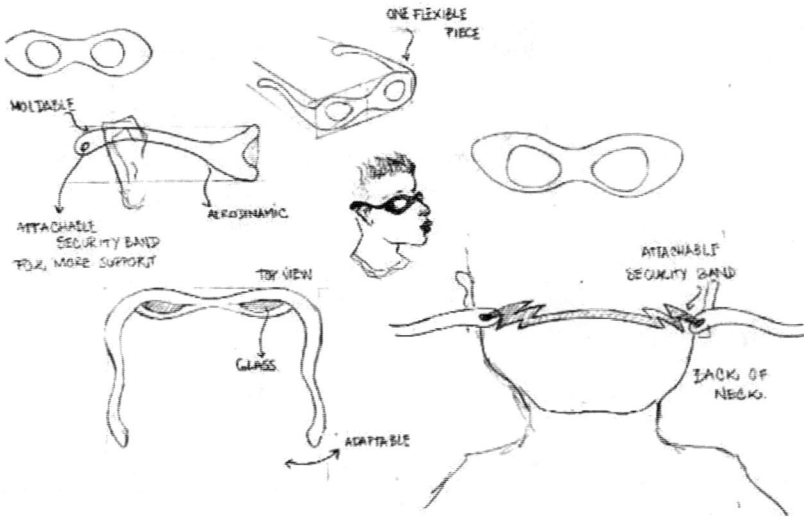

**Fuente:** Elaboración propia.

## V. DISCUSIÓN

El modelo académico de la UEM, basado en el aprendizaje experiencial, sirve como eje sobre el vertebrar proyectos como el aquí descrito. La proximidad al alumnado y la predisposición del profesorado a trabajar de manera ágil y colaborativa son claros factores que favorecen en la consecución y éxito de estos proyectos tal como se ha puesto de manifiesto en otras ocasiones (Pinto Tortosa y Soto Pineda, 2021). Además, la relación entre las facultades, posibilitado por la presencia de la figura del coordinador, facilita la identificación de los aspectos clave en el proceso.

Como se ha puesto de manifiesto a lo largo de este trabajo, el proyecto aquí descrito presenta una singularidad tal que se deben destacar las siguientes características: a) La globalidad del proyecto se encuentra enmarcada en una línea temporal precisa, marcada por las fechas de evaluación del calendario académico; b) Todas las fases han de cumplirse de manera independiente, pero están intrínsecamente relacionadas para el éxito global; c) Las peculiaridades de cada asignatura, en cuanto a sus desiguales horarios, laboratorios y aulas, exigen una planificación rigurosa; así como la diversidad de recursos necesarios en cada etapa; d) La pertenencia a campus, grados y asignaturas diferentes.

La aplicación del ABR se ha convertido en un enfoque pedagógico cada vez más utilizado en la enseñanza superior por su carácter dinámico y holístico. Múltiples trabajos avalan los beneficios de su implementación en el alumnado, mejorando su capacidad de planificación, creatividad, innovación, trabajo en equipo y haciéndoles partícipes de su propio proceso de aprendizaje (Gaskins *et al.*, 2015; Marín *et al.*, 2013; Fidalgo *et al.*, 2017). Los resultados aquí expuestos ponen de manifiesto como la apuesta por actividades que integren el ABR marcarán el camino hacía el cambio que la actual sociedad demanda de nuestros futuros profesionales, animándonos a su implantación y continua mejora.

## VI.  CONCLUSIONES

A la vista de lo aquí expuesto, podemos concluir que:

– El proyecto aquí presentado ha supuesto la introducción de la metodología ABR en diferentes disciplinas de manera simultánea, mediante la incorporación de los estudiantes en una actividad transversal de carácter multidisciplinar que refleja la dinámica real del mundo laboral. Así, la ejecución de este proyecto ha supuesto en los alumnos una mejora en sus competencias transversales objetivo, facilitando el aprendizaje basado en la búsqueda de soluciones creativas a situaciones reales.

– La correcta ejecución del proyecto resulta facilitada por la figura del coordinador, integrando los diferentes hitos y tareas en el proyecto global.

## VII.  REFERENCIAS

Alba Ruiz-Morales, C., Gómez, K., Mattera, M., Rodríguez Gómez, M., y Soto, F. (2017). Aprendizaje experiencial para el acercamiento al mundo profesional aprendizaje experiencial a través de proyectos empresariales con colaboraciones interdisciplinarias. En V. Baena Graciá (Ed.). *El Aprendizaje Experiencial como metodología docente Buenas prácticas* (1.ª ed., pp. 89-103). Madrid: Editorial Narcea.

Calvo Centeno, M., Mattera, M., Peset González, M. J., Rodríguez Gómez, M. y Santos Moriano, P. C. (2021). Bioplásticos: El reto del presente y del futuro. En Pinto Tortosa, A., & Soto Pineda, J. (Ed.). *Challenge-Based Learning: Un puente metodológico entre la educación superior y el mundo profesional* (1st ed., pp. 211-228). Madrid: Thomson Reuters Aranzadi.

Fidalgo, A., Sein-Echaluce, M. L. y García F. J. (2017). Aprendizaje Basado en Retos en una asignatura académica universitaria. *Revista Iberoamericana de Informática Educativa*, 25, 1-8. https://dialnet.unirioja.es/servlet/articulo?codigo=6067451.

Gaskins, W. B., Johnson, J., Maltbie, C. y Kukreti, A. (2015). Changing the learning environment in the college of engineering and applied science using challenge based learning. *International Journal of Engineering Pedagogy* (iJEP), 5, 1, 33-41. http://dx.doi.org/10.3991/ijep.v5i1.4138.

ISO. (2018). Óptica oftálmica. Requisitos generales y métodos de ensayo. ISO 12870:2018. https://www.iso.org/standard/68526.html.

Kolb D.A. (1984). *Experiential learning: Experience as the source of learning and development*. Prentice Hall. Englewood Cliffs NJ.

Lester, A. (2017). *Project Management, Planning and Control*. Elsevier Science and Technology Books, Inc.

Marin, C., Hargis, J., & Cavanaugh, C. (2013). iPad Learning Ecosystem: Developing Challenge-Based Learning Using Design Thinking. *Turkish Online Journal of Distance Education*, 14(2) 22-34. https://dergipark.org.tr/en/pub/tojde/issue/16896/176042.

New Vision for Education (2015), Unlocking the Potential of Technology. https://widgets.weforum.org/nve-2015/.

Palés-Argullós, J., Nolla-Domenjó, M., Oriol-Bosch, A., & Gual, A. (2021). Proceso de Bolonia (I): educación orientada a competencias. *Educación Médica*, 13(3), 127-135. https://scielo.isciii.es/scielo.php?script=sci_arttext&pid=S1575-18132010000300002.

Pinto Tortosa, A., & Soto Pineda, J. (2021). *Challenge-Based Learning: Un puente metodológico entre la educación superior y el mundo profesional* (1st ed). Madrid: Thomson Reuters Aranzadi.

Schank, R. C., Berman, T. R., & Macpherson, K. A. (1999). Learning by doing. En Reigeluth, C. M. (Ed). *Instructional-design theories and models: A new paradigm of instructional theory*, 2(2), 161-181.

Video Conferencing, Meetings, Calling | Microsoft Teams. (2020). https://www.microsoft.com/en-us/microsoft-teams/group-chat-software.

Yuste, B. (2015). Las nuevas formas de consumir información de los jóvenes. *Revista de estudios de la juventud*, (179-191). https://dialnet.unirioja.es/servlet/articulo?codigo=5195624.

*Capítulo 35*

# Innovación docente y modelo radical. Conceptos, experiencias y reflexiones. El caso de los estudios eslavos

Enrique J. Vercher García

*(Universidad Complutense de Madrid –España–)*

## I. INTRODUCCIÓN. EL MODELO RADICAL

En la actualidad contamos con una amplia bibliografía dedicada al análisis del empleo de las TIC como soporte para la actividad docente en tanto que herramientas que complementan en mayor o menor grado la labor del profesor desde un modelo que mantiene esencialmente la metodología tradicional de enseñanza cara a cara y los roles del docente y del alumno (modelos *naive*, *standard* y *evolutionary* de Roberts, Romm y Jones, 2000). En el presente trabajo analizamos desde un punto de vista teórico y práctico la experiencia en España del cuarto modelo de los citados autores: el modelo *radical*.

El modelo radical prescinde por completo de las clases y se basa en la creación de grupos de estudiantes que interactúan entre sí valiéndose de recursos tecnológicos y en el que la preparación de material por parte de los alumnos (por ejemplo, en forma de vídeos) es un punto central. En dicho modelo el docente es una suerte de instructor que guía a los estudiantes, pero son estos los que ponen en práctica la búsqueda y análisis de información.

El sistema radical puede aplicarse a toda una asignatura o curso en su totalidad, pero también podría entenderse como técnica que complemente a otras técnicas con base más tradicional (aun cuando en ellas se emplearan igualmente TIC).

El empleo de un modelo u otro (o de un tipo de técnicas u otro) dependerá de factores como el tipo de materia o asignatura, las competencias y preferencias del profesor, las experiencias previas de los alumnos, las expectativas con respecto al método pedagógico, así como la madurez y capacidad de autoaprendizaje de los alumnos (*vid*. Roberts, Jones y Romm, 2000).

Desde hace años se ha ido profundizando en el conocido como *Computer-based learning* (CBL), modalidad de enseñanza que ha recibido un gran impulso con la situación de pandemia por la COVID-19. Las técnicas radicales de enseñanza se muestran como algo esencial en la educación del futuro, pero debe establecerse con unos paradigmas racionales que desarrollen todo su potencial. La enseñanza debe estar en el alumno, no ha de ser algo dirigido en exclusividad por el profesor. A ello se une la importancia de la interacción entre alumnos.

Resulta evidente que cualquier método debe tratar de aminorar sus aspectos más negativos a la par que intentar reflejar en la medida de lo posible aquellos positivos, como, por ejemplo, el de la motivación, que parece más factible en el caso de clases presenciales, a saber, los compañeros, el intercambio de apuntes, la puesta en común de puntos de vista, el repaso en equipo, las actividades extraeducativas, el contacto con los profesores, en definitiva, la comunicación interpersonal de la que habla Salinas Ibáñez (2006; 2008).

Ya Salinas Ibáñez en 2006 adelantaba que "las posibilidades de las TIC en la educación descansan, tanto o más que en el grado de sofisticación y potencialidad técnica, en el modelo de aprendizaje en que se inspiran, en la manera de concebir la relación profesor-alumnos, en la manera de entender la enseñanza" (Salinas Ibáñez, 2006, p. 3).

En otro lugar este mismo autor y su equipo de investigadores apuntaban al "necesario rediseño conceptual y metodológico, imprescindible para adaptarse y aprovechar las nuevas posibilidades del e-Learning" (Salinas Ibáñez, 2008, p. 29), necesidad que parece haberse acelerado con la situación de pandemia por la COVID-19.

En el modelo radical (tipo de enseñanza abierto) una gran parte en la responsabilidad de toma de decisiones recae en el estudiante, quien en mayor o menor medida tendrá que decidir sobre el qué, cómo, cuándo y dónde, lo que incluye decidir sobre la selección de contenido o destreza, el método e itinerario, la persona a la que recurrir y en qué medida (profesor, compañeros, amigos, especialistas…), la valoración del aprendizaje, etc. (*vid*. Lewis, 1986).

Como señala Del Moral y Bermúdez Rey (2004) los docentes pasan de ser meros transmisores de conocimiento a asumir nuevas funciones: facilitadores de aprendizaje, diseñadores de situaciones mediadas, generadores de habilidades de asesoramiento o propiciadores de transferencia de aprendizajes, entre otras.

Las características del método radical, según señalan Ibáñez Salinas y su equipo de investigadores (2008, p. 42), serían:

- envío de un vídeo a todos los estudiantes al comienzo del semestre explicando la forma en que el curso funciona;

- mínima participación tradicional del instructor;

- uso por parte de los estudiantes de los materiales y búsqueda de otros recursos disponibles en la Web;

- uso intensivo de las listas de discusión del curso como forma de comunicación;

- sustitución de clases por presentaciones electrónicas on-line preparadas por los mismos estudiantes, basados en los tópicos de la semana respectivamente;

- ubicación de los estudiantes en grupos, cada uno de los cuales es responsable no solo de proporcionar presentaciones electrónicas sobre algún punto durante el semestre, sino también de responder críticamente al resto de presentaciones.

## II. OBJETIVOS

El objetivo de nuestro trabajo es mostrar una serie de experiencias prácticas de aplicación del modelo radical o de alguna técnica que se base en este principio llevadas a cabo por distintos especialistas. Al análisis de estas experiencias prácticas sigue una serie de valoraciones sobre las fortalezas, debilidades y mejoras de esta modalidad de enseñanza.

## III. METODOLOGÍA

La metodología seguida incluye 1) recopilación y estudio de material teórico, 2) puesta en práctica entre alumnos universitarios (Grado y Máster) de experiencias didácticas a distancia y con TIC, 3) entrevistas con otros docentes, 4) seguimiento de recursos digitales (Campus virtual, webs, etc.).

Para la recopilación de experiencias prácticas nos valemos de la bibliografía científica publicada y del contacto directo con algunos especialistas que las hayan llevado a cabo.

Entre las experiencias de enseñanza radical hemos encontrado el Proyecto SHARP de Goodyear (1997) en la Universidad de Lancaster; el Proyecto EA2007-0121 de Salinas y su equipo (2008); el trabajo de campo llevado a cabo por Marrero Galván y Fernández González (2011) entre profesores para ver qué modelos de enseñanzas se ajustan al radical; el proyecto Promotig Best Practice in Virtual Campuses (PNP-VC) de Cartelli y su equipo (2008); así como experiencias propias en este sentido.

Así, el Proyecto SHARP en la Universidad de Lancaster que involucra a colegas de Noruega, Irlanda, Grecia y el Reino Unido (Goodyear, 1997) habla, por ejemplo, de grabación de un video mostrando una práctica de trabajo y grabación de un audio con anotación posterior en que el alumno explica diversos aspectos que puede verse en el vídeo. Estos autores hablan de la ergonomía en la enseñanza, no tanto en su sentido físico como de conceptualización de los problemas de diseño y de la dirección del ambiente de aprendizaje (Goodyear, 1997).

En concreto la presente intervención viene a ser una aportación desde nuestra experiencia siguiendo el modelo del Proyecto EA2007-0121 de Salinas Ibáñez y su equipo, pero actualizando resultados de acuerdo con la evolución que las TIC docentes han tenido a lo largo de estos años y con la llegada de una situación excepcional como es la pandemia por COVID-19 que finalmente se ha alargado durante varios años académicos.

## IV.  RESULTADOS

Un aspecto concreto en que hemos aplicado el método radical es el del aprendizaje del léxico (en nuestro caso, de la lengua rusa). Como profesor hemos señalado a los alumnos algunos principios básicos, a saber:

- aprender las unidades léxicas siempre en un contexto;
- anotar características especiales de una unidad léxica –por ejemplo el plural irregular *sosedi* en *i* blanda de la palabra rusa *sosed*–;
- estudiar siempre simultáneamente las formas imperfectiva y perfectiva de un verbo ruso;
- realizar de manera continuada repasos del léxico;
- aplicar el método contextual-cognitivo de aprendizaje de léxico (por ejemplo, el estudio mediante unidades textual-gramaticales,

y en concreto la elaboración de tarjetitas de pequeño tamaño con el vocabulario nuevo que vaya apareciendo durante su proceso de aprendizaje de la lengua rusa y que pueden llevar siempre consigo).

A partir de ahí, los alumnos han podido desarrollar su propio método y evaluación (autoevaluación). Así, por ejemplo, algunos alumnos han sugerido herramientas informáticas como Quizlet o Anki, y otros el uso de una libreta. Este último caso ha sido desaconsejado por mí como profesor por la imposibilidad de llevarla siempre consigo y, por tanto, del repaso continuo. Por su parte, hablo de *autoevaluación* porque pregunto las unidades léxicas que ellos mismos han elaborado.

Otro principio que, como profesor, hemos expuesto a los alumnos es el de que la enseñanza de léxico y composición de frases no debe estar basado en el principio de correspondencia formal (=a tal elemento en la lengua A corresponde tal elemento en la lengua B), sino en el de equivalencia semántico-funcional (=lo que en la lengua A expresaríamos así en la lengua B lo expresaríamos así). Esto puede evitar errores del tipo de calcos lingüísticos. Por ejemplo, traducir al ruso lo que en español expresamos diciendo *comer fuera* (en el sentido de en un restaurante) como *обедать снаружи*, cuando en ruso se diría en realidad *обедать в ресторане*, ya que *обедать снаружи* sería comer físicamente fuera de un local.

La guía del profesor también se ha materializado en forma de lectura de un artículo en el que exponíamos los errores más frecuentes en ruso entre estudiantes hispanohablantes. De este modo, analizamos la cuestión de la *homonimia* (DRAE: 'Dicho de una palabra: Que se pronuncia como otra, pero tiene diferente origen o significado muy distante'), *homofonía* ('Dicho de una palabra: Que suena igual que otra, pero que tiene distinto significado y puede tener distinta grafía'), *paronimia* ('Dicho de una palabra: Que tiene con otra una relación o semejanza, sea por su etimología o solamente por su forma o sonido, como *vendado* y *vendido*') o *polisemia* ('Pluralidad de significados de una expresión lingüística'), así como lo que en el argot traductológico se denomina *falsos amigos*. Podrían darse muchos ejemplos, pero vamos a citar solo un caso curioso: *компас [kompas]* no significa *compás*, sino *brújula*, *compás* en ruso se dice *циркуль [cirkul']*, y *циркуль* no significa *círculo*, *círculo* en ruso se dice *круг [krug]*.

Un ejercicio que hemos realizado en clase de lengua rusa en el que se ponen en práctica los principios del modelo radical es el de la organización por parte de los alumnos de un debate sobre el papel de la TV en la sociedad. Aquí el papel del profesor fue meramente el de guía en la organización de dos equipos y en dar unas pautas y sugerencias generales. Los dos equipos de debate tuvieron que realizar un trabajo autónomo en la preparación de todos los aspectos del ejercicio: búsqueda de argumentos para defender una postura a favor o en contra de la TV, búsqueda de léxico, práctica de pronunciación, recursos audiovisuales, etc. Del resultado obtenido queremos destacar, en primer lugar, la cuestión de la motivación para el alumno, que fue muy satisfactoria, ya que los alumnos mostraron un gran interés. De hecho, incluso produjo como resultado negativo que al implicarse tanto en el debate con frecuencia recurrían a su lengua nativa para defender sus argumentos y el profesor tuvo que reconducir la conversación a la lengua rusa. Al realizarse varios debates fueron los mismos alumnos (los de los equipos que no participaban en cada debate) los que evaluaban los aspectos positivos y negativos que habían advertido en cada equipo de debate y en cada alumno de manera individual, siendo la autoevaluación otro de los puntos básicos del método radical.

Otro ejercicio que hemos realizado en el que intentábamos aplicar los principios del método radical ha sido el de la realización por parte de los alumnos de un video hablando en ruso sobre sus ciudades o países. Con este ejercicio se han aplicado algunos puntos destacados de este método como es el uso de vídeos realizados por los alumnos en los que ellos son los protagonistas, el empleo de recursos digitales audiovisuales e informáticos, el trabajo autónomo y la valoración y autoevaluación (del alumno hacia sí mismo y de los compañeros hacia el alumno). Nuevamente ha quedado de manifiesto que este tipo de método despierta un gran interés en los alumnos y es fuente de motivación para ellos. En este caso los alumnos tenían que presentar un guion previo que han trabajado de manera conjunta con el profesor para mejorar aspectos puramente de corrección lingüística.

Sin embargo, tal y como apuntábamos anteriormente, el hecho de contar con experiencia real suficiente ha hecho que algunos aspectos que *a priori* se preveían en el método radical no se han cumplido. Así, por ejemplo, la autoevaluación en general y la realización de exámenes a distancia en particular ha puesto de manifiesto que no deberían dejarse de lado algunos aspectos de la evaluación tradicional por parte del profesor. No obstante, esto no aplicaría a la autoevaluación de algunos ejercicios concretos, como los que acabamos de comentar.

En entrevistas con docentes de nuestra rama (rusística en sus diferentes aspectos: enseñanza de la lengua rusa, traducción, historia de Rusia, cultura rusa, pensamiento ruso…) se ha destacado la necesidad de intentar que las clases se parezcan lo más posible a las presenciales, lo que se concreta, por ejemplo, en la exigencia de que los alumnos conecten una cámara y se les pueda ver la cara. También se ha resaltado la idoneidad de recursos informáticos para clases virtuales que permitan a un mismo tiempo compartir un archivo en pantalla sin dejar de ver las caras a los alumnos y al profesor, tal y como ocurre *de facto* en una clase presencial.

## V.  DISCUSIÓN

De las investigaciones y las experiencias llevadas a cabo podemos extraer una serie de aspectos que deben ser objeto de reflexión. En primer lugar, la distinción entre enseñanza a distancia o presencial, uso (y en qué medida) de nuevas tecnologías, y grado de intervención y toma de decisiones del profesor y del alumno.

El uso de nuevas tecnologías y de la enseñanza a distancia no es solo una cuestión de los contenidos (y del formato de esos contenidos), sino también, y muy especialmente, de la metodología que se siga.

## VI.  CONCLUSIONES

En el caso concreto de la rusística parece predominar el uso "clásico" de recursos TIC (empleo de plataforma para subir archivos, clases con ppt, etc.) pero con práctica ausencia de empleo del método radical.

No obstante, opinamos también a partir de la experiencia recorrida que lo que en los primeros tiempos de investigación de la enseñanza virtual se teorizaba y se preconizaba (que las nuevas tecnologías podrían sustituir perfectamente las clases presenciales porque con ellas también era posible la interacción entre profesor y alumnos y entre alumnos entre sí, el trabajo colaborativo, etc.) ha quedado parcialmente refutado. El entorno virtual no puede sustituir plenamente los efectos de la enseñanza presencial.

Cuestión diferente es que en ciertas circunstancias (la más relevante, evidentemente, sería la de la pandemia de la COVID-19) nos veamos abocados ineludiblemente a una enseñanza a distancia y hagamos de la necesidad virtud. Si hasta 2020 las nuevas tecnologías (en mayor o menor medida) eran un complemento en una enseñanza que seguía una metodología más o menos tradicional, ahora es necesario en ciertas circunstancias contar con toda una metodología didáctica que considere como base precisamente la enseñanza a distancia, las TIC y un papel más activo por parte del alumnado.

También con el transcurso de los años parecen haberse rebajado las expectativas del principio de *flexibilidad*. La flexibilidad por la flexibilidad sin objetivos ni metodología lleva irremediablemente a un descenso de la efectividad. No obstante, aquí se hace necesario distinguir entre flexibilidad y personalización. En este sentido, sí que es cierto que las TIC pueden ofrecer una gran personalización en las necesidades, recursos y tareas que cada alumno requiera conforme a sus propias características, incluso entre alumnos de un mismo grupo.

## VII. REFERENCIAS BIBLIOGRÁFICAS

Cartelli, A. *et al.* (2008). Towards the Development of a New Model for Best Practice and Knowledge Construction in Virtual Campuses. *Journal of Information Technology Education*, 7, 121-134.

Del Moral Pérez, M. E., Bermúdez Rey, M. T. y Villalustre Martínez, L. (2004). Entornos virtuales de aprendizaje y su contribución al desarrollo de competencias en el marco de la convergencia europea. *Revista Latinoamericana de Tecnología Educativa*, 3(1), 115-133.

Gisbert, M. *et al.* (1997). El docente y los entornos virtuales de enseñanza-aprendizaje. En M. Cebrián de la Serna *et al. Recursos tecnológicos para los procesos de enseñanza y aprendizaje* (pp. 126-132). ICE/ Universidad de Málaga.

Goodyear, P. (1997). La ergonómica de los ambientes de aprendizaje: el aprendizaje dirigido al estudiante y a la nueva tecnología. En M. Cebrián de la Serna *et al. Recursos tecnológicos para los procesos de enseñanza y aprendizaje* (pp. 9-27). ICE/Universidad de Málaga.

Lewis, R. (1986). What is open learning? *Open Learning: The Journal of Open, Distance and e-Learning*, 1(2), 5-10. https://doi.org/10.1080/ 0268051860010202.

Marrero Galván, J. J. y Fernández González, F. (2011). *Aulas virtuales y los modelos didácticos en las Ciencias Experimentales*, 254, 13-21.

Roberts, T., Jones, D. y Romm, C. T. (2000), Four Models of Online Education. *Proceedings of TEND-2000*, Abu Dhabi, UAE.

Roberts, T., Romm, C. y Jones, D. (2000). Current practice in web-based delivery of IT courses. APWeb2000. https://djon.es/blog/publications/ current-practice-in-web-based-delivery-of-it-courses/.

Salinas Ibáñez, J. M. (2004). Innovación docente y uso de las TIC en la enseñanza universitaria, *Revista Universidad y Sociedad del Conocimiento*, 1, 1. http://dx.doi.org/10.7238/rusc.v1i1.228.

Salinas Ibáñez, J. M. (2006). Enseñanza flexible, aprendizaje abierto. Las redes como herramienta para la formación. *Edutec. Revista Electrónica De Tecnología Educativa*, 10, a010. https://doi.org/10.21556/edutec.1999.10.567.

Salinas Ibáñez, J. M. (coord.) (2008). *Modelos didácticos en los campus virtuales universitarios: Patrones metodológicos generados por los profesores en procesos de enseñanza-aprendizaje en entornos virtuales (Informe final del Proyecto EA2007-0121)*. Universitat de les Illes Balears.

*Capítulo 36*

# La improvisación en la clase con el pianista acompañante. Diseño de unidades didácticas según la Metodología IEM para primer curso de Enseñanzas Profesionales de Música

María Gertrudis Vicente Marín
*(Universidad de Murcia –España–)*

## I. INTRODUCCIÓN

La improvisación constituye un aspecto fundamental en el aprendizaje de la música. Está presente en los contenidos a trabajo en las diferentes especialidades instrumentales que integran el currículo de las Enseñanzas Profesionales de Música. A pesar de ello, la mayor parte del alumnado de nuestros conservatorios desconoce en qué consiste la improvisación, limitándose exclusivamente a leer y a aprender a tocar las obras musicales que integran el programa que han de trabajar en un curso académico. Este trabajo que realizan se centra, sobre todo, en resolver los problemas técnicos que cada obra le presenta y dejando a un lado la comprensión de dicha obra.

Como recurso que ayuda a integrar el aprendizaje musical la comprensión de la música, se encuentra la Metodología IEM. Esta Metodología constituye un Sistema integral de educación musical que abarca la enseñanza de diferentes áreas musicales –instrumentos, lenguaje musical, formación coral, grupos instrumentales, acompañamiento, armonía, análisis, contrapunto, fundamentos de composición y composición– y consiste en analizar la música con la finalidad de comprender el lenguaje musical y, en consecuencia, ser capaz de crear ideas musicales propias por medio del instrumento o de la escritura.

Una figura presente en los conservatorios que supone una pieza clave en el desarrollo de la formación de todos aquellos instrumentos cuyo repertorio necesita de la parte de piano, es la del pianista acompañante. Con el propósito de que el pianista acompañante aporte al alumnado una formación que les permita la comprensión del repertorio que interpretan atendiendo a todos los aspectos propios de esta clase, resulta pertinente hacer uso de esta metodología desarrollando una serie de unidades de esta metodología adaptadas a la función docente del pianista acompañante para permitir al alumnado que adquiera las herramientas necesarias que le permitan analizar la música para comprenderla e interpretarla.

Este diseño de unidades didácticas para su consiguiente aplicación en el aula tiene su razón de ser ante la ausencia de material didáctico de aplicación de esta metodología al área del pianista acompañante. La utilidad de esta investigación tendrá como beneficiarios principales los profesores pianistas acompañantes, pues les permitirá utilizar recursos que desarrollen la improvisación con su alumnado al ofrecerles una nueva visión para llevar a cabo su labor docente.

## II. OBJETIVOS

La pregunta principal de esta investigación es la siguiente: ¿Cómo se puede llevar a cabo el desarrollo de la improvisación y el análisis según la Metodología IEM en la clase con el pianista acompañante en las Enseñanzas Profesionales de Música? A esta pregunta principal le siguen otras preguntas que se derivan de esta. Se trata de las subpreguntas y son las siguientes: ¿En qué consiste la función docente del pianista acompañante basada en la aplicación de la Metodología IEM?, ¿en qué medida está presente la improvisación en la normativa relativa a las Enseñanzas Profesionales de Música?, ¿cuáles son las características de la Metodología IEM?, ¿cuáles son las características de la función docente del pianista acompañante?, ¿en qué consisten las costumbres metodológicas relacionadas con la improvisación y el análisis en la función docente del pianista acompañante?

A estas preguntas les corresponden los siguientes objetivos: describir la adaptación de la Metodología IEM a la clase del pianista acompañante en las Enseñanzas Profesionales de Música, reflejar las características de la Metodología IEM en la función docente del pianista acompañante en las Enseñanzas Profesionales de Música, conocer la presencia de la improvisación en la normativa relativa a las Enseñanzas Profesionales de Música, conocer las características de la Metodología IEM atendiendo a las diferentes áreas musicales, conocer las características del pianista acompañante en relación a su práctica docente, descubrir las costumbres metodológicas del profesorado pianista acompañante en relación a la práctica del análisis y la improvisación.

## III. METODOLOGÍA

Esta investigación se enmarca dentro de la línea de investigación de la pedagogía musical, ya que está destinada a la docencia con el propósito de mejorar como docente y aportar conocimientos a la comunidad científica mediante el uso de una metodología concreta, la Metodología IEM, centrada en la enseñanza de la música desde un punto de vista práctico aplicada a la función docente del pianista acompañante. El objeto de estudio de esta investigación consiste en la adaptación de la Metodología IEM por parte del pianista acompañante en las Enseñanzas Profesionales de Música para desarrollar la improvisación. Atendiendo a dicho objeto, se ha empleado la siguiente metodología.

Previamente a la realización de la propuesta didáctica se ha utilizado un instrumento de recogida de datos consistente en un cuestionario para analizar las costumbres metodológicas del profesorado pianista acompañante. Este cuestionario está integrado por siete preguntas destinadas a los profesores pianistas acompañantes de los Conservatorios de Murcia, Lorca y Cartagena. En cada una de las preguntas deben valorar el grado de acuerdo con que los alumnos de Enseñanzas Profesionales trabajan determinados aspectos relacionados con la improvisación.

Posteriormente, para elaborar la propuesta didáctica a fin de trabajar la improvisación con los alumnos en la clase con el pianista acompañante, se ha empleado una metodología que consiste en la investigación bibliográfica referente la Metodología IEM y al pianista acompañante, basada en la búsqueda, descripción, análisis, organización y valoración crítica de la aplicación de la metodología en otras áreas de la educación musical que no son el pianista acompañante, lo que implica una metodología cualitativa. Como consecuencia del estudio de esta investigación bibliográfica, se utilizará un modelo que tiene como finalidad establecer una estructura general basada en la Metodología IEM aplicada a la función docente del pianista acompañante para cada una de las unidades didácticas que integran la propuesta didáctica.

Tomando como referencia los objetivos propuestos en el apartado precedente, a continuación se detallan las acciones que se llevarán a cabo y qué herramientas se utilizarán para conseguirlos: para "reflejar las características de la Metodología IEM en la función docente del pianista acompañante en las Enseñanzas Profesionales de Música", se diseñarán unidades didácticas según la Metodología IEM aplicadas a la acción docente del pianista acompañante en las Enseñanzas Profesionales de Música en base a un modelo que presente el esquema general de cada unidad basada en la Metodología IEM; para "conocer la presencia de la improvisación en la normativa relativa a las Enseñanzas Profesionales de Música", se revisará la normativa legal relativa a las Enseñanzas Profesionales de Música en el territorio español; para "conocer las características de la Metodología IEM", se analizarán las características de la Metodología IEM mediante el estudio de la bibliografía existente; para "conocer las características del pianista acompañante", se analizarán las características propias de la función docente del pianista acompañante mediante el estudio del currículo vigente y estudios relacionados; para "descubrir las costumbres metodológicas del profesorado en relación a la práctica del análisis y la improvisación", se realizarán preguntas mediante el diseño de un cuestionario para analizar las costumbres metodológicas del profesorado pianista acompañante.

## IV. RESULTADOS

Atendiendo a las preguntas y objetivos planteados en esta investigación, a continuación se detallan los resultados obtenidos en cada uno de los objetivos.

Respecto al objetivo consistente en reflejar las características de la Metodología IEM en la función del pianista acompañante en las Enseñanzas Profesionales de Música, se ha llegado a detallar un modelo de esquema general de unidades didácticas introduciendo la Metodología IEM fruto de los estudios existentes al respecto.

En cuanto al objetivo basado en conocer la presencia de la improvisación en la normativa relativa a las Enseñanzas Profesionales de Música, ha quedado reflejado que la improvisación tiene una importancia considerable en el currículo de las Enseñanzas Profesionales de Música.

Referente al objetivo de conocer las características de la Metodología IEM atendiendo a las diferentes áreas musicales, se han recogido las características de la Metodología IEM tanto generales como específicas de un área determinada, lo que ha supuesto un punto clave a la hora de configurar el modelo de unidades didácticas.

El objetivo consistente en conocer las características del pianista acompañante en relación a su práctica docente, se ha llegado a realizar una síntesis de las características propias del pianista acompañante partiendo de los estudios existentes.

Por último, el objetivo basado en descubrir las costumbres metodológicas del profesorado pianista acompañante en relación a la práctica del análisis y la improvisación, se han detectado carencias en materia de improvisación entre el alumnado.

## V. DISCUSIÓN

Todas las preguntas y objetivos de investigación han sido alcanzadas en gran medida, a excepción de la pregunta y objetivo que consiste en reflejar las características de la Metodología IEM en la función docente del pianista acompañante en las Enseñanzas Profesionales de Música. A mi parecer, aunque sí se llegan a reflejar las características de la Metodología IEM en la función docente del pianista acompañante, las unidades didácticas planteadas solo suponen un punto de partida para seguir profundizando; como por ejemplo, que vayan destinadas a los instrumentos en particular y no a modo general, así como definir qué contenidos trabajar para cada uno de los seis cursos de Enseñanzas Profesionales reflejándolo en la secuenciación de unidades didácticas propuestas para cada curso. Así, se puede llegar a plantear una aplicación práctica con alumnos reales para ver qué resultados se obtienen.

## VI. CONCLUSIONES

Tras la investigación realizada, se puede hacer una distinción entre dos aspectos: por una parte, se encuentran las limitaciones encontradas y que se refieren a una propuesta de unidades planteadas a modo general y, por lo tanto, no se derivan de ellas propuestas de ejercicios e indicaciones específicas destinadas a un instrumento en particular, siendo el profesor el responsable de adaptar las actividades propuestas al instrumento que acompañe. Por otra parte, estas líneas de investigación se pueden concretar en secuencias los contenidos a trabajar en cada uno de los seis cursos de Enseñanzas Profesionales a través de unidades didácticas planteadas de modo general y aplicar estas unidades didácticas diseñadas a una serie de alumnos con el fin de observar sus avances en materia de análisis e improvisación, lo cual supondría adaptar y concretar el material diseñado a los instrumentos que los alumnos tocan y con los que se aplicarían las unidades.

Así, se van cubriendo las necesidades de investigación del pianista acompañante en lo que respecta a su papel como docente, se va ampliando el campo de actuación de la Metodología IEM con nuevos recursos y materiales que los docentes irán generando en sus clases para seguir enriqueciendo y formando al alumnado en esta línea creativa y necesaria en la educación musical de nuestros conservatorios actuales.

## VII. REFERENCIAS

Abid, A. (2009). Pianista Colaborator: A formaçao e atuação performática voltada para o acompanhamento de Flauta Transversal (Tesis doctoral, Escola de Música de Universidades Federal de Minos Gerais).

Aguilar, E. (2013). La figura del pianista acompañante en los Conservatorios Profesionales de la Comunidad Valenciana. *Revista electrónica Complutense de Investigación en Educación Musical*, 10, 13-29.

Katz, M. (2009). The complete collaborator. Oxford University Press.

López, A. (2018). Aplicación de la metodología IEM para el desarrollo de la creatividad musical a través de la improvisación y la composición (Tesis doctoral, Universidad Rey Juan Carlos I).

Molina, E. (1994). La improvisación. Aportaciones pedagógicas a la enseñanza musical. *Música*, 1.

Molina, E. (1998). Improvisación y educación musical profesional, *Música y Educación*, 1(1), 22-55.

Romero, E. (2017). Repensando la asignatura "Repertorio con pianista acompañante" para un conservatorio del siglo XXI (Tesis doctoral, Universidad de Jaén).

Vallés, L. (2012). El Acompañamiento al Piano II. *Artseduca*,3, 18-29.

*Capítulo 37*

# Evolución de las posibilidades expresivas en los sistemas de edición no lineal

Daniel Villa Gracia

*(Universidad Complutense de Madrid –España–)*

## I. INTRODUCCIÓN

### 1.1. LA EDICIÓN NO LINEAL

Uno de los avances más importantes en el desarrollo de la industria audiovisual ha sido la edición no lineal. Durante las décadas en las que el cine y la televisión se rodaban sobre soporte fotoquímico este material había de ser copiado y manipulado de modo que cualquier decisión de montaje implicaba el corte y pegado manual de la bobina. El proceso era, evidentemente, lineal, ya que se iba avanzando a medida que se pegaba. Además, el cambio de decisiones implicaba destruir la versión anterior, de modo que el presupuesto de un proyecto y su calendario podían limitar seriamente la libertad a la hora de montar un producto audiovisual.

Cuando las cintas de video se desarrollaron por primera vez en la década de 1950 la única forma de editar era cortar físicamente la cinta con una cuchilla y unir los segmentos. Si bien el metraje eliminado en este proceso no se destruía, se perdía la continuidad y el metraje en general se descartaba (Russell, 2005). En 1963, con la introducción de Ampex Editec, la cinta de video se pudo editar electrónicamente con un proceso conocido como "edición de video lineal" copiado selectivamente el metraje original a otra cinta llamada master. Las grabaciones originales no se destruyen ni se alteran en este proceso. El proceso seguía siendo lineal. Mediante dos magnetoscopios (uno con el material de origen y otro con el producto final) se iba editando de manera igualmente lineal la obra. Las escenas se copiaban de una cinta de video a otra en el orden requerido. Presentaba la gran desventaja de no permitir insertar o eliminar escenas del montaje sin volver a copiar todas las escenas posteriores. Sin embargo, dado que el producto final era una copia del original se producía una pérdida de calidad de generación (Park y Whan, 2009).

La introducción de la tecnología digital en la industria audiovisual permitió el desarrollo de una combinación de hardware y software que dio lugar a la edición no lineal. La edición no lineal (NLE por sus siglas en inglés) es un proceso de edición que permite realizar cambios en un proyecto de video o audio sin estar limitado por la línea de tiempo lineal ya sea fotoquímica o magnética. En otras palabras, puede trabajar en un montaje sin importar el orden o posición en la que se trabaje.

## 1.2. EVOLUCIÓN DE LOS SISTEMAS DE EDICIÓN NO LINEAL

El primer sistema de edición no lineal fue el CMX 600, desarrollado 1971 por CMX Systems, una empresa conjunta entre CBS y Memorex (Im y Hyun, 2020). Se basaba en un sistema de soporte de vídeo analógico (en blanco y negro) sobre unidades de disco modificadas de casi un metro de alto. Eran capaces de almacenar aproximadamente media hora de datos. El CMX 600 se operaba desde una consola con dos monitores de vídeo. El monitor derecho ofrecía una vista del material original y en él se realizaban los cortes y demás operaciones mediante un lápiz óptico. El editor seleccionaba otras opciones, como superposición de textos sobre el vídeo, sobre este mismo. El monitor izquierdo mostraba la versión editada del vídeo. Una computadora DEC PDP-11 controlaba todo el sistema.

Durante la década de los 80 los sistemas de edición no lineal recurrieron a otro tipo de soporte como los LaserDiscs y los bancos de VCR. La empresa de efectos especiales desarrollada por el cineasta George Lucas, Lucasfilm, desarrolló un software llamado EditDroid de Lucasfilm. Se presentó en la feria de productos audiovisuales NAB en 1984 y empleaba los LaserDiscs como medios de almacenamiento de acceso aleatorio, trabajando de un modo similar al de los discos duros actuales (Park, 2013). EditDroid fue el primer sistema que introdujo conceptos fundamentales de la edición no lineal contemporánea, como la edición sobre una línea de tiempo y los *bins*, o carpetas de almacenaje de clips y secuencias.

Sin embargo, en esa misma década el sistema más popular fue Ediflex, que utilizaba un banco de videograbadoras Sony JVC para la edición fuera de línea (Hindus, 1999). La productora Univsersal Pictures utilizó Ediflex en 1983 para la serie *Still the Beaver*. Tres años después, en 1985, algunas cadenas recurrieron a este sistema para más del 80% de sus producciones (Mulhem, Gensel y Martin, 2003).

El primer largometraje para cuyo montaje se recurrió a un sistema de edición no lineal fue *Poder* (Sydney Lumet, 1986) empleando el sistema desarrollado por Montage System Processor (Simon, 2019). Ese sistema empleaba como soporte las mucho más asequibles cintas Betamax. Se podían acceder a todas ellas a tiempo real y mediante una EDL (Edit Decision List, un archivo de texto que contiene las referencias al material original en soporte fotoquímico) se podía reconstruir el montaje sobre las bobinas positivadas. Francis Coppola editó con sistem *El Padrino Parte III* (1990) y Stanley Kubrick lo usó en *La chaqueta metálica* (1987), así como en numerosos programas de televisión, spots publicitarios y vídeos musicales. Este sistema fue evolucionando en diversas iteraciones (Montage II en 1987 y Montage III en 1991).

Los avances en hardware informático ayudaron al desarrollo de sistemas de edición no lineal más potentes, como el sistema de composición diseñado por Quantel en 1958, Harry. Aunque estaba centrado en la producción de efectos de vídeo incluía opciones para la edición no lineales, como la grabación y postproducción de efectos a 80 segundos de video digital sin comprimir a 8 bits con calidad *broadcast* (Robertson, 2005).

## 1.3.  AVID MEDIA COMPOSER

El término edición no lineal se popularizó en 1991 con la publicación de *Nonlinear: A Guide to Digital Film and Video Editing* Michael Rubin (Rubin y Diamond, 1991). La primera vez que se introdujo un sistema informatizado, similar a los que se usan hoy en día, fue con el editor EMC2 de Editing Machines Corporation en 1989. Basado en PC utilizaba discos óptico-magnéticos para el almacenamiento y la reproducción de video. Sin embargo, ese mismo año la empresa Avid presentó el Avid Media Composer 1, el primero en la línea de sus sistemas Media Composer. Avid recurrió a la plataforma Apple Macintosh (en concreto el Macintosh II) con hardware y software especial desarrollados e instalados por Avid (Hershleder, 2012). Debido a las limitaciones del equipo Macintosh II, solo podía acceder a 50 GB de almacenamiento a la vez. Esto limitó el sistema a pequeños proyectos comerciales y otros formatos de corta duración. En 1993 un equipo de I+D de Disney encontró una solución alternativa: utilizaron discos duros externos que permitieron a Avid Media Composer acceder instantáneamente a más de 7 TB de material de archivo.

La calidad de vídeo de Avid Media Composer 1 (y de los sistemas Media Composer posteriores de finales de la década de 1980) era algo baja en comparación con la calidad del soporte doméstico VHS, debido a que la versión que usaba del códec Motion JPEG (M-JPEG) no podía ofrecer mejor calidad (Park y Whan, 2009). En 1993 se editó el primer largometraje con Avid Media Composer, Perdidos en Yonkers (Martha Coolidge). La cadena HBO eligió este sistema para editar el documental *Earth and the American Dream* (Bill Couturié, 1992), que ganó un premio National Primetime Emmy por su edición en 1993 (Wolfe, 2017).

Avid desarrolló un sitema de edición lineal con el método que este mismo sistema sigue empleando hoy en día. El material original no se ve afectado, ya que todas las operaciones se realizan mediante referencias virtuales a los clips de vídeo y audio digitalizados. Estos primeros sistemas de edición de video no lineal consistían en cargar el material de video en una computadora desde una cinta analógica o digital (Bunish, 2011). El proceso de edición creaba una nueva 'cinta' resultado de todas las operaciones realizadas por el operador. Este método permitía al editor cortar, copiar y pegar escenas en cualquier orden y realizar los cambios deseados. Una vez finalizado el proceso de edición, la computadora permitía crear un nuevo archivo. Ese nuevo archivo de vídeo se podía volcar a una cinta de video o soporte fotoquímico.

Durante la década de los 90 los avances técnicos permitieron un progresivo avance de la resolución, especialmente gracias al uso de hardware externo de empresas como Pinacle o Truevision. En 1998 el Avid Symphony, un hardware desarrollado por la propia compañía, permitió la captura de vídeo en formato SD sin compresión, así como la compatibilidad con el sistema operativo Windows. En 2003 se introdujo Avid Mojo y Avid Adrenaline, otros dos periféricos que permitían acelerar la reproducción de vídeo. Avid comenzó a usar el formato MXF (Material Exchange Format) para archivos multimedia. Esta novedad supondría una de las principales características del programa: manejar sus propios formatos de vídeo para optimizar la reproducción de vídeo y estabilidad general del sistema. Adrenaline fue el primer sistema Media Composer que admitía calidad de audio de 24 bits. Desde la introducción de Adrenalida los sistemas Avid han admitido el almacenamiento de medios mediante SCSI, PCI-e, SATA, IEEE 1394a & b, Ethernet e interfaces de fibra óptica (Escobar, 2018).

En 2006 Media Composer 2.5 fue la primera versión que se ofreció como software independiente, sin necesidad de adquirirse a un hardware externo de aceleración en concreto. Esta versión abría la puerta al uso de conexiones de terceros, generalmente interconectadas a través de FireWire, para adquirir video de SDI y fuentes analógicas (Kennel, 2006). En 2008 se introdujeron Mojo DX y Nitris DX, en sustitución de Adrenaline. Ambos son capaces de manejar video HD sin comprimir, y el Nitris DX ofrece una mayor velocidad de procesamiento y flexibilidad de entrada/salida.

## 1.4. ADOBE PREMIÉRE PRO

En diciembre de 1991 Adobe lanzó al mercado su software de edición lineal informático, Premiére. Dos años antes, en 1989, Adobe había presentado lo que se convertiría en su producto estrella, un programa de edición de gráficos para Macintosh llamado Photoshop. La versión 1.0 de Photoshop, plenamente estable y con todas las funciones, no tardó en dominar el mercado del diseño gráfico. Premiére funcionaba sobre Quick-Time (lanzado el mismo año) que permitía codificar y decodificar imágenes de vídeo para trabajar a tiempo real (Secrist *et al.*, 2002). Por lo tanto, su capacidad para importar nuevos formatos de video también podría actualizarse mediante el desarrollo de nuevas versiones compatibles de Quicktime. Sin embargo, solo era capaz de procesar videos e imágenes de 1024 píxeles de ancho como máximo.

En 1993 se incorporaron tarjetas de conversión de video analógico a digital en las series Centris y Quadra AV de computadoras Apple, aunque ninguna de estas máquinas tenía la capacidad RAM de la Quadra 900. Posteriormente, las tarjetas convertidoras de video digital se incorporaron a toda la gama de ordenadores de Apple. En 1999 la computadora de escritorio de Apple iMac DV SE se lanzó con un puerto FireWire que permitía importar secuencias de video desde la mayoría de las cámaras de video digitales de formato MiniDV. A partir de entonces, la edición de vídeo fue accesible para el público en general. Desde 2001, el iDVD de Apple se incluyó en los ordenadores de la casa y este software permitió que cualquier película editada pudiera grabarse en un DVD sin tener que recurrir a una aplicación de terceros (Jackling *et al.*, 2002).

En 2003 Adobe lanzó el sucesor de Premiére, Premiere Pro. Desde unos años antes el formato de grabación DV (introducido en 1995) se popularizó entre el sector de los consumidores en forma de cintas MiniDV. El DVD supuso un formato digital de definición estándar, y su variante HDV permitió introducir vídeo de alta definición a partir de 2003. La popularización de los programas de edición no lineal digital como Premiére y los formatos como el DVD y los archivos de vídeo digitales condenaron a la obsolescencia a todos los formatos de cinta (Mathies, 2017). A esto ayudó que los sistemas de almacenamiento digital, como los discos duros, se abarataran y estandarizaran entre profesionales y consumidores. El estándar SD de más de 30 años comenzó a desaparecer para dar paso a la alta definición. El software de Adobe facilitó la transición a HD, ya que el programa ya manejaba archivos de intermediado digital con una resolución de 2K (relativamente similar al Full HD) para trabajar con escaneos de películas (Kennel, 2006).

## 1.5. FINAL CUT PRO

Randy Ubillos creó las tres primeras versiones de Adobe Premiere (Rick, 1999). Antes de que se lanzara la versión 5, el grupo de Ubillos fue contratado por Macromedia para crear KeyGrip, construido desde cero como un programa de edición de video más profesional basado en Apple QuickTime. Macromedia no pudo lanzar el producto sin causarle a su socio Truevision algunos problemas con Microsoft, ya que KeyGrip se basó, en parte, en tecnología de Microsoft con licencia para Truevision y luego a su vez para Macromedia (Perry, 2000). La empresa decidió centrarse más en aplicaciones que admitieran la web, por lo que buscaron un comprador. Apple compró el equipo e introdujo Final Cut Pro en NAB 1999 (Schoeben, 2003).

Después de la introducción de Final Cut Pro, la participación de mercado de Adobe Premiere se mantuvo fuerte en Windows, pero comenzó a declinar en Mac debido a que su base de código anterior era más difícil de mantener. Final Cut Pro se benefició de la madurez relativa de QuickTime y su soporte nativo para las entonces nuevas cámaras DV conectadas con FireWire (Mand *et al.*, 2003). En 2000 se editó en Final Cut Pro el primer programa de televisión con calidad broadcast (*WOW! Women of Wrestling*) y en 2002 el primer largometraje de alto presupuesto: *The Rules of Atraction* (Avary, 2002). Su director, Roger Avary, es más conocido por los guiones de películas como *Reservoir Dogs* (Tarantino, 1992), *Amor a quemarropa* (Scott, 1993) o *Pulp Fiction* (1994). Se convirtió en una suerte de embajador del software, hecho al que se sumaron otros profesionales de la postproducción como Walter Murch, editor y posteriormente teórico del montaje (Agrawal, 2010).

Final Cut Pro 4 se anunció en abril de 2003 e incluía tres nuevas aplicaciones: Compressor, LiveType, Cinema Tools y Soundtrack (Robertson, 2005). Las subsiguientes versiones ampliaron la compatibilidad con resoluciones 720p y 1080i HD comprimidos a través de FireWire, DVCPRO HD en tarjetas de memoria en lugar de cinta o soporte para la edición con material nativo de RED Camera (Sauer, J.). En 2009 se lanzó Final Cut Pro 7 pero aún no era una aplicación de 64 bits, por lo que sus limitaciones a la hora de aprovechar el hardware más potente eran un problema para los usuarios más avanzados (Kwon, 2018).

Final Cut Pro X se lanzó en 2011. Era una aplicación de 64 bits completamente reconstruida con una nueva interfaz, mejoras y automatización del flujo de trabajo, y nuevas características. En su lanzamiento inicial, Final Cut Pro X recibió críticas mixtas, ya que muchos editores de video evitaron su desviación dramática de la interfaz de edición tradicional y la eliminación de muchas funciones heredadas (y algunas no heredadas). En el momento del lanzamiento inicial, un número significativo de usuarios de Final Cut Pro consideraron que el nuevo producto era un producto insatisfactorio que no merecía formar parte de la línea profesional de editores de vídeo (Dove, 2011). En 2016 Apple presentó Final Cut Pro X 10.3, que incluía una interfaz rediseñada, cambio de tamaño de ventana mejorado, soporte extendido para múltiples pantallas y una versión actualizada de Magnetic Timeline. Esta serie de cambios y la adaptación de algunas peticiones de los usuarios remontaron la popularidad de Final Cut Pro X. Sin embargo, miles de usuarios migraron en el proceso a otros programas, como Adobe Premiére y Avid Media Composer (Yanovich, 2021). En noviembre de 2020, junto con el lanzamiento de macOS 11.0 Big Sur, la X se eliminó del nombre para ser llamado Final Cut Pro.

## II.  OBJETIVOS

En este artículo vamos a tratar de analizar la popularidad de los tres principales software de edición no lineal (Avid Media Composer, Adobe Premiére Pro y Final Cut Pro) a través de las diversas funciones que fueron incorporando, facilitando las posibilidades expresivas y técnicas de la edición y postproducción audiovisual.

Además, trataremos de averiguar si hay una correlación entre las incorporaciones realizadas a través de las distintas versiones de cada software y la popularidad de los mismos entre sus usuarios a lo largo de casi dos décadas.

## III.  METODOLOGÍA

Las tres compañías propietarias de los programas (Avid Technology, Adobe Inc., y Apple Inc.) no ofrecen la transparencia necesaria para hacer un análisis exhaustivo de la evolución de su número o base de usuarios. De hecho, apenas hay datos sobre este aspecto. Las estimaciones más recientes arrojan unos 3 millones para los usuarios de Avid (Burlington, 2021), 2 millones para Final Cut Pro (Lovejoy, 2017) y 22 millones para toda la suite de Adobe Creative Cloud (ProDesignTools, 2020). En este último el dato es especialmente esotérico, ya que la licencia de Adobe

Creative Cloud incluye distintos paquetes orientados a fotografía, diseño gráfico, ilustración y vídeo. Estas licencias abarcan programas tan populares como Adobe Acrobat Pro, InDesign, Lightroom, Audition, Dreamweaver o Premiére Pro. Pero, además, en esos 22 millones de usuarios se incluyen algunos softwares que dominan de manera casi monopolística su segmento: Photoshop en retoque fotográfico y diseño gráfico, Illustrator en diseño vectorial y After Effects en diseño gráfico audiovisual. Por lo tanto, es imposible saber qué cantidad de licencias corresponden al software que nos atañe, Adobe Premiére Pro.

Por lo tanto, utilizamos datos de Google Trends, una muestra imparcial y anónima y datos de búsqueda en la plataforma de YouTube. Esto permite medir el interés por uno o más conceptos semánticos en cualquier parte del mundo (Mahroum *et al.*, 2018). El método de análisis tiene dos opciones de filtro. Los datos en tiempo real son una muestra aleatoria de búsquedas de siete días antes del día de búsqueda. Grupos de muestras no en tiempo real del conjunto de datos de Google desde 2008 hasta las últimas 36 horas, que permiten una comparación entre diferentes áreas de interés (Google, 2020).

Google Trends proporciona un índice de tiempo de ejecución del volumen de búsquedas de Google en un área geográfica. El índice de consultas se basa en el número total de consultas para el término de búsqueda respectivo dentro de una región geográfica dividido por el número total de consultas en esta región durante el período de observación. El número máximo de consultas en el período de tiempo especificado se normaliza a 100 y el número de consultas en la fecha analizada inicial se normaliza a cero (Choi y Varian, 2012). Google Trends calcula sus datos mediante un método de muestreo. Debido a esto, los resultados pueden variar ligeramente de un día a otro. Además, por motivos de protección de datos, solo se realiza un seguimiento de las consultas de gran volumen. Los datos de este índice de consulta están disponibles en diferentes niveles geográficos: países, estados, niveles mundiales, etc.

Este estudio utiliza datos de Google Trends sobre los términos "Avid Media Composer", "Adobe Premiére Pro" y "Final Cut Pro". En la limitación geográfica hemos indicado "todo el mundo". Aunque en los primeros años el software se empleara principalmente en Estados Unidos, a medida que se fue popularizando otros países se fueron adhiriendo al uso de estos programas (Phillips y Fasciano, 2015). En la actualidad las licencias se adquieren online a través de la web de los distintos fabricantes, de modo que limitar geográficamente la búsqueda supondría un sesgo mayor. Los tres programas se empezaron a distribuir alrededor de 1999, pero el periodo temporal de Google Trends comienza en 2004, así que el rango temporal de las búsquedas abarcará de 2004 a 2021.

## IV. RESULTADOS

Los resultados arrojados por Google Trends (figura 1) muestran una clara predominancia en volumen de búsquedas a lo largo del tiempo de Adobe Media Composer a pesar de sus variaciones en los 17 años de la muestra. El segundo programa con mayor popularidad es Final Cut Pro, llegando a superar en julio de 2007 a Premiére Pro. Con una diferencia muy significativa Avid Media Composer es el tercer software, con un porcentaje relativo de búsquedas que no supera en ningún punto el 3%.

El punto máximo de búsquedas (100% relativo) lo marca Adobe Premiére Pro en dicimebre de 2007. La popularidad de este software presenta una variación desde el inicio de los datos arrojados por Google. En 2004 presenta una media de un 90% de popularidad, llegando en 2007 al máximo indicado. En 2008 comienza una caída hasta llegar a agosto de 2011, donde alcanza su mínimo con un 27%. Durante ese año los usuarios efectuaron un mayor número de búsquedas en Google respecto a sus competidores, alcanzando un pico durante esta fase en abril de 2020 con un 60%.

Final Cut Pro presenta un rango de búsquedas entre el 25% y el 35% desde 2004 hasta mediados de 2011. Durante ese año alcanza su pico de búsquedas relativas en el mes de junio, con un 48%. A partir de entonces, hasta 2021, sus búsquedas van sufriendo una reducción en su popularidad, llegando a su mínimo durante este año con un 7%.

Las búsquedas de Avid Media Composer durante todo el rango temporal sufren muy leves variaciones. Marcan el mínimo relativo de las búsquedas de los tres términos, y su máximo es de un 3% en diversos puntos, quedando relegado a un tercer puesto muy alejado de sus otros dos competidores.

**Figura 1.** Búsquedas en Google Trends en todo el mundo de los términos "Avid Media Composer", "Final Cut Pro" y "Adobe Premiére Pro" entre enero de 2004 y septiembre de 2021.

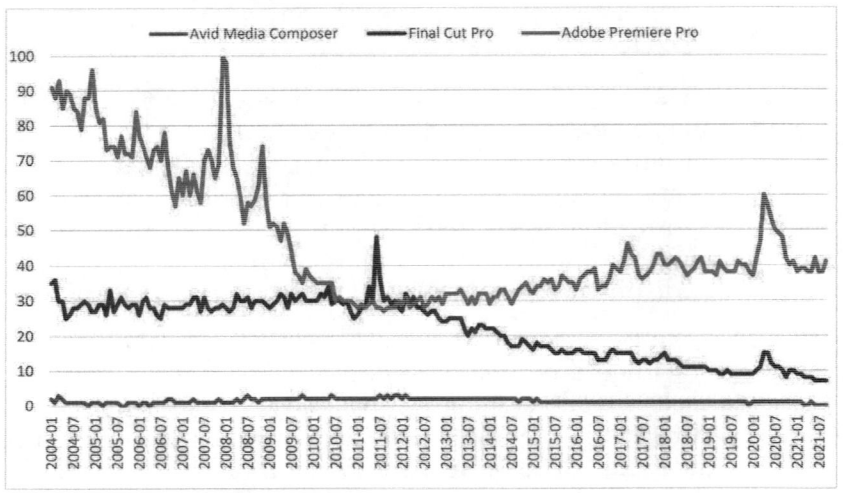

**Fuente**: Google Trends.

## V. DISCUSIÓN

A pesar de que los picos de búsquedas sucedieran entre 2004 y 2008 y que durante casi todo el año 2011 Final Cut Pro suscitara más interés entre los usuarios, Premiére Pro se mantiene como el software más popular según los datos de Google. Su pico máximo de búsquedas sucede en diciembre de 2007, coincidiendo con el lanzamiento de la versión CS3. Esta versión permitió un gran avance para tareas de edición de programas de televisión, como la edición en multicámara. Además, permitía la edición nativa del popular formato de grabación HDV, funciones de reasignación de tiempo en cámara lenta, codificación de vídeo en lo que hoy es el estándar de los códecs, el H264, o la exportación directa a formatos como el Blu-Ray o el DVD (Michán, 2007). Además, era por primera vez plenamente compatible con Windows y OSX. Su siguiente pico sucede en noviembre de 2008. En este caso se debe al lanzamiento de la versión CS4. Las novedades más importantes de esta versión fueron la compatibilidad con cámara sin cinta como P2, AVCHD, XDCAM EX y XDCAM HD, sin necesidad de realizar codificación de los archivos. Además, introdujo flujos de trabajo dinámico con el resto de herramientas del paquete Adobe, pudiendo abrir directamente archivos de Photoshop

(Darío, 2008). El último pico significativo sucede en 2020. A pesar de que la versión lanzanda (14.3) no aporte novedades significativas, presenta un cambio de imagen e interfaz global con muchos de los programas del paquete Adobe.

Las búsquedas de Final Cut Pro presentan en sus primeros años una estabilidad significativa. El hecho que fuera un software diseñado por Apple para su hardware, la popularidad que sus embajadores le aportaron, el precio competitivo y los extras que formaban la Final Cut Suite consiguieron fidelizar a una buena parte de los usuarios de los equipos de Apple: Compressor para la exportación de archivos y su adaptación a distintos formatos, Color para corregir color, Motion para diseño gráfico en movimiento, Soundtrack para postrproducción de sonido, etc (Moltenbrey, 2008). En junio de 2011 Google nos muestra su punto álgido en el número de búsquedas de los usuarios. Coincide con la reescritura a 64 bits del programa y reconfiguración de modo de trabajo. Los cambios con respecto a la versión anterior fueron muy radicales: despareció el concepto de línea de tiempo y pistas para ser sustituidos por *storylines*. No permitía trabajar con formatos de cinta y estaba enfocado a un público que no tuviera conocimientos previos de edición. Tampoco tenía compatibilidad para trabajar en un flujo continuo con otros programas de color o sonido como ProTools. La decepción de muchos de los editores profesionales que formaban su base de usuarios al suponer más una apuesta de futuro que una herramienta presente puede ser la causa de su declive en popularidad hasta hoy, que apenas llega al 7% (Green, 2012), a pesar de que ha ido incorporando novedades a petición de muchos editores.

Por último, Avid Media Composer no muestra apenas variaciones y su popularidad parece mínima. Sin embargo, es uno de los programas más usados en edición de cine y televisión en Estados Unidos, y cada año algunas de las series y películas de mayor éxito se editan en este software (Salters, 2019). Media Composer está centrado en el proceso principal de edición, ofreciendo opciones de sonorización y corrección de color básica. Sus principales mejoras no son evidentes ni visibles y se centran en la estabilidad y solidez del sistema de gestión de los archivos de vídeo y audio en la fase de ingesta, edición y exportación.

## VI.   CONCLUSIONES

Los resultados de las búsquedas indican que el software más popular de las casi dos últimas décadas es Adobe Premiére Pro. Su continua renovación, desarrollo de novedades, incorporación de nuevas funciones, adaptación a los últimos formatos de vídeo e integración con la suite de postproducción digital más usada en el mundo (Photoshop, After Effects e Illustrator son programas del paquete Adobe que dominan de manera casi monopolísticas aquellas funciones en las que se centran) ayudan a que no sólo los editores primerizos y profesionales se interesen por él, sino que aquellos profesionales de otras áreas como el diseño gráfico o la postproducción digital opten por él para realizar trabajos de edición de vídeo. Además, su versatilidad e interfaz intuitiva lo hacen apto para tareas de vídeo de otros sectores no relacionados directamente con el audiovisual convencional (Johnson y Johnson, 2014).

Final Cut Pro es el segundo más usado. Este software siempre ha sido exclusivo de los sistemas operativos de Apple, Sin embargo, la buena integración con el sistema hizo que muchos de los editores que usaban este tipo de máquina optaran por él durante muchos años. Pero la versión X supuso un cambio demasiado drástico para un sector acostumbrado a unos estándares de trabajo normalizados en todos los programas. La estrategia de Apple de dirigirse al público *prosumer* (consumidores no profesionales que desean resultados profesionales) hizo que se replantearan desde cero la edición no lineal y crearan un software distinto a cualquier otro. Las similitudes de interfaz y trabajo con un programa de edición de vídeo gratuito desarrollado por Apple llamado iMovie hizo que muchos profesionales miraran con recelo a esta nueva versión. La que antaño fuera una compañía dedicada a los profesionales se había convertido en una empresa cuyos ingresos principales provenían de la venta de teléfonos móviles. Por lo tanto, muchos editores creyeron que Final Cut Pro X era un programa no profesional y migraron a Premiére Pro y Avid Media Composer. Hoy en día Apple sigue apostando por Final Cut Pro como su programa de edición de vídeo y se usa como referencia de potencia en la presentación de sus equipos portátiles y sobremesa orientados a profesionales.

La popularidad de Avid Media Composer en Google Trends en mínima. Este software se emplea a nivel profesional pero su uso para los editores principiantes ha estado muy limitado durante décadas. Al requerir un hardware específico para poder funcionar, solo aquellos estudiantes de edición podían aprender su manejo, de modo que quedaba restringido al público profesional. Esto se refleja en las búsquedas de Google.

Por lo tanto, según los datos la incorporación de novedades que amplíe las posibilidades expresivas (tanto de edición como de flujo de trabajo), la accesibilidad al software, su facilidad de manejo y distribución adecuada tienen un impacto directo en su popularidad. Son aquellas versiones que presentan un cambio radical (como en el caso de Final Cut Pro X) o una nueva compatibilidad con sistemas operativos o métodos de trabajo (en los picos de búsquedas de Premiére Pro) los que marcan el mayor número de búsquedas. La estrategia conservadora y el mantenimiento de un software a lo largo de los años sin novedades aparentes penaliza sus búsquedas y por lo tanto su popularidad, como se ve en Avid Media Composer.

Este estudio presenta una limitación ya que deja de lado otros programas desarrollados en los últimos años. La mayoría de los programas que trabajan con vídeo (como After Effects) ofrecen la posibilidad de editar vídeo. Otros programas centrados en la edición, como Filmora o Edius, no llegan a las capacidades profesionales de los tres programas escogidos. Merece una mención especial uno de los programas más populares de la última década. DaVinci Resolve es un software de corrección de color distribuido por la empresa BlackMagic, que se centra en la venta de cámaras y hardware de gestión de vídeo y audio. Este programa tiene su origen en 1985. En 2009 fue adquirido por BlackMagic. Para 2013 era tan popular que incluyeron algunas opciones muy básicas de edición de vídeo. Su versión actual, la 17, ofrece menos opciones que cualquiera de los 3 elegidos. Sin embargo, hay una versión gratuita del programa que permite editar vídeos y exportarlos sin demasiadas dificultades, de modo que está ganando como un programa de gestión de proyectos completo. En él se puede convertir el material de vídeo a un formato manejable para cualquier equipo, editar, corregir color, añadir efectos especiales, realizar una mezcla de sonido y exportar a casi todos los formatos profesionales. La versión de pago ofrece unas pocas opciones avanzadas que sólo los usuarios más avanzados necesitarán en su día a día. Por lo tanto, es posible que en algunos años sea esta la línea que marque la edición y postproducción y sean los tres programas nombrados los que tengan que adaptarse al camino que está abriendo DaVinci Resolve.

## VII.  REFERENCIAS

Agrawal, R. (2010). Inside the jokes: TV search technology yields creative, comedic screenwriting. *Society of Motion Picture and Television Engineers Annual Technical Conference and Exhibition 2010*, SMPTE 2010, pp. 330-338.

Bunish, C. (2011). Industrial sex appeal. *Computer Graphics World*, 34 (4), pp. 16-21.

Burlington, M. (2021). *Over 3 Million Copies of the 'First' Versions of Avid's Creative Tools Have Now Been Downloaded by Video and Music Makers.* Avid.com. https://bit.ly/3oznNJv.

Choi, H. and Varian, H. (2012). Predicting the Present with Google Trends. The Economic Record 88, pp. 2-9. https://doi.org/10.1111/j.1475-4932.2012.00809.x.

Dario, R. (2021). *Adobe Premiere Pro Cs4: novedades del nuevo software de edición de vídeo de Adobe*. Claquetas.com.ar. https://bit.ly/3rW9S2e.

DeFilippis J. (2013). 3D production edit workflow at the London 2012 olympics. *SMPTE Motion Imaging Journal*. 122(1), pp. 24-28.

Dove, J. (2021). *Apple releases Final Cut Pro X*. Macworld. https://bit.ly/3lNd6Bw.

Escobar, E. (2 de mayo de 2018). *Hacking Film: A Brief History of Cheap and Free Editing Platforms, Part One*. Film Independent. https://bit.ly/3pAGhsF.

Evans, Russell (2005). *Practical DV Filmmaking*. Focal Press.

Google. Google Trends. (2020b). https://bit.ly/33cGlqZ.

Green, P. (2012). Adobe premiere pro scrum adoption: How an agile approach enabled success in a hyper-competitive landscape. *Proceedings – 2012 Agile Conference*, Agile 2012, art. no. 6298109, pp. 172-178. https://doi.org/10.1109/Agile.2012.28.

Guttmann, G.D. (2000). Animating functional anatomy for the web. *Anatomical Record*, 261 (2), pp. 57-63. https://doi.org/10.1002/(SICI)1097-0185(20000415)261:2<57::AID-AR5>3.0.CO;2-R.

Hershleder, B. (2012). *Avid Media Composer 6.x Cookbook*. Pack Publishing.

Hindus, Leonard A. (1999). Non-linear disc-based video cameras: ready for prime time– and specialized APPS. *Advanced Imaging*, 14 (4), pp. 34, 36-37.

Im, C. W, Hyun, K. D. (2020). A Study on the Understanding of AI from the Perspective of Users and Image Effects & Video Editing Programs based on It. Cartoon & Animation Studies. Cartoon & Animation Studies, 60, pp. 263-308.

Jackling, N., Withers, S. y Livingston, B. (03 de agosto de 2009) *Linear and non-linear editing – Adobe Premiere and QuickTime in Museums Victoria Collections*. Victoria Museum. https://bit.ly/3DCOcdY.

Johnson, D., Johnson, M. (2014). Digital *Video. Clinical Orthopaedics and Related Research*, (421), pp. 17-24. https://doi.org/10.1097/01.blo.0000126868.90079.61.

Kennel G. (2006). Digitizing hollywood – Why did it take so long? *CIS'06: International Congress of Imaging Science – Final Program and Procee-dings*Pages 4 – 52006 ICIS'06: 30th International Congress of Imaging Science, Rochester, NY, 7 May 2006 – 11 May 2006, 68207.

Kwon, S. (2018). Visual identity and narrative identity in a video editing software: the semiotic analysis of the Final Cut Pro X. *Korean Association for Visual Culture*, 32, pp. 137-159.

Lovejoy, B. (2021). *Apple announces it has two million Final Cut Pro X users.* 9to5Mac. https://bit.ly/3IuMajz.

Luo, W., Zderic, V., Carter, S., Crum, L., Vaezy, S. (2006). Detection of ble-eding in injured femoral arteries with contrast-enhanced sonography. *Journal of Ultrasound in Medicine*, 25 (9), pp. 1169-1177. https://doi.org/10.7863/jum.2006.25.9.1169.

Mahroum, N., Bragazzi, N., Brigo, F., Waknin, R., Sharif, K., Mahagna, H., Amital, H. and Watad, A. (2018). Capturing public interest toward new tools for controlling human immunodeficiency virus (HIV) infection exploiting data from Google Trends. *Health informatics journal* 25 (4), pp. 1383-1397. https://doi.org/10.1177/1460458218766573.

Mand, S., Marfo-Debrekyei, Y., Dittrich, M., Fischer, K., Adjei, O. y Hoe-rauf, A. (2003). Animated documentation of the filaria dance sign (FDS) in bancroftian filariasis. *Filaria Journal*, 2, art. no. 3, 11 p. https://doi.org/10.1186/1475-2883-2-3.

Mathies, D. (6 de julio de 2017). *After 25 years, Adobe Premiere Pro's story is only just beginning.* Digital Trends. https://bit.ly/3y5BbZh.

Martin, H. (2003). Adaptive video summarization. *Handbook of Video Data-bases: Design and Applications*, pp. 279-298.

Michán, M., 2021. *Adobe Premiere Pro CS3.* Applesfera. https://bit.ly/31Jy6lg.

Moltenbrey, K. (2008). Fancy footwork. *Computer Graphics World*, 27 (6), pp. 32-33.

Mulhem, P., Gensel, J., Martin, H. (2003). Adaptive video summarization. *Handbook of Video Databases: Design and Applications*, pp. 279-298.

Park, S. D. (2013). The Direction of Improvement Non-linear Editing Sof-tware. *Journal of Korea Multimedia Society*, 16 (8), pp. 972-981. https://doi.org/10.9717/kmms.2013.16.8.972.

Park, S. y Whan, H. S. (2009). A Study on Tapeless HD Format Editing – Focus on video editing using PMW-EX3 and Avid Media Composer–. *Journal of Digital Contents Society*, 10 (3), pp. 461-468.

Perry, J. (2000). Final Cut Pro 1.25 – Apple offers video editing plus. *Computer Graphics World*. 23 (10), pp. 71-73.

Phillips, M., y Fasciano, P. (2015). Managing the Content Explosion with 24P Universal Editing + Mastering. *141st SMPTE Technical Conference and Exhibition, New York, 19 November 1999 – 22 November 1999, 122112.* Article number 7266014. https://doi.org/10.5594/M00308.

Porter, S. (2004). Alternative Editing. *Computer Graphics World*, 27 (3), pp. 14-15.

ProDesignTools. (2021). *Creative Cloud User Base Surpasses 22 Million Paid Subscribers*. ProDesignTools. https://bit.ly/3pHfSJy.

Rick, A. (1999). *Apple Announces New DEST Member*. Apple Web. https://bit.ly/3dv49Ir.

Robertson, B. (2005). The devil's in the details. *Computer Graphics World*, 28 (4), pp. 18-24.

Rubin, M. y Diamond, R. (1991). *Nonlinear: A Field Guide to Digital Film and Video Editing*. Triad Publishing Company.

Salters, C. (2019). *Want to Work in Hollywood? Avid is the NLE to Learn…* Frame.io Insider. https://bit.ly/3GvxYFp.

Robertson, B. (2005). The devil's in the details. *Computer Graphics World*, 28 (4), pp. 18-24.

Sauer, J. (2003). Apple Final Cut Pro 4. *Computer Graphics World*, 26 (10), p. 46.

Sauer, J. (2004). Avid media composer adrenaline. *Computer Graphics World*, 27 (1), pp. 44-46.

Secrist, C., de Koeyer, I., Bell, H., Fogel, A. (2002). Combining digital video technology and narrative methods for understanding infant development. *Forum Qualitative Sozialforschung*, 3 (2).

Schoeben, R. (2003). *Apple Offers Premiere Users Easy Switch to Final Cut Pro*. MacWorld Creative Pro. https://bit.ly/3y4Yx0U.

Simon, S. (6 de agosto de 2019). *The History of Non Linear Editing*. Simon Says. https://bit.ly/3Ixck5u.

Wolfe, W. (12 de septiembre de 2017). *HBO's "Earth & The American Dream"*. Steemit.

Secrist, C., de Koeyer, I., Bell, H., Fogel, A. (2002). Combining digital video technology and narrative methods for understanding infant development. *Forum Qualitative Sozialforschung*, 3 (2).

Yang, P., Baracchi, D., Iuliani, M., Shullani, D., Ni, R., Zhao, Y., Piva, A. (2020). Efficient Video Integrity Analysis through Container Characterization. *IEEE Journal on Selected Topics in Signal Processing*, 14 (5), art. no. 9136916, pp. 947-954. https://doi.org/10.1109/JSTSP.2020.3008088.

Yanovich, M. (2021). *Why I Switched to Final Cut Pro X After 25 Years of Working on Avid*. No Film School. https://bit.ly/31CxA92.

## Capítulo 38

# Gestão do conhecimento e deficiência visual: critérios de acessibilidade

INGRID WEINGARTNER REIS
*(U. Técnica Particular de Loja –Ecuador–)*

ARTIERES ESTEVÃO ROMEIRO
*(U. Técnica Particular de Loja –Ecuador–)*

## I. INTRODUÇÃO

As tecnologias digitais da informação e comunicação (TDIC) são parte da vida das pessoas em praticamente todo o mundo, seja de forma direta ou indireta. Essa expansão ao longo dos anos se deu de maneira tridimensional, expandiu e expande o alcance, a complexidade e a capacidade de atender às diversas necessidades humanas (Badr & Asmar, 2020; Bühler, 2016; Cinquin *et al.*, 2018; Kimura, 2018; Pomputios, 2020; Rodríguez-Fuentes *et al.*, 2020).

A sociedade da informação e do conhecimento demanda cada dia mais que as TDIC garantam a todas as pessoas, independentemente de sua situação social, cultural ou funcional, o acesso às informações e conhecimentos (Badr & Asmar, 2020; Bossey, 2020). Neste sentido, desde a criação da internet, existe a preocupação de que ela seja acessível a todas as pessoas. Isso significa que, tanto técnica, quanto informacionalmente, existem elementos a serem observados na criação de conteúdos e de aplicativos (Babu & Xie, 2016; Bhardwaj & Kumar, 2017; Kesswani & Kumar, 2016; Macedo, 2010; Pivetta et al., 2014; Ulbricht *et al.*, 2012). A compreensão do que é ser acessível, no entanto, parece não ser algo tão consensual e se analisada de maneira superficial, pode trazer prejuízos às pessoas que necessitam de recursos adaptativos e tecnologicamente acessíveis

(Kumar & Sanaman, 2013; Moustakas & Tzovaras, 2009; Naniopoulos & Tsalis, 2015; Sánchez & Mascaró, 2011; Shaheen & Watulak, 2019).

## II. DELIMITAÇÃO DO PROBLEMA

Este artigo tomou como base estudos realizados ao longo dos 15 últimos anos sobre uso de ferramentas destinadas a pessoas com deficiência visual e outras deficiências. Considerando a integralidade do ser humano, suas diferentes facetas e necessidades, o estudo abrangeu ferramentas e mesmo métodos direcionados para educação, para a vida profissional, lazer e cultura.

É fundamental considerar que o estudo está enfocado na gestão do conhecimento e não somente no uso de TDIC. Dessa forma, os estudos selecionados deveriam apresentar categorias do ciclo de criação do conhecimento SECI (Takeuchi & Nonaka, 2009).

A criação do conhecimento definido por Takeuchi e Nonaka (2009) é um processo basilar, que toma em conta a conversão de conhecimento tácito a conhecimento explícito para gerar novos conhecimentos. A interação gerada entre os indivíduos, num ambiente intencional ou com as condições adequadas, gerará nas organizações ou onde quer que seja, a possibilidade de novos conhecimentos.

Serão recuperados aqui alguns conceitos importantes para o desenvolvimento da pesquisa.

O conhecimento tácito é o conhecimento subjetivo, que está com o indivíduo. Se consideram suas experiências, sua vivência, a intuição que pode ter sobre determinado tema considerando obviamente o conhecimento que já possui, logo não se tangibiliza facilmente. Está na cabeça do indivíduo. O conhecimento explícito, por sua vez, está formalizado, escrito, concretizado fora do sujeito e assim, se alcança de forma imediata. São parte do mesmo. Para chegar ao conhecimento explícito é necessário o conhecimento tácito. E esta interação é sistematizada por Takeuchi e Nonaka (2009) em seu ciclo de criação do conhecimento, onde por meio de quatro etapas se pode compreender melhor como se desenvolve esse processo. As etapas são as seguintes:

1. Socialização: momento em que os indivíduos interagem e trocam conhecimentos implícitos por meio do compartilhamento de suas histórias e experiências.

2. Externalização: o indivíduo ou conjunto de indivíduos interage como grupo, articulando conhecimentos implícitos para a

formalização de conhecimentos, a tangibilização em conhecimentos agora explicitados.

3. Combinação: quando são organizados os conhecimentos já explicitados, combinando conhecimentos provados em diferentes partes para poder criar algo diferente do que se tinha inicialmente. E, finalmente.

4. Internalização: processo sutil onde o indivíduo começar a ter novas ideias sobre o que está acordado agora. Ou seja, a partir do novo conhecimento, fruto da combinação e do acordo entre diversas instancias ou grupos, o indivíduo começa um novo processo de acostumar-se com o novo, adaptar-se encontrar melhor maneira de realizá-lo até que novamente crie algo e melhor.

A seguinte figura é uma representação clássica de como se dá o processo de criação do conhecimento por meio da conversão dos conhecimentos tácitos em explícitos.

**Figura 1:** processo de criação do conhecimento SECI de Takeuchi e Nonaka (2009).

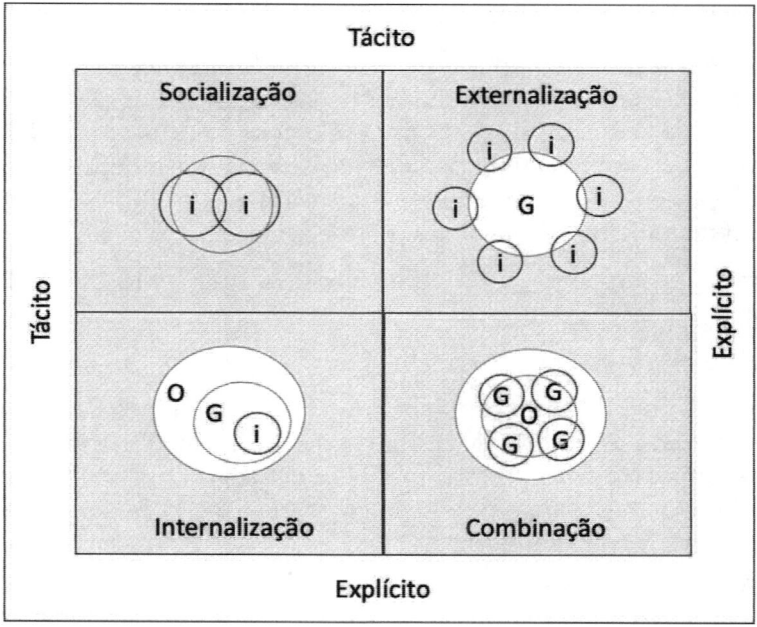

**Fonte:** Adaptado de Takeuchi e Nonaka (2009).

Este ciclo é utilizado no âmbito da gestão e pode ser aplicado a diferentes etapas dos processos gerenciais. Como mencionado antes, este estudo busca a relação entre a consciência desse processo de criação do conhecimento e o desenvolvimento, criação ou uso de tecnologias virtuais para pessoas com deficiência.

## III. METODOLOGIA

Considerando a importância social do tema, o rigor científico dado a este estudo se pauta em elementos metodológicos derivados das ciências sociais. É uma pesquisa não experimental, com abordagem descritiva (Gil, 2008; Sampieri et al., 2006) e que emprega o método de revisão sistemática de Cochrane Collaboration para identificar estudos anteriores que relacionam ferramentas virtuais orientadas à acessibilidade de cegos ou pessoas com deficiência visual que utilizaram elementos do processo de criação do conhecimento para seu desenvolvimento.

O modelo Cochrane para a revisão sistemática é mais utilizado na área da saúde, mas considerando a maneira como organiza conhecimentos vem sendo estendida a outras áreas nos últimos anos e ganhando espaço também nas ciências sociais (Fonseca, 2019).

Tal modelo será utilizado para conseguir dois grupos de informações importantes: bibliométricas, que contextualizam dados e informações sobre o desenvolvimento de pesquisas relacionadas aos temas definidos, e informações de fundo, de onde se pode obter análise qualitativa, neste caso, a relação entre ferramentas virtuais para acessibilidade de pessoas com deficiência visual e a gestão do conhecimento.

Este modelo tem passos predeterminados, que serão detalhados na sequência.

### Passo 1: Formulação da pergunta

O ponto de partida é um problema da vida real que necessita ser resolvido ou analisado. A motivação desta pesquisa está em entender a relação entre o desenvolvimento de ferramentas virtuais criadas para ajudar na acessibilidade de pessoas com deficiência visual e os elementos ou conceitos da gestão do conhecimento.

Se definiu como pergunta, o seguinte: Qual a relação entre as ferramentas virtuais que ajudam na acessibilidade de pessoas com deficiência visual mais usadas e processos de gestão do conhecimento, especialmente de criação do conhecimento?

## Passo 2: Localização e seleção dos estudos

Neste passo se determina as chaves para realizar as pesquisas de artigos científicos nas bases de dados selecionadas. As palavras-chave são determinadas a partir da pergunta da pesquisa.

A pesquisa de artigos científicos a partir de determinados parâmetros é essencial para a identificação de pesquisas anteriores e relevantes sobre os temas em questão.

Considerando então a pergunta definida anteriormente, as palavras-chave utilizadas estão determinadas no quadro a seguir:

**Quadro 1:** Palavras-chave utilizadas a partir da pergunta da pesquisa

| Palavras-chave | | |
|:---:|:---:|:---:|
| **Blind** | e-Learning | Knowledge Management |
| | Virtual | Knowledge Management |
| **Visual** | e-Learning | Knowledge Management |
| **Impairment** | Virtual | Knowledge Management |

**Fonte:** Elaborado pelos autores, 2021.

Foram selecionadas as seguintes bases de dados: Scopus, Scielo e Emerald. Tais bases foram selecionadas considerando o rigor com o qual trabalham suas publicações e o tamanho e alcance de cada uma delas; a base Scielo foi selecionada especialmente por seu impacto na região da América Latina. Em relação ao tempo, a pesquisa foi delimitada e considerou apenas artigos publicados nos 15 últimos anos, de 2005 a 2020. Da totalidade dos artigos encontrados em cada base, foram selecionados os 20 primeiros mais relevantes. Não houve restrição de idioma, mas se tomou em conta apenas artigos completos. Estas informações são parte da bibliometria e tem a finalidade de contribuir na formação de critérios sobre os temas analisados.

## Passo 3: Avaliação crítica dos estudos

A partir da pesquisa das bases de dados antes mencionadas, foram selecionados os artigos relevantes sobre o tema ou que abordem diretamente a relação entre a gestão do conhecimento e desenvolvimento de ferramentas virtuais acessíveis. Foram identificados um conjunto de artigos que apontavam elementos concretos à discussão sobre estes temas. Para análise foi considerada a leitura completa dos artigos identificados.

### Passo 4: Coleta de dados

Pela leitura e análise dos artigos selecionados, foram identificados os tipos de ferramentas virtuais mais relevantes desenvolvidas para pessoas com deficiência e suas finalidades e orientação. Se são suporte educacional, laboral, lazer etc.

Também foram revisadas informações sobre processos de desenvolvimento de ferramentas virtuais ou da construção da ideia de tais ferramentas, buscando entender como e em que medida foram considerados elementos da gestão do conhecimento. Isto ajudará a compreender se existem modelos de desenvolvimento orientados por conceitos existentes nos processos de criação do conhecimento, como se aplicam estes modelos, se existe sistematização sobre estes etc.

As informações detalhadas sobre as ferramentas, seus usos e demais elementos influenciadores desta pesquisa, são apresentados nos Resultados.

### Passo 5: Análise e apresentação de resultados

Na seção Resultados foram apresentados dados e informações bibliométricas e análises como:

a) Categorização das ferramentas virtuais com acessibilidade identificadas;

b) Informações sobre processos de criação destas ferramentas e se estão baseadas em modelos de criação do conhecimento;

c) Como se aplicam estes modelos; e

d) Se estes modelos estão sistematizados.

### Passo 6: Interpretação dos Resultados

Neste passo, foram apresentas a organização das informações obtidas e conhecimentos desenvolvidos sobre os temas, o que há permitido elaborar recomendações para aplicação futura em novos estudos. Como a análise sistematizou modelos, práticas, experiências, se infere que estas informações, uma vez organizadas, poderão ser utilizadas para a construção de propostas de sistemas e para o desenvolvimento de ferramentas virtuais para pessoas com deficiência visual. Este passo será registrado na seção Conclusões.

### Passo 7: Aprimoramento e atualização da Revisão

De igual maneira, este passo está documentado na seção Conclusões. A partir das análises realizadas surgem recomendações e elucubrações a respeito do desenvolvimento da pesquisa. Serão propostos ajustes e melhoras identificados durante o percurso do presente estudo e caminhos para futuras investigações.

## IV. RESULTADOS

Os resultados obtidos a partir da investigação realizada estão segmentados em duas partes. Na primeira se apresentam as informações bibliométricas e, na segunda parte, se apresentam as análises realizadas para buscar responder à pergunta da pesquisa.

### 4.1. BIBLIOMETRIA

Na bibliometria se realizam estudos estatísticos e quantitativos a partir de obras literárias, mais especificamente, de artigos científicos indexados (Chueke & Amatucci, 2015). Esta parte da pesquisa seguiu os passos determinados na metodologia e com eles os autores buscaram sistematizar conhecimentos e gerar considerações, conclusões ou inferências. A seguir, apresentamos as informações.

**Quadro 2.** Números gerais dos artigos encontrados nas bases de conhecimentos.

| Palavras-chave | | | Scopus | | Scielo | | Emerald | |
|---|---|---|---|---|---|---|---|---|
| | | | Total artigos encontrados | Artigos considerados para revisão | Total artigos encontrados | Artigos considerados para revisão | Total artigos encontrados | Artigos considerados para revisão |
| Blind | e-Learning | Knowledge Management | 13 | 6 | 1 | 1 | 182 | 4 |
| Blind | Virtual | Knowledge Management | 35 | 9 | 0 | 0 | 5 | 1 |
| Visual impairment | e-Learning | Knowledge Management | 7 | 3 | 0 | 0 | 88 | 4 |
| Visual Impairment | Virtual | Knowledge Management | 9 | 5 | 0 | 0 | 198 | 4 |
| Totais parciais | | | 64 | 23 | 1 | 1 | 473 | 13 |

**Fonte:** Elaborado pelos autores, 2021.

O total de artigos encontrados foi de 538 (quinhentos e trinta e oito), tomando em conta as bases Scopus, Scielo e Emerald. O intervalo temporal foi de 15 (quinze) anos, de 2005 a 2020. Foram considerados somente artigos completos e em PDF, sem restrição de idiomas e de campo de conhecimento.

Foram considerados os indicadores de impacto apresentados pelas bases de dados. Os autores adotaram a restrição de leitura dos 20 (vinte) primeiros artigos mais relevantes de cada base, e destes selecionaram os diretamente relacionados com os temas.

Uma vez aplicados os critérios metodológicos o total de artigos abordados foi de 36 (trinta e seis). Como informação complementar, constata-se que não há autores ou obras repetidas entre as bases de dados consultadas.

Os artigos lidos integralmente foram categorizados, buscando encontrar padrões que pudessem orientar ou ajudar nas análises qualitativa. No quadro que segue se encontram categorizados as ferramentas, considerando seu resultado.

**Quadro 3:** Relação das principais ferramentas considerando uso e conceitos.

| Categorias | Deatlhe das categorias | Quantidades |
|---|---|---|
| Ferramentas para educação | e-learning, biblioteca, u-learning | 15 |
| Métodos | Métodos, modelos, metodologias, designers | 6 |
| Videogames | Videogames | 5 |
| orientação espacial | orientação espacial, navegação espacial | 7 |
| Navegação | navegação web, qrcode, conversor de texto | 3 |
| | | 36 |

**Fonte:** Elaborado pelos autores, 2021.

## 4.2. ANÁLISES QUALITATIVAS

A partir da pergunta que orientou esta investigação, onde se buscava conhecer a relação entre o desenvolvimento de soluções tecnológicas digitais destinadas à acessibilidade de pessoas com deficiência visual e os elementos ou conceitos da gestão do conhecimento, os resultados apontam uma escassa produção com foco em acessibilidade e gestão do conhecimento, o que evidencia uma grande oportunidade de investigações futuras. A partir dos parâmetros determinados, não foram encontradas pesquisa ou estudo onde exista a relação direta e explicita, entre desenvolvimento ou criação de ferramentas virtuais para pessoas com deficiência visual e gestão do conhecimento, porém foi possível encontrar diversos elementos da gestão do conhecimento nos métodos de desenvolvimento utilizados em vários estudos, e que se detalha a continuação.

Considerando a pergunta da investigação: "Qual a relação entre as ferramentas virtuais que ajudam na acessibilidade de pessoas com deficiência visual mais usadas e processos de gestão do conhecimento, especialmente de criação do conhecimento? se pode identificar dois tipos de relação:

**a) Relação entre categorias conceituais da gestão do conhecimento e o desenvolvimento ou criação de ferramentas virtuais.** Foi possível observar que a projeção de produtos ou geração de ideias de criação de ferramentas tecnológicas está bastante relacionada a processos de criação do conhecimento, ainda que não formalizados baixo as categorias de gestão do conhecimento. As etapas de criação, desenho, prototipação e mesmo o desenvolvimento tecnológico como tal, são permeados de ações dialógicas e de construção a partir da relação: conhecimento tácito e explícito, categorias essenciais utilizadas na gestão do conhecimento.

Os artigos que tratavam sobre a planejamento e desenvolvimento de ferramentas consideravam a participação das pessoas, especificamente de deficientes visuais (Amado-Salvatierra & Hilera, 2015; Jeamwatthanachai *et al.*, 2019; Passos *et al.*, 2017; Peck *et al.*, 2018; Seale *et al.*, 2008; Smith & Abrams, 2018). Esta participação se dá em diferentes momentos, mas principalmente são identificadas nas etapas iniciais, onde são tomadas em conta suas necessidades, diferenças culturais e educacionais, variações sobre as deficiências, limitações sobre uso de tecnologia, dentre outros. Os estudos apontam a necessidade de considerar a variação de limitações nas deficiências; por exemplo, pessoas totalmente cegas tem possibilidades diferentes de pessoas com baixa visão e isso deve ser tomando em conta por desenvolvedores.

Também se aponta a participação de professores e outros atores académicos na proposição de sistemas de e-Learning (Passos *et al.*, 2017; Peck *et al.*, 2018).

A colaboração e a consideração da experiência das pessoas é o que se pode apontar como mais forte para a construção de uma relação com a gestão do conhecimento. O conhecimento tácito é de vital importância para a gestão do conhecimento, pois é a partir dele que os sujeitos elaboram as ideias que podem gerar novos conhecimentos e a inovação. Por ser de difícil tangibilização, toda e qualquer atividade para a criação do novo conhecimento deve estar consciente e assumir o direcionamento de ações que ajudem este processo. Na gestão do conhecimento o modelo SECI de Takeuchi e Nonaka (2009), identifica as ações dialógicas, a criação de ambientes voltados à colaboração, a confiança e a valoração das experiências individuais como pontos chave para a conversão do conhecimento tácito em explícito.

Foram identificados estudos em que conhecimentos previamente sistematizados e com apoio de máquinas são utilizadas para melhorar os serviços às pessoas com deficiência (Doush & Pontelli, 2010; Lancheros-Cuesta et al., 2014; Skourlas *et al.*, 2016; Smith & Abrams, 2018). Todas as ferramentas deste aspecto estão relacionadas à educação e utilizam ontologias, organização semântica, organização de dados para gerar acesso de maior qualidade aos estudantes.

Esta organização prévia de dados e informações resulta imediatamente em conhecimento ao criar caminhos para que os estudantes possam acessar conteúdos de maneira ótima, considerando interesses, necessidades e deficiências. Esta sistematização de conhecimentos pode ser entendida como conhecimentos explícitos que, combinados e organizados de diferentes maneiras, podem fazer girar a espiral do conhecimento (Takeuchi & Nonaka, 2009) dando aos sujeitos possibilidades de desenvolvimento de novos conhecimentos.

**b) Relação com ferramentas virtuais cujo uso possibilita a gestão do conhecimento. Trata-se do** uso de um conjunto de ferramentas para geração de novos conhecimentos. Ainda que a maior parte das ferramentas identificadas apresente uma tendência de uso para geração de conhecimentos (formação, capacitação, preparação, navegação), foram identificados um grupo em especial que combina funções de modo a desenvolver novas habilidades e conhecimentos (Alajarmeh *et al.,* 2011; Hahn *et al.,* 2016; Kishore & Raghunath, 2015; Majerik & Esse, 2008; Papanastasiou *et al.,* 2017; Pires e Cota, 2016; Simonnet & Jacbson, 2009; Villane & Sánchez, 2009). São ferramentas relacionadas a videogames para educação, onde são consideradas as diferentes necessidades das pessoas com deficiência e os diversos níveis de dificuldades que estas pessoas podem realizar (Papanastasiou *et al.,* 2017; Villane & Sánchez, 2009). Os estudos apontam que a orientação à superação de desafios tanto pela navegação no jogo quanto pela aplicação de conteúdos ajuda no desenvolvimento e na satisfação dos usuários. O fracasso no contexto do jogo tem maior tolerância do que nos ambientes tradicionais (Papanastasiou *et al.,* 2017).

Os jogos que requerem a composição de diferentes informações e conhecimentos exigem um maior uso de diversas competências das pessoas, pois deverão coordenar diferentes habilidades e conhecimentos para encontrar as soluções que necessitam e isso pode ser um importante passo para a criação de novos conhecimentos. A internalização de conhecimentos pelo individuo é o passo inicial para a criação de novos conhecimentos, seja em âmbito acadêmico, profissional ou em qualquer outro aspecto da vida.

## V. CONCLUSÕES

O impacto do uso de TDIC para o acesso a informações e conhecimentos pelas pessoas com deficiência é algo inegável. A investigação demonstra o esforço que muitas instituições e pesquisadores fazem para orientar o desenvolvimento de conteúdos e ferramentas virtuais que sejam acessíveis. As categorias de gestão do conhecimento do ciclo SECI, resumidas nesta pesquisa, podem ser identificadas como uma preocupação implícita para criação de sistemas, principalmente no que diz respeito a educação. A pesquisa aponta que é essencial trazer à consciência as categorias de gestão do conhecimento para a criação de ferramentas e recursos, somente assim as pessoas com deficiência serão verdadeiramente consideradas na proposição de soluções de acessibilidade, desde sua concepção, desenvolvimento, testagem e até as diversas possibilidades de uso.

As análises realizadas indicam que se pode estabelecer relações com os processos de criação do conhecimento, assim como se podem identificar elementos claros que atuam sobre a conversão de conhecimento tácito em explícito, de explicito em tácito fazendo girar a espiral do conhecimento. Ainda que não estejam expressamente indicados desta maneira, os processos de geração do conhecimento existem e contribuíram para o desenvolvimento de cada ferramenta identificada.

Os artigos analisados permitem identificar de forma objetiva a necessidade de uma maior produção científica e reflexão académica sobre a gestão do conhecimento e o uso de suas categorias conceituais para a criação de sistemas acessíveis.

Todo processo de criação de uma ferramenta virtual exige a aplicação de conhecimentos. E mais, estas ferramentas em geral são fruto de anos de pesquisas realizadas por diferentes profissionais. Por tanto, não há maneira de entender estas criações sem um processo de criação de conhecimento. Entretanto, a pesquisa realizada demonstra a debilidade da consciência sobre as categorias conceituais que fundamentam estes processos. A investigação nos permite afirmar que não existe uma intencionalidade de gestão do conhecimento na definição dos modelos e sistemas para pessoas com deficiências visual.

Esta curiosidade sustenta a possibilidade de que a aplicação de modelos de criação do conhecimento estruturados na disciplina da gestão do conhecimento possa potencializar o desenvolvimento de novas ferramentas virtuais orientadas à acessibilidade, bem como modelos e processos mais consistentes e com melhores resultados de inclusão desse grupo de pessoas na sociedade do conhecimento.

## VI.  BIBLIOGRAFIA

Alajarmeh, N., Pontelli, E. & Son, T. C. (2011). From "Reading" Math to "Doing" Math: A New Direction in Non-visual Math Accessibility. In:

Stephanidis C. (eds) *Universal Access in Human-Computer Interaction. Applications and Services. UAHCI 2011. Lecture Notes in Computer Science*, 6768. Springer. https://doi.org/10.1007/978-3-642-21657-2_54.

Amado-Salvatierra, H. R. & Hilera J. R. (2015). Towards an approach for an accessible and inclusive Virtual Education using ESVI-AL project results. Interactive Technology and Smart Education, 12(3), 158-168. https://doi.org/10.1108/ITSE-04-2015-0005.

Babu, R. & Xie, I. (2016). Haze in the digital library: design issues hampering accessibility for blind users. *The Electronic Library, 35*(5), 1052-1065. https://doi.org/10.1108/EL-10-2016-0209.

Badr, N. G., Asmar & M. K. (2020). Meta Principles of Technology Accessibility Design for Users with Learning Disabilities: Towards Inclusion of the Differently Enabled. In A. Lazazzara, F. Ricciardi & S. Za (Eds.), *Exploring Digital Ecosystems* (pp. 197-209). Springer Nature. https://doi.org/10.1007/978-3-030-23665-6_14.

Bhardwaj, R. K. & Kumar, S. (2017). A comprehensive digital environment for visually impaired students: user's perspectives. *Library Hi Tech*, 35(4), 542-557. https://doi.org/10.1108/LHT-01-2017-0016.

Bossey, A. (2020). Accessibility all areas? UK live music industry perceptions of current practice and Information and Communication Technology improvements to accessibility for music festival attendees who are deaf or disabled. *International Journal of Event and Festival Management, 11*(1), 6-25. https://doi.org/10.1108/IJEFM-03-2019-0022.

Bühler C. (2016) Technology for Inclusion and Participation – Technology Based Accessibility (TBA). In: M. Antona, C. Stephanidis (eds) Universal Access in Human-Computer Interaction. Methods, Techniques, and Best Practices. UAHCI 2016. Lecture Notes in Computer Science, 9737. Springer. https://doi.org/10.1007/978-3-319-40250-5_14.

Chueke, G. V. & Amatucci, M. (2015). O que é bibliometria? Uma introdução ao Fórum. *Internext Revista Eletrônica de Negócios Internacionais, 10*, 1-5. https://doi.org/10.18568/1980-48651021-52015.

Cinquin, P. A., Guitton, P. & Hélène S. (2018). Online e-learning and cognitive disabilities: A systematic review. *Computer & Education, 130*, 152-167. https://doi.org/10.1016/j.compedu.2018.12.004.

Doush, I. A. & Pontelli, E. (2010, July 14-16). *Integrating Semantic Web and Folksonomies to Improve E-Learning Accessibility*. [Conference]. Computers Helping People with Special Needs, 12th International Conference, ICCHP 2010. https://doi.org/10.1007/978-3-642-14097-6_60.

Fonseca, N. M. & Rivero, M. S. (2019). Revisões sistemáticas da literatura: uma súmula para as ciências sociais. *Dos Algarves: A Multidisciplinary e-Journal*, 35, 73-82. https://doi.org/10.18089/DAMeJ.2019.35.5.

Gil, A. C. (2008). *Métodos e técnicas de pesquisa social* (7). Atlas.

Hahn, T., Rahman, H. U., Segal, R., Heim, C., Brunson, R., Sharma, A., Aslam, M., Lara-Rodriguez, A., Gupta, N., Embry, C. S., Grossmann, P., Babar, S., Skibinski, G. A. & Tang, F.s (2016, octubre 23). *Remote Access Programs to Better Integrate Individuals with Disabilities*. [Conference] Proceedings of the 18th International ACM SIGACCESS Conference on Computers and Accessibility. https://doi.org/10.1145/2982142.2982182.

Jeamwatthanachai, W., Wald, M. & Wills, G. (2019). Spatial representation framework for better indoor navigation by people with visual impairment. *Journal of Enabling Technologies, 13*(4), 212-227. https://doi.org/10.1108/JET-12-2018-0068.

Kesswani, N. & Kumar, S. (2016). Accessibility analysis of websites of educational institutions. *Perspective in science, 8*, 210-212. https://doi.org/10.1016/j.pisc.2016.04.031.

Kimura, A. K. (2018). Defining, evaluating, and achieving accessible library resources – A review of theories and methods. *Reference Services Review*. 46(3), 425-438. https://doi.org/10.1108/RSR-03-2018-0040.

Kishore, K. V. K. & Raghunath, A. (2015, feb. 25-27). A novel E-learning framework to learn IT skills for visual impaired. [Conference]. 2015 International Conference on Futuristic Trends on Computational Analysis and Knowledge Management. https://doi.org/10.1109/ABLAZE.2015.7154932.

Kumar, S. & Sanaman, G. (2013). Web challenges faced by blind and vision impaired users in libraries of Delhi An Indian scenario. *The Electronic Library*. 33(2), 242-257. https://doi.org/10.1108/EL-03-2013-0043.

Lancheros-Cuesta, D. J, Ramos, A. C. & Pavlich-Mariscal, J. A. (2014). Content adaptation for students with learning difficulties: Design and case study. *International Journal of Web Information Systems*. 10(2), 106-130. https://doi.org/10.1108/IJWIS-12-2013-0040.

Macedo, C. M. S. (2010). Diretrizes para criação de objetos de aprendizagem acessíveis. [Tese de Doutorado]. Universidade Federal de Santa Catarina.

Majerik, M. & Esse, M. (2008). The study of Kansei Engineering applied to the VHCQC Web portal. Annals of DAAAM & Proceedings, 777+. https://link.gale.com/apps/doc/A225316358/AONE?u=anon~e1f0a1b&sid=googleScholar&xid=2eaf101e.

Moustakas, K. & Tzovaras, D. (2009, Jul 19-24). *A Modality Replacement Framework for the Communication between Blind and Hearing Impaired People*. [Conference]. Universal Access in Human-Computer Interaction. Applications and Services, 5th International Conference, UAHCI. https://doi.org/10.1007/978-3-642-02713-0_24.

Naniopoulos, A. & Tsalis, P. (2015). A methodology for facing the accessibility of monuments developed and realised in Thessaloniki, Greece. *Journal of tourism futures*, *1*(3), 240-253. https://doi.org/10.1108/JTF-03-2015-0007.

Papanastasiou, G., Drigas, A., Skianis, C. & Lytras, M. (2016). Serious games in K-12 educationBenefits and impacts on studentswith attention, memory anddevelopmental disabilities. *Program: eletronic library and information system*, *51*, 424-440. https://doi.org/10.1108/PROG-02-2016-0020.

Passos, A. M., Passos, M. M. & Arruda, S. M. (2017). An analysis of actions of a teacher in a classroom which has students with visual impairment. *Ciênc. educ. 23*, 541-556. https://doi.org/10.1590/1516-731320170020016.

Peck, C., Bouilheres, F., Brown, M. & Witney, C. (2018). Because access matters: an institutional case study. *Journal of Applied Research in Higher Education. 10*, 194-203. https://doi.org/10.1108/JARHE-04-2017-0045.

Pires, J. M. & Cota, M. P. (2016, jun. 15-18). *"Intelligente" adaptive learning objects applied to special education needs: Extending the eLearning paradigm to the uLearning environment*. [Conference]. 11th Iberian Conference on Information Systems and Technologies (CISTI), Spain. https://doi.org/10.1109/CISTI.2016.7521504.

Pivetta, E. M., Saito, D. S. & Ulbrich, V. R. (2014). Surdos e Acessibilidade: Análise de um Ambiente Virtual de Ensino e Aprendizagem. *Rev. Bras. Ed. Esp. 20*, 147-162. https://doi.org/10.1590/S1413-65382014000100011.

Pomputios, A. (2020). Assistive Technology and Software to Support Accessibility. *Medical reference services quarterly*, *39*, 203-210. https://doi.org/10.1080/02763869.2020.1744380.

Rodríguez-Fuentes, A., Lineth, A. & García, F. G. (2020). EnSenias: herramienta tecnológica para aprender, enseñar, mejorar y usar la lengua de signos panameña. *Íkala, Revista de Lenguaje y Cultura*, *25*, 663-678. https://doi.org/10.17533/udea.ikala.v25n03a05.

Sampieri, R. H. Collado, C. F. & Lucio, P. B. (2006). *Metodología de la Investigación* (6). McGraw-Hill Interamericana.

Sánchez, J. & Mascaró, J. (2011, jul. 9-14). *Audiopolis, Navigation through a Virtual City Using Audio and Haptic Interfaces for People Who Are Blind*. [Conference]. Universal Access in Human-Computer Interaction. Users Diversity – 6th International Conference, UAHCI, Springer. https://doi.org/10.1007/978-3-642-21663-3_39.

Seale, J., Wald, M. & Draffan, E. (2008). Exploring the technology experiences of disabled learners in higher education: challenges for the use and development of participatory research methods. *Journal of Assistive Technologies, 2*, 4-15. https://doi.org/10.1108/17549450200800021.

Shaheen, N. L. & Watulak S. L. (2019). Bringing disability into the discussion: examining technology accessibility as an equity concern in the field of instructional technology. *Journal of research on technology in education, 51*, 187-201. https://doi.org/10.1080/15391523.2019.1566037.

Simonnet, M. & Jacbson D. (2009, sep. 21-25). *SeaTouch: a haptic and auditory maritime environment for non visual cognitive mapping of blind Ssailors*. [Conference]. Spatial Information Theory, 9th International Conference, COSIT Aber Wrac'h, France. https://doi.org/10.1007/978-3-642-03832-7_13.

Skourlas, C., Tsolakidis, A., Belsis, P., Vassis, D., Kampouraki, A., Kakoulidis, P. & Giannakopoulos, G. A. (2016). Integration of institutional repositories and e-learning platforms for supporting disabled students in the higher education context. *Library Review, 65*, 136-159. https://doi.org/10.1108/LR-08-2015-0088.

Smith, K. & Abrams, S. S. (2018). Gamification and accessibility. *The International Journal of Information and Learning Technology, 36*. 104-123. https://doi.org/10.1108/IJILT-06-2018-0061.

Takeuchi, H., Nonaka, I. (2009). *Gestão do Conhecimento*. Bookman.

Ulbricht, V. R., Vanzin, T., Amaral, M., Vilarouco, V., Quevedo, S. R. P., Moretto, L. A. M. & Flores, Ar. R. B. (2012). A tool to facilitate including accessible content in Moodle to the person with visual impairment. *Procedia computer science, 14*, 138-147. https://doi.org/10.1016/j.procs.2012.10.016.

Villane J. & Sánchez J. (2009) 3D Virtual Environments for the Rehabilitation of the Blind. In: Stephanidis C. (eds) *Universal Access in Human-Computer Interaction. Applications and Services. UAHCI 2009. Lecture Notes in Computer Science, 5616*. Springer. https://doi.org/10.1007/978-3-642-02713-0_26.

# Thomson Reuters Proview
## Guía de uso

¡ENHORABUENA!

ACABAS DE ADQUIRIR UNA OBRA QUE **INCLUYE
LA VERSIÓN ELECTRÓNICA.**
APROVÉCHATE DE TODAS LAS FUNCIONALIDADES.

ACCESO INTERACTIVO A LOS MEJORES LIBROS JURÍDICOS
DESDE IPHONE, IPAD, ANDROID Y
DESDE EL NAVEGADOR DE INTERNET

# FUNCIONALIDADES DE UN LIBRO ELECTRÓNICO EN **PROVIEW**

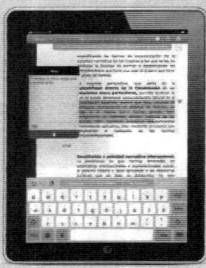

### SELECCIONA Y DESTACA TEXTOS
Haces anotaciones y escoges los colores para organizar tus notas y subrayados.

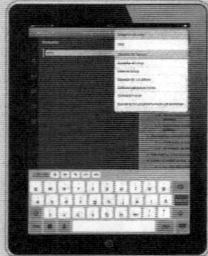

### USA EL TESAURO PARA ENCONTRAR INFORMACIÓN
Al comenzar a escribir un término, aparecerán las distintas coincidencias del índice del Tesauro relacionadas con el término buscado.

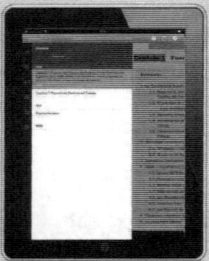

### HISTÓRICO DE NAVEGACIÓN
Vuelve a las páginas por las que ya has navegado.

### ORDENAR
Ordena tu biblioteca por: Título (orden alfabético), tipo (libros y revistas), editorial, jurisdicción o área del Derecho.

### CONFIGURACIÓN Y PREFERENCIAS
Escoge la apariencia de tus libros y revistas en ProView cambiando la fuente del texto, el tamaño de los caracteres, el espaciado entre líneas o la relación de colores.

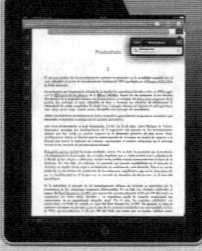

### MARCADORES DE PÁGINA
Crea un marcador de página en el libro tocando en el icono de Marcador de página situado en el extremo superior derecho de la página.

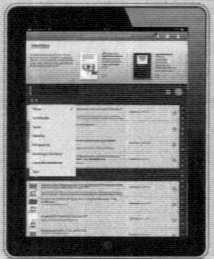

### BÚSQUEDA EN LA BIBLIOTECA
Busca en todos tus libros y obtén resultados con los libros y revistas donde los términos fueron encontrados y las veces que aparecen en cada obra.

### IMPORTACIÓN DE ANOTACIONES A UNA NUEVA EDICIÓN
Transfiere todas sus anotaciones y marcadores de manera automática a través de esta funcionalidad.

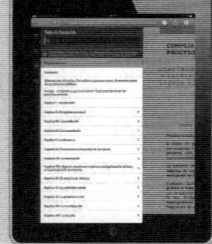

### SUMARIO NAVEGABLE
Sumario con accesos directos al contenido.

**THOMSON REUTERS®**

**INFORMACIÓN IMPORTANTE:** Si has recibido previamente un correo electrónico con el asunto **"Proview – Confirmación de Acceso"**, para acceder a Thomson Reuters Proview™ deberás seguir los pasos que en él se detallan.

Estimado/a cliente/a,

Para acceder a la versión electrónica de este libro, por favor, accede a **http://onepass.aranzadi.es**

Tras acceder a la página citada, introduce tu dirección de correo electrónico (*) y el código que encontrarás en el interior de la cubierta del libro. A continuación pulsa enviar.

Si te has registrado anteriormente en **"One Pass"** (**), en la siguiente pantalla se te pedirá que introduzcas el NIF asociado al correo electrónico. Finalmente, te aparecerá un mensaje de confirmación y recibirás un correo electrónico confirmando la disponibilidad de la obra en tu biblioteca.

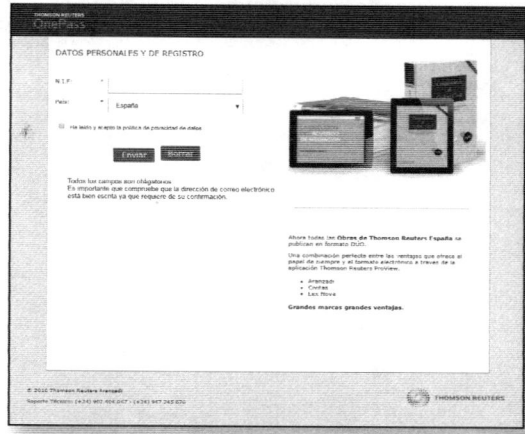

Si es la primera vez que te registras en **"One Pass"** (**), deberás cumplimentar los datos que aparecen en la siguiente imagen para completar el registro y poder acceder a tu libro electrónico.

* Los campos **"Nombre de usuario"** y **"Contraseña"** son los datos que utilizarás para acceder a las obras que tienes disponibles en **Thomson Reuters Proview™** una vez descargada la aplicación, explicado al final de esta hoja.

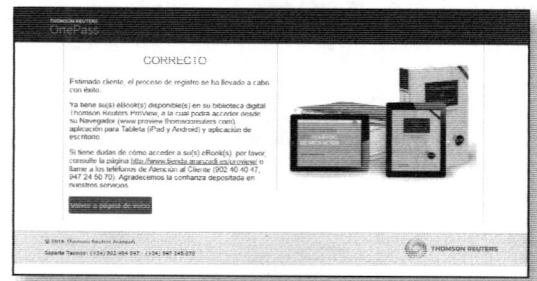

Cómo acceder a **Thomson Reuters Proview™:**
* **iPhone e iPad:** Accede a AppStore y busca la aplicación **"ProView"** y descárgatela en tu dispositivo.
* **Android:** accede a Google Play y busca la aplicación **"ProView"** y descárgatela en tu dispositivo.
* **Navegador:** accede a **www.proview.thomsonreuters.com**

**Servicio de Atención al Cliente**
Ante cualquier incidencia en el proceso de registro de la obra no dudes en ponerte en contacto con nuestro Servicio de Atención al Cliente. Para ello accede a nuestro Portal Corporativo en la siguiente dirección **www.thomsonreuters.es** y una vez allí en el apartado del **Centro de Atención al Cliente** selecciona la opción de **Acceso** a Soporte para no Suscriptores (compra de Publicaciones).

(*) Si ya te has registrado en **Proview™** o cualquier otro producto de Thomson Reuters (a través de One Pass), deberás introducir el mismo correo electrónico que utilizaste la primera vez.
(**) **One Pass:** Sistema de clave común para acceder a Thomson Reuters Proview™ o cualquier otro producto de Thomson Reuters.

 **THOMSON REUTERS**®